Das Buch

Als der schwerkranke Seth Hubbard seinem Leben ein Ende setzt, ahnt niemand, welche Folgen diese Tat haben wird. Hubbard, ein grimmiger Einzelgänger, blieb im Wesentlichen für sich. Versorgt von einer Haushälterin, hatte er kaum mehr Kontakt zu seiner Familie. Hubbards erwachsene Kinder absolvieren die Trauerfeier für ihren Vater denn auch wie einen Pflichtbesuch, um sich danach möglichst schnell der Testamentseröffnung zu widmen. Die Überraschung könnte kaum größer sein, als sich herausstellt, dass Hubbards Vermögen 24 Millionen Dollar umfasst. Den Löwenanteil spricht Hubbard seiner Haushälterin Lettie Lang zu. Seine Familie indes geht leer aus. In Windeseile fechten Hubbards Kinder das Testament an. Mit allen Mitteln versuchen sie Hubbards Unzurechnungsfähigkeit zu beweisen. Die Rechnung scheint aufzugehen. Bis Jack Brigance, der junge Anwalt an Lettie Langs Seite, Hubbards verschwundenen Bruder Ancil ausfindig macht, der eine Geschichte zu berichten hat, die einem das Blut in den Adern gefrieren lässt. Plötzlich ergibt Seth Hubbards Testament auf tragische Weise Sinn.

Der Autor

John Grisham hat 30 Romane, ein Sachbuch, einen Erzählband und sechs Jugendbücher veröffentlicht. Seine Bücher wurden in mehr als 40 Sprachen übersetzt. Er lebt in Virginia.

Ein ausführliches Werkverzeichnis findet sich im Anhang des Buches.

JOHN GRISHAM

DIE ERBIN

ROMAN

Aus dem Amerikanischen
von Kristiana Dorn-Ruhl,
Bea Reiter und Imke Walsh-Araya

WILHELM HEYNE VERLAG
MÜNCHEN

Die Originalausgabe erschien unter dem Titel
SYCAMORE ROW bei Doubleday, New York

Verlagsgruppe Random House FSC® N001967

2. Auflage
Vollständige deutsche Taschenbuchausgabe 10/2015
Copyright © 2013 by Belfry Holdings, Inc.
Copyright © 2014 der deutschen Ausgabe
by Wilhelm Heyne Verlag, München,
in der Verlagsgruppe Random House GmbH,
Neumarkter Straße 28, 81673 München
Das Zitat auf Seite 252, 1. Absatz entstammt John Grisham:
Die Jury, Wilhelm Heyne Verlag, München;
übersetzt von Andreas Brandhorst
Printed in Germany
Umschlaggestaltung: Hauptmann & Kompanie
Werbeagentur, Zürich
Satz: Leingärtner, Nabburg
Druck und Bindung: GGP Media GmbH, Pößneck

ISBN: 978-3-453-41846-2

www.heyne.de

Für Renée

1

Sie fanden Seth Hubbard an der vereinbarten Stelle, allerdings anders als erwartet. Er hing am Ende eines Seils zwei Meter über dem Boden und schwang leicht im Wind. Es regnete in Strömen, und Seth triefte vor Nässe, wobei das natürlich keine Rolle mehr spielte. Jemand merkte an, dass seine Schuhe nicht schlammig und unter ihm keine Fußabdrücke zu sehen seien. Er müsse folglich schon tot hier gehangen haben, als der Regen eingesetzt habe. War das noch wichtig? Letztendlich nicht.

Sich selbst an einem Baum zu erhängen ist gar nicht so einfach. Offensichtlich hatte Seth sein Vorhaben sorgfältig geplant. Das Seil war zwanzig Millimeter dick, aus Manilahanf, nicht mehr neu, aber stabil genug, um Seth zu tragen, der 72,5 Kilogramm wog, wie einen Monat zuvor in seiner Arztpraxis festgestellt worden war. Ein Angestellter aus einer von Seths Fabriken würde später berichten, dass er gesehen habe, wie sein Chef das fünfzehn Meter lange Stück Seil von einer Rolle abschnitt, das er dann zu diesem fatalen Zweck benutzte. Das eine Ende war mit Knoten und Schlingen an einem der unteren Äste des Baumes befestigt, improvisiert, aber es hielt. Das andere Ende lag in sechseinhalb Meter Höhe über einem Ast, der gut fünfzig Zentimeter dick war. Von dort hing es rund drei Meter herab und mündete in eine Henkerschlinge mit dreizehn Wicklungen wie aus dem Lehrbuch, die aussah, als hätte Seth eine Weile dafür geübt. Ein echter Henkersknoten lässt das Genick brechen, sodass der Tod schneller eintritt und weniger schmerzvoll ist. Offenbar hatte Seth seine Hausaufgaben gemacht. Neben den charakteristischen Malen wies seine Leiche keine Spuren von Kampf oder Todesqual auf.

Auf dem Boden lag eine harmlos wirkende, drei Meter lange Stehleiter. Seth hatte sich seinen Baum ausgesucht, das Seil über den Ast geworfen und festgebunden, die Leiter erklommen, die Schlinge übergestreift und, als alles passte, die Leiter unter sich weggetreten. Seine Hände baumelten neben seinen Hosentaschen.

Hatte es einen Moment des Zweifels gegeben? Hatte Seth, als seine Füße keinen Halt mehr fanden, instinktiv nach dem Seil über seinem Kopf gegriffen und verzweifelt daran gezogen? Niemand würde es je erfahren, aber es sah nicht danach aus. Später sollte sich herausstellen, dass Seth von einer Mission getrieben gewesen war.

Seth hatte für den Anlass seinen besten Anzug gewählt, aus Schurwolle, dunkelgrau und normalerweise für Beerdigungen bei kühler Witterung reserviert. Er besaß nur drei Anzüge. Erhängen führt zu einer Streckung des Körpers, sodass ihm die Hosenbeine nur noch bis zu den Knöcheln reichten und das Jackett bis zur Hüfte. Die schwarzen Lederschuhe waren auf Hochglanz poliert, die blaue Krawatte sorgfältig gebunden. Nur sein weißes Hemd war verschmiert, weil unter der Schlinge Blut ausgetreten war. Binnen Stunden würde bekannt sein, dass Seth Hubbard am Elf-Uhr-Gottesdienst in der nahen Kirche teilgenommen hatte, dort mit Bekannten geplaudert, mit dem Diakon gescherzt und seinen Teil zur Kollekte beigesteuert hatte und relativ guter Dinge gewesen war. Die meisten wussten, dass er an Lungenkrebs erkrankt war, aber nicht, dass ihm die Ärzte nur noch kurze Zeit gegeben hatten. Seths Name stand auf mehreren Gebetslisten in der Kirche. Allerdings war er zweimal geschieden. Für einen echten Christen war das ein Stigma.

Und jetzt hatte er auch noch Selbstmord begangen.

Der Baum war eine alte Platane, die Seth und seiner Familie seit vielen Jahren gehörte. Um sie herum erstreckte sich ein Hartholz-Wald, den Seth wiederholt mit Hypotheken belastet und gewinnbringend erweitert hatte. Sein Vater hatte den Forstbestand in den Dreißigerjahren durch zweifelhafte Methoden an sich gebracht. Seths Exfrauen hatten beide hartnäckig versucht, das Land in die Scheidungsmasse einfließen zu lassen, doch Seth war hart geblieben. Dafür hatte er ihnen fast alles Übrige überlassen.

Als Erster war Calvin Boggs vor Ort gewesen, ein Handwerker und Farmarbeiter, der seit einigen Jahren für Seth tätig war. Am frühen Sonntagmorgen hatte Calvin einen Anruf von seinem Chef bekommen. »Wir treffen uns um vierzehn Uhr an der Brücke«, hatte Seth ohne weitere Erklärung gesagt, und Calvin war nicht der Typ, der nachfragte. Wenn Mr. Hubbard ihn rief, kam er. Im letzten Moment wollte sein zehnjähriger Sohn unbedingt mitkommen, und trotz eines unguten Gefühls im Magen nahm Calvin ihn mit. Sie folgten einer Schotterstraße, die sich kilometerlang durch Hubbards Ländereien schlängelte. Auf der Fahrt fing Calvin an, sich Gedanken zu machen. Sein Chef hatte ihn noch nie an einem Sonntagnachmittag zu sich bestellt. Er wusste, dass Mr. Hubbard krank war, sogar todkrank, wenn die Gerüchte stimmten, doch von ihm selbst hatte er dazu nie etwas gehört.

Die Brücke war nicht mehr als eine Holzplattform über einem namenlosen, schmalen Bach, der von Kudzu-Kraut überwachsen war und von Mokassinottern nur so wimmelte. Mr. Hubbard hatte eigentlich vorgehabt, den Graben zu einem betonierten Kanal ausbauen zu lassen, doch in den letzten Monaten war er schon zu krank gewesen. In der Nähe standen auf einer Lichtung zwei verfallene und von Grün überwucherte Schuppen. Nichts sonst deutete darauf hin, dass sich hier einst eine kleine Siedlung befunden hatte.

Nahe der Brücke parkte Mr. Hubbards nagelneuer Cadillac, Fahrertür und Kofferraumdeckel standen offen. Calvin hielt dahinter und betrachtete den Wagen. In diesem Moment hatte er zum ersten Mal das Gefühl, dass irgendetwas nicht stimmte. Es regnete beständig, und der Wind hatte zugenommen, warum also hatte Mr. Hubbard Tür und Deckel nicht geschlossen? Calvin ließ seinen Sohn im Pick-up sitzen und ging langsam um den Cadillac herum, ohne ihn zu berühren. Nirgendwo ein Hinweis auf den Chef. Er atmete tief durch, wischte sich den Regen aus dem Gesicht und suchte mit den Augen die Umgebung ab. Hinter der Lichtung, vielleicht hundert Meter entfernt, hing ein Mann an einem Baum. Er kehrte zu seinem Wagen zurück und hieß seinen Sohn, sich nicht von der Stelle zu rühren und die Türen verriegelt zu lassen. Doch es war zu spät. Der Junge hatte die Platane in der Ferne auch gesehen und starrte unverwandt in ihre Richtung.

»Du bleibst hier«, sagte Calvin streng. »Wehe, du steigst aus.«

»Ja, Sir.«

Vorsichtig machte Calvin sich auf den Weg. Der Boden war schlammig und glatt, und er musste seine Schritte bedachtsam wählen, um nicht auszurutschen. Außerdem – wozu sich eilen? Je näher er kam, desto klarer wurde das Bild. Der Mann im dunklen Anzug am Ende des Seils war eindeutig tot. Jetzt erkannte Calvin auch, wer es war. Und als er die Stehleiter sah, war ihm endgültig klar, was geschehen war. Ohne etwas anzufassen, kehrte er zum Auto zurück.

Man schrieb Oktober 1988, und selbst im ländlichen Mississippi war das Autotelefon inzwischen angekommen. Auf Mr. Hubbards

Drängen hin hatte Calvin sich eines in seinen Pick-up einbauen lassen. Er rief den Sheriff von Ford County an, berichtete kurz und begann zu warten. In der Wärme seines beheizten Autos, beschwichtigt von Merle Haggard, der im Radio sang, starrte Calvin durch die Windschutzscheibe und klopfte mit den Fingern zum Takt der Scheibenwischer, bis er merkte, dass er weinte. Der Junge wagte nichts zu sagen.

Eine halbe Stunde später trafen zwei Deputys ein. Während sie Regencapes überstreiften, kam ein Krankenwagen mit drei Sanitätern. Zunächst blieben alle auf dem Weg stehen und spähten auf die Platane in der Ferne, bis sie überzeugt schienen, dass da tatsächlich ein Mann hing. Calvin erzählte ihnen, was er wusste. Die Deputys beschlossen, den Vorfall wie ein Verbrechen zu behandeln, und untersagten dem Erste-Hilfe-Team den Zutritt. Ein dritter Deputy erschien, dann ein weiterer. Sie durchsuchten den Cadillac, fanden aber nichts. Sie fotografierten und filmten Seth, wie er mit geschlossenen Augen und grotesk verdrehtem Kopf am Ast baumelte. Sie studierten die Spuren um die Platane, entdeckten jedoch keine Hinweise auf eine zweite Person. Ein Deputy fuhr Calvin zu Mr. Hubbards Haus, das ein paar Kilometer entfernt lag. Der Junge saß auf dem Rücksitz und sprach immer noch kein Wort. Das Haus war unverschlossen. Auf dem Küchentisch lag ein gelber Schreibblock mit einer Nachricht. In Seths ordentlicher Handschrift stand da geschrieben: »*Für Calvin. Bitte teilen Sie der Polizei mit, dass ich mir das Leben genommen habe und dass mir niemand dabei geholfen hat. Auf dem beigefügten Blatt habe ich Anweisungen zu meiner Bestattung und Trauerfeier aufgeschrieben. Keine Autopsie! S. H.*« Das Datum war das desselben Tages, Sonntag, 2. Oktober 1988.

Schließlich durfte Calvin gehen. In aller Eile brachte er seinen Sohn nach Hause, der sich in die Arme der Mutter stürzte und auch für den Rest des Tages kein Wort mehr sprach.

Ozzie Walls war einer von zwei schwarzen Sheriffs in Mississippi. Der andere war erst kürzlich gewählt worden, in einem County im Delta, dessen Bevölkerung zu siebzig Prozent schwarz war. Ford County war zu vierundsiebzig Prozent weiß, dennoch hatte Ozzie Wahl und Wiederwahl mit großer Mehrheit gewonnen. Die Schwarzen verehrten ihn, weil er einer der Ihren war, und die Weißen respektierten ihn, weil er als Polizist ein strenges Regiment führte und an der Clanton High School ein Footballstar gewesen war. Hin und wieder gelang es dem Sport sogar im Tiefen Süden, die Rassengrenzen aufzuweichen.

Ozzie trat gerade mit seiner Frau und seinen vier Kindern aus der Kirche, als er den Anruf bekam. Er begab sich sofort zur Brücke, im Anzug, ohne Waffe und Abzeichen, aber immerhin mit einem alten Paar Stiefel im Kofferraum. Begleitet von zwei seiner Deputys, machte er sich über den aufgeweichten Boden auf den Weg zu der Platane, wo ihm jemand einen Schirm reichte. Seths Leiche war inzwischen völlig durchnässt, das Wasser triefte von Schuhen, Kinn, Ohren, Fingerspitzen und Hosensaum. Ozzie blieb unweit der Schuhe stehen, hob seinen Schirm an und betrachtete das bleiche, erbarmungswürdige Gesicht eines Mannes, dem er nur zweimal im Leben begegnet war.

1983, als Ozzie zum ersten Mal zur Wahl für das Amt des Sheriffs angetreten war, hatte er drei weiße Konkurrenten, aber kaum Geld gehabt. Eines Tages kam ein Anruf von Seth Hubbard, damals ein Unbekannter für ihn, der sich, wie er im Lauf der Zeit erfahren sollte, generell lieber im Hintergrund hielt. Seth wohnte im Nordosten von Ford County, kurz vor der Grenze zum benachbarten Tyler County. Er erklärte, er handele mit Holz, besitze einige Sägewerke in Alabama, dazu die eine oder andere Fabrik. Ein erfolgreicher Mann, wie es schien. Er bot an, Ozzies Wahlkampagne zu finanzieren, aber nur, wenn er Bargeld annehme. Fünfundzwanzigtausend Dollar. Hinter verschlossener

Tür in seinem Büro zeigte er Ozzie die Kassette, die das Geld enthielt. Ozzie erklärte, dass Wahlkampfspenden ordnungsgemäß deklariert werden müssten. Seth erwiderte, dass er das nicht wolle. Entweder bar auf die Hand oder gar nicht.

»Was erwarten Sie dafür?«, hatte Ozzie gefragt.

»Ich will, dass Sie gewählt werden. Sonst nichts«, hatte Seth entgegnet.

»Ich weiß nicht recht.«

»Glauben Sie vielleicht, Ihre Gegner nehmen kein Schwarzgeld?«

»Doch, wahrscheinlich schon.«

»Natürlich. Machen Sie sich nichts vor.«

Ozzie nahm das Geld. Er peppte seine Kampagne auf, schaffte es mit knapper Not in die Stichwahl und zermalmte seinen Gegner am Ende. Im Anschluss daran fuhr er zweimal bei Seths Büro vorbei, um sich zu bedanken, doch Mr. Hubbard war nicht da, und Anrufe erwiderte er nicht. Ozzie versuchte, unauffällig Informationen über ihn zu sammeln, aber es war nicht viel in Erfahrung zu bringen. Es hieß, Mr. Hubbard habe ein Vermögen mit Möbeln gemacht, Genaueres wusste niemand. Er besitze achtzig Hektar Land in der Nähe seines Anwesens, sei kein Kunde örtlicher Banken, Anwaltskanzleien oder Versicherungsagenturen, besuche aber gelegentlich die Kirche.

Vier Jahre später, bei der nächsten Wahl, sah sich Ozzie mit kaum ernst zu nehmender Konkurrenz konfrontiert, dennoch bestand Seth auf einem Treffen. Erneut wechselten fünfundzwanzigtausend Dollar den Besitzer, und erneut verschwand Seth von der Bildfläche. Nun war er tot, erdrosselt von seiner eigenen Schlinge, und baumelte triefend im Regen.

Irgendwann erschien Finn Plunkett, der Coroner des County, der den Tod offiziell bestätigte.

»Holen wir ihn herunter«, ordnete Ozzie an, und die Knoten

wurden gelöst und Seths Leiche langsam herabgelassen. Sie legten ihn auf eine Trage und verhüllten ihn mit einer Isolierdecke. Vier Mann schleppten ihn mühsam zum Krankenwagen. Ozzie folgte dem kleinen Tross. Er war nicht weniger ratlos als alle anderen.

Es war sein fünftes Jahr in diesem Job, und er hatte schon viele Leichen gesehen. Er hatte tödliche Autounfälle erlebt, ein paar Morde, auch ein paar Selbsttötungen. Er war weder abgestumpft noch abgeklärt. Oft genug hatte er selbst spätabends bei Eltern oder Ehepartnern angerufen, und er fürchtete sich immer noch vor dem nächsten Mal.

Der gute alte Seth. Wen sollte Ozzie anrufen? Seth war geschieden, das wusste er, aber er hatte keine Ahnung, ob er wieder geheiratet hatte. Auch über die Familie wusste er nichts. Seth war um die siebzig. Wenn er Kinder hatte, waren sie erwachsen. Man musste sie erst einmal ausfindig machen.

Nun, bald würde er mehr wissen. Auf dem Weg zurück nach Clanton, den Krankenwagen im Schlepptau, begann Ozzie, Personen anzurufen, die möglicherweise mehr über Seth Hubbard wussten.

2

Jake Brigance spähte auf die leuchtenden roten Zahlen seines Digitalweckers. Um 5.29 Uhr drückte er eine Taste und schwang vorsichtig die Beine aus dem Bett. Carla drehte sich auf die andere Seite und vergrub sich tiefer in ihre Decke. Jake tätschelte ihr den Hintern und wünschte ihr einen guten Morgen, bekam aber keine Antwort. Es war Montag, und sie würde noch eine Stunde weiterschlafen, ehe sie aus dem Bett springen würde, um in aller Eile Hanna fertig zu machen und zur Schule zu bringen. In den Sommerferien schlief sie sogar noch länger. Dann waren ihre Tage erfüllt von verschiedensten Kleine-Mädchen-Aktivitäten, je nachdem, wozu Hanna Lust hatte.

Jakes Tagesplan dagegen war ziemlich eintönig. Er stand um 5.30 Uhr auf, war um sechs im Coffee Shop und noch vor sieben im Büro. Es gab nicht viele, die morgens so früh loslegten wie Jake Brigance, wobei er sich nun, da er das reife Alter von fünfunddreißig Jahren erreicht hatte, fragte, warum er das tat. Warum er unbedingt eher in der Kanzlei sein wollte als alle anderen Anwälte der Stadt. Früher hatte er diese Zweifel nicht gekannt. Schon im Studium war es sein größter Traum gewesen, ein erfolgreicher Prozessanwalt zu werden, und diesen Traum verfolgte er so ehrgeizig wie eh und je. Doch der Alltag nagte an ihm. Seit zehn Jahren kämpfte er an dieser Front, und noch immer hatte er es mit Testamenten, Beglaubigungen und Vertragsbrüchen zu tun, nicht ein einziges anständiges Verbrechen war ihm bislang untergekommen, auch kein vielversprechender Verkehrsunfall.

Möglicherweise hatte er den Zenit seiner Karriere bereits überschritten. Der Freispruch von Carl Lee Hailey lag drei Jahre zurück, seither hatte sich nicht mehr viel getan. Bislang hatte er die Zweifel aber immer wieder abschütteln können. Schließlich war er erst fünfunddreißig. Er war ein Kämpfer, und seine größten Siege vor Gericht lagen noch vor ihm.

Einen Hund zum Ausführen gab es auch nicht mehr, seit Max in dem Feuer umgekommen war, das ihr wunderschönes, geliebtes und hoch verschuldetes Haus im viktorianischen Stil in der Adams Street zerstört hatte. Drei Jahre war es her, da hatte der Ku-Klux-Klan es in der Hochphase des Hailey-Prozesses im Juli 1985 in Brand gesteckt. Zuerst hatten sie ein Kreuzzeichen in den Vorgarten gebrannt, dann hatten sie versucht, das Haus in die Luft zu sprengen. Jake hatte Carla und Hanna weggeschickt, und das war eine weise Entscheidung gewesen. Einen Monat lang hatten die Klan-Leute wiederholt Mordanschläge auf ihn verübt, bis sie schließlich sein Haus anzündeten. Das Schlussplädoyer hatte er in einem geliehenen Anzug gehalten.

Das Thema Hund war zu heikel, um offen darüber zu sprechen. Sie hatten es mehrmals versucht, waren dann aber wieder davon abgekommen. Hanna wollte einen, und vermutlich wäre ein Haustier auch gut für sie, denn sie war ein Einzelkind und beklagte sich oft, dass sie immer allein spielen musste. Doch Jake und Carla – vor allem Carla – war bewusst, wer dafür zuständig sein würde, den Welpen stubenrein zu machen und hinter ihm herzuwischen, bis es so weit war. Außerdem lebten sie zur Miete, ihr Leben befand sich in einem Übergangsstadium. Vielleicht würde ein Hund etwas Normalität bringen, vielleicht aber auch nicht. Am frühen Morgen dachte Jake oft über das Thema nach. In Wahrheit hätte er selbst sehr gern einen Hund gehabt.

Nach einer schnellen Dusche zog er sich in einem kleinen Extrazimmer an, das Carla und er als Kleiderkammer benutzten. In diesem Haus, das jemand anders gehörte, waren alle Zimmer klein. Alles war provisorisch. Die Möbel waren eine traurige Mischung aus Ramschkäufen und Flohmarktüberresten, die alle eines Tages auf dem Müll landen würden, wenn die Dinge so liefen wie geplant. Allerdings musste Jake widerstrebend zugeben, dass fast nichts klappte wie geplant. Ihre Klage gegen die Versicherung war hoffnungslos festgefahren, obwohl die Hauptverhandlung noch gar nicht begonnen hatte. Eingereicht hatte er sie sechs Monate nach dem Urteil im Hailey-Prozess, als er auf der Höhe seines Ruhms war und vor Selbstvertrauen nur so strotzte. Wie konnte eine Versicherung es wagen, ihn übers Ohr hauen zu wollen? Nur her mit der nächsten Jury, dann würde er ein weiteres spektakuläres Urteil erwirken. Die Großspurigkeit verging ihm jedoch alsbald, als ihm bewusst wurde, dass sie dramatisch unterversichert waren. Vier Straßen weiter lag ihr Grundstück, ein Trümmerfeld, das allmählich von Pflanzen überwuchert wurde. Mrs. Pickle aus dem Nachbarhaus hatte versprochen, ein Auge darauf zu haben, aber es gab nicht viel zu bewachen. Die Nachbarn warteten darauf, dass ein schönes neues Haus errichtet wurde und die Brigances zurückkehrten.

Jake schlich in Hannas Zimmer, küsste sie auf die Wange und zog ihre Decke ein Stückchen höher. Sie war jetzt sieben, ihr einziges Kind, und es würden auch keine weiteren mehr kommen. Sie ging in die zweite Klasse der Clanton Elementary School, wo ihre Mutter nur ein paar Räume weiter die Vorschüler unterrichtete.

In der engen Küche schaltete Jake die Kaffeemaschine an und wartete, bis sie sich geräuschvoll an die Arbeit machte. Er öffnete seinen Aktenkoffer, berührte kurz die halb automatische

9-Millimeter-Pistole, die darin lag, und steckte ein paar Akten hinein. Dass er jetzt ständig mit Waffe herumlief, deprimierte ihn. Wie sollte man auf diese Weise ein normales Leben führen? Doch ohne die Waffe ging es nicht. Sie hatten sein Haus niedergebrannt, nachdem sie versucht hatten, es zu sprengen; sie hatten seine Frau am Telefon bedroht; sie hatten ein Kreuz in seinen Vorgarten gebrannt; sie hatten den Mann seiner Sekretärin bewusstlos geprügelt, sodass er später starb; sie hatten einen Attentäter geschickt, dessen Schuss Jake verfehlt und stattdessen einen Wachmann getroffen hatte; sie hatten während des Verfahrens Angst und Schrecken verbreitet und auch danach nicht aufgehört zu drohen.

Vier der Terroristen saßen inzwischen Haftstrafen ab – drei davon im Bundesgefängnis, einer in Parchman. Nur vier, rief sich Jake immer wieder ins Gedächtnis. Es hätte mindestens ein Dutzend Verurteilungen geben müssen, da war er sich mit Ozzie und anderen schwarzen Führungspersönlichkeiten im County einig. Aus Gewohnheit und Frust rief Jake mindestens einmal die Woche beim FBI an, um sich nach dem neuesten Stand der Ermittlungen zu erkundigen. Nachdem drei Jahre vergangen waren, wurde er oft nicht einmal zurückgerufen. Dann schrieb er Briefe. Seine Akte füllte einen gesamten Schrank in seinem Büro.

Vier saßen ein, doch Jake kannte noch viele andere, die zumindest seiner Ansicht nach verdächtig waren. Manche waren weggezogen, andere geblieben, doch sie alle waren irgendwo da draußen und lebten ihr Leben, als wäre nichts geschehen. Und so trug er Waffen, mit Waffenschein und allem Drum und Dran. Eine war in seinem Aktenkoffer, eine in seinem Wagen. Im Büro hatte er mehrere verteilt. Seine Jagdwaffen waren in den Flammen geblieben, doch nach und nach würde er seine Sammlung wieder auffüllen.

Er trat nach draußen auf die Veranda und sog die kühle Luft in seine Lungen. Direkt vor dem Haus auf der Straße stand ein Streifenwagen. Am Steuer saß ein gewisser Louis Tuck, der Deputy, der die Nachtschicht hatte. Er war vor allem dazu da, Präsenz zu zeigen und täglich von Montag bis Samstag pünktlich morgens um 5.45 Uhr neben dem Briefkasten zu stehen, wenn Mr. Brigance auf die Veranda heraustrat und ihm zuwinkte. Dann winkte Tuck zurück und konnte berichten, dass die Brigances wieder eine Nacht überlebt hatten.

Solange Ozzie Walls Sheriff in Ford County war, und das würde zumindest noch drei Jahre der Fall sein, wahrscheinlich sogar viel länger, würden er und seine Behörde alles tun, um Jake und dessen Familie zu schützen. Jake hatte Carl Lee Haileys Fall übernommen, hatte für ein lächerliches Honorar sein Bestes gegeben, sich Drohungen und Attentaten ausgesetzt und am Ende sein Hab und Gut verloren, bis es zu dem Freispruch kam, über den in Ford County immer noch gesprochen wurde. Jake zu schützen war Ozzies oberste Priorität.

Der Deputy fuhr los. Er würde den Block einmal umkreisen und zurückkommen, wenn Jake aus dem Haus war. Er würde das Gebäude beobachten, bis er in der Küche Licht sah und wusste, dass Carla aufgestanden war.

Jake fuhr einen von zwei Saabs, die es in Ford County gab, rot, mit gut dreihunderttausend Kilometern auf dem Tacho. Er brauchte dringend ein neues Auto, konnte sich aber keines leisten. In einer Kleinstadt wie Clanton ein so exotisches Auto zu fahren war ursprünglich mal eine lässige Idee gewesen, doch jetzt fraßen ihn die Reparaturkosten auf. Die nächste Werkstatt war in Memphis, eine Autostunde entfernt. Jede Fahrt dorthin kostete ihn einen halben Tag und eintausend Dollar. Jake war längst bereit für ein amerikanisches Modell. Jeden Morgen, wenn er den Zündschlüssel drehte, erlebte er einen bangen Moment, bis der Motor ansprang. Bislang war er immer gestartet, doch in den letzten Wochen brauchte er hin und wieder einen zweiten oder dritten Anlauf und reagierte nicht mehr so prompt. Das verhieß nichts Gutes. Außerdem waren da noch andere Geräusche, die Jake beunruhigten, und die Reifen, deren Profil allmählich seine Grenze erreichte, überprüfte er jetzt alle zwei Tage. Er bog rückwärts in die Culbert Street ein. Obwohl sie nur vier Straßen von ihrem leeren Grundstück in der Adams Street entfernt wohnten, gehörte diese Gegend eindeutig zu den einfacheren Wohngebieten der Stadt. Das Nachbarhaus war ebenfalls vermietet. In der Adams Street standen nur alte, stattliche, stilvolle Häuser, die Culbert Street dagegen war ein Sammelsurium aus Vorstadtkästen, die hochgezogen worden waren, ehe sich die Stadt ernsthaft über Stadtplanung Gedanken gemacht hatte.

Auch wenn Carla nichts sagte, wusste Jake, dass sie gern woanders hinziehen würde.

Sie hatten darüber gesprochen, umzuziehen, möglicherweise sogar ganz aus Clanton wegzugehen. Die drei Jahre seit dem Hailey-Verfahren waren wesentlich weniger erfolgreich gewesen, als sie gehofft und erwartet hatten. Wenn es Jake beschieden war, sein Anwaltsleben von der Hand in den Mund zu bestreiten, dann konnte er das genauso gut woanders tun. Als Vorschullehrerin würde Carla überall einen Job bekommen. Bestimmt würden sie sich ein neues Leben aufbauen können, in dem sie nicht ständig alarmbereit sein und Waffen tragen mussten. Jake wurde zwar von den Schwarzen in Ford County verehrt, doch viele Weiße hassten ihn. Außerdem waren die Irren immer noch auf freiem Fuß. Andererseits vermittelte es ein gewisses Gefühl von Sicherheit, von Freunden umgeben zu sein. Die Nachbarn beobachteten den Verkehr, und jedes auffällige Fahrzeug wurde sofort bemerkt. Jeder Polizist in der Stadt und jeder Deputy im County wusste, dass die Sicherheit der kleinen Brigance-Familie oberstes Gebot war.

Die Wahrheit war, dass Jake und Carla nie aus Clanton wegziehen würden, doch es machte Spaß, hin und wieder das alte Spiel zu spielen: Wo würdest du gern leben? Es war nicht mehr als ein Spiel, denn Jake wusste, dass er nicht in eine großstädtische Megakanzlei passte. Und es gab mit Sicherheit keine Kleinstadt im ganzen Land, in der es nicht schon von schlecht verdienenden Anwälten wimmelte. Er machte sich keine Illusionen, was seine Zukunft anging, aber das war in Ordnung. Solange er nur halbwegs Geld verdiente.

Er verlangsamte kurz an dem verwüsteten Grundstück in der Adams Street, fluchte leise über die Feiglinge, die das Haus abgefackelt hatten, fand auch ein paar ausgewählte Nettigkeiten für die Versicherung und gab dann wieder Gas. Von der Adams Street bog er in die Jefferson Street ein und schließlich in die Washington Street, die nördlich des Clanton Square in westöstlicher Richtung verlief. Hier lag seine Kanzlei, direkt gegenüber dem imposanten Gerichtsgebäude. Er parkte wie jeden Morgen an derselben Stelle, denn morgens um sechs Uhr gab es noch freie Auswahl. Der Stadtplatz würde noch etwa zwei Stunden lang friedlich daliegen, bis Gericht, Läden und Büros rundherum öffneten.

Im Gegensatz dazu war der Coffee Shop bereits voll von Arbeitern, Farmern und Deputys, als Jake eintrat und in die Runde grüßte. Wie gewöhnlich war er der Einzige mit Anzug und Krawatte. Die Angestellten pflegten sich eine Stunde später gegenüber im Tea Shoppe zu treffen, um über Zinsentwicklung und Weltpolitik zu diskutieren. Im Coffee Shop wurde über Football, Lokalpolitik und Barschfischen gesprochen. Jake war einer der wenigen Anzugträger, die in dieser Runde überhaupt geduldet wurden. Und dafür gab es mehrere Gründe: Er war beliebt, hart im Nehmen und gutmütig – außerdem war er immer gut für eine kostenlose Rechtsberatung, wenn einer der Mechaniker oder Trucker ein Problem hatte. Er hängte sein Jackett auf und setzte sich zu Deputy Marshall Prather an den Tisch. Zwei Tage zuvor hatte das Team der Ole Miss – der University of Mississippi – mit drei Touchdowns gegen Georgia verloren, das war natürlich das heutige Topthema. Eine aufreizende, Kaugummi kauende Bedienung namens Dell schenkte Jake Kaffee ein und versetzte ihm dabei einen kecken Stoß mit ihrem prallen Hintern, genau wie an jedem anderen Morgen der Woche außer sonntags. Ohne dass er etwas bestellte, brachte sie binnen Minuten sein übliches Frühstück, das aus Weizentoast, Maisbrei und Erdbeermarmelade bestand.

Während Jake Tabasco auf seinen Mais spritzte, fragte Prather: »Sagen Sie mal, haben Sie eigentlich Seth Hubbard gekannt?«

»Bin ihm nie begegnet«, erwiderte Jake und fing sich ein paar Blicke ein. »Ich habe seinen Namen ein-, zweimal gehört. Hatte er nicht ein Anwesen in der Nähe von Palmyra?«

»Stimmt genau.« Prather kaute auf einer Wurst, während Jake Kaffee trank.

Jake ließ einen Augenblick verstreichen, ehe er wieder sprach. »Ich gehe wohl recht in der Annahme, dass Seth Hubbard etwas zugestoßen ist, sonst hätten Sie nicht das Perfekt verwendet.«

»Was habe ich?«, fragte Prather. Der Deputy hatte die unangenehme Angewohnheit, Fangfragen in die Runde zu streuen und dann schweigend abzuwarten. Er wusste meist selbst schon Bescheid, war aber immer neugierig, ob sonst noch jemand etwas beizutragen hatte.

»Sie haben in der Vergangenheit gesprochen. Sie haben mich gefragt, ob ich ihn gekannt habe, nicht, ob ich ihn kenne. Letzteres würde bedeuten, dass er noch lebt. Stimmt's?«

»Schätze schon.«

»Also, was ist passiert?«

Andy Furr, Automechaniker bei Chevrolet, sagte laut: »Hat sich gestern umgebracht. Man hat ihn gefunden, wie er am Baum hing.«

»Mit Abschiedsbrief und allem«, fügte Dell hinzu, die eben mit der Kaffeekanne vorbeikam. Das Café war schon seit einer Stunde geöffnet, Dell wusste also mit Sicherheit alles, was über Seth Hubbards Ableben bislang bekannt geworden war.

»Und was stand da drin?«, fragte Jake ruhig.

»Darf ich Ihnen nicht verraten, Schätzchen«, flötete sie. »Das geht nur Seth und mich was an.«

»Du hast Seth doch gar nicht gekannt«, sagte Prather.

Dell war als mannstoll bekannt und hatte außerdem eine scharfe Zunge. »Ich habe Seth geliebt. Bestimmt mehr als einmal. Wie oft, weiß ich leider nicht mehr.«

»Da waren ja auch so viele andere«, bemerkte Prather.

»Stimmt, aber du kommst nie darauf, wie viele, alter Junge.«

»Sicher, dass du das selbst noch weißt?«, konterte Prather und erntete Gelächter.

»Wo war der Abschiedsbrief?«, fragte Jake, um zum Thema zurückzukehren.

Prather stopfte sich einen Riesenbissen Pfannkuchen in den Mund, kaute eine Weile und erwiderte dann: »Auf dem Küchentisch. Jetzt hat ihn Ozzie. Der ermittelt noch, es gibt aber nicht viel dazu zu sagen. Anscheinend ist Hubbard wie immer in die Kirche gegangen, dann nach Hause gefahren, um Leiter und Seil zu holen, und hat es dann getan. Einer seiner Arbeiter hat ihn gegen zwei Uhr nachmittags gefunden, wie er im Regen baumelte. Im Sonntagsanzug.«

Das alles klang spannend, bizarr und tragisch, doch Jake fiel es schwer, für jemanden, den er nie kennengelernt hatte, Mitgefühl zu empfinden.

»War er reich?«, wollte Andy Furr wissen.

»Keine Ahnung«, erwiderte Prather. »Ich schätze, Ozzie hat ihn gekannt, aber er hat nicht viel gesagt.«

Dell füllte ihre Becher nach und hielt dann inne. Eine Hand in die Hüfte gestützt, sagte sie: »Also, ich hab ihn nicht persönlich gekannt. Aber meine Cousine kennt seine erste Frau, er war ja mindestens zweimal verheiratet, und nach dem, was die sagt, hat er Land und Geld. Sie meinte, er hätte sich immer gern bedeckt gehalten, hat wohl niemandem getraut. Sie hat auch gesagt, dass er ein verdammter Mistkerl war, aber nach einer Scheidung reden alle so.«

»Du kennst dich da ja aus«, ergänzte Prather.

»Du sagst es, mein Lieber. Gegen mich bist du ein Waisenknabe.«

»Gibt es einen Letzten Willen?«, fragte Jake. Nachlassangelegenheiten waren nicht unbedingt sein Ding, doch wenn es um eine größere Erbschaft ging, sprang ein anständiges Honorar heraus. Es war viel Papierkram, verbunden mit ein paar Gerichtsterminen, nicht kompliziert und nicht besonders aufwendig. Spätestens um neun Uhr würden die Anwälte der Stadt auf der Lauer liegen, um herauszufinden, was es mit Seth Hubbards Letztem Willen auf sich hatte.

»Weiß man noch nicht«, sagte Prather.

»Testamente sind nicht öffentlich, oder, Jake?«, fragte Bill West, der in einer Schuhfabrik im Norden der Stadt als Elektriker arbeitete.

»Erst nach dem Tod. Man kann seinen Letzten Willen bis zum allerletzten Moment ändern. Außerdem will mancher vielleicht nicht, dass alle Welt weiß, was darin steht, bevor er tot ist. Sobald der Verfasser gestorben und das Testament eröffnet ist, wird es zu den Behördenakten genommen. Ab dann ist es öffentlich einsehbar.« Jake sah sich um und zählte mindestens drei Männer, deren Testamente er aufgesetzt hatte – knapp, schnell und günstig. Es war stadtbekannt, dass er so arbeitete. Auf diese Weise kamen immer wieder neue Aufträge.

»Wann wird denn ein Testament eröffnet?«, wollte Bill West wissen.

»Da gibt es keine Vorschriften. Im Allgemeinen finden der Ehepartner oder die Kinder des Verstorbenen den Letzten Willen, bringen ihn zu einem Anwalt, und rund einen Monat nach der Beerdigung gehen sie damit zum Nachlassgericht.«

»Und wenn es keinen Letzten Willen gibt?«

»Der Traum jedes Anwalts«, sagte Jake lachend. »Chaos. Wenn Mr. Hubbard ohne Testament gestorben ist und ein paar Exfrauen, vielleicht ein paar erwachsene Kinder und dazu Enkel zurückgelassen hat, könnte es gut sein, dass sie sich die nächsten fünf Jahre um das Erbe streiten, vorausgesetzt, es ist genug da, worum man sich streiten kann.«

»Oh, da ist genug da«, sagte Dell vom anderen Ende des Raums. Ihr entging nichts. Wenn man hustete, erkundigte sie sich nach der Gesundheit. Wenn man nieste, kam sie mit einem Taschentuch gelaufen. Wenn man ungewöhnlich still war, fragte sie einen über Privatleben oder Job aus. Wenn man flüsterte, kam sie an den Tisch und füllte Becher oder Gläser auf, ganz gleich, wie voll die waren. Ihr entging nichts, sie merkte sich alles und erinnerte ihre Stammgäste oft noch Jahre später an Dinge, die sie einmal ganz anders gesagt hätten.

Marshall Prather sah Jake an und verdrehte die Augen, als wollte er sagen: Die hat sie doch nicht alle. Doch er war klug genug zu schweigen. Stattdessen aß er seine Pfannkuchen auf und machte sich auf den Weg.

Jake folgte ihm bald nach. Um 6.40 Uhr bezahlte er seine Rechnung und umarmte auf dem Weg nach draußen Dell, deren aufdringliches Parfüm ihm für einen kurzen Moment den

Atem raubte. Der Himmel im Osten schimmerte rosa in der Dämmerung. Nach dem gestrigen Regen war die Luft klar und kühl. Wie immer ging Jake zunächst Richtung Osten, von seiner Kanzlei weg, mit energischen Schritten, als wäre er auf dem Weg zu einem wichtigen Termin. In Wahrheit hatte er keinen einzigen wichtigen Termin an diesem Tag. Es würden nur ein paar Leute bei ihm im Büro vorbeikommen, die seinen Rat suchten.

Sein morgendlicher Spaziergang führte ihn einmal um den Clanton Square herum, vorbei an Banken und Versicherungsagenturen, an Immobilienmaklern, Läden und Cafés, die dicht nebeneinanderlagen. Um diese Zeit hatten sie alle noch geschlossen. Mit wenigen Ausnahmen waren die Häuser zweistöckig. Ihre Klinkerfassaden waren unterbrochen von Balkonen mit schmiedeeisernen Geländern, die über das Trottoir ragten. Der Platz war quadratisch angelegt, ein Rasen in der Mitte, an einer Seite das Gerichtsgebäude. Clanton boomte zwar nicht gerade, starb aber auch nicht aus wie so viele andere Kleinstädte im Süden. Die Volkszählung von 1980 hatte etwas über achttausend Einwohner ergeben, ein Viertel der Bevölkerung des gesamten County. Es wurde damit gerechnet, dass die Zahlen bis zum nächsten Zensus leicht ansteigen würden. Es gab keine leer stehenden Ladenlokale, keine traurigen »Zu vermieten«-Schilder in den Schaufenstern. Jake stammte aus Karaway, einer kleinen Stadt mit zweitausendfünfhundert Einwohnern, knapp dreißig Kilometer von Clanton entfernt. Die Main Street dort starb nach und nach aus, je mehr Geschäfte und Cafés dichtmachten. Auch die Anwälte packten einer nach dem anderen ihre Sachen und zogen in die Hauptstadt des County. In Clanton gab es sechsundzwanzig Kanzleien, alle am Clanton Square, die Zahl stieg beständig, und die Konkurrenten begannen sich gegenseitig zu erdrücken. Jake fragte sich oft, wo das enden sollte.

Er genoss es, an den anderen Kanzleien vorbeizugehen und auf ihre geschlossenen Türen und verwaisten Empfangsräume zu blicken. Es fühlte sich dann ein wenig an, als wäre er ihnen eine Runde voraus. Während die Konkurrenz noch schlief, war er längst bereit, es anzupacken. Er ging am Büro von Harry Rex Vonner vorbei, seinem vermutlich besten Freund unter den Kollegen, der selten vor neun Uhr kam und dann meist ein Wartezimmer voller gereizter Scheidungskandidaten vorfand. Harry Rex hatte mehrere Ehefrauen verschlissen und kannte sich mit stressigem Privatleben aus, deshalb arbeitete er lieber bis in den späten Abend. Auch die verhasste Kanzlei von Sullivan passierte Jake, die die meisten Anwälte im County beschäftigte. Bei der letzten Zählung waren es neun gewesen. Neun Arschlöcher, denen Jake am liebsten aus dem Weg ging. Wobei das viel mit Neid zu tun hatte. Zu Sullivans Mandanten gehörten Banken und Versicherungen, und seine Mitarbeiter verdienten mehr als alle anderen Anwälte der Stadt zusammen. Als Nächstes kam das verriegelte Büro eines alten Freundes namens Mack Stafford, von dem seit eineinhalb Jahren niemand mehr etwas gehört oder gesehen hatte, nachdem er angeblich mitten in der Nacht verschwunden war, mitsamt dem Geld seiner Mandanten. Seine Frau und seine beiden Töchter warteten immer noch auf ihn, ebenso wie eine Anklage. Im Stillen hoffte Jake, dass Mack irgendwo am Strand lag, Rum-Cocktails trank und nie zurückkommen wollte. Er war in seiner Ehe sehr unglücklich gewesen. »Nicht aufgeben, Mack«, sagte Jake jeden Morgen und strich über das Vorhängeschloss, ohne seine Schritte zu verlangsamen.

Er kam an den Büros der *Ford County Times* vorbei, beim Tea Shoppe, der sich allmählich mit Leben füllte, an einem Herrenausstatter, bei dem er im Ausverkauf seine Anzüge erstand, dem Café Claude's, das einem Schwarzen gehörte und wo er sich freitags mit den anderen liberalen Weißen der Stadt zum Mittagessen traf, einem Antiquitätenladen – der Inhaber war ein Ganove, den Jake schon zweimal verklagt hatte –, einer Bank, die noch immer die zweite Hypothek auf sein Haus zurückhielt, weswegen er einen langwierigen Prozess führte, und dem Verwaltungsgebäude des County, wo der neue Bezirksstaatsanwalt saß, wenn er in der Stadt war. Dessen Vorgänger, Rufus Buckley, war letztes Jahr von den Wählern abgestraft worden und schien sich dauerhaft aus dem Amt zurückgezogen zu haben. Zumindest hofften das Jake und viele andere. Buckley und er waren sich im Hailey-Verfahren fast an die Kehle gesprungen, und Jakes Hass hatte sich seitdem keineswegs gelegt. Inzwischen war der Mann in seine Heimatstadt Smithfield in Polk County zurückgekehrt, wo er seine Wunden leckte und in seiner Kanzlei in der Main Street zwischen vielen anderen ums Überleben kämpfte.

Damit war die Runde zu Ende, und Jake schloss die Tür zu seinem eigenen Büro auf, das als das schönste der ganzen Stadt galt. Wie viele andere Gebäude um den Platz herum war es vor hundert Jahren von der Wilbanks-Familie errichtet worden, und bis vor Kurzem hatte stets ein Wilbanks eine Kanzlei darin betrieben. Die Tradition wurde erst gebrochen, als Lucien, der letzte Wilbanks-Abkömmling und mit Sicherheit der verrückteste, seine Zulassung verlor. Gerade erst hatte er Jake eingestellt, frisch von der Uni und voller Ideale. Doch bevor Lucien ihn desillusionieren konnte, kam die Anwaltskammer und zog dessen Lizenz ein. Nachdem Lucien weg und kein weiterer Wilbanks in Sicht war, übernahm Jake die prachtvolle Kanzlei, von deren zehn Zimmern er gerade einmal die Hälfte nutzte. Es gab einen großzügigen Empfangsbereich, in dem die Sekretärin saß und die Mandanten begrüßte. Darüber hatte Jake sein Büro, einen über achtzig Quadratmeter großen Raum mit einem imposanten Eichenschreibtisch, an dem schon Lucien und dessen Vorfahren gesessen hatten. Wenn Jake sich langweilte, was öfter vorkam, ging er durch die Fenstertüren nach draußen auf den Balkon und genoss den großartigen Ausblick auf das Gerichtsgebäude und den Platz.

Pünktlich um sieben Uhr saß er am Schreibtisch und trank Kaffee. Er blickte in seinen Kalender und musste sich eingestehen, dass der Tag nicht sonderlich vielversprechend aussah.

3

Die aktuelle Sekretärin hieß Roxy, war dreißig und vierfache Mutter. Jake hatte sie nur eingestellt, weil er keine bessere fand. Als er vor fünf Monaten jemanden gesucht hatte, war er in einer Notlage gewesen. Für Roxy sprach, dass sie jeden Morgen um halb neun Uhr herum zur Arbeit erschien, meist ein paar Minuten später, und halbwegs passabel erledigte, was zu ihrer Jobbeschreibung gehörte: Anrufe entgegennehmen, Mandanten begrüßen, Schnorrer abwimmeln, tippen, Ablage machen, einen einigermaßen aufgeräumten Arbeitsplatz vorweisen. Gegen sie sprach – und da gab es schon wesentlich mehr zu sagen –, dass sie wenig Leistungsbereitschaft zeigte, ihre Arbeit nur als vorübergehende Lösung sah, bis sich etwas Besseres fand, auf der hinteren Terrasse rauchte und danach roch, dass sie über das Gehalt klagte und ständig entsprechende Anspielungen machte, alle Anwälte für reiche Geizhälse hielt und überhaupt eine unangenehme Person war. Sie stammte aus Indiana, und wie viele aus dem Norden brachte sie wenig Verständnis für die Kultur des Südens auf. Offenbar stammte sie aus besseren Kreisen, doch dann hatte es sie in ein rückständiges Nest wie Clanton verschlagen. Auch wenn Jake keine Nachforschungen angestellt hatte, vermutete er, dass ihre Ehe alles andere als gut lief. Ihr Mann hatte seine Stelle wegen Pflichtversäumnis verloren. Sie hatte Jake gebeten, für ihn zu klagen, doch Jake hatte abgelehnt, und das machte ihr Verhältnis auch nicht leichter. Außerdem fehlten rund fünfzig Dollar aus der Handkasse, und Jake vermutete das Schlimmste.

Wenn sein Verdacht stimmte, würde er sie feuern müssen, und daran wollte er noch nicht einmal denken. Morgens in seinen stillen Minuten sprach er täglich ein Gebet und bat Gott, ihm Geduld zu schenken, damit er es mit dieser Frau weiterhin aushielt.

Da waren schon so viele andere gewesen. Er hatte immer junge Frauen genommen, weil das Angebot größer war und sie geringere Gehälter akzeptierten. Die besseren heirateten, wurden schwanger und wollten ein halbes Jahr Mutterschutz. Die schlechten waren auf Flirts aus, trugen hautenge Miniröcke und machten anzügliche Bemerkungen. Eine drohte mit einer Klage wegen sexueller Belästigung, als Jake sie entließ, doch dann wurde sie wegen Scheckbetrugs festgenommen und verschwand von der Bildfläche.

Später hatte er reifere Frauen bevorzugt, um der sexuellen Versuchung von vornherein zu begegnen, doch sie waren allesamt herrschsüchtige Glucken gewesen, hatten mit Wechseljahresbeschwerden oder anderen Wehwehchen zu tun gehabt und waren ständig beim Arzt oder auf Beerdigungen.

Lange Zeit hatte Ethel Twitty das Regiment im Vorzimmer geführt, die schon für die Wilbanks gearbeitet hatte, als deren Kanzlei noch auf Hochtouren lief. Vierzig Jahre lang hatte Ethel ihre Arbeitgeber herumkommandiert, ihre Kolleginnen terrorisiert und die Junganwälte nach spätestens ein oder zwei Jahren verprellt. Inzwischen war sie im Ruhestand, nachdem Jake sie im Verlauf des Hailey-Prozesses entlassen hatte. Ihr Mann war von Schlägern zu Tode geprügelt worden, wahrscheinlich im Auftrag des Klans, doch der Fall war noch immer nicht gelöst, und die Ermittlungen liefen ins Nichts. Jake war sehr erleichtert gewesen, als sie weg war, doch jetzt vermisste er sie beinahe.

Um exakt halb neun stand er unten in der Küche und schenkte sich Kaffee ein. Dann durchstöberte er einen Archivraum, als wäre er auf der Suche nach einer alten Akte. Als Roxy um 8.39 Uhr durch die Tür kam, stand Jake vor ihrem Schreibtisch und blätterte demonstrativ Unterlagen durch. Schon wieder zu spät. Es interessierte ihn wenig, dass sie vier kleine Kinder hatte, einen arbeitslosen Mann, einen Job, den sie nicht mochte und der ihrer Meinung nach schlecht bezahlt war, und mit Sicherheit einen Haufen anderer Probleme. Wenn er sie sympathisch gefunden hätte, dann hätte er sicher etwas Mitgefühl aufbringen können. Doch er mochte sie von Woche zu Woche weniger. Er hatte im Geiste eine Liste angelegt, in der er Minuspunkte sammelte, die er ihr alle aufzählen würde, wenn es zum unvermeidlichen Konflikt kam. Es war, als würde er heimlich ein Komplott schmieden, um seine unliebsame Sekretärin loszuwerden. Erbärmlich.

»Guten Morgen, Roxy«, sagte er mit Blick auf seine Armbanduhr.

»Hallo, tut mir leid, dass ich zu spät bin, ich musste die Kinder zur Schule bringen.« Jake hasste ihre Lügen, auch wenn sie noch so unbedeutend waren. Ihr arbeitsloser Mann fuhr die Kinder zur Schule. Carla hatte das überprüft.

»Aha«, murmelte er und griff zu dem Stapel Briefumschläge, den sie gerade auf ihren Schreibtisch gelegt hatte. Er wollte sehen, ob etwas Interessantes dabei war, bevor sie sie öffnete. Es war die übliche Mischung aus Werbung und Anwaltskram – Schreiben von anderen Kanzleien, eines von einem Richter, dicke Umschläge mit Kopien von Briefen, Anträgen, Schriftsätzen und so weiter, die er gar nicht erst öffnete, weil das Aufgabe der Sekretärin war.

»Suchen Sie was Bestimmtes?«, fragte sie, während sie ihre Taschen abstellte.

»Nein.«

Wie üblich, wenn sie morgens kam, sah sie ziemlich unge-pflegt aus. Und wie üblich eilte sie als Erstes in die Toilette, um Make-up aufzulegen und sich zu frisieren, was oft weitere fünf-zehn Minuten in Anspruch nahm. Wieder Punktabzug.

Ganz unten im Stapel, auf dem letzten normal großen Um-schlag, der heute gekommen war, las er seinen Namen in blauer Tinte, handgeschrieben. Der Name des Absenders versetzte ihm so einen Schreck, dass ihm der Brief beinahe aus der Hand glitt. Er warf die übrige Post auf den Schreibtisch und hastete die Treppe hoch in sein Büro, verschloss die Tür, setzte sich an den Sekretär unter dem Porträt von William Faulkner, das Mr. John Wilbanks, Luciens Vater, gekauft hatte, und unter-suchte den Umschlag. Es war ein handelsüblicher weißer Um-schlag aus billigem Papier, vermutlich im Hunderterpack für fünf Dollar gekauft, und versehen mit einer 25-Cent-Briefmarke, die einem Astronauten gewidmet war. Dick, wie er war, enthielt er vermutlich mehrere Blätter. Er war an Jake persönlich gerichtet. »Jake Brigance, Rechtsanwalt, 146 Washington Street, Clanton, Mississippi.« Ohne Postleitzahl.

Der Absender lautete: »Seth Hubbard, Postfach 277, Palmyra, Mississippi, 38664.«

Der Umschlag trug den Poststempel des Postamtes von Clanton vom 1. Oktober 1988, dem vergangenen Samstag. Jake atmete tief durch und ging in Gedanken das Szenario durch. Wenn die Coffee-Shop-Gerüchteküche recht hatte – und es gab keinen Grund, daran zu zweifeln, zumindest im Moment nicht –, dann hatte sich Seth Hubbard am Sonntagnachmittag, also vor weniger als vierundzwanzig Stunden, erhängt. Es war jetzt 8.45 Uhr am Montagmorgen. Dem Poststempel nach musste Hubbard – oder jemand, der in seinem Auftrag handelte – den Brief entweder Freitagabend oder Samstagvormittag in den

33

regionalen Postkasten geworfen haben. Nur regionale Post wurde in Clanton abgestempelt, alles andere wurde nach Tupelo in ein Verteilerzentrum gefahren, dort sortiert, gestempelt und weitergeleitet.

Jake nahm eine Schere und schnitt vorsichtig einen dünnen Streifen vom Rand des Umschlags ab, gegenüber vom Absender, nahe an der Briefmarke, jedoch ohne etwas zu zerstören. Möglicherweise hielt er hier ein Beweismittel in der Hand. Auf jeden Fall würde er später von allem Kopien machen. Er drückte die Kanten vorsichtig zusammen und schüttelte den Umschlag, bis mehrere gefaltete Blätter herausfielen. Sein Herz schlug schneller, während er sie behutsam aufklappte. Es waren drei, alle weiß, ohne Briefkopf. Er glättete die Falten und legte die Blätter flach auf den Tisch, dann nahm er das oberste. In blauer Tinte und einer für einen Mann bemerkenswert sorgfältigen Handschrift stand da:

Sehr geehrter Mr. Brigance,
meines Wissens sind wir uns nie begegnet, und dazu wird es auch nicht mehr kommen. Wenn Sie diese Zeilen lesen, werde ich tot sein, und in dieser schrecklichen Stadt, in der Sie leben, wird wieder einmal die Gerüchteküche brodeln. Ich werde mir das Leben nehmen, weil ich ohnehin bald an Lungenkrebs sterben würde. Die Ärzte haben mir nur noch wenige Wochen gegeben. Ich kann die Schmerzen und vieles andere auch nicht mehr ertragen.

Falls Sie rauchen, hören Sie auf den Rat eines Toten: Hören Sie sofort damit auf.

Ich habe Sie ausgewählt, weil Sie erstens den Ruf haben, aufrichtig zu sein, und ich zweitens Ihren Mut in dem Prozess um Carl Lee Hailey bewundert habe. Ich halte Sie für einen toleranten Menschen, und davon gibt es in diesem Teil der Welt leider viel zu wenige.

Ich verachte Anwälte, besonders die in Clanton. Ich will keine Namen nennen, warum auch, so kurz vor dem Ende meines Lebens, aber ich werde einen tiefen Groll gegen einige Vertreter Ihrer Zunft mit ins Grab nehmen. Alles Blutsauger.

Anbei finden Sie meinen Letzten Willen, vollständig von meiner Hand verfasst, datiert und unterschrieben. Ich habe mir die rechtlichen Vorschriften des Staates Mississippi angesehen und erleichtert festgestellt, dass dieser Letzte Wille als eigenhändiges Testament vor dem Gesetz uneingeschränkt Bestand haben wird. Meine Unterschrift wurde von niemandem bezeugt, aber, wie Sie wissen, sind Zeugen für ein eigenhändiges Testament nicht erforderlich. Vor einem Jahr habe ich in den Räumen der Kanzlei Rush in Tupelo ein ausführlicheres Testament unterzeichnet, das ich jedoch widerrufe.

Das neue Testament wird mit Gewissheit einigen Ärger provozieren, deshalb habe ich Sie ausgewählt, um meinen Nachlass rechtlich zu vertreten. Ich will, dass diesem Testament um jeden Preis Geltung verschafft wird, und ich weiß, dass Ihnen das gelingen wird. Ich möchte insbesondere meine beiden erwachsenen Kinder, deren Kinder und meine beiden Exfrauen leer ausgehen lassen. Unser Verhältnis war alles andere als herzlich, aber sie werden kämpfen, darauf können Sie sich gefasst machen. Meine Vermögenswerte sind beträchtlich – die haben alle keine Ahnung, welche Ausmaße sie haben. Wenn das bekannt wird, werden sie die Messer wetzen. Wehren Sie sich, Mr. Brigance, bis zum bitteren Ende. Wir müssen sie besiegen.

Mein Abschiedsbrief enthält Anordnungen für meine Beisetzung. Erwähnen Sie das Testament meiner Familie gegenüber nicht, bevor die Beerdigung vorüber ist. Ich will, dass sie alle Trauerrituale durchlaufen, ehe sie erfahren, dass sie nichts bekommen werden. Schauen Sie sich an, wie sie die Trauer heucheln – sie können das gut. Aus Liebe zu mir heulen sie jedenfalls nicht.

Ich bedanke mich im Voraus für Ihre engagierte Vertretung. Es wird nicht leicht werden. Ich tröste mich damit, dass ich die Quälerei nicht miterleben muss.

Hochachtungsvoll,
Seth Hubbard, 1. Oktober 1988

Jake war zu nervös, um das Testament zu lesen. Er atmete tief durch, ging durch den Raum, öffnete die Balkontüren und warf einen langen Blick auf das Gerichtsgebäude und den Platz, ehe er zum Sekretär zurückkehrte und den Brief erneut zur Hand nahm. Das Schriftstück würde als Beweis für Seth Hubbards Testierfähigkeit dienen. Einen Augenblick lang wusste Jake nicht, was er tun sollte. Unentschlossen rieb er die Handflächen an den Hosenbeinen. Sollte er die Finger von allem lassen und sofort Ozzie holen? Sollte er einen Richter anrufen?

Nein. Der Brief war an ihn adressiert und vertraulich, und er hatte das Recht, ihn zu lesen. Trotzdem fühlte er sich, als würde eine tickende Zeitbombe vor ihm liegen. Als er mit klopfendem Herzen und bebenden Händen auf die Zeilen in blauer Tinte sah, wurde ihm klar, dass ihn diese Worte ein oder auch zwei Jahre seines Lebens kosten würden.

Letzter Wille und Testament
von Henry Seth Hubbard

Ich, Seth Hubbard, 71 Jahre alt, im Vollbesitz meiner geistigen Kräfte, jedoch von nachlassender Gesundheit, tue hiermit meinen Letzten Willen kund:

1. Ich bin Einwohner des Bundesstaates Mississippi. Meine Adresse lautet: 4498 Simpson Road, Palmyra, Ford County, Mississippi.

2. Ich widerrufe hiermit alle zuvor niedergelegten Testamente, die meine Unterschrift tragen, insbesondere das vom 7. September 1987, welches von Mr. Lewis McGwnyre von der Kanzlei Rush in Tupelo, Mississippi, aufgesetzt wurde. Dieses Testament hatte bereits ein vorangegangenes abgelöst, das ich im März 1985 unterschrieben hatte.

3. Dies ist ein eigenhändiges Testament, das ich allein und ohne die Hilfe Dritter verfasst und von Hand zu Papier gebracht habe. Es ist unterschrieben und von mir mit Datum versehen. Ich habe es am heutigen 1. Oktober 1988 in meinem Büro niedergeschrieben.

4. Ich bin bei klarem Verstand und besitze volle Testierfähigkeit. Niemand übt Druck auf mich aus oder versucht, mich zu beeinflussen.

5. Als Testamentsvollstrecker setze ich ein: Russell Amburgh, 762 Ember Street, Temple, Mississippi. Mr. Amburgh ist Prokurist meiner Holding-Gesellschaft und bestens vertraut mit meinen Vermögenswerten und Verbindlichkeiten. Ich weise Mr. Amburgh an, sich an Mr. Jake Brigance, RA, in Clanton, Mississippi, zu wenden, der die notwendigen rechtlichen Schritte einleiten soll. Es ist mein ausdrücklicher Wille, dass kein anderer Anwalt in Ford County sich in meine Angelegenheiten mischt oder auch nur einen Penny an mir verdient.

6. Ich habe zwei Kinder – Herschel Hubbard und Ramona Hubbard Dafoe –, die wiederum Kinder haben. Wie viele, weiß ich nicht, da ich sie schon länger nicht mehr gesehen habe. Meine beiden Kinder und alle meine Enkel sollen vom Erbe ausgeschlossen werden. Ich weiß nicht genau, wie der erbrechtliche Fachausdruck für »enterben« lautet, aber ich will, dass sowohl Kinder wie Enkel vollkommen leer ausgehen. Wenn sie dieses Testament anfechten und verlieren, ist es mein Wunsch, dass sie sämtliche Anwalts- und Gerichtskosten übernehmen, die durch ihre Gier entstanden sind.

7. Ich habe zwei Exfrauen, deren Namen ich nicht nennen will. Da sie durch die Scheidungen praktisch alles bekommen haben, sollen sie jetzt nichts mehr bekommen. Ich enterbe sie ebenfalls. Möge sie ein qualvolles Ende ereilen, so wie mich.

8. Ich schenke, hinterlasse, übergebe (wie auch immer es richtig heißt) neunzig Prozent meines Vermögens meiner Freundin Lettie Lang, als Dank für ihre hingebungsvolle Fürsorge und Freundschaft in diesen letzten Jahren. Ihr voller Name lautet Letetia Delores Tayber Lang, und ihre Adresse ist 1488 Montrose Road, Box Hill, Mississippi.

9. Ich schenke, hinterlasse etc. 5 Prozent meines Vermögens meinem Bruder Ancil F. Hubbard, sofern er noch lebt. Ich habe seit vielen Jahren nichts von ihm gehört, jedoch oft an ihn gedacht. Er war ein hilfloser kleiner Junge und hätte etwas Besseres verdient. Als Kinder haben wir Dinge erlebt, die kein Mensch je erleben sollte, und Ancil hat sich von dem Trauma nie erholt.

10. Ich schenke, hinterlasse etc. 5 Prozent meines Vermögens der Irish Road Christian Church.

11. Ich weise meinen Testamentsvollstrecker an, mein Haus, mein Land, meine Immobilien und meinen persönlichen Besitz sowie mein Sägewerk bei Palmyra zum geeigneten Zeitpunkt zu marktüblichen Preisen zu verkaufen und den Erlös meinem Vermögen zuzuführen.

Seth Hubbard, 1. Oktober 1988

Die Unterschrift war klein, aber sauber und gut leserlich. Jake wischte sich wieder die Hände an der Hose ab und las das Testament noch einmal. Es füllte zwei Seiten, und die Zeilen waren gerade, wie mit dem Lineal gezogen, als hätte Seth beim Schreiben tatsächlich irgendeine Schiene zu Hilfe genommen.

Ein Dutzend Fragen drängten sich auf, allen voran die offensichtlichste: Wer um alles in der Welt war Lettie Lang? Gefolgt von: Was genau hatte sie getan, um neunzig Prozent zu verdienen? Dann: Wie groß war das Vermögen? Und wenn es wirklich groß war, wie hoch war die Erbschaftssteuer? Und natürlich ganz wichtig: Wie viel würde für den Anwalt abfallen?

Aber jetzt nicht gleich gierig werden. Jake fing an, im Büro auf und ab zu gehen. In seinem Kopf drehte sich alles, in seinen Adern begann das Blut zu rauschen. Was für ein Segen von einem Rechtsstreit. Wenn viel Geld im Spiel war, würde Seths Familie mit Sicherheit einen Anwalt nehmen und das Testament anfechten. Jake hatte noch nie mit einem Nachlassstreit zu tun gehabt, doch er wusste, dass solche Fälle oft vor dem Chancery Court landeten oder sogar von Geschworenengerichten entschieden wurden. In Ford County gab es selten viel zu erben, aber es war schon vorgekommen, dass jemand mit bescheidenem Vermögen starb, der seinen Nachlass nicht geregelt hatte oder ein unklares Testament hinterließ. Diese Fälle waren für die Anwälte vor Ort eine Goldgrube, an den Gerichten herrschte Hochbetrieb, und das strittige Erbe floss zum überwiegenden Teil in Anwaltshonorare.

Jake legte die drei Blätter samt Umschlag sorgfältig in eine Mappe, mit der er zu Roxy ging. Sie war dabei, die eingegangene Post durchzuschauen, und sah inzwischen etwas ordentlicher aus. »Lesen Sie das«, sagte er. »Und zwar sehr aufmerksam.«

Sie folgte seiner Anweisung. Als sie fertig war, sagte sie: »Wow. Damit fängt die Woche schon mal gut an.«

»Nicht für Seth Hubbard«, erwiderte Jake. »Bitte merken Sie sich, dass das Schreiben am heutigen 3. Oktober eingegangen ist.«

»In Ordnung. Warum?«

»Der Zeitpunkt könnte eines Tages vor Gericht eine Rolle spielen. Samstag, Sonntag, Montag.«

»Muss ich als Zeugin aussagen?«

»Kann sein, muss nicht sein. Das sind nur Vorsichtsmaßnahmen.«

»Sie sind der Anwalt.«

Jake machte vier Kopien von Umschlag, Anschreiben und Testament. Er gab Roxy ein Exemplar, damit sie eine neue Fallakte anlegte, zwei schloss er in seiner Schreibtischschublade ein. Um neun Uhr verließ er das Büro mit dem Original und einer Kopie, nachdem er Roxy gesagt hatte, dass er zum Gericht gehen werde. Dann betrat er nebenan die Security Bank, um das Original in seinem Schließfach zu deponieren.

Ozzie Walls' Büro befand sich im County-Gefängnis, zwei Straßen entfernt vom Clanton Square in einem flachen Betonkasten, der zehn Jahre zuvor in Billigbauweise hochgezogen worden war. Die nachträglich angefügten Räume für den Sheriff und seine Leute klebten wie ein Geschwür an dem Gebäude und waren ausgestattet mit billigen Schreibtischen, Klappstühlen und verdreckten Teppichen, die an den Fußleisten ausgefranst waren. Montagvormittag ging es meistens besonders turbulent zu, weil die Exzesse vom Wochenende nachwirkten. Wütende Ehefrauen kamen, um ihre verkaterten Männer auszulösen oder um Anzeige zu erstatten, damit sie festgenommen wurden. Nervöse Eltern warteten darauf, von ihrem Nachwuchs zu hören, der in eine Drogenrazzia geraten war. Die Telefone klingelten häufiger als sonst und verhallten oft ungehört. Deputys eilten hin und her, Becher mit starkem schwarzem Kaffee in der Hand und Donuts, die sie im Gehen hinunterschlangen. Zu dem normalen Wahnsinn kam heute auch noch der sonderbare Selbstmord eines geheimnisvollen Mannes. Im vorderen Teil des Büros war kaum ein Durchkommen.

Weiter hinten im Anbau, am Ende eines kurzen Flurs, war eine Tür, auf die mit weißer Farbe eine Aufschrift gepinselt war: OZZIE WALLS, HIGH SHERIFF, FORD COUNTY. Die Tür war zu; der Sheriff war heute Morgen früh gekommen und telefonierte. Der Anrufer war eine aufgeregte Mutter aus Memphis, deren Sohn am Samstagabend in der Nähe von Lake Chatulla am Steuer eines Pick-ups erwischt worden war, an Bord eine beträchtliche Menge Marihuana. Die Stelle lag in einem Naturpark und war als Drogenumschlagplatz berüchtigt. Der Sohn war selbstverständlich unschuldig, und die Mutter wollte unbedingt vorbeikommen, um ihn aus Ozzies Zelle zu holen.

Nicht so hastig, hielt Ozzie sie zurück. Es klopfte an seiner Tür. Er legte die Hand auf den Hörer und sagte: »Ja!«

Die Tür öffnete sich einen Spaltbreit, und Jake Brigance steckte den Kopf herein. Ozzie bedeutete ihm lächelnd einzutreten. Jake schloss die Tür hinter sich und nahm auf einem Stuhl Platz. Ozzie widmete sich wieder der Anruferin. Der Junge sei zwar erst siebzehn, doch er sei mit drei Pfund Pot erwischt worden, deshalb könne er durchaus auf Kaution freikommen, aber erst nachdem er dem Haftrichter vorgeführt worden sei. Als die Mutter anfing, lautstark zu keifen, runzelte Ozzie die Stirn und hielt den Hörer vom Ohr weg. Schmunzelnd schüttelte er den Kopf. Es war immer dasselbe. Jake kannte das auch.

Ozzie hörte noch eine Weile zu, versprach zu tun, was er konnte, leider sei das nicht viel, und hängte ein. Er stand halb auf, um Jake die Hand zu schütteln. »Guten Morgen, Herr Rechtsanwalt.«

»Guten Morgen, Ozzie.«

Sie plauderten über alles Mögliche und kamen schließlich auf Football. Ozzie hatte kurze Zeit für die Rams gespielt, bis er sich am Knie verletzte, und war immer noch begeisterter Fan des Teams, während Jake wie die meisten Bewohner Mississippis die Saints anfeuerte – zu diesem Thema hatten sie sich also wenig zu sagen. Die Wand hinter Ozzie war übersät mit Footballsouvenirs – Fotos, Pokalen, Plaketten und Preisen. Mitte der Siebzigerjahre hatte er im All-American Team der Alcorn State University gespielt, und er legte viel Wert darauf, diese Erinnerung zu bewahren.

An einem anderen Tag, zu einer anderen Zeit, bei einer Gelegenheit mit mehr Publikum, zum Beispiel bei Gericht während einer Verhandlungspause in Gegenwart der Anwälte, hätte Ozzie vielleicht wieder die Geschichte erzählt, wie er Jake zu Highschoolzeiten das Bein gebrochen hatte. Jake war damals ein schmächtiger Zehntklässler gewesen und hatte als Quarterback im Team der Karaway High School gespielt, das Ozzies Schulteam zwar hoffnungslos unterlegen war, sich aber aus irgendwelchen Gründen jedes Jahr aufs Neue im Finale gegen Clanton wiederfand und mit derselben Regelmäßigkeit zermalmt wurde. Ozzie, der Star-Verteidiger des Teams, hatte den gegnerischen Angriff über drei Viertel hinweg lahmgelegt und stürmte gegen Ende des letzten Viertels los, um den dritten Down des Gegners zu verhindern. Eingeschüchtert und obendrein verletzt, ließ der Fullback Ozzie vorbeiziehen, der Jakes verzweifelte Flucht nach vorn mit dem Ball vereitelte, indem er ihn brutal tackelte. Ozzie hatte immer behauptet, er habe gehört, wie das Wadenbein gebrochen sei. Jake dagegen berichtete, er habe nur Ozzies Knurren und Grollen gehört, als er zur Attacke ansetzte. In der einen oder anderen Version wurde die Geschichte jedenfalls mindestens einmal pro Jahr zum Besten gegeben.

Doch es war Montagmorgen, die Telefone standen nicht still, und beide Männer hatten viel zu tun. Ganz offensichtlich war Jake nicht ohne Grund gekommen. »Ich glaube, ich bin von Mr. Seth Hubbard engagiert worden«, sagte er.

Ozzie verengte die Augen und musterte seinen Freund. »Ich

glaube nicht, dass Mr. Hubbard noch Leute einstellen kann. Er liegt bei Magargel auf der Bahre.«

»Hast du ihn abgeschnitten?«

»Sagen wir, wir haben ihn runtergelassen.« Ozzie griff nach einer Akte, schlug sie auf und zog drei große Farbfotos heraus. Er schob sie über den Schreibtisch, und Jake nahm sie entgegen. Darauf zu sehen war Seth, der traurig und tot im Regen hing – von vorn, von hinten, von rechts.

Einen Augenblick lang war Jake schockiert, zeigte es aber nicht. Er studierte das verzerrte Gesicht. »Ich bin dem Mann nie begegnet«, sagte er leise. »Wer hat ihn gefunden?«

»Einer seiner Arbeiter. Sieht aus, als hätte Mr. Hubbard alles sorgfältig geplant.«

»O ja.« Jake griff in die Sakkotasche, holte die Kopien heraus und reiche sie Ozzie. »Das war heute Morgen in meiner Post. Druckfrisch. Die erste Seite ist ein Brief an mich. Die zwei anderen Blätter sind angeblich sein Testament.«

Ozzie nahm den Brief und las ihn langsam durch. Ohne eine Miene zu verziehen, tat er anschließend das Gleiche mit dem Testament. Als er fertig war, legte er die Blätter auf den Schreibtisch und rieb sich die Augen. »Wow«, brachte er heraus. »Ist das Ding rechtmäßig, Jake?«

»Eindeutig. Ich bin trotzdem sicher, dass die Familie es anfechten wird.«

»Mit welchen Argumenten?«

»Sie werden alles Mögliche behaupten: Der alte Mann war nicht mehr bei Verstand, diese Frau hat unzulässigen Einfluss auf ihn ausgeübt und ihn gezwungen, sein Testament zu ändern. Glaub mir, wenn genug Geld im Spiel ist, werden die alles versuchen.«

»Diese Frau«, wiederholte Ozzie, lächelte dann und begann den Kopf zu schütteln.

»Kennst du sie?«

»Allerdings.«

»Schwarz oder weiß?«

»Schwarz.«

Jake hatte schon damit gerechnet und war weder überrascht noch enttäuscht; im Gegenteil, er verspürte eine gewisse Erregung in sich aufsteigen. Ein wohlhabender Weißer, der im letzten Moment sein Testament zugunsten einer Schwarzen änderte, für die er offenbar große Zuneigung hegte. Das würde vor der Geschworenenbank erhitzte Debatten auslösen, und er wäre mittendrin.

»Wie gut kennst du sie?«, fragte er.

Ozzie kannte jeden Schwarzen in Ford County. Die, die als Wähler registriert waren, aber auch die anderen; die Landbesitzer und die, die von der Stütze lebten; die, die Arbeit hatten, und die, die der Arbeit aus dem Weg gingen; die, die sparten, und die, die von Einbrüchen lebten; die, die sonntags in die Kirche gingen, und die, die nur in Kneipen herumhingen. »Ich kenne sie eben«, sagte er zurückhaltend. »Sie wohnt nicht weit von Box Hill in einer Gegend namens Little Delta.«

Jake nickte. »Da bin ich schon mal durchgefahren.«

»Ist am Ende der Welt, nur Schwarze wohnen da. Sie ist mit einem Mann namens Simeon Lang verheiratet, ein Faulenzer und Quartalssäufer, der kommt und geht, wie es ihm passt.«

»Der Name Lang ist mir noch nie begegnet.«

»Diesem Lang willst du nicht begegnen. Wenn er nüchtern ist, fährt er, glaube ich, Lkw und Bulldozer. Ich weiß, dass er schon ein- oder zweimal auf einer Ölbohrinsel gearbeitet hat. Labiler Typ. Vier oder fünf Kinder, einer der Jungen im Gefängnis, ein Mädchen ist, glaube ich, bei der Army. Lettie dürfte Mitte vierzig sein. Sie ist eine geborene Tayber, davon gibt es nicht viele in der Gegend. Er ist ein Lang, und davon wimmelt es hier geradezu. Ich wusste nicht, dass sie für Seth Hubbard gearbeitet hat.«

»Hast du Hubbard gekannt?«

»Könnte man sagen. Er hat mir für meine Wahlkampagnen jeweils fünfundzwanzigtausend Dollar bar in die Hand gedrückt, ohne eine Gegenleistung dafür zu wollen. Im Gegenteil, in meiner ersten Amtszeit hat er mich geradezu gemieden. Letzten Sommer, vor meiner Wiederwahl, kam er vorbei und gab mir noch einen Umschlag.«

»Du hast das Geld genommen?«

»Dein Ton gefällt mir nicht, Jake«, sagte Ozzie mit einem Lächeln. »Ja, ich habe das Geld genommen, weil ich gewinnen wollte. Außerdem haben meine Gegner das Gleiche getan. Politik ist kein Zuckerschlecken, schon gar nicht hier in dieser Gegend.«

»Ist schon okay. Wie reich ist er?«

»Nun, nach eigener Aussage ziemlich reich. Genaueres weiß ich nicht. Er hat immer ein Geheimnis darum gemacht. Gerüchten zufolge hat er – übrigens dank Harry Rex' tätiger Mithilfe – bei einer schlimmen Scheidung alles verloren, woraufhin er dann über seine Geschäfte geschwiegen hat.«

»Kluger Mann.«

»Er besaß etwas Land und hatte immer mit Holz zu tun. Mehr weiß ich nicht.«

»Was ist mit seinen zwei erwachsenen Kindern?«

»Ich habe gestern Nachmittag gegen fünf mit Herschel Hubbard telefoniert und ihm die traurige Nachricht übermittelt. Er wohnt in Memphis, viel mehr habe ich nicht erfahren. Er sagte, er würde seine Schwester Ramona informieren und sie kämen dann sofort. Seth hat ein paar Anweisungen hinterlassen, was mit ihm geschehen soll. Die Beerdigung ist morgen um vier Uhr, erst eine Trauerfeier, dann die Beisetzung.« Ozzie hielt inne und las den Brief noch einmal. »Klingt ganz schön hart, oder? Seth will, dass seine Familie die ganzen Trauerrituale durchläuft, bevor sie erfährt, dass sie enterbt ist.«

Jake schmunzelte. »Also, ich finde das großartig. Gehst du zur Beerdigung?«

»Nur wenn du auch hingehst.«

»Ich bin dabei.«

Sie blieben einen Moment lang schweigend sitzen und lauschten auf die Geräusche, die durch die Tür drangen, Stimmen, Telefonklingeln. Beide wussten, dass sie sich wieder an ihre Arbeit machen mussten, aber es gab so viele offene Fragen. Es war die Ruhe vor dem Sturm.

»Ich würde zu gern wissen, was diese Jungs erlebt haben«, sagte Jake. »Seth und sein Bruder.«

Ozzie schüttelte den Kopf. Er blickte auf das Testament und sagte: »Ancil F. Hubbard. Ich kann ihn für dich ausfindig machen, wenn du willst. Ich brauche nur seinen Namen durch das System zu jagen, um zu sehen, ob er vielleicht vorbestraft ist.«

»Mach das. Danke.«

Nach einer langen, schweren Pause sagte Ozzie: »Jake, ich habe heute Morgen noch einiges zu erledigen.«

Jake sprang auf. »Ich auch. Danke. Ich ruf dich später an.«

4

Von Memphis-Stadtmitte bis nach Ford County war es nur eine Autostunde, doch Herschel Hubbard kam die Fahrt jedes Mal wie eine lange, eintönige Reise vor, die ihn fast einen Tag kostete. Es war ein unliebsamer Ausflug in seine Vergangenheit, den er aus vielerlei Gründen nur machte, wenn es unbedingt notwendig war, also nicht sehr oft. Er war mit achtzehn Jahren von zu Hause ausgezogen, hatte einen Schlussstrich gezogen und sich geschworen, diesen Ort so weit entfernt wie möglich zu meiden. Im Scheidungskrieg seiner Eltern war er ein unschuldiges Opfer gewesen, und als sie sich endlich getrennt hatten, da hatte er sich auf die Seite seiner Mutter geschlagen und war mit ihr geflohen, aus der Stadt und vor dem Vater. Jetzt, achtundzwanzig Jahre später, fiel es ihm schwer zu glauben, dass der Alte wirklich tot war.

Es hatte Versöhnungsbemühungen gegeben, vor allem von Herschels Seite aus, und Seth hatte auch eine Zeit lang mitgemacht und versucht, seinen Sohn und seine Enkel zu ertragen. Doch dann waren eine zweite Frau und eine zweite schlechte Ehe dazwischengekommen und hatten die Dinge verkompliziert. In den letzten zehn Jahren hatte Seth sich ausschließlich um sein Geschäft gekümmert. Er hatte meistens zum Geburtstag angerufen und alle fünf Jahre eine Weihnachtskarte geschickt, doch damit erschöpften sich seine Bemühungen als Vater. Je mehr er arbeitete, umso mehr sah er auf die berufliche Entwicklung seines Sohnes herab – ein Hauptgrund für die Spannungen zwischen ihnen.

Herschel gehörte eine Studentenkneipe in der Nähe der Uni in Memphis. Was die Kneipe anging, lief alles bestens. Er konnte seine Rechnungen bezahlen und ein bisschen was auf die hohe Kante legen. Wie der Vater litt er unter den Nachwirkungen einer schlimmen Scheidung, die eindeutig zugunsten seiner Ex ausgegangen war – sie hatte die Kinder und praktisch das ganze Vermögen bekommen. Seit vier Jahren musste Herschel bei seiner Mutter in einem alten, baufälligen Haus in der Innenstadt wohnen, zusammen mit einem Haufen Katzen. Hin und wieder nahm seine Mutter zusätzlich einen Penner auf. Auch sie hatte Narben von dem unerfreulichen Zusammenleben mit Seth davongetragen und war, wie man so sagte, etwas neben der Spur.

Als Herschel die Grenze zu Ford County überquerte, sank seine Laune noch mehr. Er fuhr einen kleinen Datsun-Sportwagen, den er gebraucht gekauft hatte, vor allem deshalb, weil sein verblichener Vater japanische Autos und überhaupt alles Japanische hasste. Seth hatte einen Cousin im Zweiten Weltkrieg verloren, in japanischer Gefangenschaft, und sich mit seinen selbstgerechten Vorurteilen bequem eingerichtet.

Herschel suchte einen Lokalsender im Radio und schüttelte den Kopf über die unverschämte Großspurigkeit des Moderators. Es war eine andere Welt, eine Welt, die er vor langer Zeit verlassen hatte und am liebsten für immer vergessen würde. Er bedauerte alle seine Freunde, die immer noch in Ford County lebten und nie von hier weggehen würden. Zwei Drittel seines Highschool-Jahrgangs wohnten noch in der Gegend, arbeiteten in Fabriken, fuhren Lkw oder sägten Industrieholz. Das zehnjährige Jahrgangstreffen hatte ihn so deprimiert, dass er zum zwanzigjährigen nicht gegangen war.

Herschels Mutter war nach der Scheidung von hier geflohen

und hatte sich in Memphis niedergelassen. Seine Stiefmutter war nach der Scheidung nach Jackson gezogen. Seth jedoch hatte an seinem Haus und dem umliegenden Land festgehalten, und deshalb musste Herschel immer wieder in den Albtraum seiner Kindheit zurückkehren, wenn er ihn besuchte, was er nur einmal im Jahr tat, zumindest bis der Vater krank wurde. Das Haus war ein einstöckiger Klinkerbau mit Giebeldach und weißen Fensterrahmen, der etwas abseits der Straße im dichten Schatten von Eichen und Ulmen stand. Auf der weiten, offenen Rasenfläche vor dem Haus hatte Herschel als Kind gespielt, natürlich nie mit seinem Vater. Sie hatten nie zusammen Baseballwerfen trainiert, nie andere Kinder zum Kicken oder Footballspielen eingeladen. Als er in die Auffahrt einbog, blickte er über den Rasen und war wieder einmal überrascht, wie klein alles wirkte. Er parkte hinter einem anderen Wagen mit einheimischem Kennzeichen, den er nicht kannte, und betrachtete für einen Moment das Haus.

Er hatte immer damit gerechnet, dass ihm der Tod seines Vaters nichts ausmachen würde. Man wird erwachsen, man lernt, seine Gefühle zu beherrschen, man umarmt seinen Vater nicht, weil er das nicht mag, man schickt keine Briefe oder Geschenke, und wenn er stirbt, weiß man, dass man auch gut ohne ihn zurechtkommt. Ein wenig Trauer bei der Beerdigung, vielleicht ein paar Tränen, doch binnen weniger Tage ist es vorbei, und man wendet sich unbeschadet wieder seinem normalen Leben zu. So sah er die Dinge. Freunde, die ihre Väter alt werden und furchtlos in den Tod hatten gehen sehen, hatten ihn gewarnt. Die Trauer habe sie vollkommen unvorbereitet getroffen. Aber sie hatten auch liebevolle Erinnerungen gehabt.

Herschel empfand nichts; nicht den Verlust, keine Trauer über das Ende eines Kapitels, kein Mitleid mit diesem Mann, der so verzweifelt gewesen war, dass er Selbstmord begangen hatte. Es war tatsächlich so: Er empfand nicht das Geringste für seinen Vater. Außer vielleicht eine Spur Erleichterung darüber, dass der Mann tot war, denn das bedeutete ein Problem weniger in seinem Leben. Möglicherweise.

Er ging zur Eingangstür, die sich öffnete, als er näher kam. Lettie Lang stand im Türrahmen und tupfte sich die Augen mit einem Taschentuch. »Hallo, Mr. Hubbard«, sagte sie mit belegter Stimme.

»Hallo, Lettie«, erwiderte er und blieb auf der Gummimatte stehen. Wenn er sie besser gekannt hätte, hätte er sie kurz umarmt oder ihr sonst eine Geste des Mitgefühls gezeigt, doch er konnte sich nicht dazu durchringen. Er hatte sie nur drei- oder viermal getroffen und nie besser kennengelernt. Als Haushälterin, die auch noch schwarz war, wurde von ihr erwartet, dass sie sich im Hintergrund hielt.

»Es tut mir so leid«, sagte sie und trat zurück.

»Mir auch.« Herschel folgte ihr nach drinnen, durch das Wohnzimmer in die Küche, wo sie auf eine Kaffeekanne deutete.

»Den habe ich gerade frisch gemacht.«

»Ist das Ihr Auto draußen?«, fragte er.

»Ja, Sir.«

»Warum haben Sie in der Auffahrt geparkt? Sollten Sie nicht neben dem Haus parken, wo Dads Pick-up steht?«

»Entschuldigen Sie, ich habe nicht nachgedacht. Ich werde umparken.«

»Nein, vergessen Sie's. Schenken Sie mir lieber einen Kaffee ein. Zwei Stück Zucker.«

»Ja, Sir.«

»Wo ist Dads Cadillac?«

Lettie goss geschickt Kaffee in eine Tasse. »Der Sheriff hat ihn mitgenommen. Er soll ihn aber heute noch zurückbringen.«

»Warum hat die Polizei den Wagen mitgenommen?«

»Das müssen Sie die Polizei fragen.«

Herschel zog einen Stuhl vom Tisch weg, setzte sich und nahm seine Tasse in beide Hände. Er trank einen Schluck und runzelte die Stirn. »Wie haben Sie das von Dad erfahren?«

Lettie lehnte sich gegen die Küchentheke und verschränkte die Arme vor der Brust. Er maß sie kurz von oben bis unten. Sie trug die gleiche weiße Kittelschürze wie immer, knielang, ein bisschen knapp um die Taille, wo sie ein paar Pfund zu viel hatte, und sehr knapp um ihre üppige Brust.

Der Blick entging ihr nicht. Diese Blicke entgingen ihr nie. Sie war siebenundvierzig und hatte fünf Kinder geboren, dennoch erntete sie noch hin und wieder solche Blicke, wenn auch normalerweise nicht von Weißen. »Calvin hat mich gestern Abend angerufen«, sagte sie. »Er hat mir erzählt, was passiert ist, und mir aufgetragen, heute Morgen hierherzukommen und auf Sie zu warten.«

»Haben Sie einen Schlüssel?«

»Nein, Sir. Ich hatte nie einen. Das Haus war unverschlossen.«

»Wer ist Calvin?«

»Ein Weißer, der auf dem Anwesen arbeitet. Er meinte, Mr. Seth habe ihn gestern früh angerufen und gebeten, sich mit ihm um zwei Uhr nachmittags an der Brücke zu treffen. Und da war er ja dann auch.« Sie unterbrach ihre Schilderung, um sich die Augen zu tupfen.

Herschel trank noch einen Schluck Kaffee. »Der Sheriff sagte, Dad habe eine Botschaft und ein paar Anweisungen hinterlassen.«

»Ich habe nichts gesehen, aber Calvin. Er sagte, Mr. Seth hat aufgeschrieben, dass er sich das Leben nehmen wird.« Sie fing an zu weinen.

Herschel wartete. Als sie sich wieder beruhigt hatte, fragte er: »Wie lange haben Sie hier gearbeitet, Lettie?«

Sie atmete tief durch und wischte sich über die Wangen. »Ich weiß nicht genau, etwa drei Jahre. Am Anfang habe ich zweimal die Woche sauber gemacht, montags und mittwochs, nur ein paar Stunden, Mr. Seth hat allein gewohnt, und er war ziemlich ordentlich für einen Mann, da gab es nicht viel zu tun, wissen Sie. Dann hat er mich gebeten, für ihn zu kochen, und das hab ich sehr gern gemacht. Ich hab alles Mögliche vorgekocht und dann auf dem Herd stehen lassen oder eingefroren. Das waren dann ein paar mehr Stunden. Als er krank wurde, hat er mich gebeten, jeden Tag zu kommen. Später ist er fast gar nicht mehr aus dem Bett aufgestanden, wegen der Chemo.«

»Ich dachte, er hätte eine Krankenschwester gehabt.«

Lettie wusste, wie selten Mr. Herschel und Mrs. Dafoe ihren krebskranken Vater besucht hatten. Sie wusste alles, während seine Kinder keine Ahnung hatten. Nichtsdestotrotz würde sie respektvoll sein, so wie immer.

»Ja, Sir, das war auch eine Zeit lang so, aber irgendwann wollte er das nicht mehr. Die Frauen wechselten ständig, man wusste nie, wer als Nächstes auftauchen würde.«

»Wie lange haben Sie in Vollzeit hier gearbeitet?«

»Etwa ein Jahr lang.«

»Wie viel hat Dad Ihnen bezahlt?«

»Fünf Dollar die Stunde.«

»Fünf Dollar! Ganz schön happig für eine Haushaltshilfe. Ich meine, okay, ich wohne in Memphis, das ist eine große Stadt, und meine Mutter zahlt ihrer Hilfe vier Dollar fünfzig.«

Lettie nickte stumm, denn darauf hatte sie nichts zu erwidern. Sie hätte natürlich ausführen können, dass Mr. Seth sie oft bar bezahlt hatte, dass er ihr des Öfteren Trinkgeld zugesteckt hatte und ihr sogar fünftausend Dollar geliehen hatte, als ihr Sohn Ärger mit dem Gesetz bekam und ins Gefängnis musste.

Dieses Darlehen hatte er ihr noch vor vier Tagen erlassen. Es gab nichts Schriftliches darüber.

Missmutig trank Herschel seinen Kaffee. Lettie blickte zu Boden.

Draußen in der Einfahrt fielen zwei Autotüren ins Schloss.

Bei Ramona Hubbard Dafoe flossen die Tränen bereits, bevor sie das Haus betrat. Noch auf der Eingangsveranda umarmte sie ihren Bruder, der ein durchaus angemessen betroffenes Gesicht machte – die Augen fest zusammengepresst, die Lippen eingestülpt, die Stirn gerunzelt. Das Abbild eines leidenden Mannes. Ramona schluchzte, als würde sie echten Schmerz empfinden, wobei Herschel da seine Zweifel hatte.

Schließlich ging Ramona hinein und schloss sofort Lettie in die Arme, als wären sie beide die leiblichen Kinder desselben liebevollen Vaters. Herschel blieb draußen stehen und begrüßte Ramonas Mann, mit dem ihn nichts verband außer herzlicher gegenseitiger Verachtung. Ian Dafoe war ein reiches Söhnchen aus einer Bankerfamilie in Jackson, der Hauptstadt und größten Metropole Mississippis, in der mindestens die Hälfte aller Arschlöcher des Bundesstaates lebte. Die Familienbanken waren längst Geschichte, doch Ian hatte nie die Attitüde des privilegierten Sprösslings aufgegeben, auch wenn er unter seinem Stand geheiratet hatte und sich inzwischen jeden Cent genauso mühsam verdienen musste wie alle anderen auch.

Während sie einander höflich die Hände schüttelten, blickte Herschel über Ians Schulter, um einen Blick auf dessen Auto zu werfen. Klar. Eine schimmernde weiße Mercedes-Limousine, ebenso nagelneu wie die Vorgängerwagen. Da Ramona ein Alkoholproblem hatte und ins Plaudern kam, wenn sie zu viel intus hatte, wusste er, dass Ian seine Autos für sechsunddreißig

Monate leaste und nach Ablauf der Zeit sofort zurückgab. Die Raten belasteten ihr Budget, aber was spielte das für eine Rolle. Es war für Mr. und Mrs. Dafoe viel wichtiger, in Jackson mit einem anständigen Auto gesehen zu werden.

Schließlich fanden sich alle im Wohnzimmer ein und nahmen Platz. Lettie servierte Kaffee und Cola und zog sich dann pflichtbewusst zurück, wenn auch nur bis in die offene Tür eines Zimmers weiter hinten im Flur. Dort hatte sie oft gestanden und zugehört, wenn Mr. Seth im Wohnzimmer telefonierte. Von dort aus konnte sie alles hören. Ramona weinte noch ein wenig und wiederholte mehrfach, wie unfassbar dies alles doch sei. Die Männer hörten zu und murmelten hin und wieder ihre Zustimmung. Es dauerte nicht lange, da läutete es an der Tür. Zwei Frauen von der Kirche kamen mit einem Kuchen und einem warmen Gericht und ließen sich nicht abwehren. Lettie beeilte sich, die Mitbringsel in die Küche zu tragen, während die zwei Damen ungeniert ins Wohnzimmer spazierten, sich niederließen und anfingen zu plappern. Sie hätten Seth erst gestern noch in der Kirche getroffen, und er habe so gut ausgesehen. Sie hätten von dem Lungenkrebs gewusst, aber er schien ihn doch so gut im Griff zu haben, um Himmels willen.

Herschel und die Dafoes gingen nicht darauf ein. Lettie horchte im Hintergrund.

Die Kirchendamen hätten am liebsten drauflosgefragt, wie er es getan habe, ob er einen Abschiedsbrief hinterlassen habe, wer das Geld bekommen werde, ob es Hinweise auf ein Verbrechen gebe, und so weiter. Aber es war ziemlich klar, dass diese Art von Wissbegier nicht gut ankommen würde, und nach zwanzig Minuten unbehaglichem Schweigen verloren sie das Interesse und verabschiedeten sich.

Sie waren kaum fünf Minuten weg, da klingelte es erneut an

der Tür. Die Einfahrt mit den drei fremden Autos zog die Aufmerksamkeit der Nachbarschaft auf sich.

»Kümmern Sie sich darum, Lettie«, rief Herschel aus dem Wohnzimmer. »Wir gehen in die Küche.«

Es war die Nachbarin von gegenüber mit einem Zitronenkuchen. Lettie dankte ihr und erklärte, dass Mr. Seths Kinder zwar hier, aber nicht imstande seien, Besuch zu empfangen. Die Nachbarin blieb eine Weile auf der Veranda stehen, in der Hoffnung, vielleicht doch noch hereingebeten zu werden und aus erster Hand etwas über die Familientragödie zu erfahren, doch Lettie verstellte ihr höflich, aber deutlich die Tür. Nachdem sie endlich weg war, brachte Lettie den Kuchen in die Küche.

Es dauerte nicht lange, bis man am Küchentisch zur Sache kam. »Hast du das Testament gesehen?«, fragte Ramona. Ihre Augen waren jetzt erstaunlich klar und glommen vor Neugier und Argwohn.

»Nein«, erwiderte Herschel. »Du?«

»Nein. Ich war vor ein paar Monaten hier …«

»Im Juli«, fiel ihr Ian ins Wort.

»Also gut, im Juli. Da habe ich versucht, mit Daddy darüber zu reden. Er sagte, eine Kanzlei in Tupelo habe ein Testament vorbereitet. Es sei alles geregelt. Aber das war alles. Hast du mal mit ihm darüber gesprochen?«

»Nein«, räumte Herschel ein. »Es passte irgendwie nie. Der Alte war todkrank – da konnte ich ihn doch nicht nach seinem Letzten Willen fragen. Das ging einfach nicht.«

Lettie stand unsichtbar im Flur und hörte alles mit.

»Wie viel hat er hinterlassen?«, fragte Ian ungerührt. Er konnte eine Finanzspritze am besten gebrauchen. Seine Firma baute Einkaufszentren und häufte zunehmend Schulden an. Er gab sich die größte Mühe, seine Gläubiger zu befriedigen, doch sie hörten nicht auf, ihn zu bedrängen.

Herschel blickte seinen Schwager an, dachte, was für ein Widerling, hielt sich aber zurück. Alle drei rechneten damit, dass es mit Seths Nachlass Ärger geben würde. Es brachte nichts, jetzt schon zu streiten. Das würde sowieso über kurz oder lang passieren. Also zuckte er die Achseln und sagte: »Keine Ahnung. Er hat sich nie in die Karten schauen lassen. Es gibt dieses Haus, die achtzig Hektar Land darum herum, das Sägewerk. Aber ich weiß nicht, wie es mit Schulden und so weiter aussieht. Wir haben nie über das Geschäft geredet.«

»Ihr habt nie über irgendwas geredet«, fauchte Ramona über den Tisch, ruderte aber sofort zurück. »Entschuldigung, Herschel.«

Unter Geschwistern konnte so ein Angriff natürlich nicht ungesühnt bleiben. »Ich wusste gar nicht«, sagte Herschel höhnisch, »dass ihr zwei so innig wart, Daddy und du.«

Ian wechselte rasch das Thema. »Hat er hier ein Arbeitszimmer oder einen Platz, wo er seine persönlichen Unterlagen aufbewahrt? Sollen wir uns nicht mal umsehen? Da müssten doch Kontoauszüge und Besitzurkunden sein, ich könnte wetten, dass irgendwo in diesem Haus eine Kopie des Testaments herumliegt.«

»Lettie könnte es wissen«, sagte Ramona.

»Wir sollten sie aus dem Spiel lassen«, sagte Herschel. »Habt ihr gewusst, dass sie Vollzeit hier gearbeitet hat und dass er ihr fünf Dollar die Stunde bezahlt hat?«

»Fünf Dollar?«, echote Ian. »Ramona, was zahlen wir Berneice?«

»Drei fünfzig«, sagte Ramona. »Bei zwanzig Stunden die Woche.«

»In Memphis zahlen wir vier fünfzig«, erklärte Herschel stolz, als würde er und nicht seine Mutter die Schecks ausstellen.

»Wieso sollte ein alter Geizkragen wie Seth einer Haushaltshilfe so viel Geld bezahlen?«, fragte Ramona, ohne wirklich an einer Antwort interessiert zu sein.

»Soll sie sich darüber freuen, solange sie noch kann«, sagte Herschel. »Ihre Tage in diesem Haus sind sowieso gezählt.«

»Wir schmeißen sie raus?«, fragte Ramona.

»Sofort. Wir haben gar keine Wahl. Willst du vielleicht weiterhin zahlen? Pass auf, Schwesterherz, wir machen Folgendes: Wir ziehen die Beerdigung durch, Lettie soll hier alles in Ordnung bringen, danach wird sie entlassen, und wir schließen das Haus ab. Nächste Woche bieten wir es zum Verkauf an und hoffen, dass es schnell weggeht. Wozu sollte sie dann noch länger hierbleiben, für fünf Dollar die Stunde?«

Im Hintergrund ließ Lettie den Kopf sinken.

»Vielleicht sollten wir lieber noch etwas abwarten«, sagte Ian vorsichtig. »Wir werden bald das Testament sehen. Dann werden wir wissen, wer als Testamentsvollstrecker bestimmt ist, wahrscheinlich einer von euch beiden. Normalerweise ist es der Ehegatte oder eines der Kinder. Derjenige wird dann dem Testament entsprechend mit dem Erbe verfahren.«

»Das weiß ich alles«, sagte Herschel, obwohl er in Wahrheit keine Ahnung hatte. Ian hatte täglich mit Anwälten zu tun, deshalb tat er immer gern so, als wäre er der Rechtsexperte der Familie – einer der Gründe, warum Herschel ihn hasste.

»Ich kann einfach nicht glauben, dass er tot ist«, sagte Ramona und fand tatsächlich eine Träne zum Abtupfen.

Herschel sah sie an und wäre am liebsten über den Tisch gesprungen, um ihr eine zu scheuern. Soweit er wusste, war sie einmal im Jahr nach Ford County gefahren, und das meist allein, weil Ian die Gegend nicht ertrug und Seth Ian nicht leiden konnte. Sie war morgens gegen neun Uhr in Jackson losgefahren, um sich mit Seth zum Mittagessen zu treffen, immer im selben

Grillhaus rund fünfzehn Kilometer nördlich von Clanton, direkt am Highway. Danach war sie ihm nach Hause nachgefahren, wo sie gegen zwei die Langeweile packte, sodass sie sich spätestens um vier wieder auf den Heimweg machte. Ihre Kinder, die beide auf eine private Mittelschule gingen, hatten den Großvater seit Jahren nicht gesehen. Okay, Herschel selbst hatte auch nicht mehr vorzuweisen, aber er saß auch nicht da und vergoss Krokodilstränen.

Ein lautes Klopfen an der Küchentür ließ sie zusammenfahren. Zwei Deputys in Uniform waren gekommen. Herschel öffnete die Tür und bat sie herein. Man blieb unbeholfen beim Kühlschrank stehen und stellte sich einander vor. Die Deputys nahmen ihre Kopfbedeckungen ab, man schüttelte einander die Hand. Marshall Prather sagte: »Entschuldigen Sie die Störung, Deputy Pirtle und ich sind im Auftrag von Sheriff Walls hier, der übrigens sein aufrichtiges Beileid bekundet. Wir haben Mr. Hubbards Wagen zurückgebracht.« Er übergab Herschel die Schlüssel, der sich artig bedankte.

Deputy Pirtle zog einen Umschlag aus der Tasche und sagte: »Das hat Mr. Hubbard auf dem Küchentisch hinterlassen. Wir haben es gestern entdeckt, nachdem wir ihn gefunden hatten. Sheriff Walls hat Kopien gemacht, ist aber der Meinung, dass die Familie das Original haben soll.« Er reichte den Umschlag Ramona, die sofort wieder zu schniefen anfing.

Man sagte Danke schön, und nach einer weiteren Runde verlegenen Händeschüttelns und Kopfnickens verabschiedeten sich die Deputys. Ramona öffnete den Umschlag und nahm zwei Blätter Papier heraus. Das erste war der Brief an Calvin, in dem Seth seinen Selbstmord bestätigte. Das zweite war nicht an die Kinder, sondern an »die zuständige Person«.

Anweisungen für die Trauerfeier:

Ich will eine einfache Trauerzeremonie in der Irish Road Christian Church am Dienstag, den 4. Oktober, um sechzehn Uhr, gehalten von Reverend Don McElwain. Ich möchte, dass Mrs. Nora Baines »The Old Rugged Cross« singt. Ich möchte nicht, dass jemand eine Rede hält. Wer sollte das auch wollen. Ansonsten darf der Reverend sagen, was er will. Dreißig Minuten max.

Sollten Schwarze teilnehmen wollen, so soll ihnen der Zutritt zur Kirche gewährt werden. Andernfalls findet keine Feier statt. Dann lasse ich mich so verscharren.

Meine Sargträger sind: Harvey Moss, Duane Thomas, Steve Holland, Billy Bowles, Mike Mills und Walter Robinson.

Anweisungen für die Beerdigung:

Ich habe erst kürzlich ein Grab auf dem Friedhof der Irish Road Christian Church gekauft. Mit Mr. Magargel, dem Bestatter, ist bereits alles abgesprochen. Der Sarg ist bezahlt. Die Beisetzung nach der Trauerfeier soll max. fünf Minuten dauern.

Bis dann.
Man sieht sich im Jenseits.
Seth Hubbard

Nachdem das Schreiben einmal um den Tisch herumgereicht worden war und alle es gelesen hatten, wurde Kaffee nachgegossen. Herschel schnitt sich ein großes Stück Zitronenkuchen ab und erklärte ihn für köstlich. Die Dafoes lehnten ab.

»Sieht so aus, als hätte euer Vater alles ziemlich gut geplant«, bemerkte Ian, während er die Anweisungen noch einmal durchlas. »Kurz und knapp.«

»Und wenn es ein Verbrechen war?«, platzte Ramona heraus. »Das haben wir noch gar nicht in Erwägung gezogen. Können wir wenigstens darüber sprechen? Was, wenn es kein Selbstmord war? Wenn das alles nur falsche Fährten sind? Glaubt ihr wirklich, Daddy hätte sich selbst umgebracht?«

Herschel und Ian starrten sie an, als wären ihr gerade Hörner gewachsen. Beide hätten ihr am liebsten den Mund verboten und sie ausgelacht, stattdessen entstand eine peinliche Pause. Herschel biss langsam von seinem Kuchenstück ab, während Ian die beiden Blätter in die Hand nahm. »Meine Liebe, wie soll das gefälscht sein? Man erkennt Seths Handschrift auf zehn Meter Entfernung.«

Sie weinte wieder und wischte sich die Tränen ab. Herschel fügte hinzu: »Ich habe den Sheriff auch darauf angesprochen, Mona, und er ist sich sicher, dass es Selbstmord war.«

»Ich weiß, ich weiß«, murmelte sie unter Schluchzen.

»Dein Vater hatte Krebs im Endstadium, mit Schmerzen und allem, er hat sein Schicksal selbst in die Hand genommen. Sieht aus, als wäre er ziemlich gründlich vorgegangen.«

»Ich kann das nicht glauben«, sagte sie. »Warum hat er nicht mit uns gesprochen?«

Weil ihr auch sonst nie miteinander gesprochen habt, dachte Lettie.

Ian, der Rechtsexperte, fing an zu dozieren: »Das ist nicht ungewöhnlich für einen Selbstmord. Sie reden mit niemandem darüber und geben sich große Mühe mit der Planung. Vor zwei Jahren hat sich mein Onkel erschossen und …«

»Dein Onkel war Alkoholiker«, sagte Ramona, als die Tränen getrocknet waren.

»Ja, und er war auch betrunken, als er sich erschossen hat, aber er war trotzdem in der Lage, alles genau zu planen.«

»Können wir bitte über etwas anderes reden?«, bat Herschel.

»Mona, es war kein Verbrechen. Seth hat es selbst getan und Anweisungen hinterlassen. Ich schlage vor, wir durchsuchen das Haus nach Papieren, Kontoauszügen, dem Testament, nach allem, was uns nützen könnte. Wir sind seine Familie, und wir tragen die Verantwortung. So gehört sich das doch, oder?«

Ian und Ramona nickten zustimmend.

Lettie konnte sich ein Lächeln nicht verkneifen. Mr. Seth hatte alle Papiere in einem Aktenschrank in der Firma eingeschlossen. Letzten Monat hatte er Schreibtisch und Regale sorgfältig durchsucht und alle wichtigen Dokumente mitgenommen. »Lettie«, hatte er zu ihr gesagt, »wenn mir etwas zustoßen sollte, alles Wichtige ist in meinem Büro, gut verschlossen. Die Anwälte sollen sich darum kümmern. Nicht meine Kinder.«

Außerdem hatte er gesagt: »Ich hinterlasse Ihnen auch ein bisschen was.«

5

Gegen Montagmittag hatte sich die Neuigkeit von Seths Freitod unter den Anwälten im ganzen County herumgesprochen, und alle rätselten, welche Kanzlei wohl den Nachlass verwalten würde. Unnatürliche Todesfälle schlugen immer Wellen, insbesondere Autounfälle. Morde hingegen waren weniger beliebt – die meisten Mörder stammten aus den unteren Schichten und konnten keine hohen Honorare zahlen. Am Morgen hatte Jake noch nichts in der Hand gehabt – keinen Mord, keinen Autounfall, kein vielversprechendes Testament. Am Mittag überlegte er bereits, wofür er sein Honorar ausgeben würde.

Es gab im Gericht immer etwas für ihn zu tun. Das Grundstücksregister befand sich in einem riesigen Archivraum im dritten Stock mit dicken Büchern, deren Eintragungen zum Teil zweihundert Jahre zurückreichten. Früher war er oft hergekommen, wenn ihm langweilig war oder er sich vor Lucien verstecken wollte, um stundenlang über alten Landzuteilungs- und Besitzurkunden zu brüten, als gäbe es darin etwas Spektakuläres zu entdecken. Heute, mit fünfunddreißig und zehn Jahren Berufserfahrung, mied er diesen Raum lieber. Er sah sich selbst als Prozessanwalt, nicht als Faktenhuber, als Frontkämpfer, nicht als Schreibtischtäter, der seine Zeit zwischen Aktendeckeln verbrachte. Dennoch gab es Phasen, wo Jake – ebenso wie alle anderen Kollegen – nicht umhinkonnte, ein paar Stunden in den Archiven des County zu stöbern.

Der Raum war voll. Die größeren Kanzleien beschäftigten Assistenten für diese Art von Recherche. Mehrere davon waren da, schleppten Bände voller Besitzurkunden hin und her und beugten sich mit gerunzelter Stirn über die Seiten. Jake sprach mit ein paar Kollegen, die selbst gekommen waren – natürlich nur über Football und ähnlich Unverfängliches, niemand wollte dabei erwischt werden, wie er seine Nase in Seth Hubbards Vergangenheit steckte. Um Zeit totzuschlagen, sah er im Testamentsverzeichnis nach, ob in den letzten zwanzig Jahren irgendjemand mit Namen Hubbard Grundbesitz oder sonstige Vermögenswerte an Seth vererbt hatte, aber da war nichts. Anschließend ging er den Flur entlang zur Nachlassabteilung, um in alten Scheidungsakten zu stöbern, entschied dann aber anders, da dort viel zu viele neugierige Kollegen herumschnüffelten.

Auf der Suche nach einer ergiebigeren Quelle verließ er das Gericht.

Es war kein Wunder, dass Seth Hubbard die Anwälte in Clanton verabscheut hatte. Alle, die sich in Scheidungs- oder sonstigen Zivilprozessen mit Harry Rex Vonner angelegt hatten, wurden ihres Lebens nie wieder froh und hassten alles, was mit Justiz und Gerichten zu tun hatte. Seth war nicht der Erste, der Selbstmord begangen hatte.

Harry Rex nahm seinen Gegnern nicht nur Geld, Land und alles andere Wertvolle ab, er saugte ihnen förmlich das Blut aus den Adern. Sein Fachgebiet waren Scheidungen, je schmutziger, desto besser. Er liebte Schlammschlachten und blutige Gemetzel, den Kitzel heimlicher Telefonaufzeichnungen und das überraschende Foto der Geliebten in ihrem neuen Cabrio. Seine Prozesse waren Grabenkriege, die Abfindungspauschalen, die er erwirkte, legendär. Aus purem Vergnügen machte er aus einvernehmlichen Trennungen Rosenkriege, die sich über Jahre hinzogen. Er liebte es, Exgeliebte wegen Verlusts ehelicher Zuneigung zu verklagen. Und wenn keiner seiner alten Tricks funktionierte, dachte er sich neue aus. Mit seinen Methoden konnte Rex den gesamten Gerichtsbetrieb manipulieren und unter Druck setzen. Die Junganwälte nahmen vor ihm Reißaus, und die älteren Kollegen, von denen kaum einer sich nicht die Finger an ihm verbrannt hatte, blieben auf Distanz. Er hatte nicht viele Freunde, und selbst denen, die ihm die Treue hielten, fiel das oft nicht leicht.

Unter den Kollegen gab es nur einen, dem Harry Rex vertraute, und das war Jake. Das Vertrauen beruhte auf Gegenseitigkeit. Während des Hailey-Verfahrens, als Jake unter Schlaflosigkeit litt, an Gewicht verlor und sich nicht mehr konzentrieren konnte, als er Morddrohungen und Attentaten ausgesetzt war und fürchtete, im größten Fall seiner Karriere zu versagen, war Harry Rex zur Stelle gewesen. Er hatte im Hintergrund gewirkt, oft stundenlang, ohne eine Gegenleistung dafür zu erwarten. Er hatte Jake mit Rat und Tat zur Seite gestanden und ihm so den Kopf gerettet.

Wie jeden Montagmittag saß Harry Rex an seinem Schreibtisch und aß ein Sandwich. Für Scheidungsanwälte wie ihn war der erste Tag der Woche der anstrengendste. Ehen scheiterten meistens am Wochenende, und dann standen die Kontrahenten mit gebleckten Zähnen vor seiner Tür. Jake betrat das Gebäude durch den Hintereingang, um a) den chronisch gereizten Sekretärinnen aus dem Weg zu gehen und b) den pulverdampfverhüllten Warteraum voller entnervter Mandanten zu meiden. Harry Rex' Bürotür war geschlossen. Jake lauschte einen Augenblick lang, und als er keine Stimmen hörte, trat er ein.

»Was willst du?«, brummte Harry Rex mit vollem Mund. Das Sandwich lag vor ihm auf einem Stück Butterbrotpapier, flankiert von einem kleinen Berg Barbecue-Kartoffelchips. Zum Hinunterspülen hatte er eine Flasche Bud Light vor sich.

»Guten Tag, Harry Rex. Entschuldige, dass ich dich beim Mittagessen störe.«

Harry Rex wischte sich mit einem fleischigen Handrücken über den Mund. »Du störst überhaupt nicht. Was gibt's?«

»Schon beim Bier?« Jake nahm in einem voluminösen Ledersessel Platz.

»Wenn du meine Mandanten hättest, würdest du schon beim Frühstück anfangen zu trinken.«

»Aha, du etwa nicht?«

»Nicht montags. Wie geht's Miss Carla?«

»Gut, danke, und wie geht's Miss, äh, wie heißt sie noch?«

»Jane, du Schlaumeier, Jane Ellen Vonner, und ihr geht's nicht nur gut mit mir, sondern sie scheint einen Haufen Spaß zu haben und sich über ihr Glück zu freuen. Endlich eine Frau, die mich versteht.« Er nahm eine Handvoll leuchtend rote Chips und stopfte sie sich in den Mund.

»Herzlichen Glückwunsch. Wann lerne ich sie mal kennen?«

»Wir sind seit zwei Jahren verheiratet.«

»Ich weiß, aber ich warte lieber noch ab, wie lange diesmal die Halbwertszeit ist.«

»Bist du etwa hergekommen, um mich zu beleidigen?«

»Natürlich nicht.« Und Jake meinte das ernst. Harry Rex zu verärgern wäre dumm. Der Mann wog zwar mindestens hundertdreißig Kilo und tappte wie ein alter Bär durch die Stadt, doch seine Zunge war immer noch erstaunlich flink und böse.

»Erzähl mir von Seth Hubbard«, bat Jake.

Als Harry Rex lachte, schossen klebrige Krümel aus seinem Mund quer über den Tisch. »Könnte kein übleres Arschloch getroffen haben. Wieso fragst du mich?«

»Ozzie meinte, du hättest eine seiner Scheidungen abgewickelt.«

»Das stimmt, seine zweite, ist vielleicht zehn Jahre her, etwa zur selben Zeit, als du hier auftauchtest und anfingst, Anwalt zu spielen. Was hast du mit ihm zu tun?«

»Tja, bevor er sich umgebracht hat, hat er mir einen Brief und einen zweiseitigen Letzten Willen geschickt. Ist beides heute Morgen in meiner Post gewesen.«

Harry Rex nahm einen Schluck Bier und dachte mit verengten Augen nach. »Bist du ihm schon mal begegnet?«

»Nie.«

»Glück gehabt. Du hast nichts verpasst.«

»Sprich nicht so über meinen Mandanten.«

»Was steht in dem Testament?«

»Darf ich dir nicht sagen. Und eröffnen darf ich es erst nach der Beerdigung.«

»Wer bekommt das Erbe?«

»Darf ich nicht sagen. Ich erzähle es dir am Mittwoch.«

»Ein zweiseitiges Testament, verfasst am Tag vor dem Selbstmord. Klingt in meinen Ohren nach einer Goldgrube. Das Verfahren wird mindestens fünf Jahre dauern.«

»Das hoffe ich.«

»Du wirst eine Weile beschäftigt sein.«

»Ich brauche das Mandat. Was gehörte denn dem guten Seth so alles?«

Harry Rex schüttelte den Kopf und griff zu seinem Sandwich. »Keine Ahnung«, sagte er und biss hinein. Die überwiegende Mehrheit von Jakes Freunden und Bekannten sprach lieber nicht mit vollem Mund, doch mit solchen gesellschaftlichen Finessen hatte sich Harry Rex nie belastet. »Soweit ich mich entsinne, und es ist, wie gesagt, schon zehn Jahre her, hatte er ein Haus oben in der Simpson Road, mit ein bisschen Land. Der größte Brocken wird das Sägewerk samt Holzlager am Highway 21 sein, nicht weit von Palmyra. Meine Mandantin war, ähm, Sibyl, Sybil Hubbard, Ehefrau Nummer zwei. Ich glaube, es war ihre zweite oder dritte Ehe.«

Nach zwanzig Jahren und zahllosen Fällen war Harry Rex' Gedächtnis immer noch erstaunlich. Je schmutziger die Details, umso besser funktionierte es.

Nach einem schnellen Schluck Bier fuhr er fort. »Sie war recht sympathisch, sah nicht schlecht aus und war auch noch verdammt clever. Sie hat im Sägewerk gearbeitet, besser gesagt, sie hat den Laden geleitet, und er lief bestens, als Seth auf die Idee kam zu expandieren. Er wollte noch ein Sägewerk in Alabama dazukaufen und reiste immer wieder für längere Zeit dorthin. Es stellte sich heraus, dass es ihm da eine Empfangssekretärin angetan hatte. Die Sache flog auf. Seth wurde mit heruntergelassenen Hosen erwischt, und Sybil engagierte mich, um ihm die Hölle heißzumachen. Und das habe ich getan. Ich überzeugte das Gericht davon, dass das Sägewerk bei Palmyra verkauft werden müsste. Das andere Werk hat nämlich nie Gewinn gemacht. Die zweihunderttausend Dollar Erlös gingen komplett an meine Mandantin. Sie hatten außerdem eine hübsche kleine Wohnung am Golf, in der Nähe von Destin. Die bekam Sybil auch. Das ist die Kurzversion der Geschichte, aber die Akte ist knapp einen halben Meter dick. Du darfst sie dir gern ansehen, wenn du willst.«

»Vielleicht später. Hast du eine Vorstellung, wie seine aktuellen Bilanzen aussehen?«

»Nein. Ich habe den Typ aus den Augen verloren. Nach der Scheidung hat er nicht mehr viel von sich reden gemacht. Als ich das letzte Mal von Sybil gehört habe, lebte sie irgendwo am Strand mit einem neuen Ehemann, der, wie sie sagte, viel jünger sei als sie. Sie meinte, es gebe Gerüchte, dass Seth wieder ins Holzgeschäft eingestiegen sei, aber sie wisse nicht viel.« Er schluckte und spülte mit Bier nach. Dann rülpste er geräuschvoll und ohne das geringste Anzeichen von Verlegenheit. »Hast du schon mit den Kindern gesprochen?«

»Noch nicht. Kennst du sie?«

»Ja, hab sie damals kennengelernt. Die können es dir ganz schön schwer machen. Herschel ist ein Waschlappen. Seine Schwester, wie heißt sie noch gleich?«

»Ramona Hubbard Dafoe.«

»Genau. Sie ist ein paar Jahre jünger als Herschel und gehört zu dem feinen Zirkel von Nord-Jackson. Beide sind nicht besonders gut mit Seth ausgekommen, und ich hatte immer den Eindruck, dass er kein guter Vater ist. Sie mochten Sybil, ihre zweite Mutter, sehr gern, und als klar wurde, dass Sybil als Siegerin aus dem Scheidungsdrama hervorgehen und das ganze Geld bekommen würde, haben sie sich auf ihre Seite geschlagen. Lass mich raten – der Alte lässt sie leer ausgehen?«

Jake nickte, sagte aber nichts.

»Die werden ausrasten und sich sofort einen Anwalt nehmen. Das ist ein richtiger Knüller, den du da an Land gezogen hast, Jake. Wie schade, dass ich nicht auch ein Stück vom Kuchen abhaben kann.«

»Wenn du wüsstest.«

Harry Rex ließ den Rest vom Sandwich und die letzten Chips in seinem Mund verschwinden und knüllte Papier, Tüte und Servietten zusammen, um sie mit der leeren Bierflasche unter seinen Schreibtisch zu befördern. Dann öffnete er eine Schublade und nahm eine lange schwarze Zigarre heraus, die er sich in den Mundwinkel steckte, ohne sie anzuzünden. Er hatte aufgehört zu rauchen, kam aber immer noch auf zehn am Tag, die er kaute und stückweise ausspuckte. »Ich habe gehört, er hat sich erhängt. Stimmt das?«

»Ja. Und er hat alles bestens geplant.«

»Irgendeine Idee, warum?«

»Du hast bestimmt die Gerüchte gekannt. Er war unheilbar an Krebs erkrankt. Mehr wissen wir nicht. Wer hat ihn bei der Scheidung vertreten?«

»Stanley Wade. Ein großer Fehler.«

»Wade? Seit wann macht der denn Scheidungen?«

»Nicht mehr«, sagte Harry Rex lachend. Er schmatzte und wurde wieder ernst. »Hör mal, Jake, ich sage das nicht gern, aber was vor zehn Jahren passiert ist, ist Schnee von gestern. Ich habe Seth Hubbards Geld genommen, einen angemessenen Teil für mich behalten und den Rest meiner Mandantin gegeben. Dann habe ich die Akte geschlossen. Was auch immer Seth nach Scheidung Nummer zwei getrieben hat, geht mich nichts an.« Er schwenkte die Hand über die Papierberge auf seinem Schreibtisch. »Mein Montag freilich gehört diesem Zeug hier. Wenn du später Lust hast, mit mir was trinken zu gehen, gern, aber im Moment stecke ich bis zum Hals in Arbeit.«

Mit Harry Rex etwas trinken zu gehen bedeutete meist nach einundzwanzig Uhr. »Klar, lass uns dann weiterreden«, sagte Jake und stieg auf dem Weg zur Tür über ein paar Akten.

»Sag mal, Jake, kann man davon ausgehen, dass Hubbard ein früheres Testament für nichtig erklärt hat?«

»Ja.«

»Und ist dieses frühere Testament von einer Kanzlei verfasst worden, die größer ist als deine?«

»Ja.«

»Dann würde ich an deiner Stelle sofort zum Gericht laufen und als Erstes einen Antrag auf Testamentseröffnung stellen.«

»Mein Mandant will, dass ich damit bis nach der Beerdigung warte.«

»Wann ist die?«

»Morgen um vier.«

»Das Gericht schließt um fünf. Da ist noch genug Zeit. Es ist immer besser, als Erster dort zu sein.«

»Danke, Harry Rex.«

»Keine Ursache.« Er rülpste wieder und griff nach einer Akte.

Den ganzen Nachmittag über riss der Strom von Besuchern nicht ab; Nachbarn, Kirchenmitglieder und andere Bekannte kamen in einer feierlichen Prozession zu Seths Haus, um Essen zu bringen, mitzutrauern, vor allem aber, um mehr über das Gerücht zu erfahren, das sich im Nordosten von Ford County wie ein Lauffeuer verbreitet hatte. Die meisten wurden von Lettie höflich, doch bestimmt am Eingang wieder verabschiedet. Sie nahm Schüsseln, Kuchen und Beileidsbekundungen entgegen und wiederholte ungezählte Male, dass die Familie danke, aber keine Besuche empfange. Einigen gelang es trotzdem, ins Haus zu schlüpfen und zum Wohnzimmer vorzudringen, wo sie standen und die Einrichtung begafften. Sie waren noch nie hier gewesen, und Lettie hatte keine Ahnung, wer sie waren. Trotzdem gaben sie vor zu trauern. So ein tragisches Ende! Ob er sich wirklich erhängt habe?

Um dem Besucherstrom aus dem Weg zu gehen, hatte sich die Familie auf die hintere Terrasse zurückgezogen, wo man um einen Picknicktisch saß. Die Durchsuchung von Seths Schreibtisch und Schränken hatte nichts Bedeutsames zutage gefördert. Lettie hatte behauptet, von nichts zu wissen, aber alle hegten da Zweifel. Sie hatte ihre Fragen ruhig, langsam und mit Bedacht beantwortet, was für noch mehr Misstrauen gesorgt hatte. Während einer kurzen Besucherpause gegen vierzehn Uhr servierte sie ihnen auf der Terrasse Mittagessen. Sie hatten auf einer Tischdecke, Silberbesteck und Stoffservietten bestanden, obwohl Seths Bestände viele Jahre lang schmählich vernachlässigt worden waren. Man einigte sich darauf, dass Lettie für fünf Dollar die Stunde wenigstens so tun konnte, als wäre sie ein richtiges Dienstmädchen.

Im Umhersausen hörte sie, wie am Picknicktisch darüber gesprochen wurde, wer zur Beerdigung gehen würde und wer nicht. Ian zum Beispiel steckte mitten in wichtigen Vertragsverhandlungen, die sich wahrscheinlich auf die finanzielle Situation des gesamten Bundesstaates auswirken würden. Es stünden morgen einige entscheidende Meetings an, die zu versäumen erhebliche Probleme mit sich brächte.

Herschel und Ramona sahen widerstrebend ein, dass sie nicht anders konnten, als hinzugehen, wobei Lettie das Gefühl nicht loswurde, dass auch sie einen Grund suchten, um sich zu drücken. Ramona erklärte, dass es ihr von Stunde zu Stunde schlechter gehe, sie sei nicht sicher, ob sie das alles überstehe. Herschel kündigte an, dass seine Exfrau definitiv nicht kommen werde. Er wolle es nicht. Sie habe Seth nie gemocht, und Seth habe sie gehasst. Seine beiden Töchter, nun ja, die eine studiere in Texas, die andere besuche in Memphis die Highschool. Die Ältere dürfe auf keinen Fall die Uni versäumen, außerdem habe sie, wie Herschel eingestand, ihrem Großvater nicht besonders nahegestanden. Ach, tatsächlich, dachte Lettie, während sie Teller abräumte. Bei der Jüngeren sei auch noch nicht sicher, ob sie kommen könne.

Seths jüngeren Bruder, Onkel Ancil, hätten sie nie kennengelernt und wüssten auch nicht viel über ihn, nur dass er mit sechzehn oder siebzehn unter Angabe eines falschen Alters bei der Navy angeheuert habe. Er sei im Pazifikkrieg verwundet worden, habe aber überlebt und sei anschließend über alle Weltmeere gereist, wobei er sich mit verschiedensten Jobs über Wasser gehalten habe. Seth habe vor Jahrzehnten bereits die Verbindung zu ihm verloren und nie über ihn gesprochen. Es gebe keine Möglichkeit, Kontakt zu ihm aufzunehmen, und sicherlich auch keinen Grund. Wahrscheinlich sei er ebenso tot wie Seth.

Sie sprachen über andere Verwandte, die sie seit Jahren nicht gesehen hatten und die sie auch jetzt nicht sehen wollten. Was für eine sonderbare, traurige Familie, dachte Lettie, während sie ihnen eine Auswahl Kuchen servierte. Die Beerdigung würde in sehr kleinem Kreis stattfinden und in Nullkommanichts über die Bühne sein.

»Sie muss hier so schnell wie möglich weg«, sagte Herschel, als Lettie in die Küche verschwunden war. »Wir dürfen uns nicht länger abzocken lassen.«

»Wir? Seit wann zahlen wir sie denn?«, fragte Ramona.

»Na ja, sie liegt jetzt uns auf der Tasche. Es geht alles vom Erbe ab.«

»Aber ich werde das Haus nicht putzen, du vielleicht, Herschel?«

»Natürlich nicht.«

»Lasst uns das locker angehen«, schlug Ian vor, »bringen wir die Beerdigung hinter uns, dann soll sie putzen, und wenn wir am Mittwoch wieder fahren, schließen wir das Haus ab.«

»Wer sagt ihr, dass sie den Job los ist?«, fragte Ramona.

»Das mache ich«, erwiderte Herschel. »Kein Problem. Schließlich ist sie nur eine Haushälterin.«

»Aber irgendwas an ihr ist faul«, meinte Ian. »Ich kann nicht recht sagen, was, aber sie verhält sich, als wüsste sie etwas, was wir nicht wissen, irgendetwas Wichtiges. Findet ihr nicht auch?«

»Ja, da liegt was in der Luft«, stimmte Herschel zu, der froh war, wenigstens ab und zu mit seinem Schwager einer Meinung zu sein.

Doch Ramona war anderer Ansicht. »Nein, das ist nur der Schock und die Trauer. Sie war einer von den wenigen Menschen, die Seth ertragen konnte, die *ihn* ertragen haben. Sie ist traurig, dass er nicht mehr da ist. Außerdem weiß sie, dass sie ihren Job bald los sein wird.«

»Du meinst, sie ahnt, dass sie gefeuert wird?«, fragte Herschel.

»Ich bin sicher, dass sie das befürchtet.«

»Und wenn schon. Sie ist nur ein Hausmädchen.«

Lettie nahm einen Kuchen mit nach Hause, den ihr Ramona großzügigerweise geschenkt hatte. Es war ein Blechkuchen mit fertig gekaufter Vanillecreme und gebräunten Ananasscheiben und mit Sicherheit der unattraktivste von dem halben Dutzend Kuchen, die auf Mr. Hubbards Küchentheke aufgereiht standen. Gebracht hatte ihn ein Mann von der Kirche, der Lettie unter anderem gefragt hatte, ob die Familie vorhabe, Seths Chevrolet-Pick-up zu verkaufen. Lettie hatte keine Ahnung, versprach aber, die Frage weiterzuleiten. Was sie nicht tat.

Auf dem Heimweg hatte sie ernsthaft überlegt, ob sie den Kuchen nicht einfach wegschmeißen sollte, brachte es aber nicht über sich. Ihre Mutter hatte Diabetes und brauchte wirklich nicht noch mehr Zucker. Wobei nicht sicher war, dass sie überhaupt probieren wollte.

Lettie parkte in der leeren Kiesauffahrt. Simeons alter Pick-up war nicht da. Ihr Mann war schon seit ein paar Tagen weg, und eigentlich rechnete sie auch noch nicht mit ihm. Im Grunde war es ihr sowieso lieber, wenn er nicht da war. Aber man konnte es nie so genau vorhersagen. Sie hatten alles andere als ein glückliches Heim, und ihr Mann war daran nicht ganz unschuldig.

Die Kinder waren noch mit dem Schulbus unterwegs. Lettie ging durch die Küche ins Haus und stellte den Kuchen auf den Tisch. Wie immer saß Cypress im Wohnzimmer und sah fern, wahrscheinlich schon seit Stunden.

Cypress lächelte und streckte ihr die Arme entgegen. »Mein Baby«, sagte sie. »Wie war dein Tag?«

Lettie beugte sich vor und umarmte sie zurückhaltend. »Ziemlich anstrengend. Und deiner?«

»Wir haben uns gut vertragen, der Fernseher und ich«, erwiderte Cypress. »Wie kommen die Hubbards mit dem Verlust zurecht? Setz dich doch, Lettie, und erzähl ein bisschen.«

Lettie schaltete den Fernseher aus, setzte sich neben den Rollstuhl ihrer Mutter auf einen Hocker und berichtete von ihrem Tag. Es habe keine ruhige Minute mehr gegeben, seit Herschel und die Dafoes angekommen seien. Dann die nicht abreißende Besucherparade, die Nachbarn, das ganze Essen. So wie Lettie die Ereignisse präsentierte, klang es nach einem insgesamt ziemlich aufregenden Tag, wobei sie die schlechte Nachricht geschickt umschiffte. Irgendwann demnächst würde sie aber nicht umhinkommen zu erwähnen, dass sie ihren Job verlieren würde. Aber nicht jetzt. Später würde sich eine bessere Gelegenheit ergeben.

»Und die Beerdigung?«, fragte Cypress und streichelte ihrer Tochter den Arm. Lettie lieferte Einzelheiten, erklärte, sie wolle teilnehmen und freue sich darüber, dass Mr. Hubbard darauf bestanden habe, Schwarze in die Kirche zu lassen.

»Wahrscheinlich darfst du in der letzten Reihe sitzen«, sagte Cypress grinsend.

»Wahrscheinlich. Aber ich werde dabei sein.«

»Ich wünschte, ich könnte mitgehen.«

»Ich auch.« Aufgrund ihrer extremen Fettleibigkeit konnte Cypress das Haus kaum mehr verlassen. Sie wohnte jetzt seit fünf Jahren hier und wurde von Monat zu Monat ausladender und immobiler. Simeon blieb aus vielen Gründen weg, doch Letties Mutter spielte dabei eine nicht unerhebliche Rolle.

»Mrs. Dafoe hat mir einen Kuchen mitgegeben«, sagte Lettie. »Möchtest du ein Stück?«

»Was für einen Kuchen?« Trotz ihres Gewichts war Cypress beim Essen ziemlich wählerisch.

»Irgendwas mit Ananas, ich bin nicht sicher, ob ich so was schon mal gesehen habe, aber vielleicht ist es einen Versuch wert. Möchtest du einen Kaffee dazu?«

»Ja. Nur ein kleines Stück.«

»Lass uns auf die Terrasse gehen und ein bisschen frische Luft schnappen, Momma.«

»Gern.« Der Rollstuhl passte kaum zwischen Sofa und Fernseher hindurch, ebenso knapp war es in dem engen Flur zur Küche. Er schleifte am Tisch entlang, ehe er, von Lettie vorsichtig geschoben, durch die Hintertür auf die durchhängende Holzterrasse rollte, die Simeon vor Jahren zusammengenagelt hatte.

Bei schönem Wetter saß Lettie spätnachmittags gern hier, mit Kaffee oder Eistee, abseits von der lärmenden Enge im Haus. Viel zu viele Menschen wohnten in der kleinen Wohnung mit nur drei Schlafzimmern. Cypress hatte eines, Lettie und Simeon – wenn er zu Hause war – hatten eines, das sie sich meist mit ein oder zwei Enkeln teilten, und die Töchter quetschten sich zusammen in das dritte Zimmer. Die sechzehnjährige Clarice ging zur Highschool und hatte keine Kinder. Phedra hatte mit ihren einundzwanzig Jahren ein Kind in der Vorschule und eines in der ersten Klasse, aber keinen Mann. Der vierzehnjährige Kirk, Letties jüngerer Sohn, schlief im Wohnzimmer auf dem Sofa. Nicht selten wohnten außerdem noch über Monate Nichten und Neffen bei ihnen, während deren Eltern versuchten, ihr Leben in den Griff zu bekommen.

Cypress trank einen Schluck Instantkaffee und spießte einen Bissen vom Kuchen auf ihre Gabel. Langsam führte sie ihn zum Mund, kaute und runzelte kritisch die Stirn. Lettie schmeckte er auch nicht, und so beließen sie es beide beim Kaffee und redeten über die Hubbards und wie durcheinander sie waren. Sie machten sich über die Weißen und ihre Beerdigungen lustig, wie eilig sie es hatten, ihre Toten unter die Erde zu bringen, oft binnen zwei oder drei Tagen. Schwarze ließen sich dafür viel mehr Zeit.

»Du wirkst so abwesend, mein Schatz, bedrückt dich was?«, fragte Cypress leise.

Die Kinder würden bald aus der Schule kommen, dann Phedra von der Arbeit. Dies war der letzte ruhige Moment bis zum Schlafengehen. Lettie atmete tief durch und sagte: »Ich habe sie reden gehört, Momma. Sie werden mich entlassen. Wahrscheinlich noch diese Woche, gleich nach der Beerdigung.«

Cypress schüttelte den großen runden Kopf und sah aus, als wäre sie den Tränen nahe. »Aber warum denn?«

»Ich denke, sie brauchen keine Haushälterin mehr. Sie werden das Haus verkaufen, weil es keiner von ihnen übernehmen will.«

»Guter Gott!«

»Sie können es gar nicht abwarten, an das Geld zu kommen. Sie hatten nie Zeit, ihn zu besuchen, aber jetzt kreisen sie wie die Geier.«

»Typisch Weiße. Das war schon immer so.«

»Sie finden, dass ich zu viel verdiene, deshalb wollen sie mich so schnell wie möglich loswerden.«

»Wie viel hat er dir denn bezahlt?«

»Ach, Momma.« Lettie hatte niemandem aus ihrer Familie erzählt, dass Mr. Hubbard ihr fünf Dollar die Stunde zahlte, und zwar bar auf die Hand. In diesem ländlichen Bereich von Mississippi war das in der Tat viel für eine Haushälterin, und Lettie wusste, dass es nur Ärger gegeben hätte. Alle würden ein extra Taschengeld wollen. Die Freunde würden anfangen zu reden. »Behalte es für dich, Lettie«, hatte Mr. Hubbard zu ihr gesagt. »Sprich nicht über dein Geld.« Simeon hätte überhaupt keine Motivation mehr, etwas nach Hause zu bringen. Seine Einkünfte waren auch so schon ähnlich unvorhersehbar wie seine Besuche zu Hause.

»Sie haben mich Dienstmädchen genannt«, sagte Lettie.

»Dienstmädchen? Den Ausdruck habe ich schon lange nicht mehr gehört.«

»Diese Leute sind alles andere als sympathisch, Momma. Ich glaube zwar, dass Mr. Hubbard kein guter Vater war, aber seine Kinder sind schäbig.«

»Und jetzt bekommen sie all sein Geld.«

»Das nehme ich an. Jedenfalls rechnen sie damit.«

»Wie viel hat er denn hinterlassen?«

Lettie schüttelte den Kopf und trank einen Schluck Kaffee. »Ich habe keine Ahnung. Und ich bin nicht einmal sicher, dass es irgendjemanden gibt, der das genau weiß.«

6

Der Parkplatz vor der Irish Road Christian Church war zur Hälfte gefüllt, als Ozzie am Dienstagnachmittag um fünf vor vier eintraf. Er war mit einem Zivilfahrzeug unterwegs – er blieb lieber inkognito –, doch man sah trotzdem auf den ersten Blick, dass hier der Sheriff kam. Es war das gleiche Fordmodell, das praktisch alle Sheriffs im Staat fuhren, groß, braun, viertürig, mit schwarzen Felgen, dazu mehrere Antennen und ein kleines, rundes blaues Signallicht auf dem Armaturenbrett, halb verborgen.

Ozzie parkte neben dem roten Saab, der etwas abseits von den anderen Autos stand. Jake stieg zusammen mit ihm aus, und gemeinsam überquerten sie den Parkplatz. »Irgendwelche Neuigkeiten?«, wollte Jake wissen.

»Nichts«, sagte Ozzie. Er trug einen dunklen Anzug und dazu schwarze Cowboystiefel. Jake hatte ebenfalls einen Anzug an, aber keine Stiefel. »Bei dir?«

»Nichts. Ich schätze, morgen bricht die Hölle los.«

Ozzie lachte. »Ich kann's kaum erwarten.«

Die Kirche war ursprünglich ein freistehender kleiner Klinkerbau gewesen, mit einem gedrungenen Turm über dem zweiflügligen Eingangsportal. Im Laufe der Zeit hatte die Gemeinde alle möglichen Metallschuppen angebaut – einen direkt neben die Kirche, der sie weit überragte, und einen anderen dahinter, wo die Jugendlichen Basketball spielen konnten. Auf einer kleinen Anhöhe in der Nähe lag unter schattigen Bäumen der Friedhof, eine hübsche, friedvolle letzte Ruhestätte.

Vor der Tür standen noch ein paar Raucher, Männer vom Land in alten, ungern getragenen Anzügen. Sie begrüßten den Sheriff unterwürfig und nickten Jake höflich zu. Im Innern hatte sich eine beachtliche Menschenmenge auf den dunklen Eichenbänken zusammengefunden. Das Licht war gedimmt. Ein Organist spielte leise Trauermusik, um die Anwesenden auf den kommenden Schmerz einzustimmen. Seths Sarg war geschlossen und mit Blumen geschmückt und stand unter der Kanzel. Die Sargträger saßen mit grimmigen Mienen Schulter an Schulter links davon, nicht weit von dem elektrischen Klavier.

Jake und Ozzie setzten sich allein in eine hintere Reihe und begannen sich umzusehen. Ein paar Reihen vor ihnen saß eine Gruppe von Schwarzen, insgesamt fünf Personen.

Ozzie nickte in ihre Richtung und flüsterte: »Die im grünen Kleid, das ist Lettie Lang.«

Jake nickte und flüsterte zurück: »Wer sind die anderen?«

Ozzie schüttelte den Kopf. »Kann ich von hier aus nicht sagen.«

Jake blickte auf Letties Hinterkopf und versuchte, sich auszumalen, was ihnen beiden bevorstand. Noch hatte er die Frau nicht kennengelernt, deren Namen er gestern zum ersten Mal gehört hatte. Doch sie würden sich kennenlernen, und zwar ziemlich gut.

Lettie ahnte von alledem nichts, während sie in ihrer Bank saß, die Hände im Schoß gefaltet. Am Morgen hatte sie drei Stunden gearbeitet, bis Herschel gesagt hatte, dass sie gehen könne. Auf dem Weg nach draußen hatte er ihr mitgeteilt, dass ihr Arbeitsverhältnis am folgenden Mittwoch um fünfzehn Uhr enden werde. Von da an werde das Haus leer stehen, bis vom Gericht weitere Anordnungen kämen. Lettie hatte vierhundert

Dollar auf ihrem Girokonto, das sie vor Simeon geheim hielt, und dreihundert Dollar in einem Einmachglas in der Vorratskammer. Davon abgesehen war sie pleite und ohne Aussichten auf einen vernünftigen Job. Mit ihrem Mann hatte sie seit fast drei Wochen nicht gesprochen. Er war gelegentlich mit einem Scheck oder etwas Bargeld heimgekommen, meist aber war er betrunken und musste seinen Rausch ausschlafen.

Ohne Arbeit, mit unbezahlten Rechnungen und hungrigen Mäulern zu Hause, hätte Lettie hier sitzen können und sich zum Klang der Orgel über ihre Zukunft sorgen können, doch das tat sie nicht. Mr. Hubbard hatte ihr vor seinem Tod – und da wusste er schon, dass der unmittelbar bevorstand – mehr als einmal versprochen, dass er ihr ein bisschen was hinterlassen würde. Wie viel würde es sein? Lettie konnte nur träumen. Vier Reihen hinter ihr dachte Jake: wenn sie nur wüsste. Sie hatte keine Ahnung, dass er da war. Später würde sie sagen, dass sie den Namen Brigance im Zusammenhang mit dem Hailey-Prozess schon gehört, Jake aber noch nie gesehen habe.

Vorn in der Mitte, gleich vor dem Sarg, saß Ramona Dafoe zwischen Ian und Herschel. Keine von Seths Enkelinnen hatte es geschafft zu kommen. Sie waren viel zu eingespannt. Nicht dass die Eltern sie besonders gedrängt hätten. Dahinter hockten ein paar weit entfernte Verwandte, die sich erst einmal hatten vorstellen müssen und nicht lange im Gedächtnis bleiben würden. Seth Hubbards Eltern waren seit Jahrzehnten tot. Ancil, sein einziger Bruder, war vor langer Zeit weggegangen. Sie waren nie eine richtig große Familie gewesen, und die Jahre hatten sie immer stärker dezimiert.

Hinter Familie und Verwandtschaft schlossen sich mehrere Dutzend weitere Trauernde an – Seths Angestellte, Freunde und Gemeindemitglieder. Als Pastor Don McElwain um Punkt sechzehn Uhr die Kanzel betrat, wussten alle, dass es eine kurze

Trauerfeier werden würde. Er begann mit einem Gebet und verlas dann einen kurzen Nachruf: Seth wurde am 10. Mai 1917 in Ford County geboren, wo er am 2. Oktober 1988 starb. Vorangegangen sind ihm seine Eltern, Mrs. sowieso und Mr. sowieso; er hinterlässt zwei Kinder und ein paar Enkel und so weiter.

Ein paar Reihen vor ihm auf der linken Seite entdeckte Jake ein bekanntes Gesicht. Schicker Anzug, sein Alter und Examensjahr: Stillman Rush, in seiner Familie Anwalt in der dritten Generation, ein Widerling aus einem Clan von Widerlingen, große Justizprominenz im Körperschafts- und Versicherungsrecht – jedenfalls so groß, wie man als Anwalt in den ländlichen Südstaaten werden konnte. Rush & Westerfield, die größte Kanzlei im Norden von Mississippi, hatte ihren Hauptsitz in Tupelo, war jedoch auf dem besten Weg, bald in jedem Einkaufszentrum eine Vertretung zu haben. Seth Hubbard hatte die Kanzlei Rush in seinem Brief an Jake erwähnt, ebenso in seinem handschriftlichen Testament, es lag also nahe, dass Stillman Rush und die beiden anderen adrett gekleideten Herren an dessen Seite gekommen waren, um zu sehen, wie sich ihre Wertanlage machte. Üblicherweise wurde in solchen Fällen paarweise gearbeitet, selbst für die simpelsten Aufgaben wurden zwei Leute geschickt: um Schriftsätze beim Gericht einzureichen, den Richter auf den neuesten Stand zu bringen, Anhörungen zu ohnehin unstrittigen Sachberichten beizuwohnen, Botengänge zu machen. Alles, was Akten und Rechnungen aufblies. Großkanzleien huldigten dieser Form der Ineffizienz begeistert, denn je mehr Stunden abgerechnet wurden, umso höher fiel das Honorar aus.

Aber drei Mann? Bei einer Blitz-Beerdigung irgendwo in der Provinz? Das war ebenso verwunderlich wie aufregend, denn es konnte nur bedeuten, dass sehr viel Geld im Spiel war. Mit

Sicherheit hatten die beiden ihre Uhren angeworfen, als sie in Tupelo das Büro verließen. Für zweihundert Dollar pro Mann und Stunde saßen sie jetzt hier und taten so, als trauerten sie. Seths letzten Worten zufolge hatte ein Mr. Lewis McGwyre im September 1987 ein Testament für ihn aufgesetzt, und Jake nahm an, dass er einer von den dreien war. Der Name McGwyre sagte ihm nichts, aber das war nicht verwunderlich, denn die Kanzlei beschäftigte ein ganzes Heer von Anwälten. Nachdem sie das Testament aufgesetzt hatten, gingen sie automatisch davon aus, dass sie es auch eröffnen würden.

Morgen, dachte er, werden sie wiederkommen, zumindest zu zweit, vielleicht auch wieder zu dritt, und werden mit ihren Unterlagen zum Nachlassgericht im dritten Stock gehen, um entweder Eva oder Sara lässig mitzuteilen, dass sie gekommen seien, um die Eröffnung von Mr. Seth Hubbards Testament zu beantragen. Und entweder Eva oder Sara werden dann ein Grinsen unterdrücken, während sie nach außen hin Verwirrung zur Schau stellen. Man wird mit Papier rascheln und ungläubige Fragen stellen und dann – die große Überraschung: Sie sind zu spät gekommen, meine Herren. Das Testament ist bereits eröffnet!

Eva oder Sara werden ihnen die frisch angelegte Akte zeigen, und sie werden auf das kurz gefasste, handschriftliche Testament starren, das ihr seitenlanges, kostbares Exemplar ausdrücklich widerruft. Die Fehde kann beginnen. Sie werden Jake Brigance verfluchen, doch sobald sie sich wieder beruhigt haben, werden sie feststellen, dass alle Beteiligten an der Sache ziemlich gut verdienen können.

Lettie wischte sich eine Träne ab und stellte fest, dass sie wahrscheinlich der einzige Mensch in dieser Kirche war, der weinte.

Vor den Anwälten saßen ein paar Männer in Businessanzügen.

Einer davon drehte sich um und flüsterte Stillman Rush etwas zu. Jake überlegte, ob das ein Mitglied von Seths Führungsstab war. Er war vor allem neugierig auf Mr. Russell Amburgh, den Seth in seinem Letzten Willen als Prokuristen seiner Holding beschrieben hatte, der sich mit Vermögenswerten und Verbindlichkeiten der Firma bestens auskenne.

Mrs. Nora Baines sang drei Strophen von »The Old Rugged Cross«, einem sentimentalen Countrysong, der bei Beerdigungen normalerweise garantiert die Tränen fließen ließ. Bei Seth trat die Wirkung nicht ein. Pastor McElwain las aus dem Buch der Psalmen und verweilte länger bei König Salomon und dessen Weisheit, dann traten zwei pickelige Teenagerjungs mit Gitarre auf und gaben ein sentimentales Lied zum Besten, das Seth sicher nicht gefallen hätte. Ramona verlor die Nerven und ließ sich von Ian trösten. Herschel starrte reglos auf den Boden vor dem Sarg, ohne zu zwinkern. Eine zweite Frau schluchzte laut auf.

Seths grausamer Plan war es, seinen Letzten Willen bis nach der Beerdigung geheim zu halten. In seinem Brief an Jake hatte er geschrieben: »Erwähnen Sie das Testament meiner Familie gegenüber nicht, bevor die Beerdigung vorüber ist. Ich will, dass sie alle Trauerrituale durchlaufen, ehe sie erfahren, dass sie nichts bekommen werden. Schauen Sie sich an, wie sie die Trauer heucheln – sie können das gut. Aus Liebe zu mir heulen sie jedenfalls nicht.« Im weiteren Verlauf der Trauerfeier wurde klar, dass wenig geheuchelt wurde. Der klägliche Rest seiner Familie bemühte sich nicht einmal, so zu tun als ob. Was für ein trauriges Ende, dachte Jake.

Seth hatte verfügt, dass keine Reden gehalten werden sollten, und so sprach niemand außer dem Pastor. Ganz offensichtlich schien sich auch niemand darum zu reißen. Der Pastor schloss mit einem nicht endenden Gebet, vermutlich um Zeit zu schinden.

Fünfundzwanzig Minuten nachdem er begonnen hatte, entließ er die Gemeinde mit der Aufforderung, nebenan auf den Friedhof zu kommen, um der Beisetzung beizuwohnen. Jake gelang es, im Hinausgehen Stillman Rush aus dem Weg zu gehen. Stattdessen sprach er einen der Geschäftsmänner an. »Verzeihen Sie, aber ich suche einen gewissen Russell Amburgh.«

Der Mann deutete höflich in eine Richtung. »Dort drüben.«

Russell Amburgh stand drei Meter entfernt und zündete sich eben eine Zigarette an. Er hatte Jake gehört. Die beiden Männer schüttelten einander mit ernster Miene die Hand und stellten sich vor. Jake sagte: »Kann ich Sie kurz unter vier Augen sprechen?«

Mr. Amburgh zuckte leicht die Schultern. »Klar, was gibt's?«

Die Menschenmenge bewegte sich langsam Richtung Friedhof, doch Jake hatte ohnehin nicht die Absicht, der Zeremonie am Grab beizuwohnen. Als er mit Amburgh außer Hörweite war, sagte er: »Ich bin Anwalt in Clanton. Ich habe Mr. Hubbard nie kennengelernt, aber ich habe gestern einen Brief von ihm bekommen. Einen Brief zusammen mit einem Testament, in dem er Sie als seinen Testamentsvollstrecker bestimmt. Wir müssen uns so bald wie möglich zusammensetzen.«

Amburgh erstarrte kurz und steckte sich dann die Zigarette in seinen Mundwinkel. Er blickte Jake an und sah sich schließlich um, wie um sich zu vergewissern, dass sie ungestört waren. »Was für ein Testament?«, sagte er und blies Rauch aus.

»Ein handschriftliches vom letzten Samstag. Er hat seinen Tod sorgfältig geplant.«

»Dann war er wahrscheinlich nicht mehr ganz zurechnungsfähig«, sagte Amburgh höhnisch – ein erstes Säbelrasseln im bevorstehenden Krieg.

Damit hatte Jake nicht gerechnet. »Nun, ich denke, das wird noch geklärt werden.«

»Ich war auch einmal Anwalt, Mr. Brigance, bevor ich eine ehrliche Arbeit gefunden habe. Ich weiß, wie das Spiel läuft.«

Jake trat gegen einen Kieselstein und sah sich um. Die ersten Trauergäste näherten sich dem Haupteingang zum Friedhof. »Können wir reden?«

»Was steht in dem Testament?«

»Das darf ich Ihnen im Augenblick noch nicht sagen. Erst morgen.«

Amburgh legte den Kopf in den Nacken und blickte ihn über den Nasenrücken hinweg an. »Was wissen Sie über Seths Geschäfte?«

»Gar nichts. Im Testament schreibt er, dass Sie einen guten Überblick über seine Vermögenswerte und Verbindlichkeiten haben.«

Ein Zug an der Zigarette, ein höhnisches Schnauben. »Es gibt keine Verbindlichkeiten, Mr. Brigance. Nur Vermögen, und zwar nicht zu knapp.«

»Bitte, wir sollten uns zusammensetzen und reden. Es wird alles offengelegt werden, Mr. Amburgh, ich will nur sehen, wohin die Reise geht. Nach seinem Letzten Willen sind Sie sein Testamentsvollstrecker und ich sein Anwalt.«

»Das erscheint mir seltsam. Seth hasste die Anwälte von Clanton.«

»Ja, das hat er deutlich zum Ausdruck gebracht. Wenn wir uns morgen treffen, zeige ich Ihnen gern eine Kopie des Testaments, damit Sie die Dinge klarer sehen.«

Amburgh machte sich auf den Weg zurück zur Kirche, und Jake folgte ihm, wenn auch nur ein paar Schritte weit. Am Friedhofstor wartete Ozzie. Amburgh blieb noch einmal stehen. »Ich wohne in Temple. Es gibt ein Café am Highway 52, westlich der Stadt. Wir treffen uns dort morgen früh um halb acht.«

»Okay. Wie heißt das Café?«

»The Café.«

»Alles klar.«

Damit verschwand Amburgh ohne ein weiteres Wort. Jake sah Ozzie an, schüttelte ungläubig den Kopf und deutete Richtung Parkplatz. Seite an Seite entfernten sie sich vom Friedhof. Sie hatten für heute genug von Seth Hubbard.

Zwanzig Minuten später, um Punkt 16.55 Uhr, betrat Jake schwungvoll das Büro der Nachlassabteilung im Gericht und strahlte Sara an. »Wo bleiben Sie denn?«, fauchte sie ihn an.

»Es ist noch nicht fünf«, gab er zurück und öffnete seinen Aktenkoffer.

»Ja, aber wir arbeiten nur bis vier, jedenfalls dienstags. Montags bis fünf, mittwochs und freitags bis drei. Freitags können Sie von Glück sagen, wenn wir überhaupt da sind.« Sie redete, ohne Luft zu holen. In zwanzig Jahren tagtäglichem Geplänkel mit Juristen hatte sie gelernt, immer eine Antwort parat zu haben.

Jake legte seine Unterlagen vor ihr auf die Theke. »Ich möchte Mr. Seth Hubbards Testament eröffnen.«

»Gibt es denn einen schriftlichen Letzten Willen?«

»O ja, sogar mehr als einen. Das macht es besonders spannend.«

»Hat er sich nicht gerade erst umgebracht?«

»Sie wissen genau, was passiert ist, schließlich arbeiten Sie an einem Ort, an dem es keine Geheimnisse gibt.«

»Jetzt bin ich beleidigt«, sagte sie und stempelte seinen Antrag ab. Dann blätterte sie die Seiten um und sagte lächelnd: »Oh, wie schön, handgeschrieben. Was für eine Wohltat.«

»Sie sagen es.«

»Wer bekommt das Erbe?«

»Meine Lippen sind versiegelt«, scherzte Jake und zog unterdessen noch mehr Blätter aus seinem Koffer.

»Nun, Mr. Brigance, Ihre Lippen mögen versiegelt sein, aber diese Akte ist es hiermit nicht mehr.« Sie holte theatralisch mit ihrem Stempel aus und ließ ihn auf das Papier niedersausen. »Damit ist sie offiziell öffentlich, gemäß den Gesetzen dieses großartigen Staates. Es sei denn natürlich, Sie beantragen schriftlich, dass die Akte versiegelt werden soll.«

»Nein.«

»Das ist gut, dann können wir ja jetzt über die schmutzigen Details reden. Es gibt doch welche, oder?«

»Weiß ich noch nicht, ich wühle noch. Hören Sie, Sara, Sie müssen mir einen Gefallen tun.«

»Was immer Sie wollen.«

»Das hier ist ein Wettrennen zum Gericht, und ich habe gerade gewonnen. Bald, vielleicht schon morgen, werden hier zwei oder drei arrogante Typen in dunklen Anzügen auftauchen und ebenfalls ein Testament von Mr. Hubbard eröffnen wollen. Höchstwahrscheinlich sind sie aus Tupelo. Es gibt nämlich ein zweites Testament.«

»Das gefällt mir.«

»Mir auch. Sie müssen denen nicht unbedingt erzählen, dass sie gerade Zweite geworden sind. Aber es wäre wahrscheinlich sehr unterhaltsam, ihre Gesichter zu sehen, wenn Sie es doch tun. Was meinen Sie?«

»Ich kann's kaum erwarten.«

»Ausgezeichnet. Zeigen Sie ihnen die Akte, genießen Sie den Spaß, und dann rufen Sie mich an und erzählen, wie es war. Aber bitte, bis morgen muss das unter Verschluss bleiben.«

»Alles klar, Jake. Das hört sich vielversprechend an.«

»Tja, wenn sich alles so entwickelt, wie ich hoffe, haben wir mindestens ein Jahr lang unseren Spaß an dieser Sache.«

Sobald er draußen war, las Sara das handschriftliche Testament, das an Jakes Antrag hing. Sie rief die Kolleginnen zu ihrem Schreibtisch, damit sie es ebenfalls lasen. Eine Schwarze aus Clanton sagte, von einer Lettie Lang habe sie noch nie gehört. Auch Seth Hubbard schien keine von ihnen zu kennen. Sie unterhielten sich noch eine Weile, doch es war schon nach fünf, und alle hatten es eilig, in den Feierabend zu gehen. Die Akte wurde aufgeräumt, das Licht gelöscht, und die Angestellten dachten nicht mehr an die Arbeit. Am nächsten Morgen würde genug Zeit sein, um der Sache auf den Grund gehen.

Wäre der Antrag am Vormittag gestellt worden, dann hätte das Gericht spätestens zur Mittagspause kopfgestanden, und am Nachmittag hätte der Rest der Stadt Bescheid gewusst. Um diese Tageszeit jedoch war schlichtweg niemand mehr da, um Tratsch zu verbreiten.

Simeon Lang trank, aber er war nicht betrunken. Das war ein feiner Unterschied. Seine Familie kannte sich damit gut aus. Trinken bedeutete, dass er Schluck für Schluck Bier zu sich nahm, mit zunehmend glasigen Augen und schwerer Zunge. Wenn er dagegen betrunken war, musste man vor ihm aus dem Haus fliehen und sich zwischen den Bäumen verstecken. Zu seiner Ehrenrettung war zu sagen, dass er oft vollkommen nüchtern war, ein Zustand, der sogar ihm selbst am liebsten war.

Nach drei Wochen auf der Straße, in denen er unten im Süden Eisenschrott transportiert hatte, war er erschöpft, aber mit klaren Augen und einem Lohnscheck heimgekommen. Er hatte nicht gesagt, wo er gewesen war, doch das tat er nie. Er hatte versucht, den zufriedenen Familienvater zu spielen, aber schon nach wenigen Stunden konnte er das alles nicht mehr ertragen – die vielen Menschen im Haus, Cypress' Geplapper, die Ablehnung seiner Frau. Er hatte ein Sandwich gegessen und war mit seinem Bier nach draußen gegangen, zu einem Baum, unter dem er seine Ruhe hatte und auf die Straße sehen konnte, wo hin und wieder ein Auto vorbeifuhr.

Das Heimkehren war immer schwer. Wenn er unterwegs war, träumte er stundenlang von einem neuen Leben, irgendwo, allein und unabhängig. Tausendmal war er versucht gewesen, einfach weiterzufahren, seine Fracht an ihrem Ziel abzuladen und durchzustarten. Sein Vater hatte die Familie im Stich gelassen, als Simeon ein Kind gewesen war, er hatte die schwangere Frau mit vier Kindern sitzen lassen und war auf Nimmerwiedersehen verschwunden. Tagelang hatten Simeon und sein älterer Bruder vor dem Eingang gesessen und mit Tränen in den Augen gewartet. Später hatte er seinen Vater gehasst, und er hasste ihn immer noch, doch jetzt verspürte er selbst den Drang davonzulaufen. Seine Kinder waren schon viel älter als er damals. Sie würden es überleben.

Wenn er unterwegs war, fragte er sich oft, was ihn immer wieder nach Hause zog. Er fand es unerträglich, in dieser viel zu engen, gemieteten Bude mit seiner Schwiegermutter zusammenzuleben, zwei ungezogenen Enkeln, um die er nicht gebeten hatte, und einer ständig nörgelnden Ehefrau. In den letzten zwanzig Jahren hatte Lettie hundertmal mit Scheidung gedroht. Es grenzte an ein Wunder, dass sie immer noch zusammen waren. Du willst die Trennung? Nur zu, sagte er zu sich und nahm noch einen Schluck. Aber das hatte er auch schon hundertmal gesagt.

Es war fast dunkel, als sie aus dem Haus auf die hintere Veranda hinaustrat und langsam über den Rasen auf seinen Baum zuging. Er saß in einem der beiden Liegestühle, die nicht zusammenpassten, die Füße auf einem Milchflaschenkorb, neben sich die Kühlbox mit Bier. Er bot ihr den anderen Stuhl an, aber sie blieb stehen.

»Wie lange wirst du hier sein?«, fragte sie leise, den Blick starr zur Straße gewandt, genau wie er.

»Ich bin gerade erst gekommen, und du willst, dass ich schon wieder gehe.«

»So habe ich das doch nicht gemeint, Simeon. Ich will's einfach nur wissen, das ist alles.«

Da er nicht vorhatte, die Frage zu beantworten, trank er noch einen Schluck. Sie waren selten allein, und wenn, dann wussten sie nicht, was sie miteinander reden sollten. Ein Auto fuhr langsam vorbei, und sie sahen ihm nach, als wären sie fasziniert davon. Schließlich sagte sie: »Ich werde morgen höchstwahrscheinlich meinen Job verlieren. Ich habe dir doch erzählt, dass Mr. Hubbard sich umgebracht hat. Seine Familie kann mich ab morgen nicht mehr gebrauchen.«

Simeon war hin- und hergerissen. Einerseits fühlte er sich gut bei dem Gedanken, wieder der Hauptverdiener der Familie zu sein, das Familienoberhaupt. Er hasste es, wenn Lettie sich aufspielte, weil sie mehr verdiente als er. Auch wenn sie nur eine Haushaltshilfe war, bildete sie sich ganz schön was darauf ein, dass ein Weißer ihr vertraute. Andererseits brauchte die Familie das Geld. Wenn ihr Einkommen wegfiel, würde das Probleme geben.

»Tut mir leid«, brachte er mit Mühe heraus.

Es entstand eine lange Pause, in der Stimmen und Geräusche aus dem Haus zu hören waren. »Irgendwas Neues von Marvis?«, erkundigte er sich.

Sie ließ den Kopf sinken. »Nein, es sind jetzt schon zwei Wochen, aber er hat noch nicht geschrieben.«

»Hast du ihm geschrieben?«

»Jede Woche, das weißt du doch, Simeon. Wann hast du ihm zuletzt geschrieben?«

Simeon tobte innerlich, hielt sich aber zurück. Er war stolz, dass er nüchtern nach Hause gekommen war. Das wollte er jetzt nicht ruinieren, indem er einen Streit vom Zaun brach. Marvis Lang, 28, saß wegen Drogenhandels und Angriffs mit einer tödlichen Waffe seit zwei Jahren im Knast und hatte noch mindestens zehn vor sich.

Ein Wagen näherte sich langsam und bremste weiter ab, als wüsste der Fahrer nicht genau, wie er fahren musste. Das Auto rollte noch ein paar Meter und bog dann in ihre Einfahrt ein. Im verbliebenen Tageslicht war zu erkennen, dass es rot war. Eine seltene ausländische Marke. Der Motor wurde abgestellt, und ein junger Weißer stieg aus, im weißen Hemd, eine gelockerte Krawatte um den Hals. Er machte ein paar Schritte und blieb dann unsicher stehen.

»Hier«, rief Simeon, und der junge Mann erstarrte, als wäre er zu Tode erschrocken. Offenbar hatte er sie nicht unter dem Baum sitzen sehen. Vorsichtig kam er durch den kleinen Vorgarten auf sie zu. »Ich suche Mrs. Lettie Lang«, sagte er gerade so laut, dass sie es hören konnten.

»Ich bin hier«, sagte sie, als er in ihr Blickfeld kam.

Er näherte sich bis auf drei Meter. »Hallo«, sagte er, »mein Name ist Jake Brigance. Ich bin Anwalt in Clanton und muss mit Lettie Lang reden.«

»Sie waren auf der Beerdigung«, sagte sie.

»Ja.«

Widerstrebend rappelte sich Simeon auf, und man schüttelte einander verlegen die Hand. Simeon bot Jake ein Bier an und setzte sich dann wieder. Jake lehnte das Bier ab, obwohl er Lust gehabt hätte, eines zu trinken. Aber schließlich war er geschäftlich hier.

Lettie sagte ganz ruhig: »Sie sind doch bestimmt nicht zufällig in der Gegend.«

»Nein.«

»Brigance«, sagte Simeon und trank. »Haben Sie nicht Carl Lee Hailey vertreten?«

Ah, der alte Eisbrecher funktionierte immer noch, zumindest bei Schwarzen. »Das stimmt«, bestätigte Jake bescheiden.

»Dachte ich mir. Gut gemacht. Wirklich gut gemacht.«

»Danke. Hören Sie, ich bin geschäftlich hier, und, nun, ich muss mit Lettie unter vier Augen sprechen. Nichts gegen Sie, aber ich muss ihr etwas Vertrauliches mitteilen.«

»Was denn?«, fragte sie verwirrt.

»Warum ist es vertraulich?«, fragte Simeon.

»Das Gesetz verlangt es so«, sagte Jake. Wobei das glatt gelogen war. Mit dem Gesetz hatte das überhaupt nichts zu tun. Im Verlauf des Gesprächs wurde ihm zunehmend klar, dass seine großen Neuigkeiten wahrscheinlich überhaupt nicht vertraulich waren. Zweifellos hätte Lettie ihrem Mann bereits alles erzählt, bevor er überhaupt aus der Einfahrt gebogen war. Seth Hubbards Testament war inzwischen öffentlich zugänglich, und binnen vierundzwanzig Stunden hatten es wahrscheinlich sämtliche Anwälte der Stadt unter die Lupe genommen. Was war daran vertraulich?

Verärgert schleuderte Simeon die Bierdose gegen den Baum, was einen Schaumstreifen auf der Rinde hinterließ. Er schoss hoch und kickte gegen den Korb mit den Milchflaschen. »Schon gut, schon gut«, grollte er, griff in die Kühlbox, nahm sich ein weiteres Bier heraus und stapfte unter leisem Fluchen davon, tiefer zwischen die Bäume, wo er mit Sicherheit im Verborgenen lauschte und zusah.

Letties Stimme war nur noch ein Flüstern. »Entschuldigen Sie das bitte, Mr. Brigance.«

»Kein Problem. Mrs. Lang, wir haben eine dringende Angelegenheit zu besprechen, so bald wie möglich, am besten morgen in meinem Büro. Es geht um Mr. Hubbard und sein Testament.«

Lettie biss sich auf die Lippe und starrte Jake mit aufgerissenen Augen an. Erzähl mir mehr.

Jake fuhr fort. »Am Tag vor seinem Tod hat er ein neues Testament aufgesetzt, das er so zur Post gegeben hat, dass ich es nach seinem Tod erhielt. Es scheint ein gültiges Testament zu sein, aber ich bin sicher, dass seine Familie es anfechten wird.«

»Komme ich darin vor?«

»Allerdings. Er hat Ihnen sogar einen beträchtlichen Teil seines Vermögens hinterlassen.«

»O Gott.«

»Ja. Er hat mich im Testament zum rechtlichen Vertreter seines Nachlasses bestimmt, aber das wird mit Sicherheit auch angefochten werden. Deshalb müssen wir uns unterhalten.«

Sie legte die rechte Hand auf den Mund. »O mein Gott.«

Jake blickte auf das Haus, dessen Licht die eingefallene Dunkelheit durchdrang. Hinter einem Fenster bewegte sich ein Schatten, wahrscheinlich Simeon. Jake verspürte den Drang, in seinen alten Saab zu springen und schnellstmöglich in die Zivilisation zurückzukehren.

Lettie nickte. »Soll ich es ihm sagen?«

»Das liegt ganz bei Ihnen. Ich hätte ihn nicht wegschicken müssen, aber ich habe gehört, dass er trinkt. Es war für mich vorhin schwer zu erkennen, in welchem Zustand er gerade ist. Andererseits ist er Ihr Mann, Mrs. Lang, und Sie sollten ihn morgen mitbringen. Jedenfalls wenn es seine Verfassung zulässt.«

»Er wird fit sein, versprochen.«

Jake reichte ihr eine Visitenkarte. »Irgendwann morgen Nachmittag in meinem Büro. Ich werde da sein.«

»Wir kommen, Mr. Brigance. Und vielen Dank, dass Sie hier herausgefahren sind.«

»Es ist wichtig, Mrs. Lang, und ich wollte Sie unbedingt

kennenlernen. Es könnte sein, dass wir einen langen, harten Kampf zusammen führen müssen.«

»Ich verstehe nicht recht.«

»Ich weiß. Ich werde es Ihnen morgen erklären.«

»Vielen Dank, Mr. Brigance.«

»Gute Nacht.«

7

Nach einem raschen, verspäteten Abendessen, bestehend aus Tomatensuppe und überbackenen Käsetoasts, räumten Jake und Carla den Tisch ab und spülten das Geschirr (es gab keine Spülmaschine). Dann ließen sie sich im Wohnzimmer nieder, das sich an die Küche anschloss, kaum zwei Meter vom Esstisch entfernt. Seit über drei Jahren lebten sie nun schon in diesen beengten Verhältnissen, und immer wieder mussten sie neu definieren, was ihnen wichtig war und wie sie im täglichen Umgang miteinander den Respekt wahren konnten. Hanna half dabei enorm. Kleinen Kindern sind die materiellen Dinge egal, die Erwachsene so beschäftigen. Solange beide Eltern sie mit Liebe überschütteten, war sie glücklich. Carla half ihr bei Schreibübungen, Jake las ihre Geschichten, und während sie sich abwechselnd mit der Kleinen beschäftigten, lasen sie Zeitung und sahen die Fernsehnachrichten. Um Punkt acht Uhr steckte Carla Hanna in die Badewanne, und dreißig Minuten später lag die Kleine im Bett, von Mommy und Daddy liebevoll eingepackt.

Endlich allein und auf dem klapprigen Sofa in eine Decke gewickelt, sagte Carla: »Okay, was ist los?«

Jake blätterte ein Sportmagazin durch. »Was meinst du?«

»Tu doch nicht so. Irgendwas ist. Ein neuer Fall? Ein neuer Mandant, der ein anständiges Honorar bezahlen kann oder vielleicht sogar ein richtig dickes Honorar, das uns aus diesem Elend rettet? Bitte.«

Jake schleuderte schwungvoll die Decke von sich und sprang auf die Beine. »Tja, in der Tat, meine Liebe, es besteht eine reelle Chance, dass wir dieses Elend bald hinter uns lassen können.«

»Ich wusste es. Ich sehe sofort, wenn du einen ordentlichen Autounfall an Land gezogen hast. Dann wirst du immer so zappelig.«

»Es ist kein Unfall.« Jake kramte in seinem Aktenkoffer, zog eine Akte heraus und reichte ihr ein paar Blätter. »Es ist ein Selbstmord.«

»Oh, das.«

»Genau. Gestern Abend habe ich dir nur von Mr. Seth Hubbards unglückseligem Ableben erzählt. Ich habe dir aber nicht erzählt, dass er vor seinem Tod ein neues Testament aufgesetzt hat, das er an mein Büro geschickt und in dem er mich zum Rechtsvertreter seines Nachlasses bestimmt hat. Heute Nachmittag habe ich das Testament eröffnet. Es ist jetzt öffentlich, ich darf also darüber reden.«

»Ist das der Typ, dem du nie begegnet bist?«

»Genau.«

»Du kennst den Typ gar nicht, bist aber zu seiner Beerdigung gegangen?«

»Stimmt.«

»Wie kam er ausgerechnet auf dich?«

»Mein herausragender Ruf. Lies einfach.«

Sie warf einen Blick darauf und sagte dann: »Es ist ja handgeschrieben.«

»Ach, tatsächlich.«

Jake rollte sich wieder mit seiner Frau auf dem Sofa ein und sah ihr aufmerksam zu, wie sie die zwei Seiten las. Langsam sank ihr Unterkiefer hinab, ihre Augen weiteten sich, und als sie fertig war, sah sie Jake fassungslos an. »›Möge sie ein qualvolles Ende ereilen‹? Was für ein Blödmann.«

»Offensichtlich. Ich habe ihn nie kennengelernt, aber Harry Rex hat seine zweite Scheidung abgewickelt und keine besonders hohe Meinung von Mr. Hubbard.«

»Von Harry Rex haben die meisten Menschen auch keine hohe Meinung.«

»Das stimmt.«

»Wer ist Lettie Lang?«

»Seine schwarze Haushälterin.«

»Ach, du meine Güte, Jake. Das ist ja skandalös.«

»Das hoffe ich doch sehr.«

»Hat er Geld?«

»Hast du den Teil gelesen, wo er schreibt: ›Meine Vermögenswerte sind beträchtlich‹? Ozzie hat ihn gekannt und bestätigt das. Ich fahre morgen früh nach Temple, um mich mit Mr. Russell Amburgh, dem Testamentsvollstrecker, zu treffen. Morgen Mittag werde ich schon erheblich schlauer sein.«

Sie wedelte mit den beiden Blättern und fragte: »Ist das denn gültig? Kann man so seinen Letzten Willen bekunden?«

»O ja. ›Nachlass und Testament I‹ wurde an der Ole Miss mindestens fünfzig Jahre lang von Professor Robert Weems gelehrt. Ich hatte damals Bestnoten bei ihm. Solange alles vom Verstorbenen selbst verfasst, datiert und unterzeichnet ist, ist es ein gültiges Dokument. Ich bin sicher, seine beiden Kinder werden es trotzdem anfechten, aber da geht der Spaß ja erst richtig los.«

»Warum sollte er alles seiner schwarzen Haushälterin hinterlassen?«

»Wahrscheinlich fand er toll, wie sie geputzt hat. Ich habe keine Ahnung. Vielleicht hat sie mehr für ihn getan, als nur zu putzen.«

»Nämlich?«

»Er war unheilbar krank, Carla, er hatte Lungenkrebs. Ich vermute, Lettie Lang hat ihn gepflegt. Ganz offensichtlich mochte er sie. Seine zwei Kinder werden sich einen Anwalt nehmen und auf unzulässige Beeinflussung plädieren. Sie werden behaupten, sie habe sich dem alten Mann an den Hals geworfen, ihn um den Finger gewickelt und wer weiß, was noch alles. Es wird zu einem Verfahren kommen.«

»Vor Gericht?«

Jake lächelte verträumt. »O ja.«

»Wow. Wer weiß davon?«

»Ich habe den Antrag erst heute Nachmittag um fünf gestellt, das heißt, die Gerüchteküche konnte noch nicht in Gang kommen. Aber ich schätze, morgen früh um neun wird im Gericht die Hölle los sein.«

»Das wird heftige Wellen schlagen, Jake. Ein reicher Weißer, der seine Familie enterbt, um alles seiner schwarzen Haushälterin zu vermachen, und sich danach erhängt. Das ist doch wohl ein schlechter Scherz, oder?«

Nein, keineswegs. Sie las das Testament erneut, während ihr Mann mit geschlossenen Augen über den Prozess nachdachte. Als sie fertig war, legte sie die zwei Blätter auf den Boden und blickte sich im Raum um. »Nur interessehalber, Schatz, aber wie berechnet sich in so einem Fall dein Honorar? Verzeih die Frage.« Sie schwenkte müde einen Arm über das kleine Zimmer, die Flohmarktmöbel, die billigen Regale mit den überquellenden, durchhängenden Böden, den falschen Perserteppich, die Secondhandvorhänge, die Stapel Zeitungen auf dem Boden – man konnte ahnen, dass diese Mieter zwar Geschmack hatten, aber nicht das nötige Kleingeld, um ihn zu zeigen.

»Was? Du willst eine hübschere Bude? Eine Doppelhaushälfte vielleicht? Oder einen Luxustrailer?«

»Mach dich nicht über mich lustig.«

»Das Honorar könnte beachtlich sein, wobei ich mich damit noch gar nicht befasst habe.«

»Was heißt beachtlich?«

»Nun ja, das Honorar berechnet sich nach der tatsächlich geleisteten Arbeitszeit, nach abgerechneten Stunden, was wir sonst eigentlich nicht kennen. Als rechtlicher Vertreter kann man tatsächlich seine Stunden abrechnen, man wird nach Zeit bezahlt. Das gibt es sonst nicht. Alle Honorare müssen vom Richter genehmigt werden, das ist in diesem Fall unser lieber Freund Reuben Atlee. Da er weiß, dass wir am Hungertuch nagen, wird er sich wahrscheinlich großzügig zeigen. Ein großes Erbe, ein Haufen Geld, ein schwer umstrittenes Testament – damit könnten wir es vielleicht schaffen, den Bankrott zu umgehen.«

»Ein Haufen Geld?«

»Ist nur so dahingesagt. Wir sollten uns nicht zu früh freuen.«

»Tu nicht so gönnerhaft«, sagte sie und sah förmlich die Dollarzeichen in den zwinkernden Augen ihres Mannes.

»Du hast recht.« Trotzdem packte Carla im Geiste längst Umzugskartons. Den gleichen Fehler hatte sie letztes Jahr gemacht, als Jake Brigance' Kanzlei den Fall eines jungen Paares übernommen hatte, dessen Neugeborenes in einem Krankenhaus in Memphis gestorben war. Der zunächst vielversprechende Fall von ärztlichem Versagen hatte sich unter dem kritischen Blick der Gutachter in Wohlgefallen aufgelöst, und Jake hatte sich mit Schmerzensgeld begnügen müssen.

»Du hast also Lettie Lang besucht?«, fragte sie.

»Ja. Sie wohnt außerhalb von Box Hill in einer Gegend, die Little Delta heißt. Da leben nicht viele Weiße. Ihr Mann ist ein Trinker, der nur ab und zu daheim vorbeischaut. Ich war nicht im Haus, aber es machte einen ziemlich überfüllten Eindruck auf mich. Ich habe im Grundstücksregister nachgesehen – sie haben es nur gemietet. Es ist ein billiger, kleiner Bau, ganz ähnlich wie …«

»Wie diese Bruchbude hier?«

»Wie unser Haus. Wahrscheinlich gebaut von ein und dem-selben Baumafioso, der anschließend pleitegegangen ist. Aber immerhin wohnen wir hier nur zu dritt, während ich bei Lettie ein gutes Dutzend Bewohner vermute.«

»Ist sie nett?«

»Ja, durchaus. Wir haben uns nur kurz unterhalten. Mein Eindruck ist, dass ihr Leben genauso aussieht wie das der ande-ren schwarzen Frauen in der Gegend: ein Stall voller Kinder, ein Mann, der nie da ist, ein schlecht bezahlter Job. Kein Zucker-schlecken.«

»Das klingt ziemlich hart.«

»Dürfte aber den Nagel auf den Kopf treffen.«

»Sieht sie gut aus?«

Jake fing an, unter der Decke ihre rechte Wade zu massieren. Er überlegte einen Augenblick. »Das konnte ich nicht wirklich feststellen. Es wurde recht schnell dunkel. Sie ist Mitte vierzig und sieht halbwegs gut in Schuss aus, nicht unattraktiv. Warum fragst du? Meinst du, Mr. Hubbards Sinneswandel könnte etwas mit Sex zu tun haben?«

»Sex? Wer denkt denn an Sex?«

»Na, du. Du fragst dich, ob sie mit ihm geschlafen hat, um an sein Erbe zu kommen.«

»Also gut, ja, das frage ich mich. Aber spätestens morgen Mittag wird sich die ganze Stadt diese Frage stellen. Das liegt auch nahe. Er war dem Tod geweiht, und sie hat ihn versorgt. Wer weiß, was sie getrieben haben?«

»Ich liebe deine schmutzige Fantasie.«

Er ließ seine Hand bis zu ihrem Schenkel hochwandern, doch weiter kam er nicht, denn das Telefon läutete und ließ sie beide zusammenfahren. Jake ging in die Küche, nahm ab und legte wieder auf. »Nesbit ist draußen«, sagte er erklärend. Er griff nach einer Zigarre und einer Packung Streichhölzer und ging vor die Tür. Am Ende der kurzen Auffahrt, neben dem Briefkasten, zündete er sie an und blies eine Rauchwolke in die kühle Abendluft. Eine Minute später bog ein Streifenwagen in die Straße ein und näherte sich langsam, bis er vor Jake zum Halt kam. Deputy Mike Nesbit wuchtete seinen übergewichtigen Leib aus dem Wagen, sagte: »'n Abend, Jake«, und zündete sich eine Zigarette an.

»'n Abend, Mike«, antwortete Jake.

Nebeneinander an der Motorhaube des Polizeiwagens lehnend, stießen sie Rauchschwaden in die Luft. »Ozzie hat nichts über Hubbard gefunden«, sagte Nesbit. »Er hat in Jackson recherchiert, was aber überhaupt nichts ergeben hat. Sieht so aus, als hätte der gute Mann seine Spielzeuge jenseits der Staatsgrenze versteckt. In Mississippi jedenfalls gibt es keinerlei Daten über ihn, außer zu seinem Haus, den Autos, seinem Grundbesitz und dem Sägewerk bei Palmyra. Darüber hinaus ist nichts verzeichnet. Überhaupt nichts. Keine Bankkonten, keine Firmen, keine Kapitalgesellschaften, keine Beteiligungen. Ein paar Versicherungspolicen, das Übliche, mehr nicht. Es gibt Gerüchte, dass er in anderen Bundesstaaten Geschäfte betrieben hat, aber so weit sind wir noch nicht.«

Jake nickte und rauchte weiter. Das alles überraschte ihn nicht. »Und Amburgh?«

»Russell Amburgh stammt aus Foley, Alabama, ganz tief im Süden, unweit von Mobile. Er war dort Anwalt, bis er vor etwa fünfzehn Jahren von der Kammer ausgeschlossen wurde. Er hatte Mandantengelder mit eigenem Vermögen vermischt angelegt. Es gab aber keine Anklage und keine Vorstrafe. Nachdem er als Anwalt nicht mehr arbeiten durfte, ging er ins Holzgeschäft. Es ist anzunehmen, dass er Seth Hubbard dort kennengelernt hat. Soweit wir das beurteilen können, geht es ihm blendend. Warum er ausgerechnet in ein Kaff wie Temple gezogen ist, ist schwer zu sagen.«

»Ich fahre morgen früh nach Temple. Dann werde ich ihn fragen.«

»Gut.«

Ein betagtes Paar mit einem ebenso betagten Pudel ging vorbei. Man tauschte freundliche Grüße aus, ohne dass die beiden ihre Schritte verlangsamten. Als sie weg waren, blies Jake eine Rauchwolke aus. »Wie sieht es mit Ancil Hubbard, dem Bruder, aus? Hatten Sie da mehr Glück?«

»Nichts. Gar nichts.«

»Wundert mich nicht.«

»Es ist schon komisch. Ich wohne mein ganzes Leben lang hier und habe noch nie von Seth Hubbard gehört. Mein Dad ist achtzig, und auch er hat immer hier gelebt. Er hat auch noch nie von Seth Hubbard gehört.«

»Dieses County hat zweiunddreißigtausend Einwohner, Mike. Sie können nicht alle kennen.«

»Ozzie kennt alle.«

Sie lachten kurz auf. Nesbit schnippte seine Kippe auf die Straße und streckte den Rücken. »Ich glaube, ich muss jetzt nach Hause, Jake.«

»Danke fürs Vorbeischauen. Ich werde morgen mit Ozzie reden.«

»Tun Sie das. Bis dann.«

Er fand Carla im Schlafzimmer. Sie saß auf einem Stuhl am Fenster und sah auf die Straße hinaus. Es war dunkel. Jake trat leise ein und blieb dann stehen. Als sie wusste, dass er sie hören konnte, sagte sie: »Ich hab's satt, Polizeiautos vor meinem Haus zu sehen, Jake.«

Er atmete tief durch und kam einen Schritt näher. Dieses

Gespräch führten sie regelmäßig. Jake wusste, dass er seine Worte sorgfältig wählen musste, damit sie nicht ausrastete. »Ich auch«, erwiderte er leise.

»Was wollte er?«

»Nichts Besonderes, er hatte nur ein paar Hintergrundinfos über Seth Hubbard. Ozzie hat sich umgehört, aber nicht viel erfahren.«

»Hätte er dich nicht einfach morgen anrufen können? Warum muss er vorbeikommen und vor dem Haus parken, damit jeder sehen kann, dass es bei Brigances wieder mal nicht ohne Polizei geht?«

Fragen, auf die es keine Antwort gab.

Jake biss sich auf die Zunge und schlüpfte aus dem Zimmer.

8

Russell Amburgh saß im hinteren Teil des Cafés und verbarg sich hinter einer Zeitung. Er war kein Stammgast; überhaupt kannte ihn kaum jemand in der kleinen Stadt. Er war wegen einer Frau nach Temple gezogen, seiner dritten Ehefrau, und sie blieben meist für sich. Außerdem arbeitete er für einen Mann, der auf Diskretion und Zurückhaltung Wert legte, und das kam Amburgh sehr entgegen.

Kurz nach sieben Uhr hatte er sich an den Tisch gesetzt, einen Kaffee bestellt und zu lesen begonnen. Über Seth Hubbards Testament – besser: Testamente – wusste er nichts. Obwohl er fast zehn Jahre für ihn gearbeitet hatte, war ihm über sein Privatleben wenig bekannt. Er wusste bestens Bescheid über sein Vermögen, hatte aber früh erkannt, dass der Chef sich gern bedeckt hielt. Dass er gern Spiele spielte, nachtragend war und seine Mitmenschen im Dunkeln tappen ließ. Sie waren lange zusammen durch den Südosten gereist, als Mr. Hubbard die Holding zusammenkaufte, doch sie hatten sich nie angefreundet. Seth Hubbard hatte keine Freunde.

Um Punkt 7.30 Uhr betrat Jake das Café und entdeckte Amburgh am anderen Ende des Raumes. Das Lokal war halb voll, und der Fremde erntete ein paar Blicke. Amburgh und er schüttelten einander die Hand und tauschten Höflichkeiten aus. Nach ihrem kurzen Gespräch gestern erwartete Jake einen kühlen Empfang und wenig Kooperationsbereitschaft, wobei ihm

Mr. Amburghs erste Reaktion kaum Sorgen bereitete. Seth Hubbard hatte ihn, Jake, eingesetzt, und sollte jemand etwas dagegen haben, wusste er Recht und Gesetz hinter sich. Amburgh jedoch wirkte relativ entspannt und durchaus gesprächsbereit. Nach ein paar Minuten Small Talk über Football und Wetter kam Amburgh zur Sache. »Ist das Testament eröffnet?«

»Ja, seit gestern Nachmittag, siebzehn Uhr. Ich bin nach der Beerdigung sofort zum Gericht in Clanton gefahren.«

»Haben Sie eine Kopie für mich?«

»Ja«, sagte Jake, ohne sich zu rühren. »Sie sind als Testamentsvollstrecker benannt. Nachdem es jetzt öffentlich zugänglich ist, können Sie natürlich eine Kopie haben.«

Amburgh öffnete die Handflächen. »Erbe ich auch etwas?«

»Nein.«

Er nickte grimmig. Hatte er damit gerechnet? Jake vermochte es nicht zu sagen. »Ich bekomme gar nichts?«

»Nein. Überrascht Sie das?«

Amburgh schluckte und sah sich um. »Nein«, sagte er lahm. »Eigentlich nicht. Bei Seth gibt es keine Überraschungen.«

»Es hat Sie nicht überrascht, dass er Selbstmord begangen hat?«

»Überhaupt nicht, Mr. Brigance. Die letzten zwölf Monate waren ein Albtraum. Seth konnte die Schmerzen nicht mehr ertragen. Er wusste, dass er sterben würde. Wir wussten, dass er sterben würde. Also, nein, es kam nicht überraschend.«

»Warten Sie, bis Sie das Testament gelesen haben.«

Eine Bedienung kam herbeigeeilt und blieb kaum lange genug stehen, um ihre Kaffeebecher aufzufüllen. Amburgh trank einen Schluck. »Erzählen Sie mir Ihre Geschichte, Mr. Brigance. Woher kennen Sie Seth?«

»Ich bin ihm nie begegnet.« Jake berichtete in kurzen Worten, wie es dazu kam, dass er jetzt an diesem Tisch saß. Amburgh hörte aufmerksam zu. Er hatte einen kleinen runden Kopf und eine Glatze, über die er sich unablässig strich, von den Augenbrauen nach hinten, als müsste er die wenigen verbliebenen dunklen Strähnen bändigen. Mit seinem Poloshirt, einer alten Baumwollhose und einer leichten Windjacke sah er eher aus wie ein Rentner als wie der Geschäftsmann von der Beerdigung.

»Ist es richtig zu sagen, dass Sie sein engster Vertrauter waren?«

»O nein. Ehrlich gesagt weiß ich gar nicht, warum Seth mich unbedingt dabeihaben möchte. Mir fallen andere ein, die ihm näherstanden.« Ein großer Schluck Kaffee. »Seth und ich sind nicht immer besonders gut miteinander ausgekommen. Ich habe des Öfteren darüber nachgedacht zu kündigen. Je erfolgreicher er wurde, umso mehr Risiken ging er ein. Ich habe mehr als einmal damit gerechnet, dass er mit Pauken und Trompeten in die Insolvenz schlittert, wobei er irgendwo offshore genügend Reserven deponiert hatte. Er verlor jede Hemmung. Es war beängstigend.«

»Wenn wir schon beim Thema sind, lassen Sie uns über Seths Vermögen reden.«

»Sicher. Ich werde Ihnen erzählen, was ich weiß, aber ich weiß nicht alles.«

»Okay«, sagte Jake ruhig, als würden sie wieder über das Wetter plaudern. Seit fast achtundvierzig Stunden drängte es ihn zu erfahren, wie groß der Nachlass war. Endlich würde er es wissen. Er hatte weder Schreibblock noch Stift parat. Nur eine Tasse mit schwarzem Kaffee stand vor ihm.

Amburgh blickte sich wieder um, aber niemand schien zu lauschen. »Was ich Ihnen jetzt erzählen werde, ist kaum bekannt. Es ist nicht vertraulich, aber Seth war immer ziemlich gut darin, Dinge geheim zu halten.«

»Es wird ohnehin alles ans Licht kommen, Mr. Amburgh.«

»Ich weiß.« Er trank gierig von seinem Kaffee, als brauchte er eine gehörige Dosis Koffein, dann beugte er sich etwas vor. »Seth hat in den letzten zehn Jahren sehr viel Geld verdient. Nach der zweiten Scheidung war er verbittert und stinksauer auf die ganze Welt, außerdem pleite und fest entschlossen, diesen Zustand zu ändern. Er mochte seine zweite Frau sehr, und als sie ihn verlassen hat, wollte er sich rächen. Rache bedeutete für Seth, mehr Geld zu machen als das, was er ihr durch die Scheidung an Abfindungen hatte zahlen müssen.«

»Ich kenne den Anwalt gut, der sie vertreten hat.«

»Der Dicke, wie heißt er noch?«

»Harry Rex Vonner.«

»Harry Rex. Ich habe Seth öfter über ihn fluchen gehört.«

»Da war er nicht der Einzige.«

»Das habe ich auch schon gehört. Jedenfalls, Seth besaß nur noch sein Haus und den Grund, und er hat beides hoch beliehen, um in der Nähe von Dothan, Alabama, ein großes Sägewerk zu kaufen. In dem Zusammenhang habe ich ihn kennengelernt, denn ich war dort für den Holzeinkauf zuständig. Er hat den Laden günstig bekommen, es war ein guter Zeitpunkt, Ende 1979, die Preise für Sperrholz waren hoch, wir waren ziemlich erfolgreich. Es war ein gutes Hurrikan-Jahr, jede Menge Schäden, große Nachfrage nach Sperr- und Bauholz. Er belieh die Firma und kaufte eine Möbelfabrik bei Albany, Georgia. Sie stellten diese riesigen Schaukelstühle her, die man überall im Land vor den Griddle-Restaurants findet. Seth schloss einen Vertrag mit der Kette, und plötzlich konnten sie die Schaukelstühle nicht schnell genug nachliefern. Er verpfändete die Lagerbestände, lieh noch Geld dazu und kaufte eine weitere Möbelfabrik bei Troy, Alabama. Etwa zur gleichen Zeit fand er einen Banker in Birmingham, der mit seiner Bank aggressiv expandieren wollte. Seth und er waren vom gleichen Schlag und schlossen einen Deal nach dem anderen ab: Fabriken, Sägewerke,

Holzplantagen. Seth hatte ein feines Gespür für Unternehmen, die unter Wert angeboten wurden oder in Schwierigkeiten waren, und sein Banker sagte selten Nein. Ich warnte ihn vor zu viel Schulden, aber er hörte nicht zu. Er musste etwas beweisen. Er kaufte sogar ein Flugzeug, das er aber in Tupelo stehen ließ, damit hier niemand davon erfuhr.«

»Hat das Ganze ein Happy End?«

»Allerdings. In den letzten zehn Jahren hat Seth etwa drei Dutzend Unternehmen gekauft, vor allem Möbelfabriken im Süden, von denen er einige nach Mexiko verlagert hat, außerdem Holzlager und Sägewerke und dazu Tausende Hektar Forstwald. Alles von geliehenem Geld. Ich habe jetzt nur den Banker in Birmingham erwähnt, aber da gab es noch andere. Je reicher er wurde, desto einfacher bekam er Darlehen. Wie gesagt, es war streckenweise beängstigend, aber der Mann hatte immer Glück. Er hat nie etwas abstoßen müssen, er hat alles behalten und nur immer nach dem nächsten Deal Ausschau gehalten. Kaufen und Schuldenmachen, das war wie eine Sucht für Seth. Manche Männer spielen, manche trinken, manche rennen Frauen nach. Seth liebte es, mit dem Geld anderer Leute Firmen zu kaufen. Frauen liebte er allerdings auch.

Dann wurde er krank. Es ist etwa ein Jahr her, da bekam er die Diagnose Lungenkrebs. Er war nur auf der Überholspur unterwegs gewesen, bis er zum Arzt ging. Der gab ihm noch maximal ein Jahr. Natürlich war er am Boden zerstört. Ohne sich mit irgendjemandem zu beraten, beschloss er, alles zu verkaufen. Vor ein paar Jahren stießen wir auf die Kanzlei Rush in Tupelo, und Seth hatte endlich jemanden gefunden, dem er voll und ganz vertraute. Er empfand generell Verachtung für Anwälte und setzte sie vor die Tür, kaum dass er sie engagiert hatte. Doch bei Rush überzeugte man ihn, zunächst alles in eine Holding-Gesellschaft zusammenzuführen. Letztes Jahr im November ließ er die

Holding von einer LBO-Gruppe in Atlanta fremdfinanziert übernehmen und bekam dafür fünfundfünfzig Millionen Dollar, mit denen er locker seine circa fünfunddreißig Millionen Dollar Schulden begleichen konnte.«

»Zwanzig Millionen Reingewinn?«

»Mehr oder weniger. Ich hatte ein paar Anteile an der Holding und bin so gut dabei weggekommen, dass ich Ende letzten Jahres in Rente gehen konnte. Ich weiß nicht, was Seth in der Zwischenzeit mit dem Erlös angestellt hat. Wahrscheinlich hat er das Geld im Garten vergraben. Darüber hinaus gab es aber noch andere Vermögenswerte, die er nicht in die Holding integriert hatte. Zum Beispiel eine Hütte in den Bergen von North Carolina und ein paar andere Immobilien. Möglicherweise gibt es auch noch ein oder zwei Offshorebankkonten.«

»Möglicherweise?«

»Ich kann es nicht mit Gewissheit sagen, Mr. Brigance. Das sind alles Dinge, die ich über die Jahre aufgeschnappt habe. Wie gesagt, Mr. Hubbard war ein Geheimniskrämer.«

»Tja, Mr. Amburgh, Sie als sein Testamentsvollstrecker und ich als sein Anwalt haben die Aufgabe, sämtliche Vermögenswerte zu eruieren.«

»Das sollte nicht allzu schwierig sein. Wir brauchen nur Zugang zu seinem Büro.«

»Wo ist das?«

»In dem Sägewerk bei Palmyra. Das war sein einziges Büro. Es gibt eine Sekretärin dort, Arlene, die den Laden schmeißt. Ich habe am Sonntagabend mit ihr gesprochen und ihr aufgetragen, alles unter Verschluss zu halten, bis sie von den Anwälten hört.«

Jake trank noch einen Schluck Kaffee und versuchte, das alles zu verarbeiten. »Zwanzig Millionen? Ich wüsste niemanden in ganz Ford County, der annähernd so viel Geld hat.«

»Dazu kann ich nichts sagen, Mr. Brigance. Ich habe nie dort gelebt. Aber ich versichere Ihnen, dass hier in Milburn County niemand auch nur einen Bruchteil davon besitzt.«

»Südstaaten, und dann noch draußen auf dem Land.«

»Ja. Das ist das Großartige an Seths Geschichte. Er war sechzig, da ist er eines Morgens aufgewacht und hat sich gesagt, okay, ich bin pleite, aber ich hab die Schnauze voll davon, pleite zu sein, wie wär's, wenn ich was dagegen unternehme. Als die ersten beiden Käufe gut gingen, entdeckte er die Lust daran, anderer Leute Geld auszugeben. Er hat sein Haus und seinen Grund bestimmt ein Dutzend Mal beliehen. Knallhart, und ohne mit der Wimper zu zucken.«

Die Bedienung brachte Porridge für Mr. Amburgh und Rühreier für Jake. Während sie Zucker und Salz beigaben, fragte Amburgh: »Hat er seine Kinder enterbt?«

»Ja.«

Lächeln, Nicken, kein Zeichen von Überraschung.

»Haben Sie damit gerechnet?«, fragte Jake.

»Ich rechne mit gar nichts, Mr. Brigance, und mich kann nichts überraschen«, erwiderte er herablassend.

»Ich habe etwas, was Sie mit Sicherheit überraschen wird«, sagte Jake und fuhr nach einer kurzen Pause fort: »Er hat seine beiden Kinder ausgeschlossen, seine beiden Exfrauen, die übrigens sowieso keinen Anspruch haben, und jeden, der sonst noch infrage kommen könnte, außer seinem seit Langem verschollenen Bruder Ancil, der fünf Prozent bekommt, falls er nicht schon verstorben ist, und der Kirche, die auch mit fünf Prozent bedacht ist. Die übrigen neunzig Prozent hat er Lettie Lang vermacht, seiner schwarzen Haushälterin, die drei Jahre für ihn gearbeitet hat.«

Amburgh hielt im Kauen inne, während sich sein Kiefer senkte und ihm die Augen aus den Höhlen zu treten schienen. Auf seiner Stirn bildeten sich tiefe Furchen.

»Erzählen Sie mir nicht, Sie wären nicht überrascht«, sagte Jake siegesgewiss und schob sich eine Gabel voll Rührei in den Mund.

Amburgh atmete tief durch und streckte eine Hand aus. Jake zog eine Kopie des Testaments aus der Tasche und reichte sie ihm. Beim Lesen vertieften sich die Furchen auf Amburghs Stirn noch mehr. Er begann, langsam den Kopf zu schütteln, las dann noch einmal, faltete das Papier und legte es beiseite.

»Kannten Sie Lettie Lang?«, wollte Jake wissen.

»Hab sie nie kennengelernt. Ich war nie bei Seth daheim, Mr. Brigance. Er hat nie über sein Zuhause gesprochen oder über Leute, die dort arbeiten. Seth hat Geschäft und Privatleben sauber getrennt. Kennen Sie Lettie Lang?«

»Ich habe sie gestern zum ersten Mal gesehen. Sie kommt heute Nachmittag in mein Büro.«

Amburgh schob mit den Fingerspitzen langsam seine Schüssel von sich. Ihm war der Appetit vergangen. »Warum hat er das getan, Mr. Brigance?«

»Das wollte ich eigentlich Sie fragen.«

»Tja, es erscheint vollkommen unlogisch. Das Testament ist ein echtes Problem. Er muss den Verstand verloren haben. Und wer nicht testierfähig ist, kann kein gültiges Testament verfassen.«

»Nein, das ist richtig, aber bislang ist das alles noch nicht klar. Er scheint seinen Tod minutiös geplant zu haben, als wüsste er genau, was er tut. Da passt es nicht ins Bild, dass er alles seiner Haushälterin vermacht.«

»Es sei denn, sie hat ihn manipuliert.«

»Ich denke, mit genau dem Argument wird man das Testament anfechten.«

Amburgh griff in eine seiner Taschen. »Stört es Sie, wenn ich rauche?«

»Nein.«

Er steckte sich eine Mentholzigarette an und schnippte Asche auf seine Haferflocken. In seinem Kopf drehte sich alles, nichts passte zusammen. Schließlich sagte er: »Ich weiß nicht, ob ich den Mumm habe, das durchzuziehen, Mr. Brigance. Auch wenn er mich als Testamentsvollstrecker benannt hat, bin ich nicht gezwungen, das Amt zu übernehmen.«

»Sie sagten, dass Sie früher Anwalt waren. Sie reden wie einer.«

»Ich war damals ein kleines Licht, einer unter vielen, drüben in Alabama. Aber Nachlassrecht unterscheidet sich nicht wesentlich von einem Staat zum anderen.«

»Sie haben recht – Sie müssen das Amt nicht übernehmen.«

»Wer würde sich freiwillig so etwas antun?«

Ich zum Beispiel, dachte Jake, verkniff sich aber einen Kommentar. Die Bedienung räumte den Tisch ab und schenkte Kaffee nach. Amburgh las das Testament noch einmal und zündete sich eine weitere Zigarette an. Nachdem er den Rauch ausgeblasen hatte, sagte er: »Okay, Mr. Brigance, ich denke jetzt einfach mal laut. Seth hat ein älteres Testament erwähnt, das er letztes Jahr von der Kanzlei Rush in Tupelo hat aufsetzen lassen. Ich kenne die Jungs, wir können mit Sicherheit davon ausgehen, dass dieses Testament dicker, cleverer und in jeder Hinsicht optimiert ist, wie vererbe ich, möglichst ohne Steuern zu zahlen, das volle Programm, Schenkung, Übertragung an Enkel und so weiter, alles, was im Rahmen des Gesetzes möglich ist. Sind wir uns einig?«

»Ja.«

»Dann kommt Seth in allerletzter Minute mit diesem kruden Zettel, der das eigentliche Testament für ungültig erklärt, praktisch alles der schwarzen Haushaltshilfe überträgt und darüber hinaus dafür sorgt, dass ein Großteil des Erbes von den Steuern aufgefressen werden wird. Immer noch einig?«

»Es werden circa fünfzig Prozent für Steuern draufgehen«, stimmte Jake zu.

»Die Hälfte, einfach in den Wind geblasen. Klingt das nach einem Mann, der alle seine Sinne beisammenhat, Mr. Brigance?«

Nein. Doch Jake war nicht bereit, auch nur einen Schritt zurückzuweichen. »Ich bin sicher, dass dieses Argument auch vor Gericht vorgebracht werden wird, Mr. Amburgh. Meine Aufgabe ist es, das Testament zu eröffnen und die Wünsche meines Mandanten umzusetzen.«

»Da spricht ein wahrer Jurist.«

»Danke. Werden Sie das Amt des Testamentsvollstreckers übernehmen?«

»Werde ich Geld sehen?«

»Ja, es wird ein Honorar geben, das vom Richter abgesegnet werden muss.«

»Wie viel Zeit würde mich das Ganze kosten?«

»Könnte aufwendig werden. Wenn das Testament angefochten wird, und das ist sehr wahrscheinlich, kommt es zu einem Prozess, der Tage dauern kann. Als Vollstrecker müssen Sie die ganze Zeit über anwesend sein und sich sämtliche Zeugen anhören.«

»Mr. Brigance, mir gefällt dieses Testament überhaupt nicht. Ich kann nicht gutheißen, was Seth da getan hat. Das andere Testament, das dicke, habe ich nicht gesehen, aber ich bin ziemlich sicher, dass es mir viel besser gefällt. Wieso sollte ich mich für diesen Wisch einsetzen, der in letzter Sekunde schlampig dahingekritzelt ist und als Alleinerbin eine schwarze Haushälterin einsetzt, die den alten Herrn wahrscheinlich um den Finger gewickelt hat? Verstehen Sie, was ich meine?«

Jake nickte leicht und runzelte argwöhnisch die Stirn. Nachdem er eine halbe Stunde mit diesem Mann verbracht hatte, war er sich ziemlich sicher, dass er nicht das nächste Jahr mit ihm zu tun haben wollte. Einen Testamentsvollstrecker zu ersetzen war normalerweise keine große Sache, und Jake wusste, dass er den Richter leicht überzeugen konnte, diesen Mann zu entlassen.

Amburgh blickte sich um und sagte leise: »Es ist absurd. Seth hat in den letzten zehn Jahren wie ein Tier geschuftet, um dieses Vermögen aufzubauen. Er ist große Risiken eingegangen und hat viel Glück gehabt. Und dann schenkt er alles irgendeiner Fremden, die überhaupt nichts zu seinem Erfolg beigetragen hat. Da dreht sich mir der Magen um, Mr. Brigance. Und es macht mich verdammt misstrauisch.«

»Dann verzichten Sie auf das Amt, Mr. Amburgh. Sicher findet das Gericht jemand anders für diese Aufgabe.« Jake nahm das Testament, fuhr die Faltkanten nach und steckte es wieder in die Tasche. »Schlafen Sie ruhig eine Nacht darüber. Es besteht keine Eile.«

»Wann soll die Schlacht beginnen?«

»Bald. Die gegnerischen Anwälte werden mit dem anderen Testament antreten.«

»Dürfte spannend werden.«

»Danke, dass Sie sich Zeit genommen haben, Mr. Amburgh. Hier ist meine Karte.« Jake legte seine Visitenkarte und einen Fünfdollarschein auf den Tisch und eilte nach draußen. Im Auto blieb er einen Moment lang sitzen und versuchte sich vorzustellen, was es bedeutete, wenn ein Testament im Wert von zwanzig Millionen Dollar angefochten wurde.

Ein Jahr zuvor hatte es in Clanton einen Prozess um eine Düngemittelfirma gegeben, die einem mysteriösen Brand zum Opfer gefallen war. Inhaber war ein gerissener Unternehmer aus der Gegend namens Bobby Carl Leach, dessen Name schon öfter im Zusammenhang mit Großbränden und Klagen gegen Versicherungen aufgetaucht war. Jake hatte zum Glück nichts mit diesem Verfahren zu tun gehabt; er war Leach nach Möglichkeit immer aus dem Weg gegangen. Im Lauf des Verfahrens aber kam ans Licht, dass der Mann ein Nettovermögen von etwa vier Millionen Dollar besaß. Es war im Wesentlichen gebundenes Kapital, doch nach Verrechnung aller Verbindlichkeiten blieb immer noch ein eindrucksvoller Betrag zu seinen Gunsten übrig. Das hatte zu endlosen Diskussionen geführt, wer nun genau der reichste Mensch von Ford County sei. Beim morgendlichen Kaffee am Clanton Square wurde darüber debattiert, Bankangestellte diskutierten nach Feierabend in ihren Bars, und bei Gericht hatten die Anwälte täglich Neues zu berichten.

Bobby Carl stand mit seinen vier Millionen mit Sicherheit ganz oben auf der Liste. Die Wilbanks hätten dort auch hingehört, hätte nicht Lucien das Erbe schon vor Jahrzehnten durchgebracht. Verzeichnet waren dann noch ein paar Farmer, allerdings mehr aus Tradition. Sie hatten »Familienvermögen«, was Ende der Achtzigerjahre vor allem bedeutete, dass sie Land besaßen, aber ihre Rechnungen nicht bezahlen konnten. Acht Jahre zuvor hatte ein gewisser Willie Traynor die *Ford County Times* für 1,5 Millionen Dollar verkauft, und Gerüchten zufolge hatte er die Summe an der Börse verdoppelt – wobei den Gerüchten um Willie niemand wirklich Glauben schenkte. Eine Neunzigjährige besaß angeblich Bankaktien im Wert von sechs Millionen Dollar. Im weiteren Verlauf des Wettbewerbs tauchte plötzlich im Büro eines Gerichtsangestellten eine Liste auf, die bald überall in der Stadt herumgefaxt wurde. Der anonyme Verfasser hatte sie *Forbes-Top-Ten-Liste der Reichsten in Ford County* genannt, ein gefundenes Fressen für die Klatschmäuler der Stadt. Die Liste wurde nach Belieben erweitert, ausgeschmückt, ergänzt, aktualisiert und fand sogar Verwendung in einem Roman. Doch in keiner einzigen Version wurde ein Mr. Seth Hubbard erwähnt.

Es dauerte mehrere Wochen, bis das begeisterte Spekulieren mangels neuer Erkenntnisse abflaute. Seinen eigenen Namen hatte Jake natürlich nicht auf dieser Liste gefunden.

Er musste grinsen, als er daran dachte, welchen Aufruhr es auslösen würde, wenn Lettie Langs Name dort auftauchen würde.

9

An ihrem letzten Arbeitstag kam Lettie eine halbe Stunde früher. Wider alle Vernunft hoffte sie, dass ihre Pünktlichkeit Mr. Herschel und Mrs. Dafoe beeindrucken könnte, sodass sie es sich vielleicht anders überlegten und sie nicht entließen. Um halb acht parkte sie ihren zwölf Jahre alten Pontiac neben Mr. Seths Pick-up. »Mister Seth« hatte sie ihn seit Monaten nicht mehr genannt, schon gar nicht, wenn sie allein waren. Nur in Gegenwart anderer war sie dabei geblieben, aber nur wegen des äußeren Scheins. Sie atmete tief durch und schloss die Finger fest um das Lenkrad. Es wäre ihr lieber gewesen, diese Leute nicht noch einmal zu sehen. Sie würden abreisen, sobald sie konnten. Lettie hatte gehört, wie sie sich darüber beklagten, dass sie noch zwei Nächte hierbleiben mussten. Zu Hause brach ohne sie offenbar alles zusammen, und sie konnten es gar nicht abwarten, hier wegzukommen. Es war ihnen lästig, ihren eigenen Vater zu beerdigen. Sie hassten Ford County.

Lettie hatte schlecht geschlafen. Mr. Brigance' Anspielung auf den »beträchtlichen Teil seines Vermögens«, den Seth ihr hinterlassen haben sollte, war ihr die ganze Nacht nicht aus dem Kopf gegangen. Simeon hatte sie nichts davon erzählt. Vielleicht würde sie das später nachholen. Vielleicht würde sie es auch Mr. Brigance überlassen. Simeon hatte sie ausgefragt, was der Anwalt von ihr gewollt habe, doch Lettie war viel zu verwirrt und ängstlich gewesen, um es ihm zu erklären. Außerdem, wie sollte sie etwas erklären, was sie selbst nicht verstand? So durcheinander sie auch war, eines war ihr klar: Es wäre dumm und naiv, an einen glücklichen Ausgang zu glauben. Sie würde das alles erst für wahr halten, wenn sie das Geld in Händen hielt, keinen Tag früher.

Die Tür zwischen Garage und Küche war unverschlossen. Lettie trat leise ein und blieb stehen, um auf Lebenszeichen zu horchen. Im Wohnzimmer lief der Fernseher. Auf der Küchentheke röchelte die Kaffeemaschine. Als Lettie vernehmlich hustete, rief eine Stimme: »Lettie, sind Sie das?«

»Ja«, erwiderte sie verbindlich. Mit aufgesetztem Lächeln trat sie ins Wohnzimmer und fand Ian Dafoe auf dem Sofa vor, im Schlafanzug, umgeben von Papieren, vertieft in die Einzelheiten irgendeines anstehenden Deals.

»Guten Morgen, Mr. Dafoe«, sagte sie.

»Guten Morgen, Lettie«, erwiderte er mit einem Lächeln. »Wie geht's?«

»Gut, danke, und Ihnen?«

»So gut es gehen kann, unter den gegebenen Umständen. War die halbe Nacht hiermit beschäftigt«, sagte er und schwenkte den Arm über seine geliebten Unterlagen, als wüsste sie genau, worum es ging. »Würden Sie mir einen Kaffee bringen? Schwarz.«

»Ja, Sir.«

Lettie brachte ihm den Kaffee, den er ohne ein weiteres Wort oder ein Nicken entgegennahm, längst wieder in seine Arbeit vertieft. Sie ging in die Küche zurück und goss sich selbst eine Tasse Kaffee ein. Als sie den Kühlschrank öffnete, um die Sahne herauszuholen, bemerkte sie eine fast leere Flasche Wodka. Bislang hatte sie noch nie Schnaps im Haus gesehen. Einmal im Monat hatte Seth ein paar Flaschen Bier mitgebracht und in den Kühlschrank gestellt, sie dann aber meist vergessen.

Die Spüle war voll mit dreckigem Geschirr – wieso sollten sie auch die Spülmaschine benutzen, wenn sie doch Personal bezahlten? Lettie machte sich ans Aufräumen, als Mr. Dafoe im Türrahmen erschien. »Ich denke, ich werde jetzt duschen. Ramona geht es nicht gut, wahrscheinlich hat sie sich erkältet.«

Könnte aber auch am Wodka liegen, dachte Lettie. Laut sagte sie: »Das tut mir leid. Kann ich irgendwas für sie tun?«

»Ich glaube nicht. Aber Frühstück wäre nett, Eier und Speck. Für mich bitte Rührei, bei Herschel weiß ich es nicht.«

»Ich werde ihn fragen.«

Da bald niemand mehr hier wäre und das Haus ohnehin leer stehen, verkauft oder sonst wie abgestoßen würde, beschloss Lettie, Vorratskammer und Kühlschrank auszuräumen. Sie briet Speck und Würstchen, machte Pfannkuchen, schlug Eier und backte Omeletts, bereitete Maisbrei mit Käse zu und wärmte Biskuits aus der Packung auf, Seths Lieblingsmarke. Der Tisch bog sich förmlich unter dampfenden Schüsseln und Tellern, als sich die drei zum Frühstück hinsetzten. Zuerst beschwerten sie sich über das viele Essen und den ganzen Aufwand, aber dann aßen sie doch. Ramona mit ihren verquollenen Augen und geröteten Gesicht sagte nicht viel, schien aber Heißhunger auf Fett zu haben. Lettie blieb noch ein paar Minuten und bediente sie, wie es sich gehörte. Die Stimmung war angespannt. Wahrscheinlich hatten sie einen schlimmen Abend gehabt und viel getrunken und gestritten bei dem Versuch, einen weiteren Tag in diesem verhassten Haus zu Ende zu bringen. Schließlich machte sie sich an die Schlafzimmer, wo sie zu ihrer Erleichterung sah, dass alle Koffer schon gepackt waren.

Aus dem Hintergrund hörte sie, wie Herschel und Ian darüber diskutierten, wo man sich mit den Anwälten treffen sollte. Ian argumentierte, dass es für die Anwälte einfacher sei, hierherzukommen, als für sie drei, nach Tupelo zu fahren.

»Kann ja nicht zu viel verlangt sein, dass die zu uns kommen«, sagte Ian. »Die sollen um zehn hier sein.«

»Okay, okay«, gab Herschel nach, dann senkten sie beide die Stimmen.

Nach dem Frühstück und nachdem Lettie den Tisch abgeräumt und das Geschirr gespült hatte, gingen die drei nach draußen auf die Terrasse, wo sie sich an den Picknicktisch setzten und in der Morgensonne Kaffee tranken. Ramona schien es jetzt besser zu gehen. Lettie, die mit einem Trinker lebte, nahm an, dass Mrs. Dafoe ganz allgemein morgens Anlaufschwierigkeiten hatte. Für einen Moment schienen sie die Spannungen vom Vorabend abzuschütteln, denn es ertönte Gelächter.

Dann klingelte es an der Tür, ein Schlosser aus Clanton. Herschel führte ihn herum und erklärte so laut, dass Lettie es auf jeden Fall hören musste, dass sie neue Schlösser für die vier Außentüren brauchten. Während sich der Mann an der Vordertür an die Arbeit machte, kam Herschel in die Küche. »Wir bekommen neue Schlüssel, Lettie«, erklärte er. »Die alten werden also nicht mehr funktionieren.«

»Ich hatte nie einen Schlüssel«, sagte sie mit scharfem Unterton, denn sie hatte das schon einmal versichert.

»Richtig«, erwiderte Herschel, ohne ihr zu glauben. »Wir werden einen bei Calvin lassen, die anderen nehmen wir mit. Ich schätze, ich werde hin und wieder vorbeikommen, um nach dem Rechten zu sehen.«

Kann mir doch egal sein, dachte Lettie und sagte laut: »Ich komme gern zum Putzen, wenn Sie möchten. Calvin kann mich reinlassen.«

»Das wird nicht nötig sein, danke. Wir treffen uns hier um zehn mit den Anwälten, also machen Sie noch mal frischen Kaffee. Anschließend fahren wir nach Hause. Ich fürchte, wir werden Sie danach nicht mehr benötigen, Lettie. Tut mir leid, aber Dads Tod ändert alles.«

Sie biss die Zähne zusammen. »Ich verstehe.«

»Wann hat er Sie immer bezahlt?«

»Immer freitags, für vierzig Stunden.«

»Letzten Freitag hat er Sie noch bezahlt?«

»Ja.«

»Dann sind noch Montag, Dienstag und der halbe Mittwoch offen?«

»Ich denke, ja.«

»Fünf Dollar die Stunde.«

»Ja, Sir.«

»Ich kann immer noch nicht glauben, dass er Ihnen so viel bezahlt hat«, sagte Herschel, während er die Tür öffnete und auf die Terrasse hinaustrat.

Lettie zog gerade die Betten ab, als die Anwälte eintrafen. Trotz ihrer dunklen Anzüge und ernsten Mienen wurde ihnen im Haus entgegengefiebert wie dem Weihnachtsmann. Bis sie in die Einfahrt einbogen, hatte Ramona – mit High Heels und Perlenkette und einem Kleid, das viel hübscher war als das von der Beerdigung – bereits ein Dutzend Mal aus dem Fenster gespäht. Ian, der Jackett und Krawatte trug, wanderte rastlos im Wohnzimmer auf und ab und blickte ständig auf die Uhr. Herschel, zum ersten Mal seit seiner Ankunft rasiert, verschwand immer wieder in der Küche.

In den letzten drei Tagen hatte Lettie genug mitbekommen, um zu wissen, dass die Erwartungen hoch lagen. Sie wussten nicht, wie viel Geld Seth auf der Bank hatte, aber sie gingen davon aus, dass etwas da war. Im Grunde war es doch sowieso ein Glücksfall. Haus und Grund waren allein mindestens eine halbe Million wert, das hatte zumindest Ian geschätzt. Wie oft kam man in den Genuss, fünfhunderttausend Dollar unter sich aufzuteilen? Und dann war da noch das Sägewerk, und wer weiß, was noch alles.

Sie setzten sich im Wohnzimmer zusammen, die drei Anwälte und die drei zukünftigen Erben, alle gut gekleidet, alle ausgesucht höflich, alle bester Laune. Das Dienstmädchen – im hübschesten weißen Baumwollkleid – brachte Kaffee und Kuchen und zog sich dann in den Hintergrund zurück, um zu lauschen.

Die Anwälte sprachen mit ersten Mienen ihr Beileid aus. Sie erklärten, dass sie Seth seit Jahren kennen und größte Bewunderung für ihn hegen würden. Was für ein Mensch. Es war gut möglich, dass diese Männer mehr von Seth hielten als seine eigenen Kinder, aber das war in diesem Moment nicht zu spüren. In der Eingangsphase des Gesprächs legten Herschel und Ramona eine geradezu bewundernswerte Vorstellung hin. Ian schien das Vorgeplänkel hingegen zu langweilen, er sah aus, als wollte er lieber gleich zum Thema kommen.

»Ich habe eine Idee«, sagte Herschel. »Die Wände könnten Ohren haben. Draußen ist so ein schöner Tag, lassen Sie uns doch auf die Terrasse gehen, wo wir unter uns sind.«

»Herschel, also wirklich«, protestierte Ramona, doch Ian war bereits aufgestanden. Das Grüppchen wanderte durch die Küche nach draußen, wo man am Picknicktisch Platz nahm. Eine Stunde zuvor hatte Lettie in weiser Voraussicht das Badezimmerfenster gekippt. Jetzt saß sie auf dem Badewannenrand und hörte besser denn je.

Mr. Lewis McGwyre öffnete seinen schweren Aktenkoffer, zog eine Kladde heraus und entnahm ihr drei Abschriften eines mehrseitigen Dokuments, die er am Tisch verteilte. »Unsere Kanzlei«, begann er, »hat das hier vor Jahren für Ihren Vater aufgesetzt. Es ist jede Menge Juristenkauderwelsch, aber ohne geht es leider nicht.«

Ramona, die immer noch rote Augen hatte und ziemlich nervös wirkte, sagte: »Das lese ich später. Jetzt sagen Sie uns bitte, was drinsteht.«

»Nun gut«, erwiderte Mr. McGwyre. »Um es kurz zu machen: Sie beide, Herschel und Ramona, bekommen je vierzig Prozent vom Erbe. Manches davon ist direkt zugänglich, anderes ist in Trusts gebunden, aber Tatsache ist, dass Sie zusammen achtzig Prozent von Mr. Hubbards Nachlass bekommen.«

»Und die übrigen zwanzig?«, wollte Ian wissen.

»Fünfzehn Prozent gehen in einen Treuhandfonds für die Enkel, fünf Prozent sind eine Schenkung an die Irish Road Christian Church.«

»Worin besteht das Erbe?«, fragte Herschel.

Stillman Rush erwiderte ruhig: »Die Vermögenswerte sind beträchtlich.«

Als Lettie eine halbe Stunde später mit einer Kanne voll frischem Kaffee hinzukam, hatte sich die Stimmung auf wundersame Weise gewandelt. Von Nervosität, Ungeduld und unterschwelliger Düsterkeit war nichts mehr zu spüren, stattdessen herrschte überschäumende Begeisterung, wie sie allein unerwarteter und unverdienter Reichtum hervorrufen kann. Sie hatten gerade den Jackpot geknackt. Es ging jetzt nur noch darum, das Geld aufzusammeln. Bei Letties Erscheinen verstummten alle sechs wie auf Kommando, und solange sie nachschenkte, wurde kein Wort gesprochen. Erst als sie die Küchentür hinter sich geschlossen hatte, ging das Geschnatter sofort wieder los.

Lettie wusste von Minute zu Minute weniger, was sie von alldem halten sollte.

Das Testament auf dem Tisch benannte Lewis McGwyre

als Vollstrecker, das hieß, dass er es nicht nur aufgesetzt hatte, sondern auch dafür zuständig war, es zu eröffnen und umzusetzen. Der dritte Anwalt, Mr. Sam Larkin, war Seths wichtigster Finanzberater gewesen und schien davon überzeugt, dessen unglaublichen Erfolg erst ermöglicht zu haben. Er hörte gar nicht mehr auf zu erzählen und erheiterte sein Publikum mit pointenreichen Anekdoten, in denen Seth sich furchtlos aberwitzige Summen zusammenlieh und natürlich immer cleverer war als alle anderen. Ian war der Einzige, dem dabei allmählich langweilig wurde.

Mr. McGwyre erklärte, dass sie sich, da sie nun schon einmal in Ford County seien, zum Gericht begeben würden, um den Antrag auf Testamentseröffnung zu stellen. Daraufhin werde in der Lokalzeitung eine Mitteilung an mögliche Gläubiger veröffentlicht. Wobei er, so Mr. McGwyre, bezweifle, dass Seth noch irgendjemandem etwas schulde. Er habe gewusst, dass er sterben würde. Es sei noch nicht einmal einen Monat her, dass sie beide darüber gesprochen hätten.

Stillman Rush sagte: »Es handelt sich im Grunde um eine Routineangelegenheit. Nichtsdestotrotz wird es etwas Zeit kosten.«

Und Geld, dachte Ian.

»In einigen Monaten werden wir dem Gericht einen umfassenden Bericht über die Bilanzen Ihres Vaters und ein Verzeichnis seiner Vermögenswerte und Verbindlichkeiten vorlegen. Zu diesem Zweck werden wir einen beauftragen – es gibt mehrere, mit denen wir zusammenarbeiten. Immobilien müssen bewertet, die Mitarbeiter sauber aufgelistet werden. Es ist ein langer Prozess.«

»Wie lange wird es dauern?«, fragte Ramona.

Die drei Anwälte wanden sich synchron, die übliche Reaktion, wenn jemand versuchte, exakte Angaben abzufragen.

Lewis McGwyre, der älteste, zuckte mit den Schultern. »Ich würde sagen, zwölf bis achtzehn Monate«, sagte er unverbindlich.

Ian verzog das Gesicht, als er das hörte und an all die Kredite dachte, die in den nächsten sechs Monaten fällig wurden. Herschel bemühte sich vergeblich, nicht die Stirn zu runzeln, und tat so, als wären seine Konten reichlich gefüllt und als gäbe es überhaupt keinen Druck. Ramona schüttelte ärgerlich den Kopf und fragte: »Warum so lange?«

»Berechtigte Frage«, sagte Mr. McGwyre.

»Oh, danke.«

»Zwölf Monate ist nicht viel in solchen Fällen. Es gibt jede Menge Kleinarbeit zu leisten. Zum Glück hat Ihr Vater ein beachtliches Vermögen. Das kommt nicht oft vor. Wenn er als arme Kirchenmaus gestorben wäre, wäre die Sache in drei Monaten erledigt.«

»In Florida dauert so etwas dreißig Monate«, warf Mr. Larkin ein.

»Wir sind nicht in Florida«, erwiderte Ian kühl.

Stillman Rush fügte eilig hinzu: »Es gibt eine Klausel, die Teilentnahmen vorab ermöglicht. Das bedeutet, dass Sie einen Teil Ihres Anteils bereits vor dem eigentlichen Vollzug erhalten können.«

»Das hört sich gut an«, sagte Ramona.

»Wie sieht es mit den Steuern aus?«, fragte Ian. »Womit müssen wir rechnen?«

Mr. McGwyre lehnte sich zurück und schlug die Beine übereinander. »Bei einem Vermögen dieses Umfangs«, sagte er lächelnd und nickte, »und ohne Witwe würden die Steuern heftig zu Buche schlagen, mit etwas über fünfzig Prozent. Doch dank Mr. Hubbards Weitsicht und unseres Know-how haben wir es möglich gemacht« – er hielt eine Kopie des Testaments hoch –,

»mithilfe von Treuhandkonten und anderen Maßnahmen die effektive Steuerlast auf dreißig Prozent zu senken.«

Ian, der Zahlenjongleur, brauchte keinen Taschenrechner. Zwanzig Millionen abzüglich dreißig Prozent, blieben etwa vierzehn Millionen. Vierzig Prozent davon für seine Frau, das waren etwa 5,6 Millionen. Und zwar netto, denn die Steuern waren ja bereits abgezogen. Im Augenblick hatten er und seine diversen Partner und Gesellschaften über vier Millionen Schulden bei verschiedenen Banken, und etwa die Hälfte davon war längst fällig zur Rückzahlung.

Auch in Herschels Kopf ratterte die Rechenmaschine, und er ertappte sich dabei, wie er leise vor sich hin summte. Sekunden später landete er ebenfalls bei einem Betrag von etwa 5,5 Millionen Dollar. Er war es so leid, bei seiner Mutter zu leben. Und die Studiengebühren für seine Kinder waren jetzt auch kein Thema mehr.

Ramona warf ihrem Mann ein hämisches Grinsen zu. »Zwanzig Millionen, Ian, nicht schlecht für einen, wie hast du immer gesagt, ›Holzfäller‹.«

Herschel schloss die Augen und atmete lange aus. Ian sagte: »Ach, komm, Ramona.« Die Anwälte interessierten sich plötzlich brennend für ihre Schuhe.

»Du wirst bis zum Ende deines Lebens keine zwanzig Millionen machen, Daddy hat es in zehn Jahren geschafft. Und deine Familie hatte auch nie so viel, trotz all der Banken, die ihr mal gehört haben. Findest du das nicht unglaublich, Ian?«

Ians Unterkiefer sank herab. Er konnte sie nur stumm anstarren. Wären sie allein gewesen, dann wäre er ihr sofort über den Mund gefahren, aber so war er hilflos. Bleib cool, beschwor er sich, doch es kostete ihn alle Mühe, sich zu beherrschen. Bleibt dir gar nichts anderes übrig, als cool zu bleiben, schließlich wird diese arrogante Kuh da drüben bald mehrere Millionen erben. Das Geld wird zwar höchstwahrscheinlich deine Ehe zerstören, aber da sollte schon etwas für dich abfallen.

Stillman Rush schloss seine Aktenmappe und stand auf. »Wir müssen los. Wir wollen gleich noch zum Gericht, um die Sache in Gang zu bringen. Wenn es Ihnen recht ist, sollten wir uns in Kürze wieder zusammensetzen.« Er schien es plötzlich eilig zu haben wegzukommen. McGwyre und Larkin schossen ebenso von ihren Stühlen hoch, klappten die Taschen zu und wünschten mit aufgesetztem Lächeln einen schönen Tag. Sie bestanden darauf, allein hinauszufinden, und konnten gar nicht schnell genug um die Hausecke verschwinden.

Nachdem sie weg waren, lastete Stille über der Terrasse. Man mied Augenkontakt, und keiner wagte es, etwas zu sagen, denn ein falsches Wort konnte den nächsten Streit auslösen.

Schließlich fragte Ian, dessen Wut am größten war, seine Frau: »Wie kommst du dazu, vor den Anwälten so etwas zu sagen?«

Herschel stand ihm bei. »Ja, wie kommst du dazu?«

Ohne ihren Bruder zu beachten, fauchte Ramona ihren Mann an: »Ich wollte das schon lange einmal sagen, Ian. Du hast immer auf uns herabgeblickt, vor allem auf meinen Vater, und jetzt zählst du sein Geld.«

»Tun wir das nicht alle?«

»Herschel, halt den Mund«, schnauzte sie, ohne die Augen von Ian zu nehmen. »Ich werde mich scheiden lassen.«

»Hat ja nicht lange gedauert.«

»Nein.«

»Jetzt beruhigt euch erst einmal«, bat Herschel. Es war nicht die erste Scheidungsdrohung, die er miterlebte. »Lasst uns reingehen, zu Ende packen, und dann nichts wie weg hier.«

Die Männer standen auf und gingen. Ramona blickte auf den Wald hinter dem Garten, wo sie als Kind gespielt hatte. Seit Jahren hatte sie sich nicht mehr so frei gefühlt.

Im Laufe des Vormittags traf ein weiterer Kuchen ein, den Lettie vergeblich abzulehnen versuchte. Sie stellte ihn schließlich auf die Küchentheke, wo sie zum letzten Mal Töpfe abtrocknete. Die Dafoes kamen kurz vorbei, um Auf Wiedersehen zu sagen, und Ramona versprach der Form halber, sie werde sich melden. Lettie sah ihnen nach, wie sie wortlos ins Auto stiegen. Die Fahrt nach Jackson würde sich lange hinziehen.

Pünktlich um zwölf Uhr erschien Calvin. Am Küchentisch übergab Herschel ihm einen Schlüssel für die neuen Schlösser und trug ihm auf, jeden Tag nach dem Haus zu sehen, regelmäßig den Rasen zu mähen, das Laub wegzublasen. Das Übliche eben.

Als Calvin gegangen war, sagte Herschel: »So, Lettie. Ich glaube, wir schulden Ihnen noch achtzehn Stunden zu fünf Dollar, ist das richtig?«

»Wenn Sie das sagen.«

Er stellte auf der Küchentheke einen Scheck aus. »Neunzig Dollar«, murmelte er mit gerunzelter Stirn. Am liebsten hätte er sich erneut über den unverschämten Lohn ereifert, stattdessen riss er wortlos den Scheck aus dem Heft und reichte ihn ihr. »Bitte schön«, sagte er, als wäre es ein Geschenk.

»Danke.«

»Danke Ihnen, Lettie, dass Sie sich um Dad und das Haus und alles gekümmert haben. Ich weiß, es ist jetzt nicht einfach für Sie.«

»Ich verstehe das«, sagte sie ruhig.

»So wie die Dinge stehen, werden wir uns sicher nicht wiedersehen. Ich wollte nur, dass Sie wissen, wie dankbar wir für das sind, was Sie für Dad getan haben.«

Als könnte ich mir davon was kaufen, dachte Lettie, sagte aber laut: »Danke.« Als sie den Scheck faltete, füllten sich ihre Augen mit Tränen.

Es entstand eine unbehagliche Pause. »Also dann, Lettie«, sagte Herschel schließlich. »Wenn Sie jetzt bitte gehen würden, dann kann ich das Haus abschließen.«

»Ja, Sir.«

10

Drei gut gekleidete Anwälte von auswärts zogen an einem regulären Mittwochvormittag im Gerichtshaus von Clanton natürlich alle Blicke auf sich, doch das schien sie nicht im Geringsten zu kümmern. Ohne die einheimischen Kollegen und Angestellten auf den Fluren zu beachten, steuerten sie zielstrebig auf die Abteilung für Nachlassangelegenheiten zu. Sara wusste bereits, dass ein ganzes Aufgebot von Juristen zu ihr unterwegs war. Jake Brigance hatte einen überraschenden Anruf von Lettie Lang erhalten, noch von Seths Haus aus, und hatte sie daraufhin sofort gewarnt.

Stillman Rush blickte mit strahlendem Lächeln auf Sara, die Kaugummi kaute und die Männer ansah, als wären sie Eindringlinge. »Wir kommen von der Kanzlei Rush in Tupelo«, verkündete er. Keine der anderen Angestellten hob den Blick. Auch das Radio hörte nicht plötzlich auf zu spielen.

»Glückwunsch«, sagte Sara. »Willkommen in Clanton.«

Lewis McGwyre hatte bereits seine edle Aktenmappe geöffnet und einige Papiere herausgenommen. Stillman sagte: »Ja, also, wir möchten die Eröffnung eines Testaments beantragen.« Flatternd landeten die Blätter auf der Schaltertheke vor Sara, die sie kauend betrachtete, ohne sie entgegenzunehmen. »Wer ist der Verstorbene?«, fragte sie.

»Ein Mann namens Seth Hubbard«, erklärte Stillman mit erhobener Stimme, aber immer noch nicht laut genug, um die Aufmerksamkeit des übrigen Büros zu erregen.

»Nie gehört«, sagte Sara ausdruckslos. »Aus diesem County?«

»Ja, aus der Nähe von Palmyra.«

Schließlich nahm sie die Papiere an sich und warf einen Blick darauf. »Wann ist er gestorben?«, fragte sie stirnrunzelnd.

»Letzten Sonntag.«

»Ist er schon beerdigt?«

Beinahe wäre Stillman herausgerutscht: »Was geht Sie das an?«, doch er beherrschte sich. Er befand sich auf fremdem Territorium, es war nicht ratsam, sich mit dem Fußvolk anzulegen. Er schluckte und sagte mit bemühtem Lächeln: »Gestern.«

Sara zog eine Grimasse, als müsste sie angestrengt nachdenken. »Seth Hubbard? Seth Hubbard?« Über die Schulter sagte sie: »Hey, Eva, war da nicht schon was mit Seth Hubbard?«

Aus zehn Meter Entfernung kam die Antwort: »Gestern, spätnachmittags. Die Akte liegt da drüben im Regal.«

Sara machte ein paar Schritte, zog eine Akte heraus und sah sie durch, während die drei Anwälte wie gelähmt jede ihrer Bewegungen verfolgten. Schließlich sagte sie: »Jawohl, hier ist ein Antrag auf Eröffnung des Testaments von Mr. Henry Seth Hubbard, eingereicht gestern Nachmittag um 16.55 Uhr.«

Die drei Anwälte rangen gleichzeitig um Worte, wenn auch vergeblich. Irgendwann erholte sich Stillman so weit, dass er ein schwaches »Bitte was?« herausbrachte.

»Ich habe den Antrag nicht gestellt«, sagte Sara schulterzuckend. »Ich bin hier nur eine kleine Angestellte.«

»Ist es öffentlich?«, fragte Mr. McGwyre.

»Ja.« Sie schob die Akte über die Theke, und die drei steckten die Köpfe darüber zusammen. Sara drehte sich um und zwinkerte den Kolleginnen zu, dann kehrte sie zu ihrem Schreibtisch zurück.

Fünf Minuten später meldete sich Roxy über die Gegensprechanlage bei Jake. »Mr. Brigance, hier sind ein paar Herren, die Sie gern sprechen würden.« Vom Balkon aus hatte Jake sie aus dem Gericht stürmen und in seine Richtung marschieren sehen.

»Haben die Herren einen Termin?«

»Nein, Sir, aber sie sagen, es sei dringend.«

»Ich bin in einer Besprechung, die noch etwa dreißig Minuten dauern wird«, sagte Jake in seinem leeren Büro. »Wenn sie so lange warten möchten.«

Roxy, die eingeweiht war, legte den Hörer nieder und übermittelte, was Jake gesagt hatte. Die Anwälte legten schnaufend die Stirn in Falten, zappelten nervös und beschlossen dann, einen Kaffee trinken zu gehen. An der Tür sagte Stillman: »Bitte, lassen Sie Mr. Brigance wissen, dass es sich um eine dringende Angelegenheit handelt.«

»Das habe ich bereits getan.«

»Ja, nun, dann danke.«

Jake hörte, wie die Tür ins Schloss fiel, und schmunzelte. Sie würden wiederkommen, und er freute sich auf die Begegnung. Er widmete sich wieder der letzten Ausgabe der *Ford County Times,* die mittwochs herauskam und ihn immer mit den neuesten Lokalnachrichten versorgte. Auf der ersten Seite unten berichtete ein Artikel über den »mutmaßlichen Selbstmord« von Seth Hubbard. Der Reporter hatte ein wenig tiefer gebohrt. Aus nicht näher benannten Quellen sei zu erfahren, dass Mr. Hubbard großen Erfolg im Holzgeschäft gehabt habe und mit einer Holding im Südosten tätig gewesen sei. Vor knapp einem Jahr aber habe er dann die meisten seiner Vermögenswerte veräußert. Seine Familie habe auf Anfragen nicht reagiert. Ein Porträtfoto zeigte Seth als jungen Mann, der der bemitleidenswerten Kreatur auf Ozzies schauerlichen Tatortfotos überhaupt nicht ähnlich sah. Aber wie auch?

Zwanzig Minuten später waren die Anwälte wieder da. Roxy ließ sie im Konferenzraum im Erdgeschoss warten. Sie standen am Fenster und sahen dem trägen Vormittagsverkehr um den Clanton Square herum zu. Hin und wieder verständigten sie sich im Flüsterton, als wäre der Raum verwanzt. Schließlich kam Mr. Brigance herein und begrüßte sie. Man lächelte gezwungen und gab sich steif die Hand. Als alle Platz genommen hatten, kam Roxy und bot Kaffee und Wasser an. Alle lehnten ab, und so ging sie wieder und schloss die Tür hinter sich.

Jake und Stillman hatten zehn Jahre zuvor an der Ole Miss ihr Jurastudium abgeschlossen. Auch wenn sie die Tortur zusammen durchgestanden hatten und sich in mehreren Kursen begegnet waren, hatten sie sich immer in verschiedenen Kreisen bewegt. Als privilegierter Sohn einer Familie, die eine angeblich hundert Jahre alte Großkanzlei führte, war Stillmans Zukunft schon gesichert, bevor er auch nur seinen ersten Probefall an der Uni durchexerzierte. Jake und praktisch alle anderen Studienkollegen hatten um ihren Arbeitsplatz kämpfen müssen. Immerhin hatte sich Stillman Mühe gegeben, sich zu beweisen, und unter den besten zehn Prozent des Jahrgangs abgeschlossen. Jake hatte nicht weit hinter ihm gelegen. Während ihrer Anwaltslaufbahn waren sie nur einmal aufeinandergetroffen; Lucien hatte Jake einen aussichtslosen Fall von sexueller Diskriminierung übergeben, und der Arbeitgeber der Klägerin war von der Kanzlei Rush vertreten worden. Die Sache endete mit einem Vergleich, doch im Verlauf des Verfahrens hatte Jake gelernt, Stillman zu hassen. An der Uni war er noch erträglich gewesen, aber nach ein paar Jahren an vorderster Front war er einfach nur noch ein Bonze aus einer Großkanzlei mit dem entsprechenden Ego. Er trug sein blondes Haar jetzt etwas länger, sodass es sich um seine Ohren herum lockte. Es passte bestens zu seinem edlen schwarzen Anzug.

Mr. McGwyre und Mr. Larkin war Jake noch nie begegnet,

aber er kannte sie vom Hörensagen. Mississippi ist ein kleiner Staat.

»Wie komme ich zu der Ehre, meine Herren?«

»Oh, ich denke, das haben Sie inzwischen herausgefunden, Jake«, erwiderte Stillman hochnäsig. »Ich habe Sie gestern auf Mr. Hubbards Beerdigung gesehen. Wir haben sein handschriftliches Testament gelesen. Es erklärt sich von selbst.«

»Es ist in vielerlei Hinsicht unzureichend«, warf Lewis McGwyre ernst ein.

»Ich habe es nicht aufgesetzt«, gab Jake zurück.

»Aber Sie wollen es eröffnen«, sagte Stillman. »Das lässt den Schluss zu, dass Sie es für gültig halten.«

»Ich habe keinen Grund, etwas anderes zu glauben. Das Testament wurde mir per Post zugesandt, und ich werde darin beauftragt, es zu eröffnen.«

»Aber wie können Sie sich für so eine fadenscheinige Sache einsetzen?«, fragte Sam Larkin und hob seine Kopie des Testaments leicht an. Jake legte alle Verachtung in seinen Blick, die er aufbringen konnte. Typisch Großkanzlei. Meint, er wäre was Besseres, weil er seine Arbeitszeit stundenweise abrechnen kann. Seiner wohlfundierten Ansicht nach war dieses Testament »fadenscheinig« und folglich ungültig. Wie konnte sich jemand erdreisten, anders darüber zu denken?

Doch er beherrschte sich. »Hier zu sitzen und über Mr. Hubbards handschriftliches Testament zu debattieren ist reine Zeitverschwendung«, sagte er. »Das können wir auch noch vor Gericht tun.« Damit hatte Jake seine erste Breitseite abgefeuert. Er war schließlich derjenige, der sich als Prozessanwalt einen Ruf gemacht hatte. Mr. McGwyre setzte Testamente auf, und Mr. Larkin entwarf Verträge. Soweit Jake wusste, war Stillmans Fachgebiet Brandstiftung, allerdings hielt er sich selbst für einen beißwütigen Prozessanwalt.

In Jakes Gericht, das er von seinem Fenster aus sehen konnte, hatte vor knapp drei Jahren der Hailey-Prozess stattgefunden, und auch wenn die drei es nie zugeben würden, so hatten sie dessen Verlauf aus der Ferne genauestens mitverfolgt. Und wie jeder Anwalt im ganzen Staat waren sie grün vor Neid gewesen, dass Jake so im Blickpunkt stand.

»Darf man fragen, wie Ihre Beziehung zu Mr. Hubbard aussah?«, fragte Stillman höflich.

»Ich bin ihm nie begegnet. Er ist am Sonntag gestorben, und sein Testament war am Montag in meiner Post.«

Die Aussage schien sie zu irritieren, und sie brauchten einen Augenblick, um sie zu verarbeiten. Jake beschloss, nicht lockerzulassen. »Ich muss zugeben, dass ich noch nie so einen Fall hatte und noch nie ein handschriftliches Testament eröffnet habe. Ich nehme an, Sie haben jede Menge Abschriften von dem alten, das Ihre Kanzlei letztes Jahr aufgesetzt hat. Gehe ich recht in der Annahme, dass ich keine haben kann?«

Sie rutschten auf ihren Stühlen herum und tauschten Blicke. Stillman sagte: »Nun, Jake, wenn das Testament bestätigt worden wäre, dann wäre es jetzt öffentlich, und wir könnten Ihnen eine Kopie aushändigen. So allerdings haben wir es wieder unter Verschluss genommen, nachdem wir erfuhren, dass ein anderes Testament im Spiel ist. Unser Testament ist dann wohl noch vertraulich, schätze ich.«

»Wie Sie wollen.«

Die drei wechselten weiter nervöse Blicke. Offenbar wusste keiner so genau, was jetzt zu tun war. Stumm genoss Jake ihre Verunsicherung. »Also, ähm, Jake, wir fordern Sie hiermit auf, das handschriftliche Testament zurückzuziehen, damit wir das rechtmäßige eröffnen können«, sagte Stillman, der Prozessanwalt.

»Die Antwort lautet Nein.«

»Das war zu erwarten. Wie sollen wir Ihrer Meinung nach verfahren?«

»Ganz einfach, Stillman. Lassen Sie uns gemeinsam beim Gericht um eine Anhörung bitten, in der der Fall vorgetragen wird. Richter Atlee wird sich beide Testamente ansehen. Glauben Sie mir, er wird wissen, was zu tun ist. Ich bin einmal im Monat in seinem Gerichtssaal. Es wird keinen Zweifel geben, wer da das Sagen hat.«

»Ich habe das Gleiche gedacht«, sagte Lewis McGwyre. »Ich kenne Reuben seit vielen Jahren. Wir sollten bei ihm anfangen.«

»Ich kümmere mich gern um einen Termin«, bot Jake an.

»Sie haben also noch nicht mit ihm geredet?«, fragte Stillman.

»Natürlich nicht. Er hat keine Ahnung. Die Beerdigung war schließlich erst gestern, nicht wahr?«

Sie brachten es zuwege, sich höflich zu verabschieden und in Frieden auseinanderzugehen, wobei alle wussten, dass dies der Beginn einer Schlammschlacht war.

Lucien saß auf seiner vorderen Veranda und trank etwas, was nach Limonade aussah. Er tat das hin und wieder, wenn sein Körper und sein Leben im Whiskey zu ertrinken drohten. Dann stieg er für etwa eine Woche aus und gab sich den Qualen des Entzugs hin. Sein Haus lag vor der Stadt auf einem Hügel, und von der Veranda, die sich vollständig darum herumzog, konnte man auf Clanton und die Kuppel des Gerichtsgebäudes blicken. Wie alles andere, was Lucien gehörte, hatte er es von seinen Vorfahren geerbt, die in seinen Augen Armleuchter waren, obwohl sie, im Nachhinein betrachtet, bestens dafür gesorgt hatten, dass er ein komfortables Leben führen konnte. Lucien war dreiundsechzig, sah aber aus wie ein Greis. Sein Gesicht war ebenso grau wie sein Backenbart und seine wirren Haare.

Whiskey und Zigaretten hatten seine Haut faltig gemacht. Weil er hauptsächlich auf seiner Veranda herumsaß, hatte er zu viel Speck um die Mitte und beständig schlechte Laune.

Vor neun Jahren hatte er seine Anwaltslizenz verloren, aber seine Sperre lief jetzt ab, und er durfte sich um eine Wiederaufnahme bemühen. Die frohe Botschaft hatte er Jake gegenüber schon mehrmals kundgetan, doch der hatte nicht reagiert. Jedenfalls nicht nach außen hin. Insgeheim graute ihm bei dem Gedanken, wieder einen Seniorpartner zu haben, dem das Büro gehörte und mit – oder unter – dem man schlechterdings nicht arbeiten konnte. Wenn Lucien wieder ins Büro einzog und anfing, alles und jeden zu verklagen und nebenbei Kinderschänder, Vergewaltiger und Mörder zu verteidigen, würde Jake es dort keine weiteren sechs Monate aushalten.

»Hallo Lucien, wie geht's?«, fragte Jake noch auf der Treppe.

Nüchtern und mit frischem, klarem Blick antwortete Lucien: »Gut, Jake. Danke. Ich freue mich immer, Sie zu sehen.«

»Sie haben mich zum Essen eingeladen. Habe ich da jemals Nein gesagt?« Mindestens zweimal im Monat aßen sie hier auf der Veranda, vorausgesetzt, das Wetter spielte mit.

»Ich kann mich jedenfalls nicht erinnern«, sagte Lucien, der barfuß vor ihm stand und ihm die Hand entgegenstreckte. Sie tauschten einen herzlichen Händedruck und klopften sich dann kurz auf die Schulter, wie Männer es tun, wenn sie eine Umarmung vermeiden wollen. Dann nahmen sie auf den weißen Korbstühlen Platz, die noch nie bewegt worden waren, seit Jake vor zehn Jahren zum ersten Mal hier gewesen war.

Bald erschien Sallie und begrüßte Jake. Er erklärte, dass er nichts gegen einen Eistee einzuwenden habe, woraufhin sie sich wieder entfernte, ganz gemütlich, ohne Eile, wie gewöhnlich. Sie war als Haushälterin eingestellt worden, dann aber zur Krankenschwester avanciert, als Lucien nach einem besonders exzessiven Gelage zwei Wochen lang außer Gefecht gewesen war und besondere Pflege benötigt hatte. Irgendwann war sie bei ihm eingezogen, und eine Zeit lang schwirrten Gerüchte durch Clanton. Lange hielten sie sich allerdings nicht, denn im Grunde genommen konnte Lucien Wilbanks sowieso niemanden mehr schockieren.

Sallie brachte den Eistee und goss Lucien Limonade nach. Als sie weg war, sagte Jake: »Endlich trocken?«

»Nie im Leben. Ich mache nur mal wieder eine Pause. Ich möchte gern noch zwanzig Jahre leben, Jake, und ich mache mir Sorgen um meine Leber. Ich will nicht sterben, ich will aber auch Jack Daniel's nicht aufgeben, das ist mein Dilemma. Ich mache mir ständig Gedanken deswegen, und der ganze Stress und Druck wird irgendwann so groß, dass mir außer dem guten alten Jack niemand mehr helfen kann.«

»Entschuldigen Sie, dass ich gefragt habe.«

»Trinken Sie?«

»Nicht ernsthaft. Hier und da mal ein Bier, aber wir haben nie was zu Hause. Carla mag es nicht, wissen Sie.«

»Meine zweite Frau mochte es auch nicht, und sie hat dann auch kein Jahr mit mir durchgehalten. Andererseits sah sie auch nicht aus wie Carla.«

»Das war wohl ein Kompliment.«

»Keine Ursache. Sallie kocht Gemüse, wenn das okay ist.«

»Köstlich.«

Es gab eine ungeschriebene Liste von Themen, die sie jedes Mal abarbeiteten. Die Reihenfolge war so vorhersehbar, dass Jake Lucien im Verdacht hatte, tatsächlich irgendwo einen Spickzettel zu haben. Zuerst die Familie, Carla und Hanna; dann die Kanzlei, die aktuelle Sekretärin, ein neuer lukrativer Fall, die Klage gegen die Versicherung, die Ermittlungen gegen den Klan, Neuigkeiten über Mack Stafford, den Anwalt, der mit dem Geld seiner Mandanten abgehauen war, Klatsch über andere Kollegen und Richter, College-Football und natürlich das Wetter.

Sie gingen zu einem kleinen Tisch am anderen Ende der Veranda, wo Sallie das Mittagessen auftrug – Butterbohnen, Zucchini, geschmorte Tomaten und Maisbrot. Sie füllten ihre Teller, und Sallie verschwand wieder.

Nach ein paar schweigenden Bissen fragte Jake: »Haben Sie eigentlich Seth Hubbard gekannt?«

»Ich habe heute Morgen in der Zeitung darüber gelesen. Traurige Geschichte. Ich bin ihm ein- oder zweimal begegnet, das ist bestimmt fünfzehn Jahre her, irgendeine Lappalie. Hab ihn nie verklagt, was ich natürlich immer bedauert habe. Er könnte einiges an Kohle gehabt haben, und ich habe versucht, jeden zu verklagen, der was hat, und das ist, wie Sie wissen, in dieser Gegend ein ziemlich kleiner Club. Warum?«

»Ich habe einen Fall für Sie. Der ist natürlich rein hypothetisch.«

»Kann das nicht warten? Ich esse noch.«

»Nein. Stellen Sie sich vor: ein Nachlass, keine Frau, keine Kinder, nur ein paar entfernte Verwandte und eine reizende schwarze Haushälterin, die den Anschein erweckt, etwas mehr zu sein als nur die Haushälterin.«

»Klingt nach Einflussnahme. Worauf wollen Sie hinaus?«

»Wenn Sie heute ein neues Testament aufsetzen wollten, wen würden Sie dann als Erben einsetzen?«

»Auf jeden Fall nicht Sie.«

»Wenn es Sie beruhigt, Sie kommen in meinem Testament auch nicht vor.«

»Das macht nichts. Übrigens, Sie haben die letzte Miete noch nicht bezahlt.«

»Der Scheck ist in der Post. Würden Sie bitte meine Frage beantworten?«

»Nein. Ihre Frage gefällt mir nicht.«

»Ach, kommen Sie schon. Spielen Sie mit. Mir zuliebe. Wenn Sie jetzt ein neues Testament schreiben würden, wer würde dann alles bekommen?«

Lucien stopfte sich Maisbrot in den Mund und kaute bedächtig. Er sah sich um, wie um sich zu vergewissern, dass Sallie nicht zuhörte. Schließlich sagte er: »Geht Sie nichts an. Wieso?«

Jake griff in seine Jacketttasche und zog ein paar Blätter heraus. »Hier. Das ist der Letzte Wille von Seth Hubbard, verfasst am letzten Samstag in vollem Bewusstsein dessen, was er am Sonntag tun würde. Das Original war am Montag in meinem Briefkasten.«

Lucien setzte seine Lesebrille auf, trank einen Schluck Limonade und las Seths Testament. Als er zur zweiten Seite umblätterte, entspannte sich seine Miene sichtlich, und er begann zu lächeln. »Das gefällt mir«, befand er, senkte die Blätter und grinste Jake an. »Ich nehme an, Lettie ist die schwarze Haushälterin.«

»Richtig. Ich bin ihr gestern zum ersten Mal begegnet. Klingelt bei dem Namen was?«

Das Testament in der Hand, fing Lucien an zu überlegen, worüber er sein Mittagessen vergaß. »An den Namen Tayber kann ich mich nicht erinnern, aber Lang ist mir ein Begriff. Box Hill ist eine ziemlich seltsame Gegend, ich habe mich da nie länger aufgehalten.« Während Jake weiteraß, ging er das Testament noch einmal durch. »Wie viel ist er wert?« Er faltete das Blatt und gab es Jake zurück.

»So um die zwanzig Millionen«, erwiderte Jake beiläufig, als wären solche Summen in Ford County gang und gäbe. »Er war mit Holz und Möbeln erfolgreich.«

»Offensichtlich.«

»Das meiste wurde inzwischen zu Bargeld gemacht.«

»Genau das, was diese Stadt braucht.« Lucien schüttelte sich vor Lachen. »Eine Schwarze, die das große Los zieht und damit mehr Geld hat als alle anderen.«

»Noch hat sie es nicht«, wandte Jake ein und ließ sich von Luciens guter Laune anstecken. »Ich habe mich gerade mit ein paar Anwälten von der Kanzlei Rush getroffen, die mir im Grunde genommen den Krieg erklärt haben.«

»Na klar. Würden Sie nicht für so eine Summe kämpfen?«

»Natürlich. Für viel weniger sogar.«

»Ich auch.«

»Hatten Sie je mit einem Testament zu tun, das angefochten wurde?«

»Aha, da liegt der Hund begraben. Sie wollen einen kostenlosen Rat von einem Exanwalt mit Berufsverbot.«

»Fälle wie dieser sind hierzulande eher selten.«

Lucien kaute nachdenklich und kratzte sich den Bart. Dann schüttelte er den Kopf. »Nein, da war nie etwas in dieser Richtung. Der Wilbanks-Clan hat über hundert Jahre um Ländereien, Aktien und Geld gekämpft. Da wurden zum Teil heftige Schlachten ausgetragen. Es gab Schlägereien, Scheidungen, Selbstmorde, Duelle, Morddrohungen – wir Wilbanks haben vor nichts zurückgeschreckt. Aber wir haben es immer geschafft, uns außergerichtlich zu einigen.«

Sallie erschien wieder und füllte die Gläser nach. Ein paar Minuten lang aßen sie schweigend. Lucien blickte über den Rasen vor dem Haus. Mit funkelnden Augen sagte er: »Ist das nicht wahnsinnig spannend, Jake?«

»Allerdings.«

»Und jede Partei kann einen Geschworenenprozess verlangen?«

»Ja, das Gesetz besteht nach wie vor. Aber der Antrag auf eine Jury muss vor der ersten Anhörung gestellt werden, das heißt, so bald wie möglich. Darüber wollte ich mit Ihnen sprechen, Lucien. Soll ich eine Jury beantragen oder Richter Atlee das Urteil überlassen? Das ist die große Frage.«

»Was, wenn Atlee ablehnt?«

»Das wird er nicht, weil die Sache viel zu spannend ist. Der größte Nachlass, den er je gesehen hat, ein voller Saal, Showtime. Wenn dann noch eine Jury dazukommt, ist er zwar derjenige, der den ganzen Zirkus leitet, aber das Urteil fällen andere.«

»Da könnten Sie recht haben.«

»Die Frage ist: Kann man in Ford County Geschworenen trauen? Es werden höchstens drei oder vier Schwarze dabei sein.«

»Im Hailey-Prozess waren es nur Weiße, wenn ich mich recht entsinne.«

»Aber das hier ist nicht Carl Lee Hailey, Lucien. Damals ging es um die Rassenfrage. Hier geht es um Geld.«

»In Mississippi geht es immer um die Rassenfrage, Jake, vergessen Sie das nicht. Eine einfache schwarze Frau, die im Begriff ist, das größte Vermögen zu erben, das dieses County je gesehen hat – und die Entscheidung liegt bei einer Jury, die überwiegend aus Weißen besteht. Rasse und Geld, Jake, das ist hierzulande eine seltene Kombination.«

»Sie würden also auf Geschworene verzichten?«

»Das habe ich nicht gesagt. Erlauben Sie mir, eine Weile darüber nachzudenken, ja? Mein kostbarer Rat, der für Sie immer noch gratis ist, will wohlbedacht sein.«

»Einverstanden.«

»Kann sein, dass ich heute Nachmittag vorbeikomme. Ich suche ein altes Buch, das auf dem Speicher liegen könnte.«

»Das Haus gehört Ihnen«, sagte Jake und leerte seinen Teller.

»Und Sie sind spät dran mit der Miete.«

»Verklagen Sie mich doch.«

»Liebend gern, aber Sie sind eh pleite. Sie wohnen zur Miete, und Ihr Auto hat fast ebenso viele Kilometer auf dem Buckel wie meines.«

»Ich hätte auch in die Möbelindustrie gehen sollen.«

»Alles ist besser als die Juristerei. Der Fall gefällt mir, Jake. Kann sein, dass ich daran arbeiten möchte.«

»Klar, Lucien«, gelang es Jake, ohne Zögern zu sagen. »Kommen Sie später vorbei, dann können wir uns unterhalten.« Er stand auf und legte seine Serviette auf den Tisch.

»Kein Kaffee mehr?«

»Nein, ich muss los. Danke für die Einladung, und bestellen Sie Sallie schöne Grüße von mir.«

11

Ein neugieriger Anwaltsassistent, der sich durch alte Grundstücksregister wühlte, schnappte das Gerücht auf, das vom Wasserspender herüberwehte, und ging sofort los, um Kopien von dem Testament zu machen, dessen Eröffnung zuletzt beantragt worden war. Zurück im Büro, zeigte er es seinen Chefs, machte weitere Kopien und begann, es herumzufaxen. Seine Chefs faxten es weiter. Am Mittwoch gegen zwölf war Seths zweiseitiges Testament gleichmäßig über das ganze County verteilt. Die Passage mit dem qualvollen Ende fand besonderen Anklang, doch alsbald wurde nur noch darüber spekuliert, wie hoch das Nettovermögen des Verstorbenen war.

Sobald Herschel das Haus seines Vaters verlassen hatte, rief er seinen Anwalt in Memphis an, um ihm die freudige Nachricht zu übermitteln, dass er bald »mehrere« Millionen Dollar erben werde. Sorgen bereitete ihm vor allem seine Exfrau – die Scheidung war ihn teuer zu stehen gekommen –, und er wollte wissen, ob sie Ansprüche erheben könne. Nein, wurde ihm versichert, das könne sie nicht. Der Anwalt rief einen befreundeten Kollegen an, um die Neuigkeit mit ihm zu teilen, und streute beiläufig ein, dass Seth Hubbard einen Nettowert von »über zwanzig Millionen« habe. Der Anwalt in Tupelo rief ebenfalls ein paar Kollegen an. Unterdessen nahm der mutmaßliche Umfang des Vermögens weiter zu.

Auf dem Natchez Trace Parkway Richtung Süden stellte Ian

Dafoe seinen Tempomat ein und lehnte sich entspannt zurück. Es würde eine angenehme Fahrt werden, der Verkehr hielt sich in Grenzen, die Sonne schien, und im leichten Wind tanzte das Herbstlaub. Obwohl seine Frau ihm wie immer das Leben schwer machte, hatte er Grund, sich zu freuen. Das Gerede von Scheidung hatte er vorerst abgewendet. Sie war verkatert, hatte gerade ihren Vater beerdigt und war sowieso mit den Nerven am Ende. Selbst an einem guten Tag kam Ramona mit Widrigkeiten schlecht zurecht. Er würde sie beruhigen und wieder zu sich bringen können, sie so einlullen, dass ihre Eheprobleme in den Hintergrund traten und sie darüber reden konnten, wie sie mit ihrem neuen Reichtum verfahren sollten. Gemeinsam. Er war sich sicher, dass er das hinbiegen konnte.

Ramona lag auf der Rückbank, einen Arm über den Augen, und versuchte zu schlafen. Seit einer Weile schon hatte sie nichts mehr gesagt, und ihr Atem ging schwer und gleichmäßig. Er drehte sich mehrmals um, um sich zu vergewissern, dass sie wirklich schlief, dann griff er vorsichtig zu seinem neuen Autotelefon und rief in der Firma an. So leise wie möglich gab er seinem Partner Rodney die wichtigsten Eckdaten durch. »Schwiegervater gestorben ... Nachlass mehr als zwanzig Millionen ... Möbel und Holz ... ziemlich unglaublich ... hatten keine Ahnung davon ... habe gerade erst das Testament gesehen ... vierzig Prozent, nach Steuern ... nicht schlecht ... etwa ein Jahr ... nein, kein Witz ... später mehr.«

Die Hand am Steuer, freute sich Ian über die bunt gefärbten Blätter und träumte von einem besseren Leben. Selbst wenn Ramona sich scheiden ließe, würde er einen Teil ihres Erbes bekommen. Er dachte schon daran, seinen Anwalt anzurufen, entschied sich dann aber abzuwarten. Da klingelte plötzlich das Telefon, erschreckte ihn und weckte Ramona. Er nahm ab. »Hallo?«

Eine förmliche männliche Stimme meldete sich. »Ja, hallo, Ian, hier ist Stillman Rush, ich hoffe, ich störe nicht. Wir sind auf dem Weg zurück nach Tupelo.«

»Keineswegs. Wir fahren Richtung Süden und haben noch ein paar Stunden vor uns. Beste Voraussetzungen, um ein bisschen zu plaudern.«

»Ja, nun, also, es hat da eine kleine Komplikation gegeben. Ich komme am besten gleich zur Sache.« Seine Stimme hatte einen nervösen Unterton, und Ian wusste sofort, dass etwas nicht stimmte. Ramona setzte sich auf und rieb sich die geschwollenen Augen.

Stillman fuhr fort. »Wir konnten Mr. Hubbards Testament nicht eröffnen, da der Antrag bereits für ein anderes Testament gestellt worden ist. Offenbar ist ein Anwalt aus Clanton gestern Nachmittag noch zum Gericht gerannt, um einen handschriftlichen Letzten Willen einzureichen, den Mr. Hubbard angeblich am Samstag verfasst haben soll, dem Tag vor seinem Tod. Handschriftliche Testamente sind gültig, sofern sie bestimmte Kriterien erfüllen. Dieser Wisch ist ein Witz: Die Familie bekommt nichts – Ramona und Herschel sind ausdrücklich enterbt –, stattdessen gehen neunzig Prozent des Erbes an Lettie Lang, die Haushälterin.«

»Lettie!«, stieß Ian aus, verriss das Steuer und lenkte den Wagen fast über den Mittelstreifen.

»Was ist?«, krächzte Ramona von hinten.

»Ja, Lettie Lang«, wiederholte Stillman. »Scheint, als wäre sie ihm ziemlich ans Herz gewachsen.«

»Das ist absurd!«, sagte Ian scharf und starrte in den Rückspiegel. »Neunzig Prozent? Haben Sie neunzig Prozent gesagt?«

»Ja. Ich habe eine Kopie des Testaments, und darin steht eindeutig neunzig Prozent.«

»Handgeschrieben? Vielleicht eine Fälschung?«

»Das können wir bislang noch nicht sagen. Im Augenblick ist alles spekulativ.«

»Aber das ist doch keine ernsthafte Bedrohung, nicht wahr, Stillman?«

»Natürlich nicht. Wir haben mit dem Anwalt gesprochen, der das Testament eröffnet hat. Er will den Antrag nicht zurückziehen. Wir haben vereinbart, dass wir uns in Kürze mit dem Richter zusammensetzen und die Dinge besprechen.«

»Mit dem Richter? Was soll denn das heißen?«

»Nun, wir werden den Richter bitten, das handschriftliche Pamphlet für ungültig zu erklären und das rechtmäßige Testament zu eröffnen. Falls er aus irgendwelchen Gründen Nein sagt, wird der Fall vor Gericht ausgefochten.«

»Wann gehen wir vor Gericht?«, fragte Ian kampflustig, doch da lag auch eine verzweifelte Note in seiner Stimme, als spürte er, dass ihm die Felle davonzuschwimmen drohten.

»Das kann ich im Augenblick noch nicht sagen. Ich werde mich in ein paar Tagen wieder melden. Wir werden das regeln, Ian.«

»Das hoffe ich sehr, sonst bringe ich die Kanzlei Lanier aus Jackson ins Spiel, die ganz schweren Jungs. Die vertreten mich schon seit Ewigkeiten und wissen, wie man Prozesse führt. Am besten ruf ich Wade Lanier sofort an.«

»Das ist nicht nötig, Ian, jedenfalls noch nicht. Im Augenblick können wir nicht noch mehr Anwälte gebrauchen. Ich melde mich in einigen Tagen.«

»Tun Sie das.« Ian pfefferte das Telefon hin und starrte seine Frau an.

»Was ist da los, Ian?«

Ian atmete tief durch. »Das wirst du nicht für möglich halten.«

Herschel saß am Steuer seines kleinen Datsun und hörte Bruce Springsteen, als der Anruf kam. Der Datsun parkte neben dem Haupteingang des BMW-Händlers von East Memphis. Dutzende hochglanzpolierte neue BMWs reihten sich entlang der Straße auf. Es war lächerlich hierherzukommen, doch er hatte sich auf einen Kompromiss mit sich selbst geeinigt: ein Gespräch mit einem Verkäufer, aber keine Probefahrt. Noch nicht jedenfalls. Als er das Radio ausschalten wollte, um auszusteigen, klingelte das Autotelefon.

Es war Stillman Rush, der mit nervöser Stimme sagte: »Herschel, es gibt da ein Problem.«

Lettie kam allein. Jake ließ sie vorangehen, die Treppe hoch zum großen Büro, wo er die Tür schloss und sie zu einer kleinen Sitzgruppe mit Sofa und Sesseln führte. Er legte seine Krawatte ab und schenkte Kaffee ein, um ihr die Nervosität zu nehmen. Sie erklärte, dass Simeon wieder unterwegs sei. Sie habe ihm nichts über Seths Testament erzählen wollen, und darüber habe er sich geärgert. Sie hätten sich kurz, aber laut und heftig gestritten, dann sei er ins Auto gestiegen und weggefahren.

Jake reichte ihr eine Kopie des Testaments. Beim Lesen begann sie zu weinen. Er stellte eine Kleenexbox neben ihren Sessel. Sie las es erneut, und als sie geendet hatte, legte sie die Blätter auf den Tisch und vergrub das Gesicht in den Händen. Als die Tränen versiegt waren, wischte sie sich die Wangen und straffte die Schultern, als hätte sie den Schreck überwunden und könnte jetzt zur Sache kommen.

»Warum hat er das gemacht, Lettie?«, fragte Jake sachlich.

»Ich habe keine Ahnung, ich schwöre, ich weiß es nicht«, erwiderte sie mit belegter Stimme.

»Hat er mit Ihnen über das Testament gesprochen?«

»Nein.«

»Haben Sie es schon einmal gesehen?«

Sie schüttelte den Kopf. »Nein.«

»Hat er Ihnen gegenüber jemals etwas angedeutet?«

Sie brauchte eine Weile, bis sie ihre Gedanken geordnet hatte. »Zweimal vielleicht, in den vergangenen Monaten. Er hat angedeutet, er würde mir ›ein bisschen was‹ hinterlassen, aber mehr hat er dazu nie gesagt. Natürlich habe ich gehofft, dass er es wahr macht, aber ich habe ihn nie darauf angesprochen. Ich habe kein Testament. Meine Momma hat auch keins. Wir denken über so etwas gar nicht nach, verstehen Sie das, Mr. Brigance?«

»Bitte nennen Sie mich Jake.«

»Ich werde es versuchen.«

»Wie haben Sie ihn angesprochen: Mr. Hubbard, Mr. Seth oder Seth?«

»Wenn wir allein waren«, sagte sie bedächtig, »habe ich Seth gesagt, weil er das so wollte. Wenn andere dabei waren, habe ich immer Mr. Seth oder Mr. Hubbard gesagt.«

»Wie hat er Sie angesprochen?«

»Mit Lettie. Immer.«

Jake fragte sie weiter aus, über Seths letzte Tage, seine Krankheit, Therapien, Ärzte, Krankenschwestern, seinen Appetit, die tägliche Routine und ihre Aufgaben im Haus. Sie wisse fast nichts über seine Geschäfte, er habe seine Unterlagen im Haus immer weggeschlossen. Das meiste habe er in den vergangenen Monaten in die Firma gebracht. Er habe nie mit ihr über Geschäftliches gesprochen, nicht einmal mit anderen, wenn sie dabei gewesen sei. Vor seiner Krankheit und auch später noch, in guten Phasen, sei er viel gereist. Sein Haus sei still und einsam gewesen, kein glücklicher Ort. Oft sei sie vor acht schon da gewesen und habe dann acht Stunden lang nichts zu tun gehabt, besonders wenn Seth verreist gewesen sei. Wenn nicht, habe sie gekocht und geputzt. Als er krank geworden sei, sei sie bei ihm geblieben. Sie habe ihn gefüttert, und ja, sie habe ihn gewaschen und sauber gemacht, wenn es sein musste. Es habe schwierige Phasen gegeben, vor allem während der Chemo und der Bestrahlungen, da sei er ans Bett gefesselt gewesen und habe kaum allein essen können.

Jake erläuterte vorsichtig, was unter »unzulässiger Beeinflussung« zu verstehen war. Die Klage gegen das handschriftliche Testament werde sich gegen Lettie richten, man werde ihr unterstellen, dass sie Seth zu nahe gekommen sei und ihn manipuliert habe. Um zu gewinnen, müsse sie das Gegenteil beweisen. Während sie sich im Gespräch allmählich entspannte, stellte Jake sich vor, wie sie vor Gericht ihre Aussage machte, umgeben von zähnefletschenden Anwälten, die es gar nicht erwarten konnten, aus ihr herauszuquetschen, was sie alles mit Mr. Hubbard gemacht hatte. Sie tat ihm jetzt schon leid.

Als sie sich wieder im Griff hatte, sagte er: »Ich muss hier auch noch unser Verhältnis klären, Lettie. Ich bin nicht Ihr Anwalt. Ich vertrete Mr. Hubbards Nachlass. Meine Aufgabe ist es, das Testament zu eröffnen und umzusetzen. Ich werde mit dem Testamentsvollstrecker zusammenarbeiten, das wird voraussichtlich Mr. Amburgh sein. Es gibt da ein paar Dinge zu erledigen, die gesetzlich vorgeschrieben sind, etwa potenzielle Gläubiger informieren, das Vermögen schützen, die Vermögenswerte im Einzelnen erfassen und so weiter. Wenn das Testament angefochten werden sollte, und davon gehe ich aus, ist es meine Aufgabe, vor Gericht zu gehen und es zu verteidigen. Ich bin nicht Ihr Anwalt, denn Sie sind die durch das Testament Begünstigte – ebenso wie Seths Bruder Ancil Hubbard und Mr. Hubbards Kirche. Gleichwohl ziehen wir an einem Strang, weil wir beide wollen, dass dieses Testament gewinnt. Klingt das halbwegs logisch für Sie?«

»Ich glaube schon. Brauche ich denn einen Anwalt?«

»Eigentlich nicht. Zumindest noch nicht. Engagieren Sie keinen, bevor Sie nicht wirklich einen brauchen.« Die Geier würden bald kreisen, und es würde voll werden im Gerichtssaal. Wenn zwanzig Millionen auf dem Tisch lagen, brachte man sich besser schleunigst in Sicherheit.

»Werden Sie mir sagen, wenn ich einen brauche?«, fragte sie arglos.

»Ja, das werde ich«, erwiderte Jake, obwohl er keine Ahnung hatte, wie das gehen sollte. Er schenkte Kaffee nach und stellte fest, dass sie ihren noch gar nicht angerührt hatte. Er sah auf die Uhr. Seit dreißig Minuten saßen sie zusammen, und sie hatte noch nicht nach dem Nachlassvolumen gefragt. Ein Weißer hätte keine fünf Minuten gebraucht. Zeitweise schien sie jedes Wort zu verschlingen, dann wieder wirkte sie abweisend, als wäre ihr alles zu viel.

Sie fing wieder an zu weinen und sich die Wangen abzuwischen.

»Möchten Sie denn wissen, wie viel es ist?«, fragte Jake.

»Ich dachte, Sie würden mir das früher oder später schon sagen.«

»Bislang habe ich noch nichts Schriftliches gesehen, Kontoauszüge oder Ähnliches. Ich war noch nicht in seinem Büro, aber das wird bald geschehen. Mr. Amburgh zufolge hat Seth Hubbard kürzlich seine Firma verkauft und damit etwa zwanzig Millionen Dollar Erlös erzielt. Mr. Amburgh denkt, das Geld liegt auf einem Bankkonto. Außerdem gibt es ein paar weitere Vermögenswerte, zum Beispiel Immobilien. Eine meiner Aufgaben ist es, alles zusammenzustellen und zu inventarisieren – für das Gericht und auch für die Begünstigten.«

»Bin ich eine von den … Begünstigten?«

»O ja, allerdings. Neunzig Prozent.«

»Neunzig Prozent von zwanzig Millionen?«

»So ungefähr.«

»O mein Gott, Jake.« Sie nahm ein Papiertaschentuch und brach wieder in Tränen aus.

In der folgenden Stunde kamen sie besser voran. Während Lettie immer wieder losweinte, klärte Jake sie über die Grundlagen der Nachlassabwicklung auf – Dauer, involvierte Personen, Rolle des Nachlassgerichts, Steuern und nicht zuletzt die Übertragung des Vermögens. Allerdings schien sie zunehmend durcheinander. Sicherlich würde er vieles von dem, was er jetzt erklärt hatte, bald noch einmal wiederholen müssen. Was es für Probleme mit sich brachte, dass das Testament angefochten wurde, erzählte er ihr nicht, sondern wagte vorsichtige Prognosen, wie die Sache ausgehen könnte. Da Richter Atlee schwebende Verfahren und Verschleppungstaktiken von Anwälten hasste, ging Jake davon aus, dass ein Prozess bereits binnen zwölf Monaten, wenn nicht sogar früher, abgeschlossen sein könnte. Da so viel auf dem Spiel stand, würde die unterlegene Partei aber mit Sicherheit in Revision gehen, dann würden zwei weitere Jahre vergehen, bis ein endgültiges Urteil gesprochen wäre. Je klarer Lettie sah, was ihr da für ein langer Leidensweg bevorstand, umso entschlossener wirkte sie.

Zweimal fragte sie, ob es nicht eine Chance gebe, das Ganze geheim zu halten. Nein, erklärte Jake geduldig, das sei nicht möglich. Sie fürchtete Simeon und dessen kriminelle Sippschaft und überlegte, ob es nicht das Beste für sie wäre wegzuziehen. Jake wusste in dieser Hinsicht keinen Rat, aber er hatte auch schon darüber nachgedacht, wie es ihr Leben durcheinanderbringen würde, wenn plötzlich lange verschollene Verwandte und lauter neue Freunde aus dem Nichts auftauchten.

Nach zwei Stunden machte sie sich widerstrebend auf den

Heimweg. Jake begleitete sie zum Ausgang, wo sie durch die Scheibe auf die Straße blickte, als würde sie lieber drinnen bleiben, wo sie sich sicher fühlte. Das Testament war ein Schock für sie gewesen, Jakes Erläuterungen hatten sie überfordert, doch in diesem Moment war er der einzige Mensch, dem sie vertraute. Als sie schließlich auf die Straße trat, waren ihre Augen wieder feucht.

»Sind das Freudentränen, oder hat sie Todesangst?«, fragte Roxy, nachdem Jake die Tür geschlossen hatte.

»Sowohl als auch, würde ich sagen.«

Sie schwenkte einen rosa Telefonmemozettel und sagte: »Dumas Lee hat angerufen. Er ist auf einer heißen Spur.«

»Bitte nicht.«

»Kein Scherz. Er meinte, er kommt vielleicht heute Nachmittag vorbei, um in Seth Hubbards schmutziger Wäsche zu wühlen.«

»Schmutzige Wäsche?« Jake nahm den Zettel entgegen.

»Dumas findet immer was.«

Dumas Lee schrieb für die *Ford County Times* und war berühmt dafür, dass er gern Fakten verdrehte und ständig Beleidigungsklagen fürchten musste. Seine Fehler waren reine Schludrigkeit, meistens banal und harmlos. Bislang war noch nie jemand ernsthaft zu Schaden gekommen. Er hatte ein gutes Ohr für Klatsch und ein untrügliches Gespür dafür, wann sich eine gute Story anbahnte. Ausführliche Recherchen waren nicht seine Sache, aber man konnte darauf zählen, dass er ins Wespennest stach. Am liebsten hielt er sich im Gericht auf, vor allem deshalb, weil es gleich gegenüber der Redaktion lag und die meisten Akten öffentlich zugänglich waren.

Am späten Mittwochnachmittag erschien er in Jake Brigance' Kanzlei, nahm sich einen Stuhl vor Roxys Schreibtisch und verlangte, den Chef zu sprechen. »Ich weiß, dass er da ist«, sagte er mit einem strahlenden Lächeln, das Roxy kaltließ. Er liebte die Frauen und lebte mit der Illusion, dass er auf sie wirkte.

»Er ist beschäftigt«, sagte sie.

»Genau wie ich.« Er schlug eine Zeitschrift auf und begann leise zu pfeifen.

Zehn Minuten später sagte Roxy: »Sie können jetzt hineingehen.«

Jake und Dumas kannten sich seit Jahren und hatten nie ein Problem miteinander gehabt. Jake war einer der wenigen Anwälte am Platz, der ihm bislang nicht mit einer Klage gedroht hatte. Das rechnete Dumas ihm hoch an.

»Erzählen Sie mir von Seth Hubbard«, sagte er, zog einen Block hervor und griff nach einem Kugelschreiber.

»Ich nehme an, Sie haben das Testament gesehen«, erwiderte Jake.

»Ich habe eine Kopie. Die sind ja jetzt allgegenwärtig. Wie viel ist er wert?«

»Nichts. Er ist tot.«

»Haha. Sein Nachlass.«

»Ich kann dazu noch nichts sagen, Dumas. Außerdem weiß ich ohnehin nicht viel.«

»Okay, dann inoffiziell.« Bei Dumas war nie etwas inoffiziell, und jeder Anwalt, Richter und Gerichtsangestellte wusste das.

»Nicht inoffiziell, nicht offiziell. Ich sage einfach gar nichts, Dumas. Vielleicht später.«

»Wann werden Sie vor Gericht gehen?«

»Die Beerdigung war gestern. Es gibt keinen Grund zur Eile.«

»Ach nein? Kein Grund zur Eile? Warum haben Sie dann Ihren Antrag zwanzig Minuten nach Ende der Beerdigung eingereicht?«

Volltreffer. Jake schwieg. Gute Frage. »Okay, vielleicht hatte ich einen Grund, mich zu beeilen.«

»Der alte Wettlauf zum Gericht, was?«, sagte Dumas feixend und kritzelte etwas auf seinen Block.

»Kein Kommentar.«

»Ich kann Lettie Lang nicht finden. Irgendeine Ahnung, wo sie steckt?«

»Nein. Aber sie wird ohnehin nicht mit Reportern reden, auch nicht mit Ihnen.«

»Das werden wir sehen. Ich habe einen Typ in Atlanta aufgetrieben, der schreibt für ein Wirtschaftsmagazin. Er meinte, eine LBO-Gruppe habe letztes Jahr die Holding von Mr. Seth Hubbard für fünfundfünfzig Millionen Dollar gekauft. Klingelt da was?«

»Kein Kommentar«, sagte Jake, im Stillen beeindruckt von Dumas' ungewöhnlichem Rerchercheeifer.

»Ich habe von Betriebswirtschaft nicht viel Ahnung, aber man kann sich denken, dass der gute Mann Schulden hatte, oder? Kein Kommentar?« Jake nickte. Korrekt, kein Kommentar. »Aber ich finde nicht heraus, bei welcher Bank er war. Je mehr ich stochere, desto weniger erfahre ich über Ihren Mandanten.«

»Ich bin dem Mann nie begegnet«, sagte Jake und bereute es sofort.

Dumas kritzelte wieder. »Wissen Sie, ob er Schulden hatte? Mr. Amburgh hat bei der Frage sofort zugemacht und aufgelegt.«

»Kein Kommentar.«

»Wenn ich also schreiben würde, dass Mr. Hubbard seine Firma für fünfundfünfzig Millionen verkauft hat, ohne etwas von Schulden zu erwähnen, weil ich keine Angaben dazu habe, dann würden doch meine Leser den Eindruck bekommen, dass sein Vermögen wesentlich größer ist, als es in Wirklichkeit ist, richtig?«

Jake nickte. Dumas betrachtete ihn abwartend und kritzelte wieder auf seinen Block. Dann änderte er die Strategie. »Die große Frage ist also: Warum sollte ein Multimillionär am Tag vor seinem Selbstmord ein neues Testament schreiben, in dem er seine Familie enterbt und alles seiner Haushälterin hinterlässt?«

Sie haben den Nagel auf den Kopf getroffen, Dumas. Genau das ist die große Frage. Jake nickte weiter, sagte aber nichts.

»Die zweite große Frage dürfte lauten: Was haben Seth und sein kleiner Bruder erlebt, dass Seth noch Jahrzehnte später davon schreibt? Stimmt's?«

»Das ist tatsächlich eine große Frage«, erwiderte Jake, »aber ich bin nicht sicher, ob sie schon an zweiter Stelle steht.«

»Okay. Irgendeine Idee, wo sich Ancil Hubbard heute aufhält?«

»Nicht im Mindesten.«

»Ich habe einen Cousin in Tupelo aufgetrieben, der gesagt hat, dass die Familie Ancil seit Jahrzehnten für tot hält.«

»Ich hatte noch keine Zeit, Ancil zu suchen.«

»Aber Sie werden nach ihm suchen?«

»Ja, er ist im Testament begünstigt. Es ist meine Aufgabe, ihn zu finden oder zumindest herauszubekommen, was aus ihm geworden ist.«

»Und wie werden Sie vorgehen?«

»Keine Ahnung. Ich habe noch nicht darüber nachgedacht.«

»Wann ist der erste Gerichtstermin?«

»Ist noch nicht festgelegt.«

»Werden Sie Ihrer Sekretärin sagen, dass sie mich anrufen soll, sobald der Termin feststeht?«

»Ja. Es sei denn, es ist eine nicht öffentliche Anhörung.«

»Damit kann ich leben.«

Jakes letzter Besucher an diesem Nachmittag war sein Vermieter. Lucien saß in dem Konferenzraum im Erdgeschoss, wo die Nachschlagewerke standen. Er hatte ein gutes Dutzend davon gleichmäßig über den ganzen Tisch verteilt und schien in Gedanken versunken zu sein. Als Jake beim Eintreten die aufgeschlagenen Bücher sah, musste er tief durchatmen. Eine dunkle Vorahnung ergriff ihn. Er konnte sich nicht erinnern, wann er Lucien zum letzten Mal beim Wälzen von Fachliteratur gesehen hatte. Ihm war kurz nach Jakes Einstieg in die Kanzlei die Anwaltslizenz entzogen worden. Seither hatte er sich von Büro und Justiz ferngehalten. Jetzt war er zurück.

»Ein bisschen leichte Lektüre zur Entspannung?«, fragte Jake und ließ sich in einen Ledersessel sinken.

»Ich frische nur mein Wissen über das Erbrecht ein wenig auf. Hatte nie viel damit zu tun. Es ist ja ziemlich öde, wenn man nicht gerade so einen Fall hat. Ich kann mich nicht entscheiden, ob Sie Geschworene dazunehmen sollen oder nicht.«

»Ich tendiere zu einer Jury, aber im Moment ist das alles noch nicht spruchreif.«

»Natürlich.« Lucien schlug ein Buch zu und schob es weg. »Sie sagten, Sie wollten sich heute Nachmittag mit Lettie Lang treffen. Wie war es?«

»Gut, Lucien, aber Sie wissen genau wie ich, dass solche Gespräche vertraulich sind.«

»Na klar. Mögen Sie sie?«

Jake hielt einen Moment lang inne und ermahnte sich, nicht die Geduld zu verlieren. »Ja, sie ist nett, aber sie ist überfordert. Das Ganze ist nicht leicht zu bewältigen.«

»Würden Geschworene sie auch mögen?«

»Sie meinen weiße Geschworene?«

»Ich weiß nicht. Ich verstehe die Schwarzen wesentlich besser als die meisten Weißen. Jake, ich bin kein Rassist. In diesem

County bin ich einer von etwa einem Dutzend Weißen, die nicht blind sind gegenüber Rassismus. Ich war das erste und bislang einzige weiße Mitglied in der schwarzen Bürgerrechtsorganisation von Clanton. Eine Zeit lang waren alle meine Mandanten schwarz. Ich kenne die Schwarzen, Jake, es könnte problematisch sein, Schwarze unter den Geschworenen zu haben.«

»Lucien, die Beerdigung war erst gestern. Ist das nicht alles ein bisschen verfrüht?«

»Kann schon sein, aber man wird früher oder später sowieso darüber nachdenken müssen. Sie können froh sein, dass Sie mich an Ihrer Seite haben, Jake. Tun Sie mir den Gefallen, und lassen Sie mich mitmachen. Viele Schwarze werden neidisch auf Lettie Lang sein, weil sie eine von ihnen ist. Aber wenn sie das Erbe antritt, wird sie der reichste Mensch in ganz Ford County sein. Es gibt sonst keine reichen Schwarzen hier. So was hat es noch nie gegeben. Sie wäre nicht mehr schwarz. Sie wäre was Besseres und würde auf alle anderen herabschauen, vor allem auf ihre schwarzen Brüder und Schwestern. Können Sie mir folgen, Jake?«

»Bis zu einem gewissen Grad schon, aber mir sind Schwarze in der Jury lieber als ein Haufen Hinterwäldler, die kaum in der Lage sind, die Kreditraten für ihr Haus abzustottern.«

»Hinterwäldler dürfen auch nicht rein.«

Jake sagte lachend: »Okay, zwei große Bevölkerungsgruppen haben wir damit schon einmal ausgeschlossen. Wie soll Ihrer Meinung nach die perfekte Jury aussehen?«

»Daran arbeite ich noch. Der Fall gefällt mir, Jake. Ich habe seit dem Mittagessen über nichts anderes nachgedacht. Er erinnert mich an die Zeit, als ich die Juristerei noch mochte.« Er stützte sich auf die Ellbogen und sah Jake an, als drohten ihn die Gefühle zu überwältigen. »Ich will im Gerichtssaal mit dabei sein, Jake.«

»Sie sind ein bisschen voreilig, Lucien. Ein Prozess, falls überhaupt einer stattfindet, ist noch Monate entfernt.«

»Klar, das weiß ich. Aber Sie brauchen Hilfe, und zwar jede Menge. Es wird langweilig, Jake, auf der Veranda zu sitzen und sich zu betrinken, und ich muss mit dem Alkohol aufpassen. Das macht mir wirklich Sorgen, Jake. Ernsthaft.«

Aus gutem Grund.

»Ich würde gern mehr Zeit hier verbringen. Aber ich werde nicht stören. Die meisten Leute meiden mich, das weiß ich, und mir ist auch klar, warum. Verdammt, ich würde mir selbst aus dem Weg gehen, wenn ich könnte. Ich hätte etwas Sinnvolles zu tun, es würde mich vom Trinken abhalten, zumindest tagsüber, und ich kenne mich mit Gesetzen sowieso viel besser aus als Sie. Außerdem will ich im Gerichtssaal mit dabei sein.«

Das sagte er jetzt schon zum zweiten Mal, und Jake wusste, dass er sich nicht davon abbringen lassen würde. Der Gerichtssaal war ein großer, eindrucksvoller Raum mit verschiedenen Bereichen. Wollte er bei den Zuschauern sitzen und die Show genießen? Oder dachte er an einen Platz zwischen den anderen Anwälten? In diesem Fall hätte Jake ein Problem. Wenn Lucien wieder als Anwalt tätig werden wollte, müsste er natürlich zuerst die Zulassungsprüfung wiederholen. Aber falls er bestand, hätte er wieder eine Lizenz und könnte in Jakes Büroalltag zurückkehren.

Die Vorstellung, wie Lucien zwischen den Verteidigern saß, kaum fünf Meter von der Geschworenenbank entfernt, war beängstigend. Für die meisten Weißen war er ein Sonderling – ein verrückter alter Säufer, der eine einstmals stolze Anwaltsdynastie zum Gespött gemacht hatte und jetzt mit seiner Haushälterin in wilder Ehe lebte.

»Wir werden sehen«, sagte Jake vorsichtig.

12

Richter Reuben V. Atlee litt noch unter den Folgen seines dritten Herzinfarkts, hatte jedoch Aussicht auf »vollständige« Genesung, was auch immer das bei einem derartigen Herzschaden zu bedeuten hatte. Er gewann zunehmend an Kraft und Durchhaltevermögen, und das ließ sich an seiner Prozessliste ablesen. Auch sonst gab es klare Anzeichen dafür, dass er bald wieder ganz der Alte sein würde. Anwälte wurden zusammengestaucht. Terminsachen wurden eingefordert. Langatmigen Zeugen wurde das Wort abgeschnitten. Meineidigen wurde mit Haftstrafen gedroht. Wer mit unseriösen Klagen ankam, wurde kurzerhand des Gerichts verwiesen. Auf den Fluren des Gerichtsgebäudes waren sich Anwälte, Verwaltungsangestellte und sogar die Hausmeister einig: »Er ist wieder da.«

Seit dreißig Jahren war Richter Atlee nun schon im Amt und wurde in schöner Regelmäßigkeit alle vier Jahre ohne Gegenkandidat wiedergewählt. Er war weder Demokrat noch Republikaner, weder liberal noch konservativ, weder Baptist noch Katholik, und er bevorzugte weder die State University noch Ole Miss. Er hatte keine Steckenpferde, keine Neigungen, keine vorgefassten Meinungen. Er war so offen, tolerant und gerecht, wie ein Richter mit seiner Herkunft und Erziehung sein konnte. Er führte seine Prozesse mit harter Hand. Wer unvorbereitet kam, wurde gerügt, doch wer sich schwertat, dem wurde geholfen. Freilich hatte er einen leichten Hang zum Sadismus, der allen Anwälten im County Angst einjagte, außer vielleicht Harry Rex Vonner.

Neun Tage nachdem Seth sich erhängt hatte, nahm Richter Atlee seinen Platz hinter der Richterbank ein und wünschte Guten Morgen. Jake fand, dass er so fit aussah wie immer, was in Anbetracht seiner Krankengeschichte nicht unbedingt viel heißen wollte. Er war ein mächtiger Mann, mit einer Größe von über einem Meter achtzig und einem ausladenden Bauch, den er geschickt unter der schwarzen Robe verbarg.

»Nette Versammlung«, sagte der Richter belustigt und blickte über den Saal. Es hatten sich kaum genügend Sitzplätze für alle Anwälte gefunden. Jake war früh da gewesen und hatte seinen Platz am Klägertisch behauptet, wo er nun zusammen mit Russell Amburgh saß, der ihm am Morgen mitgeteilt hatte, dass er aussteigen wolle. Gleich hinter ihnen, auf seiner Seite, wenn auch nicht unbedingt in seinem Team, saß Lettie Lang, flankiert von zwei schwarzen Anwälten aus Memphis.

Jakes Welt war tags zuvor erschüttert worden, als er erfuhr, dass Lettie Booker Sistrunk engagiert hatte, der einen üblen Ruf als Bombenleger hatte und diesen Fall erheblich komplizieren würde. Jake hatte versucht, Lettie telefonisch zu erreichen. Er konnte immer noch nicht fassen, dass sie diese unkluge Entscheidung getroffen hatte.

Am Verteidigertisch auf der anderen Seite drängte sich eine ganze Schar von Anwälten in schicken Anzügen. Jenseits der Schranke auf den alten Holzbankreihen im Zuschauerraum verteilte sich eine eindrucksvolle Menge, deren Neugier förmlich greifbar war.

Richter Atlee sagte: »Bevor wir anfangen, möchte ich klarstellen, warum wir hier zusammengekommen sind und was wir heute erreichen wollen. Wir sind nicht hier, weil jemand Klage eingereicht hat. Das kommt erst noch. Heute ist es unser Ziel zu überlegen, wie wir vorgehen werden. Wenn ich richtig verstehe, hat Mr. Seth Hubbard zwei Testamente hinterlassen. Das eine ist ein handschriftliches vom 1. Oktober dieses Jahres, das Sie, Mr. Brigance, zur Eröffnung eingereicht haben.« Jake nickte stumm und blieb sitzen. Wenn man Richter Atlee ansprechen wollte, stand man besser auf. Im Sitzen zu nicken ließ er gerade noch durchgehen. »Das zweite stammt vom 7. September letzten Jahres, wird aber in dem handschriftlichen Dokument ausdrücklich widerrufen. Weiß irgendjemand von einem weiteren Testament? Hat uns Mr. Hubbard vielleicht noch eine Überraschung hinterlassen?« Er hielt eine Sekunde lang inne, in der er seine großen braunen Augen über den Saal wandern ließ. Eine billige, dickrandige Lesebrille klemmte auf seiner Nasenspitze. »Gut. Hätte ich auch nicht erwartet.«

Er raschelte mit Papier und machte sich eine Notiz. »Fein, dann fangen wir hier drüben an. Bitte stehen Sie auf, und nennen Sie Ihren Namen.« Der Richter deutete auf Jake, also erhob er sich und stellte sich vor. Als Nächster war Russell Amburgh dran.

»Sie sind der Testamentsvollstrecker aus dem handschriftlichen Testament?«, fragte Richter Atlee der Form halber.

»Ja, Sir, aber ich würde das lieber alles abgeben«, sagte Amburgh.

»Dafür werden wir später noch genug Zeit haben. Und Sie, in dem hellgrauen Anzug?«

Der größere der beiden schwarzen Anwälte stand auf und schloss den obersten Knopf seines maßgeschneiderten Anzugs. »Euer Ehren, mein Name ist Booker Sistrunk«, begann er selbstbewusst. »Zusammen mit meinem Partner hier, Mr. Kendrick Bost, vertrete ich die Interessen von Mrs. Lettie Lang.« Sistrunk berührte ihre Schulter. Bost stand ebenfalls auf. Lettie wirkte klein zwischen den zwei Riesen. Eigentlich durfte sie gar nicht an dieser Stelle sitzen, nicht in dieser Phase. Sie gehörte hinter die Schranke in den Zuschauerraum. Doch Sistrunk und Bost hatten sie gleich in Stellung gebracht und damit alle anderen provoziert. Wäre es eine Verhandlung gewesen, hätte Richter Atlee sie sofort auf ihre Plätze verwiesen, doch er war klug genug, die Verfehlung zu übergehen.

»Ich glaube, ich hatte noch nicht die Ehre, Sie vor meiner Richterbank zu sehen, meine Herren«, sagte Atlee mit Argwohn in der Stimme. »Woher kommen Sie?«

»Unsere Kanzlei hat ihren Sitz in Memphis«, erklärte Sistrunk, obwohl das jeder wusste. In den Zeitungen der Stadt waren sie zurzeit stärker vertreten als die fünf nächstgrößten Kanzleien zusammen. Sie führten Krieg mit dem Memphis Police Department und schienen einen Fall von Polizeigewalt nach dem anderen zu gewinnen. Sistrunk pflegte seinen Ruf, laut, unverfroren und umstritten zu sein, und hatte sich in einer Stadt, die schon viele Rassenhetzer hervorgebracht hatte, als einer der wirksamsten erwiesen.

Jake wusste, dass Simeon Verwandtschaft in Memphis hatte. Da hatte wohl eines zum anderen geführt, bis Jake schließlich den alarmierenden Anruf von Booker Sistrunk bekam, in dem dieser ihm erklärte, sie würden in den Fall »einsteigen«. Für Jake bedeutete das, dass er mit seiner Arbeit stärker unter Beobachtung stand und noch mehr Einmischung erdulden musste. Es gab bereits beunruhigende Schilderungen über Letties vollgeparkten Vorgarten und ungebetene Besucher, die vor ihrer Tür herumlungerten.

Richter Atlee fuhr fort. »Dann haben Sie sicher eine Lizenz, um in diesem Staat zu praktizieren.«

»Nein, Sir, noch nicht. Aber wir werden einen ortsansässigen Korrespondenzanwalt suchen.«

»Das wäre ein kluger Schritt, Mr. Sistrunk. Wenn Sie das

nächste Mal hier erscheinen, erwarte ich, dass Sie wissen, mit wem Sie zusammenarbeiten werden.«

»Ja, Sir«, sagte Sistrunk steif und mit höhnischem Unterton. Bost und er quetschten sich wieder neben ihre kostbare Mandantin. Vor der Anhörung hatte Jake versucht, Lettie zu begrüßen, aber die Anwälte hatten sie abgeschirmt. Sie hatte ihn nicht einmal angesehen.

»Nun zu Ihnen«, sagte Richter Atlee und deutete auf den überfüllten Verteidigertisch.

Stillman Rush stand sofort auf. »Euer Ehren, ich bin Stillman Rush von der Kanzlei Rush in Tupelo. Ich bin mit Sam Larkin und Lewis McGwyre hier.« Auf Stichwort erhoben sich beide Männer und nickten dem Richter höflich zu. Man kannte sich, es war also nicht nötig, sich ausführlicher vorzustellen.

»Ihre Kanzlei hat das Testament von 1987 aufgesetzt, richtig?«

»Das stimmt«, sagte Stillman mit selbstgefälligem Lächeln.

»Sehr schön. Der Nächste.«

Ein großer Mann mit rundem Kahlkopf stand auf. »Euer Ehren«, begann er mit knarrender Stimme, »ich bin Wade Lanier von der Kanzlei Lanier in Jackson. Ich bin mit meinem Mitarbeiter Lester Chilcott gekommen, wir vertreten die Interessen von Mrs. Ramona Dafoe, der Tochter des Verstorbenen. Ihr Mann, Ian Dafoe, ist ein langjähriger Mandant von uns und …«

»Das reicht, Mr. Lanier«, bellte Richter Atlee. Willkommen in Ford County. »Ihre anderen Mandanten interessieren mich nicht.«

Auch Wade Laniers Anwesenheit gab Anlass zur Besorgnis. Jake kannte ihn nur vom Hörensagen, aber das genügte schon, um ihn zu fürchten. Er war für seine knallharten Methoden bekannt, und seine Erfolge vor Gericht reichten aus, um ihn arrogant zu machen, jedoch nicht, um seine Gier zu stillen.

Richter Atlee streckte wieder den Finger aus. »Und Sie, Sir?«

Ein Mann in einem geschmacklosen Jackett sprang auf und verkündete: »Also, Euer Ehren, mein Name ist D. Jack O'Malley, und ich vertrete Herschel Hubbard, den Sohn des Verstorbenen. Mein Mandant lebt in Memphis, und da komme ich auch her. Aber wenn ich das nächste Mal hier bin, werde ich gewiss einen Korrespondenzanwalt dabeihaben.«

»Gute Idee. Der Nächste?«

Hinter O'Malley saß eng eingequetscht ein dünner junger Mann mit Rattengesicht und wilden, drahtigen Haaren. Er stand schüchtern auf, als hätte er noch nie vor einem Richter gesprochen. »Sir, ich bin Zack Zeitler, auch aus Memphis, und ich bin hier, um die Interessen der Kinder von Herschel Hubbard zu vertreten.«

Richter Atlee nickte. »So, so, die Enkel haben auch einen Anwalt?«

»Ja.«

»Danke, Mr. Zeitler, und falls Sie sich nicht schon darum gekümmert haben – bringen Sie das nächste Mal einen Anwalt von hier mit. Wir brauchen weiß Gott noch ein paar mehr. Es sei denn natürlich, Sie haben eine Zulassung für diesen Staat.«

»Die habe ich, Euer Ehren.«

»Sehr schön. Der Nächste.«

An einem Geländer in einer Ecke lehnend, stand ein Mann, der sich erst umsah, bevor er sprach. »Ja, Euer Ehren, ich bin Joe Bradley Hunt von der Kanzlei Skole in Jackson und …«

»Wie heißt die Kanzlei?«

»Skole, Euer Ehren. Skole, Rumky, Ratliff, Bodini und Zacharias.«

»Entschuldigung, dass ich gefragt habe. Fahren Sie fort.«

»Wir vertreten die Interessen der beiden minderjährigen Kinder von Ramona und Ian Dafoe, der Enkel des Verstorbenen.«

»Gut. Sonst noch jemand?«

Alle sahen sich mit gereckten Hälsen um. Richter Atlee zählte kurz. »Aha. Bislang zähle ich elf Anwälte, aber es spricht ja nichts dagegen, dass noch mehr auftauchen.« Er schob ein paar Blätter Papier herum und blickte über die Zuschauer im Saal. Zu seiner Linken, hinter Jake und Lettie, saß eine ganze Gruppe Schwarzer, darunter Simeon, die Kinder und Enkel, ein paar Cousinen und Tanten, Cypress, ein Priester und jede Menge alte und neue Freunde, die gekommen waren, um Lettie im Kampf um ihr rechtmäßiges Erbe moralisch zu unterstützen. Rechter Hand, auf der anderen Seite des Mittelgangs, hinter der Schar von Anwälten, die das letzte Testament anfechten wollten, hatte sich eine Menge von Weißen versammelt, darunter Ramona und Ian mit ihren beiden Kindern, Herschel mit seinen zwei Töchtern, seine Exfrau, die allerdings so weit wie möglich entfernt in der letzten Reihe saß, Dumas Lee und ein zweiter Reporter, außerdem der übliche Kreis von Stammgästen, die kaum einen Prozess oder eine Anhörung versäumten. Am Eingang stand Marshall Prather, den Ozzie als Beobachter geschickt hatte, damit er ihm anschließend berichten konnte. Lucien Wilbanks saß auf der Seite der Schwarzen ganz hinten, teilweise verdeckt von einem muskulösen jungen Mann in der Reihe vor ihm. Atlee und er kannten sich seit vielen Jahren, und Lucien wollte den Richter mit seiner Anwesenheit nicht ablenken.

Kurz vor Beginn hatte Jake versucht, sich höflich bei Herschel und Ramona vorzustellen, doch sie hatten sich brüsk abgewandt. Er war jetzt der Feind, anstelle ihres Vaters. Vor allem Ian hatte ihn angesehen, als wollte er ihm am liebsten die Faust ins Gesicht jagen. Die halbwüchsigen Kinder der beiden in ihren Designerklamotten verhielten sich genauso arrogant, wie man es von reichen Erben erwartete. Herschels Töchter dagegen waren ungepflegt und trotzig. Erst vor wenigen Tagen waren alle noch zu beschäftigt gewesen, um zur Beerdigung ihres Großvaters zu kommen. Heute waren sie da. Offenbar hatten sich ihre Prioritäten drastisch verschoben.

Jake nahm an, dass die Anwälte die Familien gedrängt hatten, die Kinder mitzubringen – um Präsenz zu zeigen und zu demonstrieren, dass die Entscheidungen des Gerichts auch für sie Folgen haben würden. Reine Zeitverschwendung, wie er fand, andererseits stand viel auf dem Spiel.

Jake fühlte sich alleingelassen. Russell Amburgh neben ihm war alles andere als eine Stütze. Der Mann schien es gar nicht erwarten zu können, von seiner Pflicht entbunden zu werden. Gleich hinter Jake saß Lettie, auf die er eigentlich gezählt hatte. Doch sie wurde von einem Pärchen Pitbulls abgeschirmt, die auch vor roher Gewalt nicht zurückschrecken würden, um an das Vermögen zu kommen. Und das waren die Menschen, die auf seiner Seite standen. Gegenüber lauerte ein Rudel ausgehungerter Hyänen.

Richter Atlee machte weiter. »Ich habe beide Testamente gelesen. Wir werden mit dem handschriftlichen vom 1. Oktober anfangen. Ein Antrag auf Eröffnung wurde am 4. Oktober eingereicht. Mr. Brigance, Sie werden mit der Abwicklung des Nachlasses beginnen und die gesetzlich vorgeschriebenen Schritte einleiten: Gläubiger in Kenntnis setzen, ein vorläufiges Nachlassverzeichnis einreichen und so weiter. Ich gehe davon aus, dass diese Dinge umgehend erledigt werden. Mr. Amburgh, wie ich gehört habe, möchten Sie entlassen werden.«

Amburgh stand langsam auf. »Das ist richtig. Ich habe für so was nicht die Nerven. Als Vollstrecker müsste ich schwören, dass dies der gültige Letzte Wille von Seth Hubbard ist, und das kann ich einfach nicht. Mir gefällt dieses Testament nicht, und ich will damit nichts zu tun haben.«

»Mr. Brigance?«

»Euer Ehren«, sagte Jake, »Mr. Amburgh war früher selbst Anwalt. Er kennt sich mit der Materie aus. Ich werde einen entsprechenden Antrag formulieren und gleichzeitig die Namen möglicher Nachfolger einreichen.«

»Bitte behandeln Sie diesen Punkt als vorrangig. Ich möchte nicht, dass die Abwicklung unterbrochen wird, während wir andere Dinge klären. Unabhängig davon, was aus dem handschriftlichen Testament wird – oder auch aus dem anderen –, gilt unsere Hauptsorge Mr. Hubbards Nachlass. Ich nehme an, hier sind mehrere Parteien, die das handschriftliche Testament anfechten wollen, richtig?«

Ein Grüppchen von Anwälten stand nickend auf, und Richter Atlee hob die Hand. »Danke. Bitte bleiben Sie sitzen. Mr. Amburgh, Sie dürfen gehen.« Amburgh brachte ein knappes »Danke« heraus, schob sich eilends hinter dem Klägertisch hervor und hastete den Mittelgang entlang zum Ausgang.

Richter Atlee rückte seine Brille zurecht. »Wir werden folgendermaßen vorgehen. Mr. Brigance, Sie haben zehn Tage Zeit, um einen Nachfolger für Mr. Amburgh zu finden, wobei es gemäß dem Wunsch des Verstorbenen kein Anwalt aus diesem County sein darf. Sobald der Nachlassverwalter eingesetzt ist, werden Sie mit ihm zusammen Vermögenswerte und Verbindlichkeiten erfassen. Ich möchte so bald wie möglich ein vorläufiges Verzeichnis sehen. In der Zwischenzeit werden die Übrigen ihre Anfechtungserklärungen formulieren. Sobald sich alle Parteien sauber formiert haben, treffen wir uns wieder und überlegen uns, wie der Prozess ablaufen soll. Wie Sie wissen, dürfen alle Parteien eine Jury beantragen. Wenn Sie das wünschen, reichen Sie das Gesuch rechtzeitig ein, zusammen mit Ihrer Anfechtung. Erbanfechtungen werden in Mississippi behandelt wie jedes andere Zivilverfahren, insofern gelten die üblichen Verfahrens- und Beweisvorschriften.« Er nahm die Brille ab und begann, an einem Bügel zu nagen, während er über die Köpfe der Anwälte blickte. »Aber ich will Ihnen gleich eines sagen: Ich werde keinen Prozess mit zwölf Anwälten leiten. So einen Albtraum mag ich mir gar nicht vorstellen. Ich werde auch keine Jury, falls wir eine haben, einem solchen Wahnsinn unterziehen. Wir werden die strittigen Fragen festlegen und dann das Verfahren flott und effizient durchziehen. Irgendwelche Fragen?«

Oh ja, Tausende, dachte Jake, aber es wäre später noch genügend Zeit, sie zu stellen.

Plötzlich stand Booker Sistrunk auf und erklärte in seinem dröhnenden Bariton: »Euer Ehren, ich bin nicht sicher, ob das in dieser Phase des Verfahrens angebracht ist, aber ich möchte vorschlagen, dass meine Mandantin Lettie Lang Mr. Amburgh ersetzt. Ich habe mir die Gesetze dieses Staates angesehen und keinerlei Klausel gefunden, die vorschreibt, dass das Amt des Testamentsvollstreckers oder Nachlassverwalters von einem Anwalt, Finanzexperten oder Ähnlichem ausgefüllt werden muss. Tatsächlich ist per Gesetz keinerlei Ausbildung oder Erfahrung für dieses Amt notwendig.«

Sistrunk sprach langsam, betont, geschliffen, und seine Worte erfüllten den gesamten Saal. Richter Atlee und die Anwälte folgten seiner Rede stumm. Es war richtig, was er sagte. Per Gesetz konnte jeder berufen werden, Russell Amburghs Platz einzunehmen: jede zurechnungsfähige Person über achtzehn Jahre. Nicht einmal Kriminelle waren ausgeschlossen. Allerdings wäre angesichts des Umfangs des Vermögens und der komplexen Streitfragen, die anstanden, jemand mit mehr Erfahrung und ohne Eigeninteresse vorzuziehen. Die Vorstellung, Lettie zwanzig Millionen Dollar verwalten zu lassen, war schockierend – zumindest für die Weißen im Gerichtssaal. Sogar Richter Atlee wirkte für einen Moment sprachlos.

Doch Sistrunk war noch nicht fertig. Er wartete kurz, bis sich der erste Schreck gelegt hatte, und fuhr dann fort: »Euer Ehren, ich weiß, dass die Hauptarbeit vom rechtlichen Vertreter des Nachlasses erledigt wird, unter strenger Aufsicht des Gerichts selbstverständlich, deshalb schlage ich vor, dass meine Kanzlei als Prozessbevollmächtigte auftritt. Wir werden eng mit unserer Mandantin, Mrs. Lettie Lang, zusammenarbeiten, um die Wünsche von Mr. Hubbard umzusetzen. Falls nötig, werden wir Mr. Brigance' Rat suchen, der selbst ein guter junger Anwalt ist. Doch die wesentlichen Aufgaben werden von mir und meinen Leuten abgedeckt werden.«

Damit hatte Booker Sistrunk sein Ziel erreicht. Ab jetzt war es ein Krieg zwischen Schwarz und Weiß.

Herschel und Ramona und ihre Familien blickten hasserfüllt auf die Seite mit den Schwarzen, wo ihnen selbstgefällige Mienen begegneten. Lettie war die Erbin, eine aus ihrer Mitte, sagten diese Gesichter, und sie waren hier, um für sie zu kämpfen. Aber das Geld gehörte doch den Hubbards. Seth musste den Verstand verloren haben.

Jake sah sich entsetzt zu Sistrunk um, der ihn jedoch ignorierte. Seine erste Reaktion war: Wie kann er nur! Ein überwiegend weißes County bedeutete, dass die Jury ebenfalls überwiegend weiß sein würde. Sie waren weit weg von Memphis, wo es Sistrunk regelmäßig gelang, Jurys mit Schwarzen zu besetzen und dann spektakuläre Urteile zu erzielen. Aber Memphis war eine andere Welt.

Eine Jury mit neun oder zehn Weißen aus Ford County, die eine Woche lang von Booker Sistrunk bearbeitet wurde, und Mrs. Lettie Lang würde mit leeren Händen nach Hause gehen.

Die übrigen weißen Anwälte waren ebenso perplex wie Jake, allein Wade Lanier erkannte sofort seine Chance. Er sprang auf die Füße und posaunte los. »Kein Einspruch, Euer Ehren.«

»Es steht Ihnen auch nicht zu, Einspruch zu erheben«, fauchte Richter Atlee.

Jakes zweiter Gedanke war: Ich muss hier raus. Die Geier werden sowieso nichts übrig lassen. Das Leben ist zu kurz, um sich in einem Rassenkrieg verheizen zu lassen.

Richter Atlee sagte: »Noch etwas, Mr. Sistrunk?«

»Für den Augenblick nicht, Euer Ehren.« Sistrunk drehte sich um und sah selbstgefällig zu Simeon und dessen Familie hinüber. Er hatte bewiesen, dass er Rückgrat hatte, dass er furchtlos war, sich nicht einschüchtern ließ und auch vor handfesteren Methoden nicht zurückschrecken würde. Kurzum, dass sie den Richtigen engagiert hatten. Ehe er sich setzte, warf er Herschel Hubbard ein hämisches Grinsen zu, als wollte er sagen: »Das Spiel ist eröffnet.«

»Sie sollten noch ein wenig besser recherchieren, Mr. Sistrunk«, sagte Richter Atlee, ohne eine Miene zu verziehen. »Unser Nachlassrecht räumt den Wünschen des Testators höchste Priorität ein. Mr. Hubbard hat sich hinsichtlich des Anwalts für seinen Nachlass deutlich ausgedrückt. Daran wird nichts geändert werden. In Zukunft reichen Sie Ihre Vorschläge bitte als ordentliche Anträge ein, selbstverständlich erst, wenn Sie einen Korrespondenzanwalt gefunden haben, der an diesem Gericht tätig werden kann, und unter Einhaltung aller Fristen.«

Jakes Atmung beruhigte sich wieder, doch er war immer noch fassungslos über Sistrunks Unverfrorenheit – und Habgier. Zweifellos hatte er mit Lettie ein Honorar auf Erfolgsbasis vereinbart, das ihm einen Teil der Streitsumme zusicherte. Die meisten Klägeranwälte nahmen ein Drittel für einen Vergleich, vierzig Prozent für ein Geschworenenurteil und die Hälfte bei einer Revision. Ein Typ wie Sistrunk, eitel und zugegebenermaßen erfolgreich, würde sich mit Sicherheit am oberen Ende der Skala bewegen. Und als wäre das noch nicht genug, versuchte er, auch ein sattes Stundenhonorar als Nachlassverwalter heraus-zuschlagen.

Richter Atlee kam zum Ende. »In dreißig Tagen sehen wir uns wieder. Die Sitzung ist geschlossen.« Er nahm den Hammer und ließ ihn auf die Richterbank niederfahren.

Lettie war sofort von ihren Anwälten umringt, die sie in die Mitte nahmen und durch die Schranke manövrierten, wo sie in der ersten Zuschauerreihe von ihrer Familie und anderen Fans empfangen wurde. Man umarmte, streichelte, tröstete und er-munterte sie, als ginge es um Leben und Tod. Sistrunk ließ sich für seine mutigen Ansichten und Forderungen loben und beglückwünschen, und Kendrick Bost hielt Lettie um die Schultern gefasst, während sie sich leise mit ihren Lieben beriet. Cypress, ihre Mutter, wischte sich im Rollstuhl die Tränen von den Wangen. Was musste ihre Familie da Schreckliches durch-machen.

Jake war nicht in der Stimmung für Small Talk, wobei auch niemand wirklich versuchte, mit ihm ins Gespräch zu kom-men. Die anderen Anwälte spalteten sich in mehrere Grüpp-chen auf, während sie ihre Aktenkoffer packten und sich zum Gehen anschickten. Die Hubbard-Erben blieben unter sich und bemühten sich, nicht zu den Schwarzen hinüberzustarren, die es auf ihr Geld abgesehen hatten. Jake stahl sich durch eine Seitentür hinaus und war schon auf dem Weg zur Hintertreppe, als ihm Mr. Pate, der betagte Gerichtsdiener, zurief: »Hey, Jake, Richter Atlee möchte Sie sprechen.«

Der Richter erwartete ihn in dem engen kleinen Zimmer, wo Anwälte und Richter beim Kaffee ihre inoffiziellen Meetings abhielten. Als Jake eintrat, zog er gerade seine Robe aus. »Schlie-ßen Sie die Tür«, begrüßte er ihn.

Atlee war kein Geschichtenerzähler. Er machte kaum Witze und zeigte überhaupt selten Humor, wobei er als Richter ein

Publikum vor sich hatte, das über jeden Scherz bereitwillig lachte. »Nehmen Sie Platz, Jake«, sagte er, und sie setzten sich gegenüber an den kleinen Tisch.

»Was für ein riesengroßes Arschloch«, sagte Richter Atlee. »So kommt er vielleicht in Memphis durch, aber doch nicht hier.«

»Ich kann es auch nicht fassen.«

»Kennen Sie Quince Lundy, den Anwalt aus Smithfield?«

»Ich habe schon von ihm gehört.«

»Ein älterer Mann, kurz vor der Rente. Er hat sein Leben lang praktisch nichts anderes als Nachlassangelegenheiten gemacht, er kennt sich wirklich aus. Absolut vertrauenswürdig. Ist ein alter Freund von mir. Nennen Sie in Ihrem Antrag Quince und zwei beliebige andere – die Sie aussuchen – als Nachlassverwalter; ich werde dann Quince bestellen. Sie werden gut mit ihm auskommen. Und was Sie angeht, Sie werden bis zum bitteren Ende dabei sein. Was verlangen Sie pro Stunde?«

»Ich habe keinen festen Stundensatz. Meine Mandanten verdienen selbst nur zehn Dollar die Stunde, bestenfalls. Die können sich nicht leisten, einem Anwalt das Zehnfache zu zahlen.«

»Ich denke, hundertfünfzig ist heutzutage eine faire Summe. Was sagen Sie?«

»Hundertfünfzig klingt prima.«

»Gut, Sie bekommen hundertfünfzig die Stunde. Ich nehme an, Sie können die Zeit erübrigen?«

»O ja.«

»Fein, denn Sie werden in der nahen Zukunft für kaum etwas anderes Zeit finden. Alle zwei Monate reichen Sie bitte eine Eingabe ein, in der Sie um Auszahlung der angefallenen Anwaltsgebühren bitten. Ich sorge dann dafür, dass Sie das Geld bekommen.«

»Danke, Richter Atlee.«

»Es ranken sich wilde Gerüchte um den Umfang des Erbes. Wissen Sie, was daran wahr ist?«

»Russell Amburgh spricht von mindestens zwanzig Millionen, das meiste davon Bargeld. Irgendwo außerhalb von Mississippi versteckt. Sonst wüsste ja jeder in Clanton Bescheid.«

»Wir sollten rasch handeln, um den Nachlass zu schützen. Ich werde eine Verfügung unterzeichnen, die Ihnen Vollmacht über Mr. Hubbards Bücher gibt. Sobald Quince Lundy an Bord ist, können Sie beide mit den Recherchen beginnen.«

»Ja, Sir.«

Richter Atlee trank einen großen Schluck Kaffee aus seinem Pappbecher. Er sah durch das schmutzige Fenster und schien den Rasen vor dem Gerichtsgebäude zu betrachten, bis er schließlich sagte: »Die arme Frau tut mir fast leid. Sie hat vollkommen die Kontrolle verloren. Die Leute um sie herum sind alle nur scharf auf das Geld. Aber wenn Sistrunk mit ihr fertig ist, wird ihr kein Cent mehr geblieben sein.«

»Vorausgesetzt, die Geschworenen entscheiden überhaupt zu ihren Gunsten.«

»Werden Sie eine Jury beantragen, Jake?«

»Ich weiß noch nicht. Soll ich?« Unter anderen Umständen wäre diese Frage undenkbar gewesen. Jake wappnete sich schon gegen die zu erwartende Abfuhr, doch stattdessen setzte der Richter ein knappes Lächeln auf, ohne seinen Blick vom Rasen zu nehmen. »Mir wäre eine Jury recht, Jake. Ich habe kein Problem damit, harte Urteile zu fällen. Das gehört zum Job. Doch in diesem Fall wäre es nett, zwölf unserer treuen und aufrechten Mitbürger auf dem heißen Stuhl zu wissen. Das wäre mal eine Abwechslung.« Sein Lächeln wurde breiter.

»Kann ich Ihnen nicht verdenken. Dann werde ich eine Jury beantragen.«

»Tun Sie das. Ach ja, Jake, da draußen sind jede Menge Anwälte, und ich vertraue nur den wenigsten. Sie dürfen jederzeit vorbeikommen und einen Kaffee mit mir trinken, wenn Sie etwas zu besprechen haben. Sicher ist Ihnen die Bedeutung dieses Falles bewusst. Es gibt in dieser Gegend nicht viel Geld, das war schon immer so. Und jetzt ist da plötzlich ein märchenhafter Schatz, von dem alle etwas abhaben wollen. Sie nicht und ich auch nicht. Aber da sind genügend andere. Es ist wichtig, dass Sie und ich am selben Strang ziehen.«

Jake entspannte sich zum ersten Mal seit Stunden und atmete tief durch. »Das sehe ich genauso, Euer Ehren. Vielen Dank.«

»Wir sehen uns.«

13

Dumas Lee hatte die gesamte Titelseite der *Ford County Times* vom Mittwoch, dem 12. Oktober, für sich beansprucht. Außer der Anhörung im Fall des Nachlasses von Mr. Seth Hubbard hatte es offenbar nichts Neues im County gegeben. Die fette Schlagzeile verkündete: »Tauziehen um Hubbard-Testament eröffnet«. Und der Aufmacher erzählte in Dumas' bestem Boulevardstil: »Im Streit um das Testament des verstorbenen Seth Hubbard, der sich am 2. Oktober erhängt hat, haben sich gestern die Erben mit ihren Anwälten am Chancery Court vor Richter Reuben Atlee in Stellung gebracht und die ersten Warnschüsse abgegeben.«

Ein Fotograf war fleißig gewesen. In der Mitte der ersten Seite prangte ein großes Bild von Lettie Lang, wie sie das Gerichtsgebäude betrat, an den Armen gezerrt von Booker Sistrunk und Kendrick Bost, als könnte sie nicht allein gehen. Die Bildunterschrift beschrieb sie als »Lettie Lang, 47, aus Box Hill, in Begleitung ihrer Anwälte. Die ehemalige Haushälterin von Seth Hubbard ist die mutmaßliche Begünstigte durch das zweifelhafte handschriftliche Testament, das der Verstorbene kurz vor seinem Tod aufsetzte.« Daneben waren zwei kleinere Schnappschüsse von Herschel und Ramona, im Hintergrund ebenfalls das Gerichtsgebäude.

Jake las die Zeitung am frühen Mittwochmorgen an seinem Schreibtisch und trank seinen Kaffee dazu. Er las jeden Satz zweimal, musste aber überrascht zugeben, dass Dumas dieses Mal seine Hausaufgaben ausnahmsweise gemacht hatte. Nichtsdestotrotz verwünschte er ihn für die Verwendung des Wortes »zweifelhaft«. Jeder registrierte Wähler im County war ein potenzieller Geschworener. Die meisten würden entweder diese Zeitung lesen oder jemanden darüber reden hören. Wie kam Dumas dazu, das Testament von vornherein für »zweifelhaft« zu erklären? Die finster-herablassenden Mienen der gut gekleideten Fremdlinge aus Memphis waren auch nicht besonders hilfreich. Das Foto vor Augen, versuchte Jake sich vorzustellen, wie neun weiße und drei schwarze Geschworene Sympathie für Lettie aufbringen sollten, bei zwanzig Millionen Dollar, die auf dem Spiel standen. Es würde schwierig werden. Nach spätestens einer Woche mit Sistrunk würden sie seine Absichten durchschauen und das handschriftliche Testament für ungültig erklären. Vielleicht würden sie Herschel und Ramona auch nicht mögen, aber die waren wenigstens weiß und wurden nicht von einem Rechtsverdreher vertreten, der die Ausstrahlung eines Fernsehpredigers hatte.

Als ihm bewusst wurde, dass sie vorläufig sogar in einem Boot saßen oder zumindest auf der gleichen Seite des Gerichtssaals, schwor er sich auszusteigen. Wenn Richter Atlee Sistrunk tatsächlich zuließ, würde er das Handtuch werfen und den nächstbesten Autounfall annehmen. Alles wäre besser als ein juristisches Hauen und Stechen, bei dem er nur unterliegen konnte. Das Honorar hätte er gern genommen, aber die Kopfschmerzen brauchte er nicht.

Unten war auf einmal Bewegung, dann knarrten die alten Holzstufen, die zu seinem Büro hinaufführten. Rhythmus und Lärmpegel ließen keinen Zweifel, wer ihn da besuchte, langsam und mit schweren Schritten, die auf den Stufen landeten, als wollten sie sie zerschmettern. Die Treppe bebte unter Harry Rex. Roxy rief ihm empört hinterher. Übergewichtig und alles andere als fit, war er völlig außer Atem, als er Jakes Tür aufstieß und mit einem gut gelaunten »Diese Person ist ja total verrückt geworden!« eintrat. Er warf eine Ausgabe der Zeitung auf Jakes Schreibtisch.

»Guten Morgen, Harry Rex«, sagte Jake, während sein Besucher sich auf einen Stuhl sinken ließ und keuchend nach Luft rang, bis die Atemzüge wieder leichter gingen und der Herzstillstand abgewendet schien.

»Versucht sie immer, die Leute in die Flucht zu schlagen?«

»Sieht schwer danach aus. Kaffee?«

»Gibt's auch Bud Light?«

»Es ist neun Uhr morgens.«

»Na und? Ich muss heute nicht zum Gericht. An freien Tagen fange ich früher an.«

»Meinst du nicht, du trinkst zu viel?«

»Nein! Bei meinen Mandanten kann man gar nicht genug trinken. Ist genauso wie bei dir.«

»Ich habe kein Bier im Büro. Nicht einmal zu Hause.«

»Was für ein Leben.« Harry Rex streckte die Hand nach der Zeitung aus, hielt sie hoch und deutete auf Letties Foto. »Sag mir, Jake, was wird der Durchschnittsweiße in diesem County sagen, wenn er das Bild sieht? Schwarze Haushälterin, die ganz passabel aussieht, mogelt sich in das Testament eines kranken alten Mannes und heuert schmierige Afroanwälte aus der großen Stadt an, um das Geld an sich zu bringen. Was reden sie im Coffee Shop darüber?«

»Weißt du doch sowieso.«

»Ist die Frau nicht ganz bei Trost?«

»Nein, aber sie hat sich überrumpeln lassen. Simeon hat Verwandte in Memphis, und irgendwie ist da eine Verbindung zustande gekommen. Sie hat keine Ahnung, was sie tut. Und sie ist schlecht beraten.«

»Du bist doch auf ihrer Seite, Jake. Kannst du nicht mit ihr reden?« Er warf die Zeitung wieder auf den Schreibtisch.

»Nein. Ich dachte, es ginge, aber dann hat sie Sistrunk engagiert. Ich habe gestern bei Gericht versucht, mit ihr zu reden, aber sie haben sie die ganze Zeit nicht aus den Augen gelassen. Ich habe auch versucht, mit den Hubbard-Abkömmlingen zu reden, aber die waren nicht sonderlich nett.«

»Du bist im Augenblick ziemlich beliebt, Jake.«

»Kam mir gestern nicht so vor. Immerhin mag mich Richter Atlee.«

»Ich habe gehört, er war nicht so beeindruckt von Sistrunk.«

»Nein. Ebenso wenig, wie die Geschworenen es sein werden.«

»Du wirst also um eine Jury ersuchen?«

»Ja, der Richter wünscht sich eine. Aber das hast du nicht von mir.«

»Nein. Du musst einen Weg finden, um an die Frau heranzukommen. Sistrunk wird den gesamten Staat Mississippi gegen sich aufbringen, und sie wird am Ende leer ausgehen.«

»Sollte sie denn deiner Meinung nach etwas bekommen?«

»Ja, verdammt. Es ist Seths Geld. Wenn er es der Kommunistischen Partei vermachen will, ist das seine Sache. Er hat es ganz allein verdient, er kann ja wohl damit verfahren, wie es ihm passt. Warte, bis du die beiden Kinder kennenlernst – zwei Super-Nulpen, wenn du mich fragst –, dann wirst du verstehen, warum er sie enterbt hat.«

»Ich dachte, du hasst Seth.«

»Das war vor zehn Jahren, aber damals habe ich den Idioten von der Gegenseite schon aus Prinzip gehasst. Deshalb bin ich so ein fieser Typ. Irgendwann komme ich dann darüber hinweg. Aber wie auch immer – er hat kurz vor seinem Tod ein Testament geschrieben, und die Justiz hat das zu schützen, sofern es gültig ist.«

»Ist es denn gültig?«

»Die Entscheidung obliegt der Jury. Und es wird von allen Seiten attackiert werden.«

»Wie würdest du denn vorgehen, wenn du es anfechten wolltest?«

Harry Rex lehnte sich zurück und legte einen Fuß auf sein Knie. »Hab schon darüber nachgedacht. Als Erstes würde ich Sachverständige holen, ein paar Mediziner, die beweisen, dass Seth mit Schmerzmitteln vollgepumpt und sein Körper vom Lungenkrebs zerfressen war und dass er aufgrund der ganzen Chemo, Bestrahlung und Medikamente im letzten Jahr nicht klar denken konnte. Er litt schreckliche Schmerzen. Ich würde einen Spezialisten zurate ziehen, der ausführt, wie Schmerzen das Denkvermögen beeinträchtigen. Keine Ahnung, wo man so jemanden auftreibt, aber es gibt für alles Experten. Bedenke, Jake, der durchschnittliche Geschworene in diesem County hat bestenfalls die Highschool abgeschlossen. Die sind hier nicht so schlau. Ein Sachverständiger oder gar ein ganzes Team von Sachverständigen kann eine Jury ganz schön ins Grübeln bringen. Man könnte Seth Hubbard als sabbernden Idioten darstellen. Muss man nicht sowieso einen an der Klatsche haben, wenn man sich erhängt?«

»Die Frage kann ich nicht beantworten.«

»Zweitens: Seth hatte seinen Hosenladen nicht im Griff. Keine Ahnung, ob er je die Rassengrenze überschritten hat, aber auszuschließen ist es nicht. Wenn eine weiße Jury auch nur den leisesten Verdacht hegt, dass Seth mehr von seiner Haushälterin bekommen hat als warmes Essen und gestärkte Hemden, dann werden sie sich ganz schnell gegen Miss Lettie wenden.«

»Aber sie können schlecht das Sexualleben eines Toten zerpflücken.«

»Nein, aber Letties. Sie können vermuten, unterstellen, übertreiben und sich in Zweideutigkeiten ergehen. Sobald sie den Zeugenstand betritt, und das wird sie tun müssen, ist sie Freiwild.«

»Sie muss aussagen.«

»Natürlich. Aber der Hammer ist: Was in diesem Gericht gesagt wird oder wer es sagt, spielt überhaupt keine Rolle. Solange Booker Sistrunk sich vor der Jury aufspielt und seinen schwarzen Hintern schwingt, stehen deine Chancen bei null.«

»Könnte sein, dass mir das sogar egal ist.«

»Das darf dir nicht egal sein. Es ist dein Job. Es ist ein großes Verfahren. Und es geht um ein fettes Honorar. Du wirst jetzt nach Stunden bezahlt, das ist eine Seltenheit in unserer Welt, Jake. Wenn diese Geschichte vor Gericht geht und dann in die Revision und so weiter, dann machst du binnen der nächsten drei Jahre eine halbe Million Dollar. Wie viele Fälle von Trunkenheit am Steuer müsstest du dafür übernehmen?«

»An das Honorar habe ich noch gar nicht gedacht.«

»Jeder andere Hungerleider in dieser Stadt sehr wohl. Es wird großzügig ausfallen. Ein Segen für einen Arme-Leute-Anwalt wie dich. Aber du musst gewinnen, Jake. Und um zu gewinnen, musst du Sistrunk loswerden.«

»Wie denn?«

»Ich werde mir was überlegen. Gib mir ein bisschen Zeit. Das verdammte Foto in der Zeitung hat schon einen gewissen Schaden angerichtet, und garantiert wird Dumas nach der nächsten Anhörung den gleichen Ton anschlagen. Wir müssen so schnell wie möglich dafür sorgen, dass Sistrunk entlassen wird.«

Jake war nicht entgangen, dass Harry Rex »wir« gesagt hatte. Es gab keinen loyaleren Kollegen, niemanden, den er lieber neben sich im Schützengraben gehabt hätte. Außerdem kannte er keinen Juristen, der verschlagener und raffinierter war als Harry Rex. »Gib mir ein oder zwei Tage«, sagte Harry Rex im Aufstehen. »Jetzt brauche ich erst einmal ein Bier.«

Eine Stunde später, Jake saß immer noch an seinem Schreibtisch, nahm die Sache mit Sistrunk an Brisanz zu. »Da ist ein Anwalt namens Rufus Buckley am Telefon«, kündigte Roxy durch die Sprechanlage an.

Jake atmete tief durch und sagte: »Okay.« Er fixierte das Blinklicht und zermarterte sich das Hirn, was der Grund für Buckleys Anruf sein mochte. Sie hatten sich seit dem Prozess um Carl Lee Hailey nicht gesprochen, und es wäre beiden recht gewesen, wenn sie sich nie wieder gesehen hätten. Als Buckley ein Jahr zuvor erneut zur Wahl zum Bezirksstaatsanwalt angetreten war, hatte Jake dessen Gegner unterstützt, ebenso wie die meisten anderen Anwälte im zweiundzwanzigsten Gerichtsbezirk. In seiner zwölf Jahre währenden Amtszeit war es Buckley gelungen, praktisch jeden Anwalt in den fünf Countys des Bezirks zu verprellen. Die Rache war süß gewesen. Jetzt saß der früher ebenso ehrgeizige wie knallharte Bezirksstaatsanwalt, der sich schon in der Hauptstadt des Staates gewähnt hatte, eine Autostunde entfernt von Clanton in Smithfield fest, wo er in der Main Street eine kleine Kanzlei führte und Gerüchten zufolge von Testamenten, Urkunden und einvernehmlichen Scheidungen lebte.

»Hallo, Gouverneur«, grüßte Jake bewusst unverschämt. In den vergangenen drei Jahren hatte sich seine Haltung dem Mann gegenüber nicht im Mindesten geändert.

»Hallo, Jake«, entgegnete Buckley höflich. »Ich hatte gehofft, wir kämen ohne Beleidigungen aus.«

»Tut mir leid, Rufus, war nicht so gemeint.« Was natürlich nicht stimmte. Es war noch gar nicht lange her, da hatten ihn viele tatsächlich mit »Gouverneur« angesprochen. »Was treiben Sie so in letzter Zeit?«

»Ich habe immer noch meine Kanzlei, lasse es aber locker angehen mit der Juristerei. In letzter Zeit mache ich vor allem in Öl und Gas.«

Na klar. Buckley hatte den überwiegenden Teil seines Erwachsenenlebens damit verbracht, seine Mitmenschen davon zu überzeugen, dass die Familie seiner Frau mit Gasrechten ein Mordsvermögen angehäuft hatte. Was nicht stimmte. Die Buckleys lebten weitaus bescheidener, als sie nach außen hin taten.

»Wie schön. Was kann ich für Sie tun?«

»Ich habe gerade mit einem Kollegen aus Memphis namens Booker Sistrunk gesprochen. Ich glaube, Sie kennen ihn. Scheint ein netter Kerl zu sein. Jedenfalls will er mich als Korrespondenzanwalt im Seth-Hubbard-Fall.«

»Warum sollte er ausgerechnet Sie wollen, Rufus?«, fragte Jake, ohne nachzudenken, während seine Schultern nach unten sanken.

»Vermutlich wegen meines Rufs.«

O nein. Sistrunk hatte nur gründlich recherchiert und den einzigen Anwalt im Bundesstaat gefunden, den Jake aus ganzem Herzen hasste. Er wollte sich nicht vorstellen, was Buckley alles über ihn gesagt hatte.

»Ich weiß nicht recht, wie Sie ins Bild passen, Rufus.«

»Das werden Sie schon noch sehen. Booker will als Erstes Sie aus dem Fall draußen haben, damit er übernehmen kann. Er sagte, er werde vielleicht eine Verlegung des Verfahrens beantragen. Er sagte außerdem, Richter Atlee habe offensichtlich etwas gegen ihn, deshalb werde er ihn auffordern, den Fall abzugeben. Das ist ja nur Vorgeplänkel, Jake. Wie Sie wissen, ist Sistrunk ein erfolgreicher Prozessanwalt mit zahlreichen Kontakten. Ich denke, das ist der Grund, warum er mich im Team haben will.«

»Nun, dann willkommen an Bord, Rufus. Ich bezweifle, dass er Ihnen auch den Rest der Geschichte erzählt hat, aber er hat bereits versucht, mich loszuwerden. Hat nicht funktioniert, weil Richter Atlee auch lesen kann. Das Testament benennt ausdrücklich mich als Anwalt für den Nachlass. Atlee wird sich weder zurückziehen, noch wird er das Verfahren von Clanton wegverlegen. Was Sie da treiben, ist extrem kontraproduktiv, außerdem vergraulen Sie damit jeden potenziellen Geschworenen in diesem County. Meiner Ansicht nach ist das ziemlich dumm, Rufus, eine Dummheit, die uns den Kopf kosten kann.«

»Das werden wir ja sehen. Sie sind nicht routiniert genug, Jake, Sie müssen den Fall abgeben. Klar, Sie hatten ein paar ganz nette Urteile, aber hier geht's nicht um Strafrecht, sondern um eine komplexe, millionenschwere Zivilklage, und Sie sind jetzt schon überfordert.«

Jake biss sich auf die Zunge und wusste plötzlich wieder genau, warum er diese Stimme so verabscheute. Langsam und betont sagte er: »Sie waren Staatsanwalt, Rufus. Seit wann sind Sie Fachanwalt für Zivilklagen?«

»Ich bin Prozessanwalt. Ich lebe gewissermaßen im Gerichtssaal. In den letzten Jahren habe ich nur noch Zivilprozesse geführt. Außerdem sitzt Sistrunk an meinem Tisch. Er hat das Memphis Police Department im letzten Jahr dreimal auf über eine Million verklagt.«

»Und alle Fälle sind in Revision. Er hat noch keinen Cent gesehen.«

»Das kommt schon noch. Genauso werden wir die Hubbard-Sache durchziehen.«

»Was springt für Sie dabei raus, Rufus? Fünfzig Prozent?«

»Ist vertraulich, Jake. Das wissen Sie doch.«

»Es sollte öffentlich gemacht werden.«

»Nur nicht neidisch werden, Jake.«

»Bis später«, sagte Jake und legte auf.

Er atmete tief durch, sprang auf und ging nach unten. »Bin gleich wieder da«, sagte er im Vorbeigehen zu Roxy.

Es war 10.30 Uhr, und der Coffee Shop war leer. Dell stand hinter der Theke und polierte Gabeln, als Jake hereinkam und sich auf einen Barhocker setzte. »Kurze Pause?«, fragte sie.

»Ja. Kaffee bitte. Entkoffeiniert.« Jake tauchte öfter zwischendurch auf, meist um Büro und Telefon zu entkommen. Sie goss ihm eine Tasse ein und rückte mit ihrem Besteck näher.

»Wissen Sie irgendwas Neues?«, fragte Jake, während er Zucker einrührte. Dell machte einen feinen Unterschied zwischen dem, was geredet wurde, und dem, was sie für wahr hielt. Die meisten ihrer Gäste dachten, sie plapperte einfach nach, was sie hörte, aber Jake wusste es besser. Nach fünfundzwanzig Jahren im Coffee Shop hatte sie viele falsche Gerüchte und glatte Lügen miterlebt und wusste, wie zerstörerisch sie wirken konnten. Trotz ihres Rufs war sie im Allgemeinen zurückhaltend mit dem, was sie sagte.

»Na ja«, begann sie langsam, »ich glaube nicht, dass Lettie sich mit diesen schwarzen Anwälten aus Memphis einen Gefallen tut.« Jake nickte und trank einen Schluck. Sie fuhr fort: »Warum hat sie die geholt, Jake? Ich dachte, Sie wären ihr Anwalt.« Sie sprach von Lettie, als würde sie sie schon ein Leben lang kennen. Dabei waren sie sich nie begegnet. Aber so war das in Clanton.

»Nein, ich bin nicht ihr Anwalt. Ich vertrete das Testament. Sie und ich stehen zwar auf der gleichen Seite, aber sie konnte mich nicht engagieren.«

»Braucht sie denn einen Anwalt?«

»Nein. Meine Aufgabe ist es, das Testament zu schützen und umzusetzen. Wenn ich meine Aufgabe erfülle, bekommt sie ihr

185

Geld. Es gibt überhaupt keinen Grund für sie, einen Anwalt zu nehmen.«

»Haben Sie ihr das erklärt?«

»Ja, und ich dachte, sie hätte es auch verstanden.«

»Und was ist dann passiert? Warum hat sie jetzt doch Anwälte?«

Jake trank noch einen Schluck und ermahnte sich zur Vorsicht. Er tauschte oft Insiderwissen mit Dell, doch mit heiklen Details musste er sich zurückhalten. »Ich weiß nicht, aber ich vermute, die Geschichte von dem Testament ist irgendwie bis Memphis vorgedrungen, wo Booker Sistrunk davon Wind bekam. Weil er Geld roch, hat er sich auf den Weg gemacht, seinen schwarzen Rolls-Royce vor ihrer Tür geparkt und sie überrumpelt. Er hat ihr das Blaue vom Himmel versprochen, und dafür bekommt er einen Anteil.«

»Wie viel?«

»Solche Infos sind vertraulich. Das wissen nur die Beteiligten.«

»Ein schwarzer Rolls-Royce? Ist das Ihr Ernst, Jake?«

»Allerdings. Er ist gestern vor dem Gericht damit vorgefahren und hat dann vor der Security Bank geparkt. Sistrunk saß am Steuer, sein Partner neben ihm, Lettie hinten neben einem Typ im dunklen Anzug, vermutlich eine Art Bodyguard. Sie ziehen eine Show ab, und Lettie fällt darauf rein.«

»Kapier ich nicht.«

»Ich auch nicht.«

»Prather meinte heute Morgen, sie würden vielleicht versuchen, das Verfahren in ein anderes County zu verlegen, wo sie mehr schwarze Geschworene finden würden. Stimmt das, Jake?«

»Ist nur ein Gerücht, glaube ich. Sie kennen Prather. Ich könnte wetten, die Hälfte aller Gerüchte in der Stadt stammen von ihm. Sonst noch was im Umlauf?«

»O ja, jede Menge. Die Leute wechseln das Thema, wenn Sie reinkommen, aber sobald Sie weg sind, reden sie über nichts anderes.« Die Tür ging auf, und zwei Finanzbeamte traten ein und setzten sich an einen Tisch in der Nähe. Jake kannte sie und nickte höflich hinüber. Sie saßen nah genug, um alles zu hören, und würden mit Sicherheit die Ohren spitzen.

Er beugte sich näher zu Dell und sagte leise: »Passen Sie weiter gut auf, okay?«

»Jake, mein Süßer, mir entgeht nichts.«

»Ich weiß.« Jake legte einen Dollar für den Kaffee auf die Theke und verabschiedete sich.

Weil er noch keine Lust hatte, an seinen Schreibtisch zurückzukehren, schlenderte er über den Platz zu Nick Norton, der wie er seine Kanzlei allein führte und in dem Jahr an der Ole Miss Examen gemacht hatte, als Jake dort anfing. Nick hatte die Kanzlei von einem Onkel geerbt und war – trotz aller Parallelen zu Jake – etwas mehr beschäftigt als dieser. Seit zehn Jahren vermittelten sie einander Mandanten und waren bislang reibungslos miteinander ausgekommen.

Zwei Jahre zuvor hatte Nick Marvis Lang vertreten, als der wegen Drogenhandels und Angriffs mit einer tödlichen Waffe vor Gericht stand. Die Familie hatte fünftausend Dollar Honorar bezahlt, weniger, als Nick sich vorgestellt hatte, aber mehr, als die meisten seiner Mandanten aufbringen konnten. Nick hatte nicht viel für den Jungen tun können, denn dessen Schuld war unbestritten gewesen, zumal er seine Mitangeklagten nicht belasten wollte. Nick hatte schließlich zwölf Jahre Haft ausgehandelt. Vor vier Tagen beim Mittagessen hatte er Jake alles über die Lang-Familie und Sohn Marvis erzählt.

Im Augenblick saß er mit einem Mandanten zusammen, doch die Sekretärin hatte die Akte bereits herausgesucht. Jake versprach, zu kopieren, was er brauchte, und sie dann so bald wie möglich zurückzubringen. Nur keine Eile, sagte die Sekretärin. Der Fall sei schon lange abgeschlossen.

Zum Mittagessen ging Wade Lanier am liebsten ins Hal & Mal's, eines der alteingesessenen Restaurants von Jackson, nur ein paar Straßen vom Kapitol entfernt und zehn Minuten zu Fuß von seinem Büro in der State Street. Er wählte seinen Lieblingstisch, bestellte ein Glas Tee und wartete fünf Minuten lang ungeduldig, bis Ian Dafoe durch die Tür trat und sich zu ihm setzte. Sie bestellten Sandwichs, besprachen Wetter und Football und kamen dann alsbald zur Sache. »Wir bringen den Fall vor Gericht«, sagte Lanier ernst und in kaum hörbarem Flüstern, als würde er ein brisantes Geheimnis verraten.

Ian deutete ein Nicken an und zuckte die Schultern. »Schön zu hören.« Alles andere hätte ihn auch gewundert. Es gab in diesem Staat nicht so oft einen Jackpot wie diesen zu knacken, und viel zu viele Anwälte lagen bereits auf der Lauer.

»Aber wir brauchen keine Schützenhilfe«, sagte Lanier. »Herschel hat diesen Witzbold aus Memphis, der natürlich in Mississippi nicht zugelassen ist und uns nur im Weg sein wird. Er kann wirklich überhaupt nichts beitragen, außer mich auf die Palme zu bringen. Können Sie nicht mit Herschel reden, dass seine Schwester und er sowieso in einem Boot sitzen und ich mich allein darum kümmern kann?«

»Ich weiß nicht. Herschel hat seine eigenen Vorstellungen, und Ramona ist nicht leicht zu überzeugen.«

»Sehen Sie zu, wie Sie das hinbiegen. Der Gerichtssaal ist jetzt schon viel zu voll, und ich schätze, Richter Atlee wird bald damit anfangen, die Reihen zu lichten.«

»Und wenn Herschel sich weigert und seinen Anwalt behalten will?«

»Das überlegen wir uns, wenn es so weit ist. Als Erstes aber sollten Sie versuchen, ihn zu überzeugen, dass sein Anwalt nicht vonnöten ist, weil da nicht noch jemand die Finger im Spiel haben muss.«

»Okay, wenn wir schon dabei sind, was haben Sie sich als Honorar vorgestellt?«

»Wir regeln das auf Erfolgsbasis. Ein Drittel des zugesprochenen Erbes. Der Fall ist nicht kompliziert, und der Prozess sollte nicht länger als eine Woche dauern. Normalerweise würden wir fünfundzwanzig Prozent für einen Vergleich vorschlagen, aber dass es dazu kommt, ist meiner Meinung nach höchst unwahrscheinlich.«

»Warum?«

»Hier geht es um alles oder nichts. Entweder das eine oder das andere Testament. Da ist kein Spielraum für Kompromisse.«

Ian dachte darüber nach, konnte aber nicht ganz folgen. Dann kamen die Sandwichs, und sie verbrachten ein paar Minuten damit, das Essen auf ihren Tellern zu sortieren. Lanier sagte: »Wir sind dabei, aber nur, wenn Herschel mit ins Boot kommt. Wir …«

»Sie nehmen also lieber ein Drittel von vierzehn Millionen als ein Drittel von sieben«, fiel ihm Ian ins Wort, doch sein halbgarer Scherz traf ins Leere.

Ohne darauf zu reagieren, biss Lanier in sein Sandwich. Er lächelte ohnehin nicht oft. Nachdem er gekaut und geschluckt hatte, fuhr er fort: »Sie sagen es. Ich kann diesen Fall gewinnen, aber ich habe keine Lust, dass mir irgendein Vollidiot aus Memphis dauernd reinquatscht und die Jury verschreckt. Außerdem müssen Sie verstehen, Ian, dass meine Partner und ich sehr viel zu tun haben. Wir haben Ihnen zugesagt, keine neuen Fälle anzunehmen. Aber meine Partner sehen nicht recht ein, warum die Kanzlei alle Zeit und Ressourcen in die Anfechtung eines

Testaments investieren soll. Für nächsten Monat stehen bei uns drei Prozesse gegen Shell Oil an. Bohrinsel-Unfälle.«

Ian füllte seinen Mund mit Pommes, damit er nichts sagen musste. Mit angehaltenem Atem hoffte er, dass der Mann nicht wieder anfing, Anekdoten über seine spektakulärsten Fälle und Prozesse zu erzählen. Die meisten Prozessanwälte hatten diese lästige Angewohnheit, Ian kannte das bereits.

Doch Lanier widerstand der Versuchung und blieb beim Thema. »Und Sie haben recht, wenn wir den Fall übernehmen, wollen wir beide Erben, nicht nur Sie allein. Es ist der gleiche Arbeitsaufwand. Im Grunde ist es sogar weniger Arbeit für uns, da wir uns nicht mit dem Typ aus Memphis herumärgern müssen.«

»Ich werde sehen, was ich tun kann«, versprach Ian.

»Wir werden die Ausgaben monatlich abrechnen, und da wird ganz schön etwas zusammenkommen, vor allem für Sachverständige.«

»Wie viel?«

»Wir haben ein Budget kalkuliert. Fünfzigtausend sollten die Auslagen decken.« Lanier sah sich um, obwohl keiner der anderen Gäste mithören konnte. Mit gedämpfter Stimme fuhr er fort: »Außerdem müssen wir einen Privatdetektiv engagieren, und zwar nicht irgendeinen dahergelaufenen Schnüffler. Wir brauchen jemanden, der in Lettie Langs Umgebung im Dreck wühlt. Das ist nicht einfach und wird teuer.«

»Wie viel?«

»Grob geschätzt würde ich sagen: etwa fünfundzwanzigtausend.«

»Ich weiß nicht, ob ich mir diese Klage leisten kann.«

Jetzt lächelte Lanier, wenn auch etwas gezwungen. »Sie werden bald reich sein, Ian, vertrauen Sie mir.«

»Was macht Sie da so sicher? Als wir uns letzte Woche gesehen haben, waren Sie nicht so zuversichtlich.«

Wieder ein grimmiges Lächeln. »Das war unser erstes Gespräch, Ian. Ein Chirurg ist immer zurückhaltend mit Prognosen, wenn er vor einer schwierigen OP steht. Aber die Sache wird allmählich klarer. Ich weiß inzwischen Bescheid. Ich habe die Gegenseite gehört. Und, was das Wichtigste ist, ich habe Lettie Langs Anwälte gesehen, diese Lackaffen aus Memphis. Die sind der Schlüssel zu unserem Erfolg. Wenn die vor einer Jury aus Clanton auftreten, ist das handschriftliche Testament bald nichts weiter als ein schlechter Scherz.«

»Das leuchtet mir ein. Lassen Sie uns auf die fünfundsiebzigtausend Dollar Unkosten zurückkommen. Ich dachte, Kanzleien strecken ihre Aufwendungen vor und entschädigen sich dann nach dem Urteil aus der erstrittenen Summe.«

»Ja, manchmal tun wir das.«

»Ach, zieren Sie sich doch nicht so, Wade. Sie tun das andauernd, weil die meisten Ihrer Mandanten pleite sind, Malocher mit Arbeitsunfällen und solche Sachen.«

»Ja, aber bei Ihnen ist es etwas anderes, Ian. Sie können es sich leisten, die Klage zu finanzieren, im Gegensatz zu anderen. Die Moral gebietet es, dass ein Mandant die Unkosten trägt, wenn er es sich finanziell erlauben kann.«

»Moral?«, wiederholte Ian so anzüglich, dass es fast beleidigend war.

Doch Lanier nahm keinen Anstoß daran. Begriffe wie Moral und Berufsethos gingen ihm leicht von den Lippen, solange er einen Nutzen davon hatte. Ansonsten ignorierte er sie. Er fuhr fort: »Kommen Sie, Ian. Es sind nur fünfundsiebzigtausend, und die werden sich über das ganze kommende Jahr verteilen.«

»Ich zahle maximal fünfundzwanzigtausend. Alles darüber hinaus strecken Sie vor. Am Schluss wird abgerechnet.«

»Okay. Wie Sie wollen. Wir regeln das später. Im Augenblick

haben wir größere Probleme, Herschel zum Beispiel. Wenn er nicht seinen Anwalt entlässt und mich nimmt, sehe ich mich gezwungen, mich nach anderen Fällen umzusehen. War das deutlich genug?«

»Ich denke schon. Ich kann es nur versuchen.«

14

Die Berring Lumber Company war ein Haufen Blechbaracken, die mit zwei Meter fünfzig hohem Maschendraht eingezäunt und mit schweren Toren gesichert waren. Besucher schienen offenbar nicht willkommen zu sein. Die Anlage befand sich eineinhalb Kilometer von der Grenze zu Tyler County am Ende einer langen asphaltierten Einfahrt, die vom Highway 21 aus nicht zu sehen war. Gleich hinter dem Haupttor schlossen sich auf der linken Seite Bürogebäude an, während sich rechter Hand kubikmeterweise Rohholz auftürmte. Geradeaus standen dicht nebeneinander mehrere Bauten, in denen Fichten- und Hartholz gesäubert, geschnitten und behandelt wurde, bevor es in Lagerhallen kam. Der Parkplatz rechts war voller ramponierter Pick-ups – ein Zeichen dafür, dass der Laden lief. Die Leute hatten Arbeit, eine Seltenheit in diesem Teil des Landes.

Seth Hubbard hatte dieses Sägewerk bei seiner zweiten Scheidung verloren, es aber wenige Jahre später zurückgekauft. Harry Rex war derjenige gewesen, der den Zwangsverkauf eingefädelt und den Erlös von zweihunderttausend Dollar eingestrichen hatte, natürlich nur zugunsten seiner Mandantin. In seiner typischen Art hatte Seth geduldig die nächste Konjunkturflaute abgewartet und den Betrieb dann zum Schnäppchenpreis wieder erworben. Niemand wusste, woher der Name Berring stammte. Jake erfuhr, dass Seth sich die Namen für seine Firmen völlig willkürlich ausgedacht hatte. Als das Werk zum ersten

Mal in seinem Besitz war, hatte er es Palmyra Lumber genannt, beim zweiten Mal jedoch zur allgemeinen Verwirrung in Berring Lumber umgetauft.

Die Berring Lumber Company war sein Hauptsitz gewesen, wobei er streckenweise auch andere Firmen als Zentrale genutzt hatte. Nach dem großen Ausverkauf und der Diagnose Lungenkrebs hatte er seine Buchhaltungen zusammengelegt und sich hauptsächlich bei Berring aufgehalten. Am Tag nach seinem Tod war Sheriff Ozzie Walls vorbeigekommen, hatte sich mit den Angestellten unterhalten und ihnen dringend empfohlen, nichts anzufassen. Die Anwälte würden bald kommen, und von da an werde alles ziemlich kompliziert werden.

Jake hatte zweimal mit Seths Sekretärin Arlene Trotter telefoniert. Sie war einigermaßen verbindlich gewesen, wenn auch nicht überschwänglich hilfsbereit. Am Freitag, knapp zwei Wochen nach dem Selbstmord, trat er durch den Haupteingang in den Empfangsbereich der Firma. Hinter dem zentral stehenden Schreibtisch saß eine aufgedonnerte junge Frau mit wilden schwarzen Haaren, engem Pulli und einem Blick, der alles über ihre Moral sagte. Ein Messingschild verriet ihren Vornamen – Kamila –, und Jake fand, dass der exotische Name gut zu ihr passte. Als sie ihn anstrahlte, fiel ihm sofort Harry Rex' Bemerkung ein: »Seth hatte seinen Hosenladen nicht im Griff.«

Er stellte sich vor. Kamila stand nicht auf, nahm aber die Hand, die er ihr hinhielt. »Arlene wartet«, gurrte sie und drückte auf ihrer Gegensprechanlage einen Durchwahlknopf.

»Mein Beileid wegen Ihrem Chef«, sagte Jake. Er erinnerte sich nicht, sie bei der Beerdigung gesehen zu haben. Ihr Gesicht und ihre Figur wären ihm sicher aufgefallen.

»Es ist wirklich traurig.«

»Wie lange arbeiten Sie schon hier?«

»Zwei Jahre. Seth war ein netter Mann und ein guter Chef.«

»Ich hatte nie das Vergnügen, ihn kennenzulernen.«

Arlene Trotter trat von einem der Flure herein und hielt ihm die Hand entgegen. Sie war um die fünfzig, aber vollständig ergraut und kämpfte gegen ein paar überschüssige Pfunde an. Ihr Hosenanzug war seit zehn Jahren aus der Mode. Sie unterhielten sich auf dem Weg durch das Labyrinth von Büros. »Das war seines«, sagte sie und deutete auf eine geschlossene Tür. Ihr Schreibtisch stand daneben, wie ein Wachposten. »Seine Ablage ist dort drüben«, fügte sie hinzu und zeigte auf eine andere Tür. »Es ist nichts angefasst worden. Russell Amburgh hat am Tag von Seths Tod angerufen und uns angewiesen, alles zu sichern. Am Tag darauf kam der Sheriff vorbei und sagte das Gleiche. Es ist hier sehr still gewesen.« Ihre Stimme zitterte kurz.

»Das tut mir leid.«

»Seine Bücher sind höchstwahrscheinlich sehr ordentlich. Seth hat alles gut dokumentiert. Als er krank wurde, hat er noch mehr Zeit damit verbracht, alles zu sortieren.«

»Wann haben Sie ihn zuletzt gesehen?«

»Am Freitag vor seinem Tod. Es ging ihm nicht gut, er ist gegen drei Uhr nach Hause gefahren, um sich hinzulegen. Ich habe gehört, er hat seinen Letzten Willen hier geschrieben? Stimmt das?«

»Das scheint korrekt zu sein. Wussten Sie irgendetwas darüber?«

Sie zögerte einen Moment, als könnte oder wollte sie nicht antworten. »Darf ich Sie etwas fragen, Mr. Brigance?«

»Sicher.«

»Auf welcher Seite stehen Sie? Dürfen wir Ihnen vertrauen, oder brauchen wir eigene Anwälte?«

»Na ja, ich glaube, noch mehr Anwälte einzuschalten wäre keine gute Idee. Ich vertrete auf Wunsch von Mr. Hubbard seinen Nachlass. Er hat mich angewiesen, dafür zu sorgen, dass sein Letzter Wille, sein handschriftliches Testament, respektiert und umgesetzt wird.«

»Das ist das Testament, in dem das Hausmädchen alles bekommt?«

»Kann man so sagen, ja.«

»Okay. Welche Rolle spielen wir dabei?«

»Sie haben mit der Abwicklung des Nachlasses nichts zu tun. Aber es könnte sein, dass Sie als Zeugen geladen werden, wenn das Testament von Mr. Hubbards Familie angefochten wird.«

»Vor Gericht?« Mit erschrockener Miene wich sie einen Schritt zurück.

»Kann sein, aber im Moment ist es noch zu früh, sich darüber Gedanken zu machen. Wie viele Menschen haben hier für Seth gearbeitet?«

Arlene rang die Hände und versuchte, ihre Gedanken zu ordnen. »Ich, Kamila und Dewayne.« Sie setzte sich auf die Kante ihres Schreibtischs. »Das war's. Auf der anderen Seite sind auch noch ein paar Büros, aber die Leute dort haben Seth kaum zu Gesicht bekommen. Um ehrlich zu sein, haben wir auch nicht viel von ihm gesehen, jedenfalls nicht, bis er letztes Jahr krank wurde. Seth war gern unterwegs, um nach seinen Firmen und seinem Holz zu sehen, neue Abschlüsse zu machen oder eine neue Möbelfabrik in Mexiko zu eröffnen. Er war nicht gern zu Hause.«

»Wer hat ihn auf dem Laufenden gehalten?«

»Das war meine Aufgabe. Wir haben jeden Tag telefoniert. Ich habe manchmal seine Reisen organisiert, aber meist wollte er das selbst machen. Er hat nicht gern delegiert. Seine privaten Rechnungen hat er grundsätzlich selbst bezahlt, alle Schecks selbst ausgestellt, die Konten überwacht. Er wusste über jeden Cent Bescheid. Sein Wirtschaftsprüfer ist ein Typ in Tupelo …«

»Ich habe mit ihm gesprochen.«

»Er hat kistenweise Unterlagen.«

»Ich würde gern nachher mit Ihnen, Kamila und Dewayne sprechen, wenn das geht.«

»Sicher. Wir stehen zu Ihrer Verfügung.«

Der Raum war fensterlos und schlecht beleuchtet. Ein alter Schreibtisch mit Stuhl deutete darauf hin, dass er früher einmal als Büro gedient hatte. Alles war mit einer dicken Staubschicht bedeckt. Eine Wand war von hohen schwarzen Metallaktenschränken verdeckt, an einer anderen hing an einem Nagel ein Lkw-Kalender von Kenworth Trucks aus dem Jahr 1987. Auf dem Schreibtisch stapelten sich vier voluminöse Kartons. Hier würde Jake beginnen. Darauf bedacht, nichts durcheinanderzubringen, blätterte er die Akten des ersten Kartons durch. Zunächst interessierte ihn nur allgemein, worum es sich handelte. Rechnen würde er später.

Auf dem ersten Karton stand »Immobilien«. Er war voller Urkunden, gelöschten Hypotheken, Immobilienbewertungen, Steuerbescheiden, bezahlten Rechnungen von Bauunternehmern, Durchschriften von Schecks, die Seth ausgestellt hatte, und Schlussplädoyers von Anwälten. Die Unterlagen bezogen sich auf Seths Haus in der Simpson Road, eine Hütte in der Nähe von Boon, North Carolina, eine Eigentumswohnung in einem Hochhaus bei Destin, Florida, und mehrere Grundstücke, die auf den ersten Blick nach unerschlossenem Land aussahen. Der zweite Karton enthielt laut Aufschrift »Holz-Verträge«. Auf dem dritten stand »Bank – Aktien«, was Jakes Interesse schon mehr weckte. Ein Portfolio bei Merrill Lynch in Atlanta war fast sieben Millionen Dollar wert, ein Anleihefonds bei UBS in Zürich etwas über drei Millionen. Auf einem Geldkonto bei der Royal Bank of Canada auf den Cayman Islands lagen 6,5 Millionen. Was für aufregende exotische Investitionen. Alle drei waren

Ende September gekündigt worden. Jake wühlte weiter auf den Spuren, die Seth sorgfältig ausgelegt hatte, und bald fand er das Geld. Es lag auf einer Bank in Birmingham, brachte sechs Prozent Zinsen per anno und wartete nur auf die Testamentseröffnung: 21,2 Millionen.

Jake wurde beinahe schwindelig bei dieser Zahl. Was für eine surreale Szene: Ein abgelegenes Sägewerk irgendwo in Mississippi, ein staubiger, schummriger Raum in einem Fertigbau, ein Kleinstadtanwalt, der in einem gemieteten Haus wohnte und ein Auto fuhr, das gut dreihunderttausend Kilometer auf dem Tacho hatte, und dazu Geldsummen, die alles überstiegen, was sämtliche Anwälte in Ford County zusammen in ihrem Leben verdienen würden. Er musste lachen.

Das Geld existierte wirklich! Verwirrt schüttelte er den Kopf und empfand plötzlich tiefe Bewunderung für Mr. Seth Hubbard.

Als es an der Tür klopfte, zuckte Jake vor Schreck zusammen. Er klappte den Karton zu, öffnete die Tür und trat hinaus. Arlene sagte: »Mr. Brigance, das ist Dewayne Squire. Offiziell ist er Prokurist, aber in Wahrheit tut er nur, was ich ihm sage.« Arlene brachte zum ersten Mal ein Lachen zustande, wenn auch nur kurz. Dewayne gab Jake unsicher die Hand, während die scharfe Kamila aus der Nähe zusah. Die drei Angestellten blickten ihn an, als wollten sie etwas Wichtiges mit ihm besprechen. Dewayne war drahtig und leicht überaktiv und rauchte, wie sich herausstellte, Kette, ohne sich darum zu kümmern, wohin der Rauch zog.

»Können wir etwas mit Ihnen besprechen?«, fragte Arlene, die unangefochten das Wort führte. Dewayne zündete sich eine neue Kool an und rückte sie mit steifen Fingern im Mund zurecht. Das klang nach etwas Ernstem, nicht nach Small Talk über das Wetter.

»Sicher«, sagte Jake. »Worum geht es?«

Arlene streckte ihm eine Visitenkarte entgegen. »Kennen Sie diesen Mann?«, fragte sie.

Jake las den Namen. Reed Maxey, Rechtsanwalt, Jackson, Mississippi. »Nein«, erwiderte er. »Nie von ihm gehört. Warum?«

»Weil er letzten Dienstag hier aufgetaucht ist und behauptet hat, dass er sich um Mr. Hubbards Nachlass kümmert. Er meinte, das Gericht habe Bedenken, was das handschriftliche Testament angehe, das Sie zur Eröffnung eingereicht haben oder wie das heißt. Es sei wahrscheinlich ungültig, weil Seth offenbar wegen all der Medikamente nicht bei klarem Verstand war, als er den Selbstmord geplant und seinen Letzten Willen geschrieben hat. Er sagte, wir drei würden Hauptzeugen sein, weil wir Seth noch am Freitag vor seinem Selbstmord gesehen haben. Wir müssten aussagen, wie stark er durch die Medikamente verwirrt war. Und dann meinte er noch, dass wir in dem echten Testament, also dem, das von den Anwälten gemacht wurde, als Freunde und Angestellte auch was vermacht bekämen. Es sei also in unserem Interesse, wenn wir die Wahrheit sagten, dass Seth nämlich nicht – wie heißt das noch …«

»Testierfähig«, ergänzte Dewayne durch eine Wolke Mentholrauch.

»Genau«, sagte Arlene. »Dass Seth nicht testierfähig gewesen sei. Es klang, als wollte er Seth für geisteskrank erklären.«

Trotz seiner Überraschung gelang es Jake, keine Miene zu verziehen. Seine erste Reaktion war Wut. Wie konnte irgendein dahergelaufener Rechtsverdreher es wagen, sich in seinen Fall einzumischen, Lügen zu erzählen und Zeugen zu manipulieren? Das verstieß gegen so viele ethische Grundsätze, dass sie gar nicht alle aufzuzählen waren. Dann jedoch kam ihm ein anderer Gedanke. Der Kerl musste ein Betrüger sein. Ein richtiger Anwalt würde so etwas nie tun.

Ohne sich etwas anmerken zu lassen, sagte er: »Tja, ich werde wohl mit dem Mann reden müssen und ihm sagen, dass er sich heraushalten soll.«

»Was steht denn in dem anderen Testament, in dem echten?«, fragte Dewayne.

»Ich habe es nie gesehen. Es wurde von Anwälten in Tupelo aufgesetzt, und die mussten es noch nicht öffentlich machen.«

»Denken Sie, wir kommen darin vor?«, fragte Kamila ohne jede Scheu.

»Das weiß ich nicht.«

»Können wir es herausfinden?«

»Das bezweifle ich.« Jake hätte am liebsten gefragt, ob es etwas an ihrer Aussage ändern würde, wenn sie es wüssten, doch er beschloss, sich zurückzuhalten.

Arlene sagte: »Er hat jede Menge Fragen über Seth gestellt und wie er sich benommen hat an dem Freitag. Er wollte wissen, wie es ihm ging und welche Medikamente er genommen hat.«

»Und was haben Sie geantwortet?«

»Nicht viel. Um ehrlich zu sein, war er nicht gerade ein Mensch, zu dem man Vertrauen fassen kann. Er hatte Augen, die nie stillstanden und ...«

»... hat geredet wie ein Maschinengewehr«, fügte Dewayne hinzu. »Viel zu schnell. Manchmal habe ich ihn gar nicht verstanden. Ich dachte die ganze Zeit: Das soll ein Anwalt sein? Den will ich nicht vor Gericht oder vor einer Jury sehen.«

Kamila sagte: »Irgendwann wurde er dann sogar richtig garstig, als wollte er was ganz Bestimmtes hören. Wir sollten sagen, dass Seth wegen all der Medikamente nicht klar im Kopf war.«

Dewayne blies Rauch durch die Nase. »Einmal hat er seinen Aktenkoffer auf Arlenes Schreibtisch gestellt, aufrecht, ganz komisch. Jetzt nimmt er uns auf, dachte ich. Er hat einen Rekorder da drin.«

»Ja, besonders geschickt war er nicht«, sagte Arlene. »Am Anfang haben wir ihm geglaubt, kein Wunder, da kommt ein Typ im dunklen Anzug, stellt sich als Anwalt vor, zeigt seine Karte und scheint ziemlich gut über Seth Hubbard und dessen Geschäfte Bescheid zu wissen. Er wollte unbedingt mit uns dreien gleichzeitig reden, und wir wussten nicht, wie wir Nein sagen sollten. Also haben wir geredet, besser gesagt, er hat geredet. Wir haben hauptsächlich zugehört.«

»Wie würden Sie den Mann beschreiben?«, fragte Jake. »Alter, Größe, Gewicht und so weiter.«

Die drei tauschten skeptische Blicke, als rechneten sie damit, dass sie sich nicht einig sein würden. »Wie alt?«, fragte Arlene in die Runde. »Ich würde sagen, vierzig.«

Dewayne nickte, und Kamila sagte: »Ja, vielleicht fünfundvierzig. Eins achtzig bis eins fünfundachtzig groß und ein bisschen dick, ich würde sagen, neunzig Kilo.«

»Das waren mehr als neunzig Kilo«, widersprach Dewayne. »Dunkle Haare, richtig dicht, ziemlich zerzaust ...«

»Er musste dringend zum Friseur«, sagte Arlene. »Dichter Schnurrbart und Koteletten. Keine Brille.«

»Er hat Camel geraucht«, ergänzte Dewayne. »Ohne Filter.«

»Ich werde ihn aufsuchen und herausfinden, was er vorhat«, sagte Jake, wobei er zu diesem Zeitpunkt bereits ziemlich sicher war, dass es keinen Anwalt namens Reed Maxey gab. Selbst der unbedarfteste Jurist würde wissen, dass ein solcher Besuch Ärger bringen und Ermittlungen der Anwaltskammer nach sich ziehen würde.

»Sollten wir mit einem Anwalt sprechen?«, fragte Kamila. »Ich meine, das ist alles neu für mich ... für uns. Es ist irgendwie beängstigend.«

»Noch nicht«, erwiderte Jake und überlegte, dass er die drei am besten einzeln befragte. In der Gruppe würde er wahrscheinlich keine klaren Aussagen bekommen. »Vielleicht später, aber jetzt noch nicht.«

»Was wird aus der Firma werden?«, erkundigte sich Dewayne und füllte geräuschvoll seine Lungen.

Jake ging durch den Raum und riss ein Fenster auf, um Luft zu bekommen. »Können Sie nicht draußen rauchen?«, fauchte Kamila den Prokuristen an. Ganz offensichtlich war das Rauchen hier schon lange ein heikles Thema. Immerhin war ihr Chef tödlich an Lungenkrebs erkrankt, und das Büro stank wie ein voller Aschenbecher. Natürlich war das Rauchen nicht verboten.

Jake ging zu den dreien zurück. »Mr. Hubbard hat in seinem Testament den Vollstrecker angewiesen, alle Vermögenswerte zu einem angemessenen Marktpreis zu verkaufen. Diese Firma läuft weiter, bis jemand sie kauft.«

»Wann wird das sein?«, fragte Arlene.

»Sobald ein passendes Angebot vorliegt. Vielleicht morgen, vielleicht in zwei Jahren. Selbst wenn es zu einem langwierigen Anfechtungsverfahren um das Testament kommt, wird Mr. Hubbards Nachlass vom Gericht geschützt. Ich bin sicher, es ist in der Gegend längst bekannt, dass die Firma zum Verkauf ansteht. Vielleicht wird es sogar in nächster Zukunft ein Angebot geben. Bis dahin ändert sich nichts. Vorausgesetzt natürlich, die Angestellten können den Betrieb aufrechterhalten.«

»Dewayne führt den Laden schon seit fünf Jahren«, sagte Arlene großmütig.

»Wir machen weiter«, sagte er.

»Gut. Wenn Sie keine weiteren Fragen haben, würde ich mich jetzt gern wieder den Akten widmen.« Die drei bedankten sich und verschwanden.

Dreißig Minuten später ging Jake zu Arlene, die auf ihrem Schreibtisch herumräumte, und sagte: »Ich möchte gern Seths Büro sehen.«

Sie schwenkte den Arm und antwortete: »Es ist nicht abgeschlossen.« Sie stand auf und öffnete die Tür. Es war ein langer, schmaler Raum mit einem Schreibtisch und Stühlen an einem Ende und einem billigen Besprechungstisch am anderen. Wie nicht anders zu erwarten, gab es viel Holz zu sehen: Kiefernkernholz auf Wänden und Boden, bronzefarben lasiert, an den Wänden reihten sich überwiegend leere Bücherregale in dunklerer Eiche aneinander. Ansonsten waren die Wände leer: keine Diplome – Seth hatte nie welche erworben –, keine Urkunden, keine Fotos mit Politikern. Im ganzen Raum war nicht ein einziges Foto zu sehen. Der Schubladenschreibtisch schien handgefertigt zu sein. Die Platte war leer bis auf einen Stapel Papier und drei saubere Aschenbecher.

Es war einerseits genau das, was man von einem einfachen Jungen vom Land, der erst spät im Leben zu Reichtum kam, erwarten würde. Andererseits war es kaum zu glauben, dass ein Mann, der zwanzig Millionen wert war, kein schöneres Büro hatte.

»Alles sauber und ordentlich«, sagte Jake mehr zu sich selbst.

»Seth hat viel Wert auf Ordnung gelegt«, erklärte Arlene. Sie gingen zum anderen Ende des Raums, wo Jake einen Stuhl vom Besprechungstisch wegzog und Platz nahm.

»Haben Sie eine Minute?« Sie setzte sich ebenfalls, als hätte sie mit einem Gespräch gerechnet und könnte es kaum erwarten anzufangen. Jake zog einen Telefonapparat über den Tisch zu sich und sagte: »Dann rufen wir jetzt diesen Reed Maxey an, okay?«

»Okay. Wie Sie möchten.« Sie sind der Anwalt.

Jake wählte die Nummer auf der Visitenkarte und bekam zu seiner Überraschung Antwort von einer Empfangsdame, die sich mit dem Namen einer großen, bekannten Kanzlei aus Jackson meldete. Jake fragte nach Mr. Reed Maxey, der ganz offensichtlich

wirklich dort tätig war, denn sie sagte: »Einen Moment, bitte.«
Eine andere weibliche Stimme meldete sich: »Mr. Maxeys
Büro.« Jake nannte seinen Namen und bat darum, den Anwalt
sprechen zu dürfen. »Mr. Maxey ist verreist und wird erst am
Montag wieder hier sein.« Charmant erklärte Jake, woran er ar-
beite, und fügte mit ominösem Unterton hinzu, er fürchte, je-
mand habe Mr. Maxeys Identität angenommen. »War er letzten
Dienstag in Ford County?«

»Nein. Er ist seit Montag geschäftlich in Dallas.« Jake erklärte, dass er eine Beschreibung ihres Chefs habe, und gab sie
ihr durch. Die Sekretärin lachte kurz auf. »Nein, nein, das muss
ein Irrtum sein. Der Reed Maxey, für den ich arbeite, ist zwei-
undsechzig, kahlköpfig und kleiner als ich, und ich bin eins
fünfundsiebzig.«

»Kennen Sie einen anderen Anwalt in Jackson, der auch
Reed Maxey heißt?«

»Nein, tut mir leid.«

Jake bedankte sich und kündigte an, dass er nächste Woche
noch einmal anrufen werde, um mit ihrem Chef persönlich darüber zu sprechen. Als er aufgelegt hatte, sagte er: »Genau wie
ich dachte. Der Typ hat gelogen. Er ist kein Anwalt. Vielleicht
arbeitet er für einen, aber er selbst hat sich nur für einen ausgegeben.«

Die arme Arlene konnte ihn nur wortlos anblicken. Er fuhr
fort: »Ich habe keine Ahnung, wer der Typ ist, und es kann gut
sein, dass er nie wieder auftaucht. Ich werde versuchen, ihn zu
identifizieren, aber vielleicht werden wir nie wissen, wer er war.
Ich vermute, er wurde von jemandem geschickt, der mit dem
Fall zu tun hat, kann jedoch auch nur spekulieren.«

»Aber warum?«, brachte sie heraus.

»Um Sie einzuschüchtern, zu verwirren, zu verunsichern. Es
ist höchst wahrscheinlich, dass Sie drei und vielleicht auch

andere, die hier arbeiten, als Zeugen berufen werden, um darüber auszusagen, wie sich Seth in den Tagen vor seinem Tod verhalten hat. War er geistig fit? Hat er sich sonderbar benommen? Stand er unter Medikamenteneinfluss? Haben die Medikamente möglicherweise sein Urteilsvermögen beeinträchtigt? Diese und ähnliche Fragen werden in Zukunft entscheidend sein.«

Jake ließ sie eine Weile darüber nachdenken, ehe er fortfuhr. »Also, Arlene. Jetzt hätte ich gern ein paar Antworten. Seth hat das Testament am Samstagmorgen in diesem Büro geschrieben. Er musste es vor zwölf Uhr zur Post bringen, damit es pünktlich am Montag bei mir ist. Sie haben ihn am Freitag gesehen, richtig?«

»Ja.«

»Ist Ihnen etwas Ungewöhnliches an ihm aufgefallen?«

Sie zog ein Taschentuch aus der Hosentasche und tupfte sich die Augen. »Entschuldigen Sie bitte«, sagte sie und weinte los, noch ehe sie überhaupt etwas gesagt hatte. Oje, das kann dauern, dachte Jake. Doch sie riss sich zusammen, straffte den Rücken und lächelte tapfer. »Wissen Sie, Mr. Brigance, ich weiß nicht recht, wem ich in dieser Situation vertrauen kann. Aber um ehrlich zu sein, Ihnen vertraue ich.«

»Danke.«

»Wissen Sie, mein Bruder war damals in der Jury.«

»In welcher Jury?«

»Carl Lee Hailey.«

Die Namen aller zwölf Geschworenen von damals waren für immer in Jakes Gedächtnis eingebrannt. »Wie heißt er?«, fragte er lächelnd.

»Barry Acker. Mein jüngster Bruder.«

»Ich werde ihn nie vergessen.«

»Er hat großen Respekt vor Ihnen, wegen des Prozesses und so.«

»Und ich habe großen Respekt vor ihm. Die Geschworenen waren sehr mutig, und sie haben das richtige Urteil gefällt.«

»Als ich gehört habe, dass Sie Seths Nachlass abwickeln, habe ich mich besser gefühlt. Aber dann, als wir mehr über das Testament erfuhren … es ist alles ziemlich verwirrend.«

»Ich verstehe das. Am besten vertrauen wir einander, okay? Lassen Sie den ›Mister‹ weg, nennen Sie mich Jake, und erzählen Sie mir die Wahrheit. Wie klingt das?«

Arlene legte das Taschentuch auf den Tisch und entspannte sich etwas. »Okay, aber ich will nicht vor Gericht.«

»Darüber können wir uns später immer noch Gedanken machen. Im Augenblick brauche ich nur ein paar Hintergrundinfos.«

»Also gut.« Sie schluckte, straffte die Schultern und legte los. »Seths letzte Tage waren nicht schön. Es war etwa einen Monat lang ständig auf und ab mit ihm gegangen. Er hatte zwei Runden Chemo und Bestrahlung hinter sich, hatte Haare und an Gewicht verloren, und war so schwach, dass er gar nicht aus dem Bett aufstehen konnte. Aber er war ein zäher alter Mann und wollte nicht aufgeben. Nur, es war Lungenkrebs, und als die Tumore wiederkamen, wusste er, dass das Ende nah war. Er hörte auf zu reisen und verbrachte mehr Zeit hier. Gegen die Schmerzen nahm er ein starkes Mittel, Demerol. Er kam früh, trank einen Kaffee, und dann schien es ihm für ein paar Stunden einigermaßen gut zu gehen, bis es wieder schlechter wurde. Ich habe nie gesehen, wie er die Schmerzmittel nahm, aber er hat davon gesprochen. Manchmal litt er unter Erschöpfung, Schwindel und Übelkeit. Trotzdem ist er noch Auto gefahren. Wir haben uns deswegen Sorgen gemacht.«

»Wer hat sich Sorgen gemacht?«

»Wir drei. Wir haben uns um Seth gekümmert. Aber er hat nie jemanden an sich herangelassen. Sie sagen, Sie haben ihn nicht kennengelernt. Das wundert mich nicht, denn er ist Menschen aus dem Weg gegangen. Er hasste Small Talk. Er war alles andere als herzlich. Er war ein Einzelgänger, der sich von niemandem in die Karten schauen oder helfen ließ. Er hat sich immer selbst Kaffee geholt. Wenn ich ihm welchen gebracht habe, hat er sich nie bedankt. Er hat Dewayne die Leitung seines Betriebes anvertraut, aber sie haben nicht viel Zeit miteinander verbracht. Kamila ist seit ein paar Jahren hier, und er hat gern mit ihr geflirtet. Sie ist ein Flittchen, aber süß, und er mochte sie. Doch das war alles. Nur wir drei.«

»Hat er in seinen letzten Tagen irgendetwas Ungewöhnliches getan?«

»Eigentlich nicht. Es ging ihm schlecht. Er hat viel geschlafen. Am Freitag war er gut drauf. Wir drei haben hinterher darüber gesprochen und kamen zu dem Schluss, dass es nicht ungewöhnlich ist, wenn jemand, der beschlossen hat, sich umzubringen, plötzlich entspannt ist und sich auf das Ende zu freuen scheint. Ich denke, Seth wusste am Freitag, was er vorhatte. Er hatte die Nase voll. Er wusste, dass er sowieso bald sterben würde.«

»Hat er je über sein Testament gesprochen?«

Das schien sie zu belustigen, denn sie lachte kurz auf. »Seth hat nicht über private Angelegenheiten gesprochen. Grundsätzlich nicht. Ich habe sechs Jahre für ihn gearbeitet und ihn nicht ein Wort über Kinder, Enkel, Verwandte, Freunde, Feinde …«

»Lettie Lang?«

»Keine Silbe. Ich war nie bei ihm zu Hause, ich habe diese Frau nie kennengelernt, ich weiß nichts über sie. Ich habe ihr Gesicht zum ersten Mal auf einem Foto in der Zeitung gesehen.«

»Es gibt Gerüchte, dass Seth die Frauen mochte.«

»Davon habe ich auch gehört, aber mich hat er nie angefasst.

Aber selbst wenn er fünf Geliebte gehabt hätte, man hätte nichts darüber gewusst.«

»Wussten Sie über seine geschäftlichen Pläne Bescheid?«

»Überwiegend, ja. Vieles lief über meinen Schreibtisch. Das ging gar nicht anders. Er hat mich oft ermahnt, diese Dinge vertraulich zu behandeln. Aber ich wusste nie alles; und ich glaube nicht, dass überhaupt irgendjemand alles weiß. Als er letztes Jahr alles verkauft hat, habe ich einen Bonus von fünfzigtausend Dollar bekommen. Dewayne und Kamila haben auch Boni bekommen, keine Ahnung, wie hoch. Er hat uns gut bezahlt. Seth war ein fairer Chef, der von seinen Leuten Einsatzbereitschaft verlangt hat, sie dafür aber gut bezahlt hat. Und da ist noch etwas, was Sie über ihn wissen sollten: Seth war nicht so bigott wie die meisten anderen Weißen hier. Wir haben achtzig Mitarbeiter in diesem Betrieb, genauso viele Schwarze wie Weiße, und sie bekommen alle den gleichen Lohn. Ich habe gehört, dass es in allen seinen Möbelfabriken und Sägewerken so ist. Er hat sich nicht sehr für Politik interessiert, aber er fand es schrecklich, wie die Schwarzen in den Südstaaten immer noch behandelt werden. Gerechtigkeit war ihm sehr wichtig. Ich habe großen Respekt für ihn empfunden.« Ihre Stimme brach, und sie griff nach dem Taschentuch.

Als Jake auf die Uhr sah, war er überrascht, dass es schon fast zwölf Uhr mittags war. Er war seit zweieinhalb Stunden hier. Er sagte, dass er gehen müsse, aber Anfang der folgenden Woche mit Mr. Quince Lundy wiederkommen werde, dem vom Gericht eingesetzten Nachlassverwalter. Auf dem Weg nach draußen sprach er kurz mit Dewayne und wurde von Kamila angenehm freundlich verabschiedet.

Im Auto zurück nach Clanton gingen ihm allerlei Szenarien durch den Kopf, in denen ein Krimineller vorkam, der sich als Anwalt einer Großkanzlei ausgab, um potenzielle Zeugen einzuschüchtern – nur wenige Tage nach dem Selbstmord und vor der ersten Anhörung. Wer auch immer der Mann war, er würde nie wieder in Erscheinung treten. Höchstwahrscheinlich arbeitete er für einen der Anwälte von Herschel, Ramona oder deren Kindern. Wade Lanier zum Beispiel. Er führte eine Kanzlei mit zehn Angestellten, die für ihre aggressiven und abseitigen Methoden bekannt war. Jake hatte mit einem ehemaligen Studienkollegen gesprochen, der oft mit Lanier zu tun hatte. Die Kanzlei war berühmt-berüchtigt dafür, gegen den Ehrenkodex zu verstoßen, dann zum Richter zu laufen und den Gegner anzuschwärzen. »Dreh denen bloß nie den Rücken zu«, hatte Jakes Freund gewarnt.

Drei Jahre lang hatte Jake eine Waffe getragen, um sich vor dem Klan und anderen Irren zu schützen. Jetzt begann er sich zu fragen, ob er nicht vielmehr Schutz vor den Haien brauchte, die es auf das Hubbard-Vermögen abgesehen hatten.

15

An Schlaf war kaum zu denken, seit Lettie immer mehr Raum an ihre Familie abgeben musste. Simeon war seit einer Woche da und nahm die Hälfte des Bettes ein. Die andere Hälfte teilte sich Lettie mit ihren beiden Enkeln. Im Nachbarzimmer auf dem Boden schliefen zwei Neffen.

Als die Sonne aufging, wurde sie wach. Neben ihr lag ihr Mann in seine Decke gewickelt und schnarchte sich das Bier vom Vorabend aus dem Hals. Sie betrachtete ihn eine Weile, ohne sich zu regen. Er wurde immer dicker und grauhaariger, dafür brachte er immer weniger Lohn mit nach Hause. Hey, Alter, es ist Zeit für einen Ausflug! Willst du nicht mal wieder auf deine unnachahmliche Art von der Bildfläche verschwinden und mir ein oder zwei Monate Verschnaufpause gönnen? Du bist hier zu nichts zu gebrauchen, außer für Sex, und mit den Kindern im Schlafzimmer kann man das auch vergessen.

Aber Simeon dachte nicht daran zu gehen. Niemand ging zurzeit von ihr weg. Immerhin musste sie zugeben, dass sich sein Benehmen in den letzten Wochen dramatisch gebessert hatte, was natürlich mit Mr. Hubbards Tod zu tun hatte. Er trank zwar immer noch jeden Abend, aber nicht mehr so viel wie früher. Er war nett zu Cypress, machte Besorgungen für sie und hielt sich mit Kraftausdrücken zurück. Er zeigte sich geduldig mit den Kindern. Zweimal schon hatte er gegrillt und zum allerersten Mal überhaupt die Küche aufgeräumt. Letzten

Sonntag war er sogar mit der Familie in der Kirche. Aber die auffälligste Veränderung war, wie rücksichtsvoll und liebenswürdig er sich seiner Frau gegenüber verhielt.

Geschlagen hatte er sie seit Jahren nicht, aber wer einmal geschlagen wurde, vergisst es nie. Die Blutergüsse verheilen mit der Zeit, doch die Seele trägt bleibende, unsichtbare Narben davon. Wie feige muss ein Kerl sein, um eine Frau zu schlagen? Simeon hatte sich bei ihr entschuldigt, und sie hatte ihm gesagt, dass sie ihm verzeihe. Aber das stimmte nicht. Manche Sünden waren nicht verzeihlich, und seine Frau zu schlagen gehörte dazu. Sie hatte sich geschworen, eines Tages wegzugehen und frei zu sein. Vielleicht in zehn Jahren, vielleicht erst in zwanzig, aber sie würde den Mut aufbringen, sich von diesem Waschlappen zu trennen.

Ob die Trennung durch Mr. Hubbard wahrscheinlicher geworden war, konnte sie nicht sagen. Einerseits war es viel schwieriger, Simeon zu verlassen, solange er sie umgarnte und ihr jeden Wunsch von den Augen ablas. Andererseits bedeutete das Geld Unabhängigkeit.

Aber war das wirklich so? Würde sie dank des Geldes wirklich ein besseres Leben haben, in einem größeren Haus mit schöneren Dingen und weniger Sorgen wohnen, vielleicht sogar ohne den Ehemann, den sie nicht mochte? Natürlich war das alles möglich. Aber würde es nicht auch bedeuten, dass sie ihr Leben lang auf der Flucht sein würde, vor Verwandten, Freunden und irgendwelchen Fremden, die die Hand aufhielten? Am liebsten wäre Lettie sofort weggelaufen. Seit Jahren fühlte sie sich in diesem viel zu kleinen Haus mit viel zu vielen Menschen und nicht genügend Betten eingesperrt. In letzter Zeit war die Situation beklemmend geworden.

Anthony, der Fünfjährige, der zu ihren Füßen lag, bewegte sich im Schlaf. Lettie schwang behutsam die Beine aus dem Bett, nahm ihren Bademantel vom Türhaken, zog ihn an und verließ auf leisen Sohlen das Zimmer. Unter dem schmutzigen und ausgetretenen Teppich knarrte der Boden im Flur. Nebenan schlief Cypress, deren Decke viel zu klein für ihren ausladenden Körper war. Am Fenster stand eingeklappt der Rollstuhl, auf dem Boden schliefen zwei Kinder von Letties Schwester. Lettie warf einen Blick in das dritte Schlafzimmer, in dem Clarice und Phedra mit herabhängenden Armen und Beinen in einem Bett schliefen, weil Letties Schwester seit fast einer Woche das andere belegte. Auf dem Boden lag mit angezogenen Knien ein weiteres Kind. Im Wohnzimmer fand sie Kirk auf dem Boden, während auf dem Sofa ein Onkel schnarchte.

All diese Menschen überall, dachte Lettie, während sie in der Küche das Licht einschaltete und auf das Chaos vom Vorabend blickte. Abspülen würde sie später. Sie setzte Kaffee auf und öffnete den Kühlschrank, der genauso aussah, wie sie erwartet hatte. Außer ein paar Eiern und einer Packung Wurstaufschnitt war nicht viel Essbares da, jedenfalls bei Weitem nicht genug, um die ganze Horde zu verköstigen. Sie würde ihren Mann zum Supermarkt schicken, sobald er aufgestanden war. Bezahlt wurde jetzt nicht mehr von dem, was Simeon oder sie an Lohn oder vom Staat bekamen, sondern von dem, was ihnen ihr großzügiger neuer Held, Rechtsanwalt Booker Sistrunk, gegeben hatte. Simeon hatte ihn um ein Darlehen von fünftausend Dollar gebeten. (»Ein Mann, der so ein Auto fährt, für den sind fünftausend Dollar Peanuts.«) Im Grund war es gar kein Darlehen, hatte Simeon gesagt, sondern eher eine Art Vorschuss. Booker fand das in Ordnung, und dann unterschrieben sie beide den Schuldschein. Lettie hatte das Geld in der Vorratskammer in einer Keksdose versteckt.

Sie schlüpfte in Sandalen, zog den Bademantel straffer und ging nach draußen. Es war der 15. Oktober, und die Luft hatte bereits ziemlich abgekühlt. Die Blätter tanzten und zitterten im Wind. Lettie nahm einen Schluck aus ihrem Lieblingskaffeebecher und ging über den Rasen zu dem kleinen Schuppen, in dem sie Rasenmäher und anderes Werkzeug aufbewahrten. Dahinter hing an einer Hemlocktanne eine Schaukel. Sie setzte sich darauf, streifte die Schuhe ab und begann sich abzustoßen, immer höher.

Die Frage war ihr schon gestellt worden, und sie würde sicher noch öfter kommen. Warum hatte Mr. Hubbard das getan? Und: Hatte er es mit ihr besprochen? Die zweite Frage war ganz einfach zu beantworten: nein, denn er hatte nie etwas mit ihr besprochen. Sie hatten über das Wetter geredet, über Reparaturen am Haus, über die Einkaufsliste und was es zu essen geben sollte, aber nie über irgendetwas Bedeutendes. So lautete im Moment ihre Standardantwort. In Wahrheit hatte er zweimal beiläufig und unerwartet erwähnt, dass er ihr etwas hinterlassen wolle. Er hatte gewusst, dass er sterben würde, und zwar bald. Er hatte sein Abtreten geplant. Sie sollte wissen, dass er sie bedenken würde.

Aber warum so viel? Seine Kinder waren alles andere als sympathisch, doch so eine harte Strafe hatten sie nicht verdient. Auch sie hatte das alles nicht verdient. Es war alles so unlogisch. Warum konnte sie sich nicht einfach mit Herschel und Ramona zusammensetzen, nur zu dritt, ohne die ganzen Anwälte, und besprechen, wie sie das Geld vernünftig aufteilen könnten? Lettie hatte noch nie etwas besessen, und sie war nicht habgierig. Sie würde sich mit wenig zufriedengeben. Den gesamten Rest konnten die Hubbards haben. Sie wollte nur so viel, dass sie ein neues Leben beginnen konnte.

Ein Auto näherte sich. Es wurde langsamer, fuhr aber weiter, als wollte der Fahrer nur einen genaueren Blick auf ihr Haus werfen. Ein paar Minuten später kam aus der entgegengesetzten

Richtung ein anderes Auto, das Lettie gleich erkannte: ihr Bruder Rontell und seine Blagen mitsamt seiner zickigen Frau. Er hatte angerufen und angekündigt, dass sie vielleicht vorbeikommen würden, und da waren sie, an einem Samstagmorgen in aller Herrgottsfrühe, um ihrer geliebten Lettie einen Besuch abzustatten, deren Foto auf der Titelseite der Zeitung prangte und die plötzlich in aller Munde war, seit sie sich in das Testament dieses weißen alten Sacks gemogelt hatte, und bald stinkreich sein würde.

Lettie eilte ins Haus und begann, alle laut aufzuwecken.

Während Simeon an der Küchentheke stand und die Einkaufsliste studierte, bekam er aus dem Augenwinkel mit, wie Lettie in der Vorratskammer die Hand in eine Keksdose steckte und Geldscheine herausnahm. Er tat, als hätte er nichts gesehen, doch als sie Sekunden später ins Wohnzimmer verschwand, langte er nach der Dose und fischte zehn Hundertdollarscheine heraus.

Hier versteckte sie also das gemeinsame Geld.

Rontell und mindestens vier seiner Kinder wollten unbedingt mit zum Einkaufen kommen, doch Simeon brauchte etwas Zeit für sich. Er schaffte es, sich durch die Hintertür davonzustehlen, in seinen Pick-up zu steigen und unbemerkt davonzufahren. Auf der fünfzehnminütigen Fahrt nach Clanton genoss er das Alleinsein. Er merkte, dass ihm die Straße fehlte, die Tage weg von zu Hause, die Bars und Kneipen. Und die Frauen. Irgendwann würde er Lettie verlassen und weit wegziehen, aber ganz gewiss nicht jetzt. O nein. Auf absehbare Zeit gedachte Simeon Lang den Mustergatten zu geben.

Zumindest hatte er sich das fest vorgenommen. Oft wusste er gar nicht, warum er etwas tat. Plötzlich war da eine Stimme in seinem Ohr, ein hinterhältiges Flüstern, das er nicht abschalten konnte. Tank's Tonk, sagte die Stimme. Fahr ins Tank's Tonk.

Die Kneipe lag ein paar Kilometer nördlich von Clanton am Ende eines Feldwegs. Hierher kam nur, wer es wirklich darauf anlegte, Krach zu bekommen. Tank hatte weder Schankerlaubnis noch Konzession, und an seinem Fenster klebte auch kein Sticker der Handelskammer. Alkohol, Glücksspiel und Prostitution verboten? Das galt anderswo. Bei Tank gab es das kühlste Bier weit und breit, und während Simeon die Straße entlangtuckerte, die Einkaufsliste seiner Frau in einer Tasche, das vom Anwalt geliehene Geld in der anderen, überkam ihn aus heiterem Himmel plötzlich große Lust auf ein eiskaltes Bier und eine Runde Würfeln oder Karten. Was konnte es an einem Samstagmorgen Schöneres geben?

Ein junger Mann, der Loot hieß und nur einen Arm hatte, wischte um die Tische herum auf und beseitigte die Spuren vom Vorabend. Auf der Tanzfläche verstreut lagen Glasscherben, die auf eine Schlägerei hindeuteten. »Irgendjemand erschossen worden?«, fragte Simeon und riss den Verschluss einer Halbliterdose Bier auf. Er war der einzige Gast.

»Nicht direkt. Zwei liegen mit gebrochenem Schädel im Krankenhaus«, erwiderte Ontario, der einbeinige Barmann, der im Gefängnis gewesen war, weil er seine beiden Ehefrauen ermordet hatte. Inzwischen war er Single. Tank hatte eine Schwäche für Amputierte, und den meisten seiner Angestellten fehlten ein oder zwei Glieder. Bei Baxter, dem Rausschmeißer, war es ein Ohr.

»Hab ich wohl leider verpasst«, sagte Simeon und trank.

»Muss ordentlich gekracht haben.«

»Sieht ganz so aus. Ist Benjy da?«

»Glaube schon.« Benjy spielte in einem fensterlosen Hinterzimmer bei verschlossener Tür Blackjack. Nebenan, in einem ähnlichen Raum, wurde gerade gewürfelt, und man hörte nervöse Stimmen. Eine attraktive Frau mit intakten Gliedmaßen und gut in Szene gesetzten anderen wichtigen Körperteilen kam herein und sagte zu Ontario: »Ich bin jetzt da.«

»Ich dachte, du schläfst den ganzen Tag«, antwortete er.

»Ich warte noch auf Kundschaft.« Sie ging hinter Simeon vorbei und strich ihm mit ihren langen falschen, pinken Fingernägeln über die Schulter. »Es kann losgehen«, gurrte sie ihm ins Ohr, doch er tat, als hätte er sie nicht gehört. Sie hieß Bonnie und arbeitete seit Jahren in dem Hinterzimmer, in dem viele junge Schwarze aus Ford County ihre Unschuld verloren hatten. Simeon war ein paarmal bei ihr gewesen. Heute würde er nicht zu ihr gehen. Als sie außer Sichtweite war, machte er sich auf die Suche nach dem Blackjack-Croupier.

Benjy schloss die Tür hinter ihm und fragte: »Einsatz?«

»Tausend«, sagte Simeon großspurig, ganz der Profi, und verteilte rasch die Scheine auf dem Spieltisch. Benjys Augen weiteten sich. »Mann, das klärst du besser erst einmal mit Tank.«

»Nein. Erzähl mir nicht, du hast noch nie tausend Dollar auf einem Haufen gesehen.«

»Warte.« Benjy zog einen Schlüssel aus der Hosentasche und öffnete eine Geldkassette unter dem Tisch. Er zählte, überlegte, runzelte die Stirn und sagte: »Ich denke, das geht. Wenn ich mich richtig erinnere, bist du sowieso keine große Gefahr.«

»Halt den Mund und teil aus.«

Benjy tauschte das Geld in zehn schwarze Chips um. Die Tür ging auf, und Ontario erschien mit einem neuen Bier. »Hast du Erdnüsse da?«, fragte Simeon. »Die Schlampe hat heute kein Frühstück gemacht.«

»Ich werde schon was finden«, brummte Ontario im Hinausgehen.

Benjy mischte die Karten. »Ich würde die Frau nicht so nennen, nach allem, was ich gehört habe.«

»Glaubst du alles, was du hörst?«

Sie spielten sechs Runden, dann erschien Bonnie, in den Händen einen Teller mit gemischten Nüssen und einen Krug eiskaltes Bier. Sie hatte sich umgezogen und trug knappe, durchsichtige Dessous mit schwarzen Strümpfen und abartigen Plateau-High-Heels, bei denen jede Straßennutte vor Neid blass geworden wäre.

»O Mann«, murmelte Benjy.

Bonnie fragte: »Kann ich sonst noch was für dich tun?«

»Im Augenblick nicht«, erwiderte Simeon.

Eine Stunde und drei Bier später sah Simeon auf die Uhr und wusste, dass er gehen sollte, konnte sich aber nicht überwinden. Daheim war alles voll mit schmarotzender Verwandtschaft, Lettie war nicht zu ertragen, und Rontell hasste er schon an guten Tagen. Und dann diese verdammten Blagen überall.

Bonnie kam mit einem weiteren Bier, das sie oben ohne servierte. Simeon bat um eine Spielpause und sagte, er komme gleich wieder.

Der Streit begann, nachdem Simeon bei zwölf Punkten seinen Einsatz verdoppelte, wovon jeder Routinier dringend abgeraten hätte. Die nächste Karte war eine Dame, damit hatte er das Limit von einundzwanzig Punkten überschritten, und Benjy zog seine letzten beiden Chips ein. »Leih mir fünfhundert«, verlangte Simeon.

»Wir sind doch keine Bank«, entgegnete Benjy, wie nicht anders zu erwarten. »Tank schreibt nichts an.«

Simeon, inzwischen betrunken, schlug auf den Tisch und brüllte: »Ich will fünf Chips zu hundert Dollar!«

Das Spiel hatte noch einen weiteren Teilnehmer angelockt, einen stämmigen jungen Mann mit Oberarmen, die an Basketbälle erinnerten. Er wurde Rasco genannt und hatte mit Fünfdollarchips gespielt, während Simeon mit dem großen Geld um sich geworfen hatte. »Pass bloß auf!«, fauchte Rasco und nahm seine Chips an sich.

Simeon hatte Rascos Teilnahme von Anfang an nicht gepasst. Angesichts seiner Einsätze sollte er den Croupier für sich haben dürfen. Binnen einer Sekunde war Simeon klar, dass es zu einer Schlägerei kommen würde, und seiner Erfahrung nach war es am besten, den ersten Treffer zu landen, denn der konnte entscheidend sein. Er holte weit aus, verfehlte sein Ziel aber um Längen. Während Benjy noch schrie: »Aufhören mit dem Quatsch! Nicht hier drin!«, schnellte Rasco von seinem Stuhl hoch – er war viel größer, als es im Sitzen den Anschein gehabt hatte – und verpasste Simeon zwei brutale Hiebe ins Gesicht.

Simeon kam auf dem Parkplatz wieder zu sich. Sie hatten ihn zu seinem Pick-up geschleppt und auf die Ladefläche gelegt. Er setzte sich auf, sah sich um, aber da war niemand. Vorsichtig berührte er sein rechtes Auge, das zugeschwollen war, und rieb sich die linke Wange, die sich ziemlich wund anfühlte. Als er auf seine Uhr sehen wollte, stellte er fest, dass sie nicht mehr da war. Nicht nur die eintausend Dollar waren weg, die er Lettie geklaut hatte, sondern auch die hundertzwanzig für den Einkauf. Scheine, Münzen, alles fort. Die Brieftasche hatten sie ihm gelassen, aber da war nichts Wertvolles mehr drin. Einen Moment lang überlegte Simeon, ob er in die Kneipe stürmen, den einbeinigen Ontario oder den einarmigen Loot packen und das Geld zurückverlangen sollte. Schließlich war er auf ihrem Gelände beraubt worden. Was war das für ein Laden?

Doch dann änderte er seine Meinung und fuhr los. Er würde später wiederkommen und die Sache mit Tank klären. Ontario sah ihm nach, und als der Pick-up außer Sichtweite war, rief er den Sheriff an. An der Stadtgrenze von Clanton wurde Simeon angehalten, wegen Trunkenheit am Steuer festgenommen und in Handschellen zum Gefängnis gefahren. Dort kam er in die

Ausnüchterungszelle und erfuhr, dass er erst telefonieren durfte, wenn er wieder nüchtern war.

Aber er war ohnehin nicht scharf darauf, nach Hause zu kommen.

Rechtzeitig zum Mittagessen kam Darias mit seiner Frau Natalie und ihrem Stall voller Kinder aus Memphis. Sie waren natürlich hungrig. Natalie hatte wenigstens einen großen Teller Kokosplätzchen dabei. Rontells Frau hatte nichts mitgebracht. Von Simeon und den Einkäufen war weit und breit nichts zu sehen. Man disponierte um, und Lettie schickte Darias zum Einkaufen. Im Laufe des Nachmittags gingen alle nach draußen, wo die Jungs Football spielten und die Männer Bier tranken. Rontell warf den Grill an, und bald stiegen dichte, aromageschwängerte Rauchschwaden von den Spareribs auf. Die Frauen setzten sich auf die Veranda und unterhielten sich gut gelaunt. Noch mehr Besucher kamen hinzu – zwei Cousinen aus Tupelo und ein paar Freunde aus Clanton.

Alle wollten zu Lettie, und sie genoss es, im Mittelpunkt zu stehen, umgarnt und bewundert zu werden. Auch wenn sie schon ahnte, woher das plötzliche Interesse kam, gefiel es ihr, die Hauptperson zu sein. Niemand erwähnte das Testament, das Geld oder Mr. Hubbard, zumindest nicht in ihrer Gegenwart. Dass es um zwanzig Millionen ging, galt längst als verbriefte Tatsache. Der Betrag war oft genug von Leuten genannt worden, die es wissen mussten. Das Geld existierte, und Lettie würde neunzig Prozent davon bekommen, das stand fest. Irgendwann allerdings konnte Darias der Versuchung nicht mehr widerstehen. Als er mit Rontell allein am Grill stand, fragte er: »Hast du heute Morgen in die Zeitung geschaut?«

»Ja«, sagte Rontell. »Kann mir nicht vorstellen, wie das helfen soll.«

»Das hab ich mir auch gedacht. Wenigstens kommt Booker Sistrunk ziemlich gut weg.«

»Bestimmt hat er die Zeitung angerufen und den Artikel bestellt.«

Erste Seite des Lokalteils der Morgenzeitung. Eine hübsche Klatschgeschichte über Mr. Hubbards Selbstmord und sein ungewöhnliches Testament, dazu das Foto von Lettie im Sonntagsoutfit zwischen Booker Sistrunk und Kendrick Bost, die ihre Finger nicht von ihr lassen konnten.

»Die kommen jetzt aus allen Löchern gekrochen«, sagte Darias.

Rontell schnaubte und wedelte lachend mit dem Arm. »Sie sind doch schon da«, sagte er. »Stehen an und warten.«

»Was denkst du, wie viel Sistrunk nimmt?«

»Ich habe sie gefragt, aber sie hat nichts gesagt.«

»Die Hälfte?«

»Keine Ahnung. Billig ist er nicht.«

Als ein Neffe vorbeikam, um zu sehen, wie weit die Spareribs waren, wechselten die beiden Männer das Thema.

Am späten Nachmittag wurde Simeon aus der Ausnüchterungszelle geholt und von einem Deputy zu dem kleinen, fensterlosen Raum geführt, in dem sich sonst die Insassen mit ihren Anwälten zusammensetzten. Er bekam ein Kühlpack für sein Gesicht und eine Tasse frischen Kaffee. »Und jetzt?«, fragte er.

»Sie haben Besuch«, sagte der Deputy.

Fünf Minuten später erschien Ozzie und setzte sich. Er trug Jeans und ein Sakko, an seinem Gürtel baumelte ein Abzeichen und an seiner Hüfte ein Waffenhalfter. »Wir haben uns noch nicht kennengelernt«, sagte er.

»Ich habe Sie zweimal gewählt«, behauptete Simeon.

»Danke, aber das sagen alle, nachdem man gewonnen hat.«

Ozzie hatte in die Datenbank gesehen und wusste verdammt genau, dass Simeon Lang gar nicht als Wähler registriert war.

»Ich schwör's.«

»Tank hat mich angerufen. Er sagt, Sie sollen sich nicht mehr blicken lassen, okay? Sie sollen dort keinen Krach mehr anfangen.«

»Die haben mich beklaut.«

»Ein gefährlicher Laden. Sie kennen die Regeln. Es gibt keine. Halten Sie sich fern von dort.«

»Ich will mein Geld zurück.«

»Das Geld können Sie vergessen. Wollen Sie heim oder heute Nacht hierbleiben?«

»Lieber nach Hause.«

»Dann los.«

Simeon fuhr ohne Handschellen neben Ozzie auf dem Beifahrersitz. Ein Deputy folgte mit Simeons Pick-up. In den ersten zehn Minuten sprachen sie kein Wort, während Ozzies Funk durch den Wagen krächzte. Ozzie stellte das Gerät schließlich ab und sagte: »Es geht mich ja nichts an, Simeon, aber diese Anwälte aus Memphis haben hier nichts verloren. Ihre Frau sieht jetzt schon nicht gut aus, zumindest aus der Sicht der Leute im County. Wenn das ein Geschworenenprozess wird, haben Sie ein Problem.«

Simeons erster Impuls war, ihm zu sagen, dass er sich raushalten solle. Doch sein Hirn war betäubt, und seine Wange tat weh. Er wollte sich nicht streiten. Es war viel zu cool, vorn neben dem Sheriff in diesem Riesenwagen zu sitzen und nach Hause chauffiert zu werden.

»Haben Sie gehört?«, fragte Ozzie. In anderen Worten: Sag was, Mann.

»Was würden Sie denn tun?«, fragte Simeon.

»Sie müssen diese Anwälte loswerden. Jake Brigance wird den Prozess für Sie gewinnen.«

»Er ist ein Anfänger.«

»Fragen Sie mal Carl Lee Hailey.«

Simeon konnte nicht schnell genug denken, um zu widersprechen. Wobei es in diesem Fall nichts zu widersprechen gab. Für die Schwarzen in Ford County war das Urteil im Hailey-Prozess heilig.

Ozzie drängte weiter. »Sie wollen wissen, was ich tun würde? Also, ich würde mich am Riemen reißen und keinen Ärger machen. Glauben Sie vielleicht, das hilft – saufen, rumhuren und Geld beim Kartenspielen verlieren? Alle schauen auf Ihre Frau. Die Weißen sind jetzt schon misstrauisch, und es wird über kurz oder lang zum Geschworenenprozess kommen. Das Letzte, was Sie brauchen, ist Ihr Name in der Zeitung, wegen Trunkenheit am Steuer oder einer Schlägerei oder was weiß ich. Also?«

Saufen, rumhuren und spielen. Simeon kochte vor Wut. Er war sechsundvierzig und nicht gewohnt, von einem Mann abgekanzelt zu werden, der nicht sein Chef war.

»Reißen Sie sich zusammen, okay?«, sagte Ozzie.

»Was ist mit der Anklage wegen Trunkenheit am Steuer?«

»Die habe ich für sechs Monate auf Eis gelegt. Aber ein Verstoß, und Sie stehen sofort vor Gericht. Tank ruft mich an, sobald Sie durch seine Tür kommen. Klar?«

»Kapiert.«

»Noch was. Der Lastwagen, den Sie von Memphis nach Houston und El Paso fahren, wem gehört der?«

»Einer Firma in Memphis.«

»Hat die Firma einen Namen?«

»Mein Chef hat einen Namen, aber ich weiß nicht, wer sein Chef ist.«

»Glaube ich nicht. Was ist in dem Lkw?«

Simeon wurde still und sah aus dem Seitenfenster. Nach einer

Weile sagte er: »Es ist eine Spedition. Wir transportieren alles Mögliche.«

»Auch heiße Ware?«

»Natürlich nicht.«

»Und warum ermittelt dann das FBI?«

»Ich hab kein FBI gesehen.«

»Noch nicht, aber ich habe vorgestern einen Anruf bekommen. Die haben Ihren Namen genannt. Hören Sie, Simeon, wenn das FBI Sie hochnimmt, können Sie und Lettie das mit dem Geschworenenprozess vergessen. Kapieren Sie das nicht, Mann? Das gibt Schlagzeilen. Verdammt, die ganze Stadt redet sowieso über nichts anderes als über Lettie und Mr. Hubbards Testament. Wenn Sie Mist bauen, dürfen Sie von den Geschworenen keine Sympathie mehr erwarten. Ich bin nicht mal sicher, ob die Schwarzen noch zu Ihnen halten würden. Das sollten Sie sich durch den Kopf gehen lassen.«

Was ist mit dem FBI?, hätte Simeon am liebsten gefragt, aber er sagte nichts und blickte weiter aus dem Fenster. Sie fuhren schweigend, bis sie kurz vor seinem Haus ankamen. Um ihm eine Demütigung zu ersparen, erlaubte Ozzie ihm, in den Pickup umzusteigen. »Seien Sie am Mittwochmorgen um neun Uhr bei Gericht«, sagte er. »Jake soll sich um den Papierkram kümmern. Wir lassen die Sache erst mal ruhen.«

Simeon bedankte sich, stieg um und fuhr langsam los.

Er zählte acht Autos vor seinem Haus. Vom Grill stieg Rauch auf. Kinder rannten herum. So sah es jetzt immer aus, seit seine Frau die Schnorrer in Scharen anzog.

Er parkte auf der Straße und ging auf das Haus zu. Wenn das mal nicht böse enden würde.

16

Seit der Briefträger vor zwei Wochen Mr. Hubbards Testament gebracht hatte, war die Post erheblich interessanter geworden. Jeden Tag tauchte ein neues Problem auf, da sich immer mehr Anwälte meldeten und in Position bringen wollten. Wade Lanier stellte einen Antrag, mit dem er das Testament im Namen von Ramona und Ian Dafoe anfocht, was die anderen sofort nachmachten. Innerhalb weniger Tage reichten die Anwälte, die Herschel Hubbard, dessen Kinder und die Kinder der Dafoes vertraten, ähnliche Anträge ein. Da solche Eingaben nach Belieben ergänzt werden konnten, folgten die ersten Anträge alle demselben Muster. Es wurde behauptet, dass das handschriftliche Testament ungültig sei, da (1) Seth Hubbard nicht testierfähig gewesen und (2) er von Lettie Lang in unzulässiger Weise beeinflusst worden sei. Zwar wurde nichts vorgebracht, um diese Behauptungen zu untermauern, aber das war bei Verfahren dieser Art nichts Ungewöhnliches. In Mississippi waren die formalen Anforderungen an eine Klageschrift sehr gering, anders ausgedrückt, man führte zunächst das Grundsätzliche auf und versuchte erst später, die Einzelheiten zu beweisen.

Hinter den Kulissen bemühte sich Ian Dafoe, Herschel davon zu überzeugen, sich ebenfalls von Wade Laniers Kanzlei vertreten zu lassen, was sich aber als erfolglos erwies und sogar zu Streit führte. Herschel war von Lanier nicht beeindruckt gewesen und der Meinung, dass der Anwalt bei den Geschworenen keinen Erfolg haben werde, obwohl er nur wenige Gründe für seine Behauptung vorbringen konnte. Da Herschel einen Rechtsbeistand aus Mississippi brauchte, wandte er sich an die Kanzlei Stillman Rush und fragte dort an, ob man sein Mandat übernehmen wolle. Die Kanzlei hatte das Testament von 1987 verfasst, und es war klar, dass sie bei der Anfechtung des handschriftlichen Letzten Willens keine große Rolle mehr spielen würde. Außer zusehen gab es für sie nicht viel zu tun, und es war fraglich, ob Richter Atlee zulassen würde, dass die Anwälte von Stillman Rush bei dem Verfahren dabei waren, selbst dann, wenn sie im Hintergrund blieben, zum vollen Stundensatz natürlich. Herschel traf die kluge Entscheidung, sich von der hoch angesehenen Kanzlei Stillman Rush auf der Basis eines Erfolgshonorars vertreten zu lassen, und feuerte seinen Anwalt aus Memphis.

Während sich die Parteien, die das Testament anfochten, in eine gute Position zu drängeln versuchten, fingen die Parteien, die die Testamentseröffnung beantragt hatten, damit an, sich gegenseitig zu bekämpfen. Rufus Buckley wurde offiziell als Korrespondenzanwalt für Lettie Lang benannt. Jake legte schriftlich Widerspruch ein, mit der lahmen Begründung, Buckley habe nicht die notwendige Erfahrung. Die schweren Geschütze wurden aufgefahren, als Booker Sistrunk wie erwartet einen Antrag stellte, in dem er das Gericht aufforderte, Jake von dessen Pflichten zu entbinden und durch die Kanzlei Sistrunk & Bost zu ersetzen, mit Buckley als Anwalt aus Mississippi. Am nächsten Tag stellten Sistrunk und Buckley einen zweiten Antrag, in dem sie ersuchten, Richter Atlee von dem Verfahren auszuschließen, mit der vagen, bizarren Begründung, er sei dem handschriftlichen Testament gegenüber irgendwie voreingenommen. Dann stellten sie einen Antrag, in dem sie die Verlegung des Verhandlungsortes in ein anderes, »objektiveres«

County verlangten. Anders ausgedrückt, in einen Bezirk, in dem es mehr Schwarze gab.

Jake unterhielt sich ausführlich mit einem ihm unbekannten Prozessanwalt in Memphis, zu dem ein gemeinsamer Freund den Kontakt hergestellt hatte. Der Anwalt war im Laufe der Jahre schon mehrfach mit Sistrunk aneinandergeraten und alles andere als ein Fan von ihm, bewunderte inzwischen aber widerwillig seinen Erfolg. Sistrunks Strategie bestand darin, einen Fall hochzuspielen, ihn auf einen Rassenkrieg zu reduzieren, jeden daran beteiligten Weißen anzugreifen, wenn nötig einschließlich des vorsitzenden Richters, und so lange über die Auswahl der Jury zu streiten, bis er genug Schwarze darin hatte. Er war dreist, laut, klug, furchtlos und konnte innerhalb und außerhalb des Gerichtssaals ungeheuer einschüchternd sein. Falls erforderlich, verstand er sich sehr gut darauf, vor einer Jury seinen Charme spielen zu lassen. Bei einem Verfahren mit Sistrunk gab es immer ein paar Opfer, und es war ihm egal, wer zu Schaden kam. Gegen ihn zu prozessieren war derart unerfreulich, dass potenzielle Beklagte es mitunter vorgezogen hatten, sich in aller Eile außergerichtlich zu einigen.

Solche Methoden funktionierten vielleicht in der rassistisch aufgeladenen Atmosphäre eines Bundesgerichts in Memphis, doch niemals in Ford County, und in einem Verfahren mit Richter Reuben V. Atlee schon gleich gar nicht. Jake hatte die von Sistrunk gestellten Anträge bereits etliche Male gelesen, und je öfter er sie las, desto mehr gelangte er zu der Auffassung, dass der bekannte Anwalt Lettie einen nicht wiedergutzumachenden Schaden zufügte. Er zeigte Lucien und Harry Rex Kopien der Schriftsätze, und beide waren der gleichen Meinung wie er. Es war eine bescheuerte Strategie, die mit Sicherheit nach hinten losgehen und scheitern würde.

Zwei Wochen nach der Testamentseröffnung war Jake so weit,

dass er alles hinwerfen wollte, wenn Sistrunk dabeiblieb. Er reichte einen Antrag ein und verlangte, den von Sistrunk und Buckley gestellten Anträgen nicht stattzugeben, mit der Begründung, sie würden vor Gericht nicht standhalten. Er sei der Anwalt der Parteien, die die Testamentseröffnung beantragt hatten, nicht die Anwälte aus Memphis. Er hatte vor, Richter Atlee unter Druck zu setzen, damit er die anderen Anwälte in ihre Schranken verwies. Falls das nicht klappte, wollte er sofort nach Hause gehen.

Russell Amburgh wurde von seinen Pflichten entbunden und hatte nichts mehr mit der Sache zu tun. Sein Nachfolger war Quince Lundy, ein bereits halb pensionierter Anwalt aus Smithfield, der ein alter Freund von Richter Atlee war. Lundy hatte eine geruhsame Karriere als Steuerberater eingeschlagen und sich auf diese Weise die Schrecken von Gerichtsverfahren erspart. Als Ersatz-Testamentsvollstrecker oder Nachlassverwalter, wie es offiziell hieß, wurde von ihm erwartet, dass er seine Pflichten erfüllte, ohne sich sonderlich von der Anfechtung des Testaments beeinflussen zu lassen. Seine Aufgabe bestand darin, sich einen Überblick über Mr. Hubbards Vermögenswerte zu beschaffen, diese zu bewerten und zu schützen und dem Gericht Bericht darüber zu erstatten. Lundy schleppte die Unterlagen von der Berring Lumber Company in Jakes Kanzlei in Clanton und lagerte sie dort im Erdgeschoss in einem Raum neben der kleinen Bibliothek. Dann begann er, zwischen Smithfield und Clanton zu pendeln, und betrat jeden Morgen nach einer Stunde Fahrt pünktlich um zehn Uhr die Kanzlei. Zum Glück verstand er sich gut mit Roxy, sodass es zu keinem Drama kam.

Das Drama braute sich jedoch in einem anderen Teil der Kanzlei zusammen. Lucien schien sich anzugewöhnen, jeden Tag in der Kanzlei vorbeizuschauen, wo er in der Hubbard-Sache herumschnüffelte, die Bibliothek durchwühlte, unaufgefordert in Jakes Büro platzte, Ansichten und Ratschläge von sich gab und Roxy, die ihn nicht ausstehen konnte, auf die Nerven ging. Lucien und Quince hatten gemeinsame Freunde, und es dauerte nicht lange, bis die beiden ganze Kannen Kaffee leerten und sich Geschichten über exzentrische alte Richter erzählten, die seit Jahrzehnten tot waren. Jake blieb oben und machte die Tür hinter sich zu, während unten nur wenig gearbeitet wurde.

Und zum ersten Mal seit Jahren sah man Lucien wieder im Gerichtsgebäude und in dessen Nähe. Die Demütigung durch das Berufsverbot war inzwischen nicht mehr ganz so stark. Er fühlte sich immer noch wie ein Ausgestoßener, aber da er aus den völlig falschen Gründen eine Legende war, wollte jeder Hallo sagen. Wo sind Sie so lange gewesen? Was machen Sie denn so zurzeit? Besonders häufig sah man ihn im Archiv, wo er spätnachmittags in staubigen alten Grundstücksregistern wühlte, wie ein Detektiv, der nach Hinweisen suchte.

Ende Oktober standen Jake und Carla an einem Dienstag um fünf Uhr morgens auf. Sie duschten rasch, zogen sich an und verabschiedeten sich von Jakes Mutter, die als Babysitter fungierte und auf dem Sofa schlief. Dann setzten sie sich in den Saab und brachen auf. In Oxford holten sie sich am Autoschalter eines Fast-Food-Restaurants Kaffee und etwas zu essen. Eine Stunde westlich von Oxford wurden die Hügel immer flacher und gingen schließlich in das Mississippi-Delta über. Die Highways zerschnitten Felder, die weiß vor verspätet reif gewordener Baumwolle waren. Riesige, insektenähnliche Baumwollernter krochen darüber und verschlangen vier Reihen auf einmal, während Anhänger darauf warteten, die Ernte aufzunehmen. Ein verwittertes Straßenschild verkündete »Parchman – 8 Kilometer«, und nach kurzer Zeit kam das Gefängnis in Sicht.

Jake war schon dort gewesen. Im letzten Semester seines Jura-studiums hatte er einen Professor für Strafprozessrecht, dessen alljährliche Exkursion immer in das berüchtigte Hochsicherheits-gefängnis des Bundesstaates ging. Jake und seine Kommili-tonen hatten ein paar Stunden damit verbracht, Verwaltungs-beamten zuzuhören und von Weitem einige Gefangene in den Todeszellen anzuglotzen. Der Höhepunkt war ein Gruppen-interview mit Jerry Ray Mason gewesen, einem zum Tode ver-urteilten Mörder, dessen Fall sie analysiert hatten. Mason, der innerhalb der nächsten drei Monate in der Gaskammer hinge-richtet werden sollte, hatte immer wieder seine Unschuld be-teuert, obwohl es keine Beweise dafür gegeben hatte. Er war so arrogant gewesen zu behaupten, dass es dem Staat nicht gelin-gen werde, ihn hinzurichten, aber eines Besseren belehrt wor-den. Seit Abschluss seines Studiums war Jake noch zweimal hingefahren, um Mandanten zu besuchen. Zurzeit saßen vier seiner Klienten in Parchman ein, drei andere verbüßten ihre Strafen in Bundesgefängnissen.

Sie parkten in der Nähe eines Verwaltungstrakts und betra-ten das Gebäude. Drinnen folgten sie einigen Hinweisschildern und kamen schließlich in einen Korridor mit Leuten, die aus-sahen, als wären sie lieber ganz woanders. Jake schrieb seinen Namen auf eine Liste und erhielt ein Dokument, auf dem »Be-währungsanhörungen –Tagesordnung« stand. Sein Mann war die Nummer drei auf der Liste. Dennis Yawkey 10.00 Uhr. Jake und Carla, die hofften, der Familie Yawkey aus dem Weg gehen zu können, nahmen die Treppe in den ersten Stock und such-ten das Büro von Floyd Green, einem ehemaligen Kommilito-nen von Jakes Universität, der inzwischen in Parchman arbei-tete. Jake hatte sich telefonisch angemeldet und bat nun um einen Gefallen. Floyd versuchte zu helfen. Jake zog einen Brief von Nick Norton aus der Tasche, dem Anwalt aus Clanton, der

Marvis Lang vertrat. Lang residierte zurzeit in Camp Nr. 29, einem Bereich mit noch mehr Sicherheitsmaßnahmen. Floyd nahm den Brief und sagte, er werde versuchen, ein Treffen zu arrangieren.

Die Anhörungen begannen um neun Uhr und fanden in einem großen, kahlen Raum statt, in dem ein paar Klapptische zu einem Quadrat und dahinter Dutzende von Klappstühlen in leicht schiefen Reihen aufgestellt worden waren. An der Stirnseite der Tische saßen der Vorsitzende des Bewährungsausschusses und die vier anderen Mitglieder. Fünf Weiße, alle vom Gouverneur ernannt.

Jake und Carla betraten den Raum zusammen mit einer Flut von Zuschauern und suchten nach Plätzen. Links von sich sah Jake für einen kurzen Moment Jim Yawkey, den Vater des Strafgefangenen, doch sie vermieden jeden Blickkontakt. Er nahm Carla am Arm und ging mit ihr nach rechts, wo sie sich hinsetzten und warteten. Als Erster war ein Mann an der Reihe, der bereits sechsunddreißig Jahre für einen während eines Banküberfalls verübten Mord gesessen hatte. Nachdem man ihn hereingebracht hatte, wurden ihm die Handschellen abgenommen. Dann ließ er den Blick über die Zuschauer gleiten und suchte nach Angehörigen. Weiß, etwa sechzig Jahre alt, lange, gepflegte Haare, ein gut aussehender Typ, und wie immer fragte sich Jake, wie jemand so lange an einem derart brutalen Ort wie Parchman überleben konnte. Sein Bewährungshelfer verlas einen Bericht, der den Mann wie einen Musterhäftling aussehen ließ. Anschließend stellten die Mitglieder des Bewährungsausschusses einige Fragen. Die nächste Sprecherin war die Tochter der ermordeten Bankangestellten, und sie begann damit, dass sie sagte, sie sei jetzt zum dritten Mal vor dem Bewährungsausschuss erschienen. Zum dritten Mal sei sie gezwungen, den Albtraum noch einmal zu erleben. Während sie ihre Gefühle zurückhielt, beschrieb sie mit eindringlichen Worten, wie es gewesen war, als zehnjähriges Mädchen zu erfahren, dass die eigene Mutter mit einer abgesägten Schrotflinte an ihrem Arbeitsplatz erschossen worden war. Von da an wurde es nur noch schlimmer.

Obwohl der Bewährungsausschuss über den Fall beraten wollte, schien eine vorzeitige Entlassung auf Bewährung für den Killer unwahrscheinlich zu sein. Nach einer dreißigminütigen Anhörung wurde er hinausgebracht.

Als Nächstes wurde ein junger Schwarzer hereingeführt. Nachdem man ihm die Handschellen abgenommen hatte, wurde er auf den heißen Stuhl gesetzt und dem Ausschuss vorgestellt. Er hatte sechs Jahre wegen Carjacking gesessen und war ein mustergültiger Häftling gewesen. Er hatte seinen Highschool-Abschluss gemacht, Leistungspunkte fürs College gesammelt und sich nicht das Geringste zuschulden kommen lassen. Sein Bewährungshelfer empfahl eine Freilassung auf Bewährung, das Opfer ebenfalls. Es lag eine schriftliche Erklärung des Opfers vor, in der es den Ausschuss um Nachsicht bat. Die Frau war bei dem Autoraub nicht verletzt worden und hatte im Laufe der Jahre einen Briefwechsel mit dem Häftling begonnen.

Während ihre Erklärung verlesen wurde, fiel Jake auf, dass sich einige Mitglieder des Yawkey-Clans an der Wand links von ihm herumdrückten. Er hatte sie als grobe, unfreundliche Leute aus der Unterschicht kennengelernt, Hinterwäldler mit hoher Gewaltbereitschaft. Zweimal schon hatten sie einander vor Gericht wütende Blicke zugeworfen, und jetzt waren sie wieder da. Er hasste sie ebenso sehr, wie er sie fürchtete.

Dennis Yawkey kam mit einem überheblichen Grinsen auf den Lippen herein und fing sofort an, nach seinen Leuten zu suchen. Jake hatte ihn seit siebenundzwanzig Monaten nicht gesehen, und es wäre ihm am liebsten gewesen, wenn er ihn nie wieder zu Gesicht bekommen würde. Yawkeys Bewährungshelfer ratterte die wichtigsten Fakten herunter: 1985 hatte sich Dennis Yawkey in Ford County der Verabredung zur gemeinsamen Begehung einer Brandstiftung schuldig bekannt. Yawkey und drei andere Männer hatten angeblich geplant, das Haus eines gewissen Jake Brigance aus Clanton niederzubrennen. Der Brandanschlag selbst wurde dann von seinen drei Mitverschwörern verübt, die dafür Haftstrafen in Bundesgefängnissen verbüßten. Einer von ihnen hatte als Zeuge für die Staatsanwaltschaft ausgesagt; daher die Schuldeingeständnisse. Der Bewährungshelfer gab keine Empfehlung hinsichtlich einer bedingten Strafaussetzung für Yawkey ab, was Floyd Green zufolge bedeutete, dass eine Entlassung auf Bewährung unwahrscheinlich war.

Jake und Carla hörten zu und schäumten innerlich vor Wut. Yawkey war nur deshalb so glimpflich davongekommen, weil Rufus Buckley die Anklage verbockt hatte. Wenn Buckley sich herausgehalten und den Fall dem FBI überlassen hätte, wäre Yawkey für mindestens zehn Jahre hinter Gitter gewandert. Aber da Buckley Mist gebaut hatte, bestand jetzt, siebenundzwanzig Monate später, die Möglichkeit, dass ein mieser Schläger, der mit seiner Tat den Ku-Klux-Klan hatte beeindrucken wollen, vorzeitig auf Bewährung entlassen wurde. Er war zu fünf Jahren verurteilt worden. Und nach nicht einmal der Hälfte davon versuchte er, aus dem Gefängnis zu kommen.

Als Jake und Carla Hand in Hand zu dem billigen Rednerpult auf einem der Klapptische gingen, betraten Ozzie Walls und Marshall Prather deutlich hörbar den Raum. Jake nickte ihnen zu, dann richtete er seine Aufmerksamkeit wieder auf den Bewährungsausschuss. Er begann mit folgenden Worten: »Ich weiß, dass wir nur ein paar Minuten haben, daher werde ich mich beeilen. Mein Name ist Jake Brigance, Besitzer des Hauses, das es nicht mehr gibt, und das hier ist Carla, meine Frau. Wir möchten gern ein paar Worte zu seinem Antrag auf vorzeitige Entlassung auf Bewährung sagen.« Er trat zur Seite und überließ Carla seinen Platz am Rednerpult. Sie faltete ein Blatt Papier auseinander und versuchte, die Mitglieder des Bewährungsausschusses anzulächeln.

Nachdem sie Dennis Yawkey einen bösen Blick zugeworfen hatte, räusperte sie sich. »Ich heiße Carla Brigance. Einige von ihnen erinnern sich vielleicht an den Prozess gegen Carl Lee Hailey, der im Juli 1985 in Clanton stattgefunden hat. Mein Mann hat Carl Lee verteidigt, mit ganzer Kraft und voller Leidenschaft, was uns teuer zu stehen gekommen ist. Wir haben anonyme Telefonanrufe bekommen; einige davon waren offene Drohungen. In unserem Vorgarten wurde ein Holzkreuz angezündet. Es gab sogar einen Mordanschlag auf meinen Mann. Ein Mann mit einer Bombe hat versucht, unser Haus in die Luft zu jagen, während wir schliefen. Sein Prozess steht immer noch an, da er vorgibt, unzurechnungsfähig zu sein. Irgendwann bin ich dann mit meiner vierjährigen Tochter aus Clanton geflüchtet und bei meinen Eltern geblieben. Mein Mann trug eine Waffe, er trägt heute noch eine, und einige seiner Freunde haben ihn als Leibwächter beschützt. Und eines Abends, als er in der Kanzlei war, während des Prozesses, haben diese Leute« – sie zeigte auf Dennis Yawkey – »unser Haus mit einer Benzinbombe niedergebrannt. Dennis Yawkey war vielleicht nicht persönlich dabei, aber er war Mitglied der Gang, er war einer der Verbrecher. Er war immer zu feige, sein Gesicht zu zeigen, er hat sich immer hinter anderen versteckt. Ich kann einfach nicht glauben, dass wir jetzt hier stehen, nur siebenundzwanzig Monate später, und dabei zusehen müssen, wie dieser Kriminelle versucht, aus dem Gefängnis zu kommen.«

Sie holte tief Luft und drehte das Blatt Papier um. Schöne Frauen erschienen nur selten vor den Bewährungsausschüssen, deren Mitglieder zu neunzig Prozent aus Männern bestanden.

Carla hatte ihre volle Aufmerksamkeit. Sie drückte den Rücken durch und sprach weiter: »Unser Haus wurde in den 1890ern von einem Eisenbahner und seiner Familie gebaut. Er starb an seinem ersten Heiligabend in dem Haus. Es blieb im Besitz der Familie, bis sie es schließlich vor zwanzig Jahren aufgab. Es galt als historisch bedeutsames Gebäude, aber als wir es kauften, waren überall Löcher im Boden, und das Dach war undicht. Drei Jahre lang haben Jake und ich jeden Cent, den wir uns leihen konnten, in dieses Haus gesteckt. Es gab nichts anderes mehr für uns. Tagsüber haben wir gearbeitet, und abends haben wir bis Mitternacht Wände angestrichen. Unsere Ferien verbrachten wir damit, Tapeten zu kleben und Holzböden zu beizen. Jake ließ sich seine Arbeit als Anwalt von einigen Mandanten mit Klempnerarbeiten, Gartenplanung und Baumaterial bezahlen. Sein Vater baute den Dachboden zu einem Gästezimmer aus, und mein Vater legte die Ziegelsteine für die Terrasse im Garten hinter dem Haus. Ich könnte stundenlang so weitermachen, aber dazu ist jetzt keine Zeit. Vor sieben Jahren haben Jake und ich unsere Tochter nach Hause gebracht und im Kinderzimmer schlafen gelegt.« Ihre Stimme brach, sie schluckte schwer und reckte das Kinn. »Zum Glück war sie nicht dort, als unser Haus zerstört wurde. Ich habe mich oft gefragt, ob es diesen Männern etwas ausgemacht hätte. Ich bezweifle es. Sie waren fest entschlossen, so viel Schaden wie möglich anzurichten.«

Als sie wieder ins Stocken geriet, legte Jake ihr die Hand auf die Schulter. Carla fuhr fort: »Drei Jahre nach dem Brand denken wir immer noch an die Dinge, die wir verloren haben, unter anderem auch unseren Hund. Wir versuchen immer noch, Dinge zu ersetzen, die man nicht ersetzen kann, wir versuchen immer noch, unserer Tochter zu erklären, was geschehen ist und warum. Sie ist zu jung, um es zu verstehen. Ich denke oft, dass wir es immer noch nicht fassen können. Und es fällt mir wie allen Opfern wahrscheinlich schwer zu glauben, dass wir heute hier sind und diesen Albtraum noch einmal erleben müssen, dass wir dem Verbrecher gegenüberstehen, der versucht hat, unser Leben zu zerstören, und Sie darum bitten, das Urteil zu vollstrecken. Fünf Jahre Gefängnis für Dennis Yawkey waren viel zu wenig, viel zu milde. Bitte sorgen Sie dafür, dass er seine gesamte Strafe absitzt.«

Sie machte einen Schritt nach rechts, während Jake wieder ans Rednerpult trat. Als er einen Blick auf die Yawkeys warf, fiel ihm auf, dass Ozzie und Prather jetzt in deren Nähe standen, als wollten sie ihnen signalisieren: Wenn ihr Ärger sucht, den könnt ihr haben. Jake räusperte sich. »Carla und ich möchten uns beim Bewährungsausschuss dafür bedanken, dass wir hier sprechen dürfen. Ich werde mich kurz fassen. Dennis Yawkey und seine jämmerliche kleine Schlägerbande haben es geschafft, unser Haus niederzubrennen und unser Leben völlig durcheinanderzubringen, aber sie haben es nicht geschafft, uns körperlich zu schaden, obwohl das ihr Plan war. Und es ist ihnen auch nicht gelungen, ihr Hauptziel zu erreichen, das darin bestand, die Suche nach Gerechtigkeit zu sabotieren. Weil ich Carl Lee Hailey vor Gericht vertrat, einen Schwarzen, der die beiden Weißen erschoss, die seine Tochter vergewaltigten und versuchten, sie zu töten, haben Dennis Yawkey und seinesgleichen sowie diverse bekannte und nicht bekannte Mitglieder des Ku-Klux-Klan wiederholt versucht, mich einzuschüchtern und mir, meiner Familie, meinen Freunden, selbst meinen Angestellten Leid anzutun. Sie haben auf ganzer Linie versagt. Erstaunlicherweise wurde der Gerechtigkeit Genüge getan, als eine aus lauter Weißen bestehende Jury zugunsten meines Mandanten entschied. Die Geschworenen entschieden sich damit auch gegen miese kleine Gauner wie Dennis Yawkey und seine gewalttätigen, rassistischen Vorstellungen. Die Geschworenen haben gesprochen, laut und deutlich und für immer. Es wäre eine Schande, wenn der Bewährungsausschuss Yawkey mit einem blauen Auge davonkommen lässt und ihn jetzt nach Hause schickt. Er muss so lange wie nur irgend möglich hier in Parchman bleiben. Ich danke Ihnen.«

Yawkey starrte ihn mit einem Grinsen im Gesicht an. Er fühlte sich nach dem Brandbombenanschlag immer noch als Sieger und wollte mehr. Sein anmaßendes Verhalten fiel mehreren Mitgliedern des Ausschusses auf. Jake erwiderte den Blick, dann gingen er und Carla zu ihren Plätzen zurück.

»Sheriff Walls?«, sagte der Vorsitzende. Als Ozzie zum Rednerpult marschierte, funkelte das Dienstabzeichen an seiner Jackentasche im Licht.

»Danke, Herr Vorsitzender. Ich bin Ozzie Walls, Sheriff von Ford County, und ich möchte nicht, dass dieser Junge wieder nach Hause kommt und Ärger macht. Eigentlich sollte er jetzt in einem Bundesgefängnis sein und eine erheblich längere Strafe absitzen, aber wir haben keine Zeit, um die Gründe dafür zu erläutern. Zu dem, was vor drei Jahren passiert ist, habe ich noch Ermittlungen laufen, und das FBI drüben in Oxford ebenfalls. Wir sind noch nicht fertig. Und es wäre ein Fehler, ihn aus dem Gefängnis zu lassen. Meiner Meinung nach würde er genau da weitermachen, wo er aufgehört hat. Vielen Dank.«

Ozzie ging wieder zu Prather und drückte sich dabei so nah wie möglich an den Mitgliedern der Familie Yawkey vorbei. Er und sein Deputy stellten sich hinter die Männer an die Wand. Als der nächste Fall aufgerufen wurde, verließen sie mit einigen anderen Zuschauern zusammen den Raum. Jake und Carla gesellten sich zu ihnen und bedankten sich dafür, dass die beiden die lange Fahrt auf sich genommen hatten. Sie hatten nicht damit gerechnet, dass der Sheriff kommen würde. Nachdem sie sich ein paar Minuten unterhalten hatten, verabschiedeten sich Ozzie und Deputy Prather, um einen Gefangenen zu suchen, der nach Clanton gebracht werden sollte.

Als Floyd Green zu Jake und Carla kam, schien er ziemlich aufgeregt zu sein. »Ich glaube, es geht«, sagte er. »Kommt mit. Aber jetzt schuldest du mir was, Jake.« Sie verließen das Gebäude und betraten ein anderes. Neben dem Büro des stellvertretenden Gefängnisdirektors standen zwei bewaffnete Wärter vor einer Tür. Ein Mann, der ein kurzärmeliges Hemd und eine Sicherheitskrawatte zum Anklippen trug, brummte mürrisch: »Sie haben zehn Minuten.«

Freut mich auch, Sie kennenzulernen, dachte Jake. Einer der Wärter machte die Tür auf. »Warte hier«, sagte Jake zu Carla.

»Ich bleibe bei ihr«, versprach Floyd Green.

Der Raum war winzig und fensterlos, eher eine Abstellkammer als ein Büro. Marvis Lang, achtundzwanzig, Ziegenbart, buschiger Afro, war mit Handschellen an einen Metallstuhl gekettet und trug die übliche weiße Gefängniskleidung mit einem ausgebleichten blauen Längsstreifen an jedem Hosenbein. Er wirkte ziemlich gelassen und hing mit übergeschlagenen Beinen lässig auf seinem Stuhl.

»Marvis, ich bin Jake Brigance, Anwalt aus Clanton«, stellte sich Jake vor, als er den zweiten Stuhl zu sich zog und sich setzte.

Marvis lächelte höflich und hielt ihm unbeholfen seine rechte Hand hin, die wie die Linke an die Armlehne des Stuhls gekettet war. Trotz der Handschellen gelang ihnen ein fester Händedruck. »Erinnern Sie sich noch an Ihren Anwalt, Nick Norton?«, fragte Jake.

»Vage. Ist schon eine Weile her. Ich hatte nicht viel Grund, mit ihm zu reden.«

»Ich habe hier einen Brief in der Tasche, der von Nick unterschrieben wurde und mir die Erlaubnis gibt, mit Ihnen zu reden. Wenn Sie möchten, zeige ich Ihnen den Brief.«

»Ich werde reden. Worüber wollen Sie sprechen?«

»Über Ihre Mutter, Lettie. Haben Sie sie in letzter Zeit gesehen?«

»Sie war letzten Sonntag hier.«

»Hat sie Ihnen gesagt, dass ihr Name im Testament eines Weißen namens Seth Hubbard steht?«

Marvis sah für eine Sekunde weg, dann nickte er kaum merklich. »Hat sie. Warum wollen Sie das wissen?«

»Weil Seth Hubbard mich in diesem Testament als den Anwalt benannt hat, der sich um seinen Nachlass kümmern soll. Neunzig Prozent davon hat er Ihrer Mutter hinterlassen, und meine Aufgabe ist es, dafür zu sorgen, dass sie ihr Erbe bekommt. Klar so weit?«

»Dann sind Sie also einer von den Guten?«

»Allerdings. Genau genommen bin ich zurzeit das Beste, was Ihrer Mutter bei diesem Streit passieren kann, aber sie ist leider anderer Meinung. Sie hat ein paar Anwälte aus Memphis angeheuert, die gerade dabei sind, sie bis aufs Hemd auszuziehen und den Karren in den Sand zu setzen.«

Marvis setzte sich aufrecht hin und versuchte, beide Hände zu heben. »Okay, jetzt haben Sie's geschafft. Ich versteh gar nichts mehr. Das Ganze noch mal, aber langsamer«, bat er.

Jake redete immer noch, als jemand an die Tür klopfte. Ein Wärter steckte den Kopf herein und sagte: »Es wird Zeit.«

»Ich bin fast fertig«, erwiderte Jake, während er die Tür langsam zudrückte. Er beugte sich noch näher zu Marvis und sagte: »Rufen Sie Nick Norton an, per R-Gespräch. Er wird das Gespräch annehmen und bestätigen, was ich Ihnen gerade erzählt habe. Zurzeit wird Ihnen jeder Anwalt in Ford County dasselbe sagen: Lettie macht einen großen Fehler.«

»Und ich soll das wieder in Ordnung bringen?«

»Sie können helfen. Reden Sie mit ihr. Wir, Ihre Mutter und ich, haben sowieso schon einen harten Kampf vor uns. Sie macht alles nur noch schlimmer.«

»Lassen Sie mich darüber nachdenken.«

»Tun Sie das, Marvis. Sie können mich jederzeit anrufen, per R-Gespräch.«

Der Wärter war wieder da.

17

Im Tea Shoppe hatten sich die Büroangestellten der Stadt zum Frühstück und auf einen Kaffee eingefunden (nie Tee, nicht zu einer so frühen Stunde). An einem der runden Tische saßen ein Anwalt, ein Banker, ein Ladenbesitzer und ein Versicherungsvertreter, an einem anderen eine Gruppe älterer Herren, die alle schon pensioniert waren. Pensioniert, aber beileibe nicht schwerfällig, langsam oder ruhig. Er wurde »der Seniorentisch« genannt. Das Gespräch kam in Schwung, als es um die schwache Leistung des Footballteams der Ole Miss – das verlorene Spiel am Samstag gegen Tulane beim Homecoming war unverzeihlich – und die noch schwächere Leistung der Mannschaft der Mississippi State ging. Es gewann noch mehr an Fahrt, als die Senioren aufhörten, Dukakis fertigzumachen, der gerade von Bush fertiggemacht worden war, und der Banker mit lauter Stimme sagte: »Ich habe gehört, dass diese Frau das ehemalige Haus der Sappingtons gemietet hat und in die Stadt zieht, mitsamt ihrer Bagage natürlich. Man erzählt sich, dass ihre Verwandten scharenweise bei ihr einziehen und dass sie etwas Größeres braucht.«

»Das Haus der Sappingtons?«

»Du weißt schon, nördlich der Stadt, in einer Seitenstraße der Martin Road, direkt hinter dem Platz, auf dem das Vieh versteigert wird. Die alte Farm, die von der Straße aus kaum zu sehen ist. Die Familie versucht, sie zu verkaufen, seit dem

Tod von Yank Sappington. Wann war das noch mal? Vor zehn Jahren?«

»Mindestens. Anscheinend haben sie das Haus schon ein paarmal vermietet.«

»Aber bis jetzt noch nie an Schwarze, stimmt's?«

»Soviel ich weiß, nicht.«

»Ich dachte, es wäre ganz gut in Schuss.«

»Ist es auch. Sie haben es letztes Jahr gestrichen.«

Nachdem die Männer kurz darüber nachgedacht hatten, machte sich Bestürzung breit. Das Haus der Sappingtons lag zwar am Stadtrand, aber in einer Gegend, in der nur Weiße wohnten.

»Warum vermieten sie an Schwarze?«, fragte einer der Senioren.

»Geld. Von den Sappingtons lebt keiner mehr hier, es dürfte ihnen also egal sein. Wenn sie es nicht verkaufen können, vermieten sie es eben. Geld ist Geld, egal, wer es einem schickt.« Kaum hatte der Banker geendet, wartete er darauf, dass die anderen das bestritten. Seine Bank war bekannt dafür, dass sie keine Schwarzen als Kunden hatte.

Als ein Immobilienmakler hereinkam und sich zu den anderen an den Tisch setzte, wurde er sofort gefragt: »Wir haben gerade über diese Frau gesprochen, die das Haus der Sappingtons gemietet hat. Ist da was Wahres dran?«

»Und ob«, erwiderte der Makler selbstgefällig. Er war stolz darauf, stets als Erster von Gerüchten zu erfahren. Zumindest tat er so, als wüsste er immer alles. »Nach dem, was ich gehört habe, sind sie gestern eingezogen. Siebenhundert Dollar im Monat.«

»Wie viele Leute?«

»Keine Ahnung. Ich war nicht dort, und ich habe auch nicht vor hinzugehen. Ich hoffe nur, dass es die Immobilienpreise in der Gegend nicht beeinflusst.«

»Was für eine Gegend?«, fragte einer der Senioren. »Die Straße runter steht die Scheune, in der das Vieh versteigert wird, da riecht es nach Kuhmist, seit meiner Kindheit schon. Und gegenüber ist Luther Selbys Schrottplatz. Was für eine Gegend meinst du?«

»Du weißt schon, was ich meine. Der Immobilienmarkt«, gab der Makler zurück. »Wenn es zur Gewohnheit wird, dass diese Leute in die falschen Gegenden ziehen, werden die Häuserpreise in der ganzen Stadt sinken. Wir könnten alle darunter leiden.«

»Da hat er recht«, warf der Banker ein.

»Sie hat keine Arbeit, stimmt's?«, fragte der Ladenbesitzer. »Und ihr Mann ist ein fauler Hund. Wie kann sie sich siebenhundert Dollar Miete im Monat leisten?«

»Sie kann doch nicht so schnell an Hubbards Geld, oder doch?«, erkundigte sich der Ladenbesitzer.

»Auf keinen Fall«, erklärte der Anwalt. »Das Geld steckt im Nachlass fest, bis die diversen Prozesse vorbei sind. Das wird Jahre dauern. Sie bekommt erst mal keinen Cent.«

»Aber woher hat sie das Geld dann?«

»Keine Ahnung«, gab der Anwalt zurück. »Vielleicht verlangt sie Miete von den anderen.«

»Das Haus hat fünf Schlafzimmer.«

»Und ich wette, die sind alle voll.«

»Und ich wette, von denen zahlt keiner Miete.«

»Man erzählt sich, dass er vor zwei Wochen wegen Trunkenheit am Steuer festgenommen wurde.«

»Stimmt«, meinte der Anwalt. »Ich habe seinen Namen auf der Prozessliste gesehen. Simeon Lang. Sie haben ihn an einem Sonntagmorgen erwischt. Er ist vor Gericht erschienen, mit Jake als Anwalt, aber das Ganze wurde erst mal für eine Weile aufgeschoben. Da hatte wohl Ozzie seine Finger im Spiel.«

»Wer bezahlt eigentlich Jake?«

»Oh, das werden wir wohl nie ganz genau wissen, aber du kannst deinen Arsch drauf verwetten, dass das Geld für Jake aus dem Nachlass kommen wird, so oder so«, erwiderte der Anwalt mit einem Lächeln.

»Wenn noch was von dem Nachlass übrig ist.«

»Was zweifelhaft ist.«

»Sehr zweifelhaft.«

»Um zu meiner Frage zurückzukommen«, warf der Ladenbesitzer ein. »Wie kann sie sich die Miete leisten?«

»Jetzt stell dich doch nicht so an, Howard. Sie kriegen Schecks. Die wissen, wie man das System ausnutzt. Lebensmittelmarken, Sozialhilfe, Kindergeld, Wohngeld, Arbeitslosengeld – wenn die auf ihrem Hintern sitzen bleiben, verdienen sie doch mehr als die meisten Leute mit einer Vierzigstundenwoche. Wenn fünf oder sechs von denen in einem Haus sind und alle Schecks kriegen, brauchen sie sich über die Miete keine Gedanken zu machen.«

»Stimmt, aber das Haus der Sappingtons ist nicht gerade eine Sozialwohnung.«

Der Anwalt hatte mehr dazu zu sagen. »Wahrscheinlich streckt ihr der Anwalt aus Memphis sämtliche Auslagen vor. Ach was, vermutlich hat er ihr Geld gegeben, damit er das Mandat bekommt. Denkt doch mal drüber nach. Wenn er fünfzig- oder hunderttausend lockermacht, in bar und im Voraus, um das Mandat zu bekommen, und dann die Hälfte des Nachlasses kassiert, ist das ein gutes Geschäft für ihn. Außerdem berechnet er bestimmt Zinsen.«

»Verstößt das nicht gegen die Berufsethik?«

»Willst du damit etwa sagen, ein Anwalt würde betrügen?«

»Oder mit harten Bandagen kämpfen, um ein Mandat zu bekommen?«

»Ethik definiert sich dadurch, ob man erwischt wird. Wenn man nicht erwischt wird, hat man auch nicht gegen die Ethik verstoßen. Und ich bezweifle, dass Sistrunk viel Zeit damit verbringt, die neuesten Ethikregeln der Anwaltskammer zu lesen«, erwiderte der Anwalt seelenruhig.

»Er hat schon genug damit zu tun, das zu lesen, was die Zeitungen über ihn schreiben. Wann kommt er wieder her?«

»Richter Atlee hat für nächste Woche eine Anhörung angesetzt«, erwiderte der Anwalt.

»Was steht auf der Tagesordnung?«

»Jede Menge Anträge und so weiter. Vermutlich wird es wieder der reinste Zirkus werden.«

»Er wäre ein Idiot, wenn er wieder in diesem schwarzen Rolls-Royce vorfährt.«

»Ich wette, er kommt mit dem Rolls-Royce.«

Jetzt mischte sich der Versicherungsvertreter ein: »Ich habe einen Cousin in Memphis, der bei Gericht arbeitet. Er sagt, dass Sistrunk allen möglichen Leuten in der Stadt Geld schuldet. Er verdient viel, gibt aber noch mehr aus und ist ständig vor Banken und Gläubigern auf der Flucht. Vor zwei Jahren hat er ein Flugzeug gekauft, und danach ist er fast pleitegegangen. Die Bank hat sich das Flugzeug zurückgeholt und ihn dann verklagt. Er behauptet, es sei eine rassistische Verschwörung. Er hat eine Riesengeburtstagsparty für seine Frau veranstaltet, Nummer drei übrigens, ein großes Zelt gemietet, einen Zirkus rangekarrt, Fahrgeschäfte für die Kinder, dann ein schickes Essen mit eingeflogenem Hummer, Krabben und teuren Weinen. Als die Party vorbei war, sind sämtliche Schecks von ihm geplatzt. Er stand kurz davor, Konkurs anzumelden, als er bei irgendeinem Öltankerunfall einen Vergleich über zehn Millionen ausgehandelt und alle ausgezahlt hat. Bei ihm geht es ständig rauf und runter.«

Das erregte ihre Aufmerksamkeit und gab ihnen zu denken. Die Kellnerin füllte ihre Tassen mit brühend heißem Kaffee auf.

Der Immobilienmakler sah den Anwalt an und sagte: »Du hast doch nicht wirklich für Michael Dukakis gestimmt, oder?« Die Frage war reine Provokation.

»Ich habe für ihn gestimmt, und ich werde es wieder tun«, erwiderte der Anwalt, wofür er schallendes Gelächter erntete. Der Anwalt war einer von zwei anwesenden Demokraten. Bush hatte in Ford County eine Mehrheit von fünfundsechzig Prozent.

Der andere Demokrat, einer der Senioren, wechselte das Thema. »Wann wird denn jetzt ein Verzeichnis der Vermögensgegenstände in Hubbards Nachlass eingereicht? Wir müssen doch wissen, woraus der Nachlass besteht, oder? Schließlich sitzen wir hier und tratschen über seinen Nachlass und sein Testament und so. Haben wir als Bürger und Steuerzahler nicht das Recht, genau zu wissen, was in dem Nachlass ist? Wegen der Informationsfreiheit und so.«

»Das geht dich gar nichts an«, meinte der Ladenbesitzer.

»Kann sein, aber ich würde es wirklich gern wissen. Du nicht?«

»Es ist mir völlig egal«, erwiderte der Ladenbesitzer. Das führte dazu, dass die anderen sich lautstark über ihn lustig machten.

Als die Zwischenrufe verstummten, sagte der Anwalt: »Der Verwalter muss ein Nachlassverzeichnis einreichen, wenn der Richter das anordnet. Dafür gibt es keine gesetzlich festgelegte Frist. Bei einem Erbe dieser Größenordnung dürfte der Nachlassverwalter aber eine Menge Zeit bekommen, um alle Vermögensgegenstände zu finden und ihren Wert ermitteln zu lassen.«

»Von welcher Größenordnung redest du?«

»Die gleiche Größenordnung, über die alle reden. Genau werden wir es erst wissen, wenn der Verwalter das Nachlassverzeichnis einreicht.«

»Ich dachte, das heißt Testamentsvollstrecker?«

»Nicht wenn der Testamentsvollstrecker hingeworfen hat, was hier der Fall ist. Dann ernennt das Gericht einen Nachlassverwalter, der sich um alles kümmert. Der Neue ist ein Anwalt aus Smithfield, Quince Lundy, ein alter Freund von Richter Atlee. Ich glaube, er ist schon halb im Ruhestand.«

»Wird er aus dem Nachlass bezahlt?«

»Wo sollte das Geld sonst herkommen?«

»Okay. Und wer wird sonst noch aus dem Nachlass bezahlt?«

Der Anwalt überlegte einen Moment. »Der Nachlassanwalt, das wäre dann bis auf Weiteres Jake, allerdings weiß ich nicht, ob das von Dauer ist. Gerüchten zufolge hat er von den Anwälten aus Memphis bereits die Nase voll und überlegt, ob er hinwerfen soll. Der Verwalter bekommt Geld aus dem Nachlass. Wirtschaftsprüfer, Gutachter, Steuerberater, solche Leute eben.«

»Wer bezahlt Sistrunk?«

»Ich nehme an, er hat einen Vertrag mit dieser Frau. Wenn sie den Prozess gewinnt, bekommt er einen bestimmten Prozentsatz des Nachlasses.«

»Warum zum Teufel schleicht Rufus Buckley um den Fall rum?«

»Er ist der Korrespondenzanwalt von Sistrunk.«

»Ach du Scheiße. Wollen die eigentlich jeden in Ford County beleidigen?«

»Sieht ganz danach aus.«

»Wir reden hier von einem Geschworenenprozess, richtig?«

»O ja«, antwortete der Anwalt. »Offenbar wollen alle einen Geschworenenprozess, einschließlich Richter Atlee.«

»Warum der Richter?«

»Ganz einfach. Auf die Art zieht er sich elegant aus der Affäre. Er muss keine Entscheidung treffen. Bei diesem Fall wird es große Gewinner und große Verlierer geben, und bei einem Geschworenenurteil kann man dem Richter nichts vorwerfen.«

»Ich wette zehn zu eins, dass die Geschworenen nicht zugunsten dieser Frau entscheiden werden.«

»Lasst uns noch warten, okay?«, meinte der Anwalt. »Geben wir Richter Atlee ein paar Monate, damit er Zeit hat, die Aufgaben zu verteilen, alles zu organisieren und einen Termin für den Prozess zu bestimmen. Kurz vor Prozessbeginn wetten wir und legen die Quoten fest. Ich nehme euer Geld gern. Bei den letzten vier Superbowls habe ich immer richtiggelegen.«

»Wie wollen sie zwölf Leute finden, die nichts über den Fall wissen? Jeder, den ich kenne, hat eine Meinung dazu, und ihr könnt verdammt sicher sein, dass jeder Schwarze im Umkreis von hundert Kilometern ein Stück vom Kuchen abhaben will. Ich habe gehört, dass Sistrunk das Verfahren nach Memphis verlegen will.«

»Es kann nicht in einen anderen Bundesstaat verlegt werden, du Schwachkopf. Aber er hat eine Verlegung des Verhandlungsortes beantragt.«

»Hat Jake denn nicht auch versucht, den Hailey-Fall woanders verhandeln zu lassen? In einem freundlicher gesinnten County, mit mehr schwarzen Wählern?«

»Stimmt, aber Richter Noose hat das abgelehnt. Allerdings war Hailey auch ein erheblich größerer Fall als dieser hier.«

»Kann schon sein. Aber damals ging es nicht um zwanzig Millionen Dollar.«

»Glaubst du, Jake kann den Prozess für die Frau gewinnen?«, fragte der demokratische Senior den Anwalt.

Für einen Moment hörten alle zu reden auf und starrten den Anwalt an. In den letzten drei Wochen hatte man ihm diese Frage mindestens vier Mal gestellt, wenn er an diesem Tisch saß.

»Kommt drauf an«, erwiderte er mit ernster Stimme. »Wenn

Sistrunk mit im Gerichtssaal ist, werden sie auf keinen Fall gewinnen. Wenn es nur Jake ist, würde ich sagen, dass die Chancen fünfzig zu fünfzig stehen.« Und das von einem Anwalt, der noch nie im Gerichtssaal gestanden hatte.

»Ich habe gehört, dass er seit Neuestem eine Geheimwaffe hat.«

»Welcher Art?«

»Man erzählt sich, dass Lucien Wilbanks wieder als Anwalt tätig ist. Und damit meine ich nicht, dass er sich einen angesoffen hat. Angeblich hängt er jetzt ständig in Jakes Kanzlei rum.«

»Er ist wieder da«, bestätigte der Anwalt. »Ich habe gesehen, wie er sich im Gericht durch alte Grundstücksregister und Testamente gewühlt hat. Er hat sich kein bisschen verändert.«

»Das ist nicht unbedingt erfreulich.«

»War er nüchtern?«

»Einigermaßen.«

»Jake lässt ihn doch wohl nicht in die Nähe der Geschworenen?«

»Ich bezweifle, dass Richter Atlee ihn überhaupt in den Gerichtssaal lässt.«

»Er kann doch gar nicht als Anwalt praktizieren, oder doch?«

»Nein, ihm wurde die Anwaltslizenz für immer entzogen, was in seinem Fall bedeutet, dass er acht Jahre warten muss, bevor er eine erneute Zulassung beantragen kann.«

»Er ist seine Lizenz für immer los, aber nur für acht Jahre?«

»Genau.«

»Das ergibt doch keinen Sinn.«

»So ist das Gesetz.«

»Komm mir nicht damit.«

»Wer hat noch mal gesagt, ›Als Erstes lasst uns alle Anwälte töten‹?«

»Ich glaube, das war Shakespeare.«

»Ich dachte, es ist von Faulkner.«

»Wenn wir jetzt anfangen, Shakespeare zu zitieren, gehe ich besser«, meinte der Anwalt.

Der Anruf war von Floyd Green aus Parchman. Der Bewährungsausschuss hatte mit vier zu zwei Stimmen beschlossen, Dennis Yawkey vorzeitig auf Bewährung zu entlassen. Eine Erklärung dafür gab es nicht. Floyd machte noch ein paar vage Andeutungen über die mitunter rätselhaften Entscheidungen des Ausschusses. Jake wusste, dass eine Haftentlassung gegen Geld schon lange traurige Tradition in Mississippi war, aber er wollte einfach nicht glauben, dass Yawkeys Familie gerissen genug war, eine Bestechung dieser Größenordnung durchzuziehen.

Zehn Minuten später rief ein fassungsloser, enttäuschter Ozzie an und erzählte das Gleiche. Er sagte, dass er am nächsten Tag persönlich nach Parchman fahren wolle, um Dennis zu holen, und dass er etwa zwei Stunden mit dem Jungen in seinem Wagen allein sein werde. Er werde jede nur mögliche Drohung ausstoßen und dem Jungen verbieten, sich über die Stadtgrenze von Clanton zu wagen.

Jake bedankte sich und rief sofort Carla an.

18

Rufus Buckley parkte seinen altersschwachen Cadillac auf der anderen Seite des Clanton Square, so weit von Jakes Kanzlei entfernt wie nur möglich. Für einen Moment blieb er im Wagen sitzen und dachte daran, wie sehr er Clanton, das Gerichtsgebäude der Stadt, ihre Wähler und ganz besonders seine Zeit hier hasste.

Früher, vor gar nicht langer Zeit, hatten die Wähler ihn angebetet, und er hatte sie als seine Basis angesehen, als Unterbau für den Wahlkampf um das Amt des Gouverneurs und dann vielleicht noch mehr. Er war der Bezirksstaatsanwalt gewesen, ein junger, angriffslustiger Ankläger mit einem Revolver an jeder Hüfte, einem Strick in der Hand und ohne jede Angst vor den bösen Jungs. Findet und verhaftet sie, dann könnt ihr zusehen, wie Rufus sie am nächsten Baum aufknüpft. Bei seinen Wahlkämpfen hatte er stets seine Verurteilungsrate von neunzig Prozent in den Vordergrund gestellt, und die Leute hatten ihn geliebt. Dreimal hatten sie mit überwältigender Mehrheit für ihn gestimmt, doch das letzte Mal, voriges Jahr, als der bittere Urteilsspruch im Hailey-Prozess jedem noch in frischer Erinnerung war, hatten ihn die Bürger von Ford County aus dem Amt gewählt. Auch in den Countys Tyler, Milburn und Van Buren, praktisch im gesamten zweiundzwanzigsten Bezirk, hatte er massive Wählerverluste hinnehmen müssen, bis auf Polk County, seinem Heimatbezirk, wo sich die Leute zur Urne geschleppt und ihm eine beschämende Mehrheit von sechzig Stimmen beschert hatten.

Seine Karriere im Staatsdienst war vorbei, aber mit seinen vierundvierzig Jahren schaffte er es manchmal beinahe, sich einzureden, dass er eine Zukunft habe und immer noch gebraucht werde. Von wem und wofür, war ihm nicht so ganz klar. Seine Frau drohte, ihn zu verlassen, falls er jemals wieder für irgendetwas kandidierte. Nachdem er zehn Monate in einer kleinen, ruhigen Kanzlei herumgesessen und den spärlichen Verkehr auf der Main Street beobachtet hatte, war Rufus gelangweilt, gedemütigt, gebrochen und auf dem besten Weg, verrückt zu werden. Der Anruf von Booker Sistrunk war ein Wunder gewesen, und Rufus hatte sich sofort auf die Chance gestürzt, bei einem Rechtsstreit mitwirken zu können. Die Tatsache, dass Jake sein Widersacher sein würde, machte den Fall nur noch interessanter.

Er öffnete die Tür, stieg aus und hoffte, dass ihn niemand erkannte. Wie tief die Mächtigen doch gefallen waren.

Das Gericht von Ford County öffnete um acht Uhr. Fünf Minuten später marschierte Rufus durch den Vordereingang, was er in seinem früheren Leben häufig getan hatte. Damals hatte man ihn respektiert, sogar gefürchtet. Jetzt ignorierte man ihn, mit Ausnahme eines Pförtners, der ihm einen fragenden Blick zuwarf und um ein Haar »Kenne ich Sie nicht von irgendwoher?« nachgerufen hätte. Rufus eilte nach oben und war froh, dass der große Gerichtssaal unverschlossen und unbewacht war. Die Anhörung war für neun Uhr angesetzt, und er war der Erste, der gekommen war. Das war Absicht, denn er und Mr. Sistrunk hatten einen Plan.

Rufus war erst zum dritten Mal seit dem Hailey-Prozess wieder hier, und bei dem Gedanken daran, dass er damals verloren hatte, bekam er Magenkrämpfe. Er blieb kurz hinter der großen

Doppeltür stehen und ließ die bedrohliche Weite des leeren Gerichtssaals auf sich wirken. Die Knie wurden ihm weich, und eine Sekunde lang fühlte er sich einer Ohnmacht nahe. Als er die Augen schloss, hörte er wieder die Stimme von Jean Gillespie, der Justizangestellten, die das Urteil verlas: »Wir, die Jury, befinden Mr. Hailey in allen Anklagepunkten für nicht schuldig. Als Begründung führen wir Unzurechnungsfähigkeit zum Tatzeitpunkt an.« Was für eine Blamage! Es ging einfach nicht, dass man zwei Menschen kaltblütig erschoss und dann sagte, man habe es getan, weil sie es verdient hätten. Nein, man musste eine juristische Begründung dafür finden, und Unzurechnungsfähigkeit war alles, was Jake Brigance dazu eingefallen war.

Offenbar hatte es genügt. Als Carl Lee Hailey die Männer getötet hatte, war er so zurechnungsfähig wie du und ich gewesen.

Während Rufus weiterging, musste er daran denken, wie damals das Chaos im Gerichtssaal ausgebrochen war, als Familie und Freunde Haileys vor Begeisterung durchgedreht waren. Es war Unzurechnungsfähigkeit gewesen! Sekunden später, nachdem ein Kind den Leuten »Nicht schuldig! Nicht schuldig!« zugerufen hatte, war die Menschenmenge, die sich um das Gerichtsgebäude herum versammelt hatte, in Beifallsstürme ausgebrochen.

Als Rufus die Schranke erreichte, war es ihm gelungen, sich wieder zu sammeln. Er hatte viel zu tun und wenig Zeit, um sich darauf vorzubereiten. Wie in jedem anderen Gerichtssaal standen zwischen der Schranke – einer Art Geländer – und der Richterbank zwei große Tische. Am Tisch auf der rechten Seite saß bei einem Strafprozess – sein ehemaliger Zuständigkeitsbereich – der Staatsanwalt, bei einem Zivilprozess der Kläger. Dieser Tisch befand sich dichter an der Geschworenenbank, sodass er, Rufus, sich bei einem Prozess immer näher bei seinen Leuten fühlte. Der andere Tisch, drei Meter links davon, war der Platz der Verteidigung, sowohl bei Straf- als auch bei Zivilprozessen. Für die meisten Anwälte, die im Gerichtssaal Karriere machten, hatte die Sitzordnung einen hohen Stellenwert. Sie drückte Macht aus. Oder Machtlosigkeit. Sie sorgte dafür, dass manche Anwälte oder Verhandlungsparteien von den Geschworenen, deren Blick immer in diese Richtung ging, besser oder nicht so gut gesehen werden konnten. Gelegentlich schuf sie die optimalen Voraussetzungen für einen Kampf David gegen Goliath, wenn ein einzelner Anwalt und sein verkrüppelter Mandant einer Phalanx aus Firmenanwälten im Anzug gegenübersaßen oder ein sichtlich mitgenommener Angeklagter mit der geballten Macht des Staates konfrontiert wurde. Die Sitzordnung war wichtig, wenn hübsche Anwältinnen kurze Röcke trugen und auf der Geschworenenbank fast nur Männer saßen, und sie war genauso wichtig, wenn Möchtegern-Cowboys mit spitzen Stiefeln ihre Show abzogen.

Als Staatsanwalt hatte sich Rufus nie Gedanken um die Sitzordnung gemacht, weil sie kein Problem gewesen war. Aber ein Testament wurde nur selten angefochten, und er und Mr. Sistrunk hatten eine Entscheidung getroffen. Sie wollten den Tisch in Beschlag nehmen, an dem sonst immer der Staatsanwalt oder der Kläger saß, den Tisch, der der Geschworenenbank am nächsten stand, und sich auf diese Weise als die wahre Stimme der Parteien, die die Testamentseröffnung beantragt hatten, präsentieren. Jake Brigance würde vermutlich Zeter und Mordio schreien, aber das war ihnen egal. Es war an der Zeit, die Rollen zu verteilen, und da ihre Mandantin die Begünstigte von Seth Hubbards sehr wohl gültigem letztem Testament war, wollten sie ihre Ansprüche geltend machen.

Insgeheim war sich Rufus allerdings nicht so sicher, ob diese Strategie aufgehen würde. Er hatte viele Geschichten über den

Ehrenwerten Reuben V. Atlee gehört, der wie die meisten alten, erfahrenen und häufig etwas schrulligen Richter in Mississippi mit eiserner Faust regierte und Außenstehende oftmals mit Skepsis betrachtete. Aber Sistrunk suchte Streit und wollte bestimmen, wo es langging. Egal, was passierte, es würde auf jeden Fall spannend werden, und er, Rufus, würde an vorderster Front dabei sein.

Schnell stellte er die Stühle am Tisch zu seiner Rechten um, sodass nur noch drei übrig waren, und schob den Rest zur Seite. Er packte den Inhalt eines prall gefüllten Aktenkoffers aus und verteilte Dokumente und Notizblöcke auf der Tischplatte, als säße er schon seit Stunden im Gerichtssaal und hätte noch einen ganzen Tag Arbeit vor sich. Dann wechselte er einige Worte mit Mr. Pate, einem der Gerichtsdiener, als dieser Glaskrüge mit Wasser und Eiswürfeln füllte. Früher hätten er und Mr. Pate sich eine Weile über das Wetter unterhalten, aber Rufus interessierte sich nicht mehr für Niederschläge.

Dumas Lee schlich herein. Als er Buckley erkannte, ging er sofort auf ihn zu. Er hatte eine Kamera um den Hals hängen und bereits seinen Notizblock gezückt, doch als er fragte: »Mr. Buckley, was führt Sie hierher?«, wurde er ignoriert. »Ich habe gehört, dass Sie der Korrespondenzanwalt für Lettie Lang sind. Ist das richtig?«

»Kein Kommentar«, erwiderte Rufus, während er ein paar Akten zurechtrückte und leise vor sich hin summte.

Die Zeiten haben sich geändert, dachte Dumas. Der alte Rufus hätte sich fast umgebracht, um mit einem Reporter zu reden, und früher wäre niemand auf die Idee gekommen, sich zwischen den Bezirksstaatsanwalt und eine Kamera zu stellen.

Dumas trollte sich und sagte etwas zu Mr. Pate, der ihn anfuhr: »Schaffen Sie die Kamera hier raus!« Also verließ Dumas den Gerichtssaal und ging nach draußen, wo er und ein Kollege in hoffnungsvoller Erwartung eines schwarzen Rolls-Royce aus-harrten.

Wade Lanier kam herein, zusammen mit seinem Partner, Lester Chilcott. Sie nickten Buckley zu, der aber viel zu beschäftigt war, um sich mit ihnen zu unterhalten, und registrierten amüsiert die Übernahme des Klägertisches. Auch sie machten sich an die dringliche Aufgabe, schwere Aktenkoffer auszupacken und sich auf die Schlacht vorzubereiten. Wenige Minuten später tauchten Stillman Rush und Sam Larkin auf und begrüßten ihre Quasi-Kollegen. Sie standen alle auf der gleichen Seite des Gerichtssaals und würden viele der gleichen Debatten anstoßen, doch in diesem frühen Stadium des Verfahrens waren sie noch nicht bereit, einander zu vertrauen. Zuschauer strömten herein, und bald war im Gerichtssaal das leise Gemurmel gedämpfter Begrüßungen und angeregter Gespräche zu hören. Gerichtsdiener in Uniform liefen herum, rissen Witze und hießen die Leute willkommen.

Ian, Ramona und ihre Kinder kamen und setzten sich ganz links außen auf eine der Zuschauerbänke, hinter ihre Anwälte und so weit wie möglich von denen auf der anderen Seite entfernt. Vor der Schranke drückten sich neugierige Anwälte herum, als hätten sie an diesem Tag ebenfalls einen Termin vor Gericht. Dramatisch wurde es, als sich Booker Sistrunk und seine Entourage durch die Tür quetschten, den Mittelgang blockierten und den Gerichtssaal in Beschlag nahmen, als wäre er ausschließlich für sie reserviert worden. Arm in Arm mit Lettie führte Sistrunk seine Schar den Gang hinunter, während er alle anderen herausfordernd anstarrte und – wie immer – geradezu nach Streit suchte. Er setzte seine Mandantin in die erste Reihe, bugsierte Simeon und die Kinder neben sie und stellte dann einen muskelbepackten jungen Schwarzen in einem schwarzen Anzug mit schwarzem Hemd und schwarzer Krawatte vor sie, als bestünde

Gefahr, dass plötzlich Attentäter oder Fans aus dem Nichts auftauchten. Um Lettie herum saßen diverse Cousins, Tanten, Onkel und Nachbarn nebst einiger Sympathisanten.

Buckley sah sich die Prozession an und konnte seinen Argwohn kaum unterdrücken. Zwölf Jahre lang hatte er es in dieser Gegend mit Geschworenen zu tun gehabt. Er hatte viel Erfahrung darin, Geschworene auszusuchen, sie zu verstehen, ihre Reaktion vorherzusagen, mit ihnen zu reden und sie zu manipulieren, meistens jedenfalls. Und er wusste sofort, dass Booker Sistrunks großspurige Show in diesem Gerichtssaal nicht funktionieren würde. Ein Leibwächter? Also wirklich. Lettie war eine miserable Schauspielerin. Man hatte ihr eingetrichtert, möglichst bedrückt, ja niedergeschlagen zu wirken, als wäre sie in tiefer Trauer um ihren lieben verstorbenen Freund, dessen ihr rechtmäßig zustehendes Erbe die habgierigen Weißen ihr nun entreißen wollten. Sie gab sich alle Mühe, so auszusehen, als würde man sie ungerecht behandeln.

Sistrunk und sein Partner, Kendrick Bost, gingen durch die Schranke und begrüßten mit gewichtigen Worten ihren Kollegen, Mr. Buckley. Sie fügten dem Chaos auf dem begehrten Tisch noch mehr Papier hinzu, während sie die Anwälte auf der anderen Seite komplett ignorierten. Als es auf 8.45 Uhr zuging, strömten immer mehr Zuschauer herein.

Jake betrat den Gerichtssaal durch eine Seitentür und bemerkte sofort, dass sein Platz bereits besetzt war. Er begrüßte Wade Lanier, Stillman Rush und die übrigen Anwälte der anfechtenden Parteien mit Handschlag. »Sieht ganz so aus, als hätten wir ein Problem«, sagte er zu Stillman, während er mit dem Kopf auf Buckley und die Anwälte aus Memphis wies.

»Viel Glück«, meinte Stillman.

Jake entschied sich spontan dafür, einer Konfrontation aus dem Weg zu gehen. Unauffällig verließ er den Gerichtssaal und machte sich auf den Weg zum Richterzimmer. Herschel Hubbard kam, in Begleitung seiner beiden Kinder und einiger Freunde. Sie setzten sich in die Nähe von Ian und Ramona. Als es neun Uhr war, herrschte im Gerichtssaal praktisch Rassentrennung: Schwarze auf der einen Seite, Weiße auf der anderen. Lucien saß natürlich auf der Seite der Schwarzen, irgendwo ganz hinten.

Jake kam zurück und stellte sich abseits von den anderen in die Nähe einer Tür neben der Geschworenenbank. Er sprach mit niemandem und brachte es tatsächlich fertig, lässig durch eine Akte zu blättern. Um 9.05 Uhr brüllte Mr. Pate: »Erheben Sie sich!«, und Richter Atlee rauschte herein, während sich hinter ihm seine alte, ausgebleichte schwarze Robe bauschte. Er nahm Platz und sagte: »Setzen Sie sich«, dann starrte er in den Gerichtssaal. Er starrte und starrte, runzelte ausgiebig die Stirn, sagte aber kein Wort. Dann sah er Jake an, warf Buckley, Sistrunk und Bost einen finsteren Blick zu und nahm ein Blatt Papier in die Hand. Er verlas die Liste der Anwälte; sie waren vollzählig anwesend, insgesamt zehn.

»Wir fangen mit ein bisschen Organisation an. Mr. Buckley, Sie haben angezeigt, dass Sie für die in Memphis ansässige Kanzlei Sistrunk & Bost bei diesem Verfahren als Korrespondenzanwalt tätig werden wollen. Ist das richtig?«

Buckley, der es gar nicht erwarten konnte, aufzustehen und sich Gehör zu verschaffen, schnellte hoch und erwiderte: »Das ist richtig, Euer Ehren. Ich …«

»Und danach haben Sie und Ihre assoziierten Anwälte anscheinend eine ganze Bootsladung von Anträgen gestellt, die heute alle entschieden werden sollen. Ist das richtig?«

»Ja, Euer Ehren, und ich möchte gern …«

»Ich bin noch nicht fertig. Mr. Brigance hat einen Antrag gestellt und sich dagegen ausgesprochen, dass Sie in dieser

Angelegenheit tätig werden, da Ihnen die notwendige Erfahrung, Befähigung und Fachkenntnis in diesen Dingen fehle. Richtig?«

»Ein leichtfertiger und schikanöser Einwand, Euer Ehren, was Ihnen sicher klar ist. In Mississippi muss ein Anwalt keine ...«

»Moment, Mr. Buckley. Sie haben angezeigt, dass Sie in dieser Angelegenheit als Anwalt tätig werden wollen, Mr. Brigance hat Einspruch eingelegt, und das bedeutet, dass ich über den Einspruch zu entscheiden habe. Bis jetzt habe ich das noch nicht getan, und bis dahin sind Sie in diesem Verfahren noch nicht offiziell als Prozessbevollmächtigter anerkannt. Können Sie mir folgen?«

»Euer Ehren, der Einspruch von Mr. Brigance ist derart unseriös, dass er bestraft werden müsste. Genau genommen bin ich gerade dabei, einen Antrag auf Strafmaßnahmen in dieser Sache zu formulieren.«

»Verschwenden Sie nicht Ihre Zeit, Mr. Buckley. Setzen Sie sich, und hören Sie mir zu.« Der Richter wartete, bis Buckley Platz genommen hatte. Dann kniff er die dunklen Augen zusammen und legte seine Stirn in noch tiefere Falten. Richter Atlee verlor nie die Beherrschung, doch wenn hin und wieder der Zorn in ihm kochte, wurden sämtliche Anwälte im Umkreis von fünfzig Metern blass. »Mr. Buckley, genau genommen dürften Sie überhaupt nicht vor diesem Gericht erscheinen, und Sie, Mr. Sistrunk, auch nicht, genauso wenig wie Sie, Mr. Bost. Trotzdem haben Sie meinen Gerichtssaal in Beschlag genommen und sich einfach Ihre Plätze ausgesucht. Sie sind nicht die Anwälte für diesen Nachlass. Der von mir offiziell und ordnungsgemäß für diesen Nachlass bestellte Anwalt ist Mr. Brigance. Irgendwann werden Sie vielleicht das Mandat der antragstellenden Partei übernehmen, aber so weit sind wir noch nicht.« Er sprach so langsam und deutlich, dass ihm jeder folgen konnte.

Während seine Worte durch den Gerichtssaal hallten, hingen die Zuschauer wie gebannt an seinen Lippen.

Jake konnte ein Lächeln nicht unterdrücken. Er hätte sich nicht vorstellen können, dass sein schikanöser, unverschämter, ja sogar dilettantischer Einspruch sich als derart nützlich erweisen würde.

Richter Atlee war jetzt voll in Fahrt. »Mr. Buckley, Sie sind nicht in offizieller Funktion hier. Warum haben Sie sich dann an diesen Tisch gesetzt?«

»Nun ja, Euer Ehren …«

»Erheben Sie sich, wenn Sie das Gericht ansprechen!«

Buckley fuhr in die Höhe und stieß sich das Knie am Tischrand, während er mühsam nach Fassung rang. »Euer Ehren, ich habe noch nie ein Verfahren erlebt, in dem mit einer derart haltlosen Begründung das Erscheinen eines ordnungsgemäß zugelassenen Anwalts vor Gericht zu verhindern versucht wurde. Daher habe ich angenommen, dass Sie den Einspruch sofort ablehnen werden und wir uns dringlicheren Dingen zuwenden können.«

»Da haben Sie etwas Falsches angenommen, Mr. Buckley. Sie sind davon ausgegangen, dass Sie und Ihre Anwaltskollegen aus Memphis einfach so in meinen Gerichtssaal marschieren und die Kontrolle über das Nachlassverfahren übernehmen können. Das stört mich gewaltig.«

»Euer Ehren, ich versichere Ihnen …«

»Setzen Sie sich wieder hin, Mr. Buckley. Und dann suchen Sie Ihre Sachen zusammen und nehmen da drüben auf der Geschworenenbank Platz.« Richter Atlee wies mit einem langen, knochigen Finger in Jakes Richtung.

Buckley rührte sich nicht vom Fleck. Sein Anwaltskollege dagegen schon. Booker Sistrunk stand auf, breitete die Arme aus und sagte mit seiner tiefen, dröhnenden Stimme: »Euer Ehren, mit allem Respekt, das ist doch lächerlich. Es handelt sich hierbei um eine Routinesache, mit der wir uns nicht lange aufhalten sollten. Diese Art von Überreaktion ist nicht nötig. Wir sind doch alle vernünftige Leute, wir versuchen alle, der Gerechtigkeit Genüge zu tun. Darf ich vorschlagen, dass wir uns jetzt sofort der grundsätzlichen Frage widmen, ob Mr. Buckley berechtigt ist, in diesem Verfahren als unser Korrespondenzanwalt tätig zu werden? Euer Ehren, Sie sehen doch sicher selbst, dass der von dem jungen Mr. Brigance eingelegte Einspruch jeglicher Grundlage entbehrt und ohne viel Federlesen abgelehnt werden sollte. Das ist Ihnen doch klar, Richter Atlee, nicht wahr?«

Richter Atlee sagte nichts und ließ sich auch nichts anmerken. Nach einigen Sekunden, die sich immer mehr in die Länge zogen, sah er einen der Gerichtsdiener an und sagte: »Finden Sie heraus, ob Sheriff Walls im Gerichtsgebäude ist.«

Diese Anweisung jagte Rufus Buckley einen Heidenschreck ein und brachte Jake und die Anwälte auf der anderen Seite zum Schmunzeln, aber Booker Sistrunk wurde wütend. Er drückte den Rücken durch und sagte: »Euer Ehren, ich habe das Recht zu sprechen.«

»Das haben Sie nicht. Noch nicht. Setzen Sie sich bitte, Mr. Sistrunk.«

»Euer Ehren, ich verbitte mir diesen Ton. Ich vertrete die Begünstigte dieses Testaments, Mrs. Lettie Lang, und ich habe die Pflicht, zu jeder Zeit ihre Interessen zu wahren.«

»Setzen Sie sich, Mr. Sistrunk.«

»Ich lasse mich nicht zum Schweigen bringen, Euer Ehren. Bis vor einigen Jahren war es Anwälten wie mir verboten, in ebendiesem Gerichtssaal zu sprechen. Jahrelang konnten Anwälte wie ich keinen Gerichtssaal betreten, und waren sie doch einmal dort, verbot man ihnen das Wort.«

»Setzen Sie sich, bevor ich Sie wegen Missachtung des Gerichts belange.«

»Drohen Sie mir nicht«, stieß Sistrunk hervor, während er hinter dem Tisch hervorkam. »Ich habe das Recht zu sprechen, ich habe das Recht, für meine Mandantin einzutreten, und ich lasse mich nicht aufgrund irgendeiner obskuren verfahrenstechnischen Formsache zum Schweigen bringen.«

»Setzen Sie sich, bevor ich Sie wegen Missachtung des Gerichts belange.«

Sistrunk ging noch einen Schritt auf die Richterbank zu, was Anwälte und Zuschauer fassungslos verfolgten. »Ich werde mich nicht setzen«, fuhr er den Richter wütend an. Jake war der Meinung, dass Sistrunk gerade den Verstand verlor. »Aus diesem Grund habe ich beantragt, dass Sie den Vorsitz in diesem Verfahren abgeben. Mir und vielen anderen ist klar, dass Sie in diesem Fall aufgrund rassistischer Vorurteile befangen sind und meine Mandantin nie im Leben einen fairen Prozess bekommen wird. Aus dem gleichen Grund haben wir eine Verlegung des Verhandlungsortes beantragt. In dieser Stadt eine unparteiische Jury zu finden wird unmöglich sein. Die Gerechtigkeit verlangt es, dass dieser Prozess in einem anderen Gerichtssaal unter dem Vorsitz eines anderen Richters stattfindet.«

»Mr. Sistrunk, ich belange Sie wegen Missachtung des Gerichts.«

»Das ist mir egal. Ich werde alles tun, um für meine Mandantin zu kämpfen, und wenn ich vor ein Bundesgericht ziehen muss, um dafür zu sorgen, dass wir einen fairen Prozess bekommen, werde ich genau das tun. Außerdem werde ich jeden verklagen, der sich mir dabei in den Weg stellt.« Zwei Gerichtsdiener gingen langsam auf Sistrunk zu. Plötzlich drehte sich der Anwalt um und wies mit dem Finger auf einen von ihnen. »Fassen Sie mich nicht an, es sei denn, Sie wollen in einer Klage genannt werden. Bleiben Sie stehen!«

»Wo ist Sheriff Walls?«, erkundigte sich Richter Atlee.

»Er ist hier«, informierte ihn ein Justizangestellter. Ozzie kam durch die Tür. Er stürmte durch den Mittelgang, dicht gefolgt von Deputy Willie Hastings.

Richter Atlee ließ seinen Hammer niedersausen und sagte: »Mr. Sistrunk, ich belange Sie wegen Missachtung des Gerichts und ordne hiermit Ihre Festnahme durch den Sheriff von Ford County an. Sheriff Walls, bringen Sie Mr. Sistrunk bitte aus dem Gerichtssaal.«

»Das können Sie nicht machen!«, brüllte Sistrunk. »Ich bin ordentlich zugelassener Anwalt, auch vor dem Obersten Gerichtshof! Ich stehe hier im Namen meiner Mandantin. Ich habe wie vorgeschrieben einen Korrespondenzanwalt benannt. Euer Ehren, das können Sie nicht machen. Das ist Diskriminierung und von Nachteil für meine Mandantin.«

Ozzie war inzwischen in unmittelbarer Nähe und bereit, sich auf den Anwalt zu stürzen, falls dies notwendig sein sollte. Außerdem war er zehn Zentimeter größer, zehn Jahre jünger und fünfzehn Kilo schwerer als Sistrunk und trug eine Waffe. Sein Gesichtsausdruck ließ keinen Zweifel daran, dass er an einer handfesten Schlägerei vor heimischem Publikum durchaus seinen Spaß gehabt hätte. Als er Sistrunk am Ellbogen packte, spürte er eine kurze Sekunde lang Gegenwehr. Ozzie drückte zu und sagte: »Hände auf den Rücken.«

In diesem Moment war Booker Sistrunk genau dort, wo er hinwollte. Mit feinem Gespür für Drama ließ er den Kopf hängen, nahm die Hände auf den Rücken und ertrug schweigend die Schmach, festgenommen zu werden. Sein Blick ging zu Kendrick Bost. Einige, die in der Nähe standen, sollten später behaupten, ein fieses kleines Grinsen auf seinem Gesicht gesehen zu haben; anderen wiederum fiel nichts auf. Umringt von Gerichtsdienern, wurde Sistrunk durch die Schranke und dann durch den Mittelgang geschoben. Als er an Lettie vorbeikam, sagte er mit lauter Stimme: »Ich werde sie kriegen, Lettie. Machen Sie sich keine Sorgen. Diese Rassisten werden Ihr Geld nie bekommen. Vertrauen Sie mir.« Dann wurde er weiter den Mittelgang hinunter- und zur Tür hinausgedrängt.

Aus Gründen, die kein Mensch je verstehen würde, fühlte Rufus Buckley sich genötigt, aufzustehen und etwas zu sagen. »Euer Ehren, ich möchte Sie darauf hinweisen, dass wir dadurch eindeutig benachteiligt werden«, verkündete er in dem totenstillen Gerichtssaal.

Richter Atlee sah einen der verbliebenen Gerichtsdiener an, deutete auf Buckley und sagte: »Nehmen Sie ihn mit.«

»Wie bitte?«, stieß Buckley hervor.

»Mr. Buckley, ich belange Sie wegen Missachtung des Gerichts. Bringen Sie ihn bitte weg.«

»Aber warum, Euer Ehren?«

»Weil Sie anmaßend und außerdem eingebildet, respektlos, arrogant und noch eine ganze Menge anderer Dinge sind. Raus jetzt!«

Buckley, der blass geworden war und mit weit aufgerissenen Augen vor sich hinstarrte, wurden Handschellen angelegt. Er, Rufus Buckley, ehemaliger Bezirksstaatsanwalt und Inbegriff von Gesetzestreue, Moral und Ethik in ihrer höchsten Form, wurde wie ein gewöhnlicher Krimineller abgeführt. Jake hätte am liebsten Beifall geklatscht.

»Und stecken Sie ihn zu seinem Kollegen in die Zelle«, brüllte Richter Atlee ins Mikrofon, während Rufus den Mittelgang hinunterwankte und mit einem Ausdruck tiefster Verzweiflung im Gesicht nach einem Freund suchte.

Als die Tür mit einem lauten Knall ins Schloss fiel, schnappten alle nach der wenigen Luft, die noch im Gerichtssaal verblieben war. Die Anwälte waren sicher, etwas gesehen zu haben, was sie nie wieder erleben würden, und begannen, amüsierte Blicke zu wechseln. Richter Atlee tat so, als würde er sich Notizen machen, während alle anderen versuchten, Atem zu holen. Schließlich hob er den Kopf und sagte: »Mr. Bost, haben Sie etwas zu sagen?«

Mr. Bost hatte nichts zu sagen. Ihm ging gerade eine ganze Menge durch den Kopf, aber angesichts der aktuellen Laune des Richters war er so vernünftig, den Mund zu halten.

»Gut. Sie haben jetzt ungefähr dreißig Sekunden Zeit, den Tisch zu räumen und sich da drüben auf die Geschworenenbank zu setzen. Mr. Brigance, würden Sie sich bitte an den Ihnen zustehenden Platz in meinem Gerichtssaal setzen?«

»Mit Vergnügen, Euer Ehren.«

»Wenn ich es mir recht überlege – wir machen erst mal zehn Minuten Pause.«

Ozzie Walls hatte Humor. In der kreisrunden Auffahrt hinter dem Gerichtsgebäude standen vier mit Antennen und Signallichtern ausgerüstete Streifenwagen, auf deren Karosserie jede Menge Buchstaben und Ziffern prangten. Als der Sheriff seine Männer um die beiden festgenommenen Anwälte postierte, traf er spontan die Entscheidung, sie zusammen wegzubringen. »Setzt sie in meinen Wagen«, ordnete er an.

»Dafür werde ich Sie verklagen«, drohte Sistrunk zum zehnten Mal.

»Wir haben auch Anwälte«, gab Ozzie zurück.

»Ich werde jeden einzelnen von euch dämlichen Hinterwäldlern verklagen.«

»Unsere Anwälte sitzen nicht im Gefängnis.«

»Vor einem Bundesgericht.«

»Ich liebe Bundesgerichte.«

Sistrunk und Buckley wurden durch den Hinterausgang geschoben und auf die Rückbank von Ozzies großem braunem Ford gesetzt. Dumas Lee und einer seiner Kollegen fotografierten, was das Zeug hielt.

»Ziehen wir eine kleine Show für sie ab«, sagte Ozzie zu seinen Männern. »Signallichter, aber keine Sirenen.«

Ozzie setzte sich ans Steuer, ließ den Motor an und fuhr langsam los. »Haben Sie schon mal auf dem Rücksitz eines Streifenwagens gesessen, Rufus?«

Buckley, der hinter dem Sheriff saß, gab keine Antwort. Er duckte sich so tief wie möglich und starrte aus dem Fenster, während die Autokolonne über den Clanton Square kroch. Einen knappen Meter neben ihm saß Booker Sistrunk wegen seiner auf dem Rücken gefesselten Hände etwas verdreht da und quasselte einfach weiter: »Sie sollten sich schämen, einen Schwarzen so zu behandeln.«

»Die Weißen werden genauso behandelt.«

»Sie verstoßen gegen meine Bürgerrechte.«

»Und Sie verstoßen mit Ihrer großen Klappe gegen meine. Wenn Sie jetzt nicht sofort den Mund halten, sperre ich Sie unter dem Gefängnis ein. Wir haben dort einen kleinen Keller. Haben Sie den schon mal gesehen, Rufus?«

Wieder zog es Rufus vor, nicht zu antworten.

Die Kolonne rollte zweimal um den Platz herum und fuhr dann kreuz und quer einige Straßen weiter, mit Ozzie an der Spitze, gefolgt von den übrigen Streifenwagen. Der Sheriff verschaffte Dumas auf diese Weise Zeit, um zum Gefängnis zu gelangen, und als sie dort ankamen, begann der Reporter erneut zu fotografieren. Sistrunk und Buckley wurden aus Ozzies Wagen geholt und langsam durch den Vordereingang in das Gebäude geführt. Die beiden wurden wie alle Festgenommenen behandelt – sie wurden abgelichtet, man nahm ihnen die Fingerabdrücke ab, stellte ihnen zig Fragen für die Akten, sammelte ihre persönlichen Sachen ein und gab ihnen Kleidung zum Wechseln.

Fünfundvierzig Minuten nachdem Booker Sistrunk und Rufus Buckley den Zorn des Ehrenwerten Reuben V. Atlee auf sich gezogen hatten, saßen sie in identischen Gefängnisoveralls – ausgebleichtes Orange mit weißen Streifen auf den Hosenbeinen – auf dem Rand eines Metallbetts und starrten die verdreckte, tropfende Toilettenschüssel an, die sie sich teilen sollten. »Braucht ihr was?«, fragte ein Wärter, der durch die Gitterstäbe ihrer schmalen Zelle hereinlugte.

»Wann gibt es Mittagessen?«, fragte Rufus.

Da Bost auf die Geschworenenbank verbannt worden war und seine Kollegen gerade erkennungsdienstlich behandelt wurden, ging die Anhörung erstaunlich schnell weiter und war dann auch erstaunlich schnell zu Ende. Es war niemand mehr anwesend, um eine Verlegung des Verhandlungsortes oder die Absetzung des Richters zu erörtern, sodass diese Anträge abgelehnt wurden. Der Antrag, Jake durch Rufus Buckley zu ersetzen, wurde ohne viele Worte abgewiesen. Richter Atlee gab den Anträgen auf einen Geschworenenprozess statt und gestand den Parteien neunzig Tage für die Offenlegung zu. Er erklärte unmissverständlich, dass der Fall für ihn oberste Priorität habe und er Verzögerungen nicht zulassen werde. Dann bat er die Anwälte, ihre Terminkalender hervorzuholen, und zwang sie, sich auf den 3. April 1989 als Prozessdatum zu einigen, in knapp fünf Monaten.

Nach dreißig Minuten vertagte Richter Atlee die Anhörung und verließ den Saal. Die Zuschauer standen auf und unterhielten sich angeregt miteinander, während die Anwälte die Köpfe zusammensteckten und zu begreifen versuchten, was gerade geschehen war. »Ich nehme an, Sie sind froh, dass Sie nicht im Gefängnis gelandet sind«, flüsterte Stillman Rush Jake zu.

»Unglaublich«, erwiderte Jake. »Werden Sie Buckley besuchen?«

»Später vielleicht.«

Kendrick Bost führte Lettie und deren Leute in eine Ecke des Gerichtssaals und versuchte, sie davon zu überzeugen, dass alles wie geplant lief. Die meisten schienen das allerdings zu bezweifeln. So bald wie möglich eilten er und sein Leibwächter davon und liefen über den Rasen vor dem Gericht. Sie sprangen in den schwarzen Rolls-Royce – der Leibwächter war gleichzeitig der Fahrer – und rasten zum Gefängnis. Dort teilte Ozzie ihnen mit, dass das Gericht keine Besucher genehmigt habe. Bost fluchte und fuhr schnurstracks nach Oxford, dem Sitz des nächsten Bundesgerichts.

Dumas Lee schrieb noch vor dem Mittagessen eintausend Wörter zusammen und faxte den Artikel an einen befreundeten Reporter, der für eine Zeitung in Memphis arbeitete. Außerdem übermittelte er eine Menge Fotos. Noch am selben Tag schickte er das gleiche Material an die Zeitungen in Tupelo und Jackson.

19

Der Tipp stammte aus einer zuverlässigen Quelle und verbreitete sich wie ein Lauffeuer im Gericht und rund um den Clanton Square. Um neun Uhr morgens wollte Richter Atlee seinen Gefangenen die Möglichkeit geben, sich zu entschuldigen. Allein die Vorstellung mitzuerleben, wie Rufus Buckley und Booker Sistrunk, hoffentlich in Ketten, Gummischlappen und orangenfarbenen Gefängnisoveralls, ins Gerichtsgebäude gezerrt wurden, war unwiderstehlich.

Der Vorfall war begierig aufgenommen worden und Anlass für begeisterten Klatsch und wilde Spekulationen. Für Buckley war es eine immense Demütigung, für Sistrunk lediglich eine weitere Episode in diesem Fall.

Die Morgenzeitung in Memphis druckte jedes Wort in Dumas' Artikel auf die erste Seite des Lokalteils, zusammen mit einem großen Foto, auf dem zu sehen war, wie die beiden Anwälte tags zuvor in Handschellen das Gerichtsgebäude verließen. Allein die Schlagzeile war Gold wert für Sistrunk: PROMINENTER ANWALT AUS MEMPHIS IN MISSISSIPPI INS GEFÄNGNIS GEWORFEN. Außer Dumas' erstaunlich korrektem Bericht gab es einen zweiten, kürzeren Artikel über den Antrag auf gerichtliche Anordnung eines Haftprüfungstermins, den die Kanzlei Sistrunk & Bost am Bundesgericht in Oxford gestellt hatte. Für dreizehn Uhr war dort eine Anhörung angesetzt.

Jake saß auf dem Balkon seines Büros, der auf den Clanton Square hinausging, trank mit Lucien zusammen Kaffee und wartete darauf, dass die Streifenwagen kamen. Ozzie hatte versprochen anzurufen, wenn sie sich auf den Weg machten.

Lucien, der den frühen Morgen hasste, und das aus gutem Grund, sah erstaunlich frisch und wach aus. Er behauptete, weniger zu trinken und mehr Sport zu treiben, und arbeitete immer öfter. Für Jake wurde es zunehmend schwieriger, ihm in seiner (ihrer) Kanzlei aus dem Weg zu gehen.

»Ich hätte nie gedacht, dass ich den Tag erleben würde, an dem Rufus Buckley in Handschellen abgeführt wird«, sagte Lucien.

»Es war großartig, einfach großartig, und ich kann es immer noch nicht glauben«, meinte Jake. »Ich werde Dumas anrufen und ihn fragen, ob ich das Foto, auf dem Buckley ins Gefängnis gebracht wird, kaufen kann.«

»Tun Sie das. Und machen Sie mir bitte einen Abzug davon.«

»Achtzehn auf vierundzwanzig, gerahmt. Vermutlich könnte ich eine ganze Menge davon verkaufen.«

Roxy musste die Treppe hochsteigen, durch Jakes Büro gehen und auf den Balkon hinaustreten, um ihren Chef zu informieren. »Sheriff Walls hat gerade angerufen. Sie sind auf dem Weg.«

»Danke.«

Während Jake und Lucien über die Straße liefen, war nicht zu übersehen, dass sich auch die anderen Kanzleien leerten. Offenbar hatten die rund um den Clanton Square ansässigen Anwälte alle einen wichtigen Termin im Gericht. Der arme Buckley hatte sich viele Feinde gemacht. Der Gerichtssaal war alles andere als voll, aber ziemlich viele von diesen Feinden waren anwesend. Es war völlig klar, dass sie nur aus einem einzigen

Grund gekommen waren. Ein Gerichtsdiener rief alle zur Ordnung, und Richter Atlee rauschte herein.

»Bringen Sie ihn her«, sagte er mit einem Kopfnicken in Richtung eines Deputy. Eine Seitentür wurde geöffnet, dann kam Buckley herein, ohne Hand- und Fußfesseln. Bis auf die Bartstoppeln und eine ausgesprochen schlecht sitzende Frisur sah er noch genauso aus wie tags zuvor. Richter Atlee hatte sich seiner erbarmt und gestattet, dass er die Kleidung wechselte. Es wäre etwas zu viel der Peinlichkeit gewesen, wenn der Anwalt in einem Gefängnisoverall vorgeführt worden wäre. Angesichts der ausführlichen Berichterstattung in den Morgenzeitungen konnte der Richter nicht zulassen, dass ein Vertreter des Rechts in einem solchen Aufzug gesehen wurde.

Von Sistrunk war nichts zu sehen. Als die Tür ins Schloss fiel, war klar, dass er nicht an der Anhörung teilnehmen würde. »Zu mir, Mr. Buckley«, sagte Richter Atlee, während er auf eine Stelle direkt vor der Richterbank deutete. Buckley gehorchte und stand ziemlich hilflos und sehr allein da, gedemütigt und geschlagen. Er schluckte schwer und sah den Richter an.

Richter Atlee schob sein Mikrofon zur Seite und sagte leise: »Ich hoffe, Sie haben die Nacht in unserem schönen Gefängnis überlebt.«

»Das habe ich.«

»Sheriff Walls hat Sie gut behandelt?«

»Ja, das hat er.«

»Haben Sie und Mr. Sistrunk eine geruhsame Nacht zusammen verbracht?«

»Ich würde nicht unbedingt von einer geruhsamen Nacht sprechen, Euer Ehren, aber wir haben sie überstanden.«

»Mir fällt auf, dass Sie allein hier sind. Lässt Mr. Sistrunk etwas ausrichten?«

»Oh, er hat eine Menge zu sagen, Euer Ehren, aber ich bin

nicht berechtigt, etwas davon zu wiederholen. Ich glaube nicht, dass es seiner Sache dienlich wäre.«

»Davon bin ich überzeugt. Ich mag es nicht besonders, wenn man mich beschimpft, Mr. Buckley, und vor allem mag ich es nicht, wenn man mich Rassist nennt. Das scheint eines von Mr. Sistrunks Lieblingswörtern zu sein. Ich ermächtige Sie als seinen Kollegen dazu, ihm das zu erklären und ihm ferner zu versichern, dass er und Sie keinen Fuß mehr in meinen Gerichtssaal setzen werden, wenn er mich noch einmal so nennt.«

Buckley nickte. »Das gebe ich gern weiter.«

Jake und Lucien saßen in der vierten Reihe von hinten, auf einer langen Bank aus Mahagoniholz, die seit Jahrzehnten nicht bewegt worden war. Ganz am Ende der Bank tauchte eine junge Schwarze auf und nahm Platz. Sie war Mitte zwanzig, attraktiv und kam Jake irgendwie bekannt vor. Die Frau sah sich schnell um, als wäre sie nicht sicher, ob sie überhaupt hier sein durfte. Als ihr Blick auf Jake fiel, lächelte er sie an. Schon okay. Der Gerichtssaal steht allen offen.

»Ich danke Ihnen«, gab Richter Atlee zurück. »Zweck unserer kleinen Anhörung von heute Morgen ist es, noch einmal über die Angelegenheit zu sprechen und Sie dann hoffentlich wieder auf freien Fuß zu setzen. Ich habe Sie, Mr. Buckley, und Ihren Kollegen wegen einer meiner Meinung nach ungeheuren Respektlosigkeit dem Gericht und daher auch meiner Person gegenüber verhaften lassen. Ich gebe zu, dass ich wütend geworden bin, und ich versuche, keine Entscheidungen zu treffen, wenn ich in dieser Stimmungslage bin. Im Laufe der Jahre habe ich gelernt, dass solche Entscheidungen fast immer schlechte Entscheidungen sind. Ich bedaure nicht, was ich gestern getan habe, und ich würde heute genauso handeln. Nichtsdestotrotz möchte ich Ihnen die Chance geben, etwas dazu zu sagen.«

Ozzie hatte den Anwälten einen Deal vorgeschlagen. Ein einfaches Schuldeingeständnis, eine einfache Entschuldigung, und die beiden würden sofort freigelassen werden. Buckley war auf der Stelle einverstanden gewesen; Sistrunk verhielt sich wie ein trotziges Kind und weigerte sich.

Buckley trat von einem Fuß auf den anderen und starrte den Boden an. »Euer Ehren«, begann er, »inzwischen ist mir klar geworden, dass wir uns gestern danebenbenommen haben. Wir waren anmaßend und respektlos, und dafür möchte ich mich entschuldigen. Es wird nicht wieder vorkommen.«

»Sehr schön. Die Festnahme wegen Missachtung des Gerichts ist hiermit aufgehoben.«

»Danke, Euer Ehren«, erwiderte Buckley kleinlaut, der vor lauter Erleichterung die Schultern hängen ließ.

»Mr. Buckley, ich habe den 3. April als Termin für den Prozess festgelegt. Bis dahin ist noch eine Menge zu tun. Es dürften zahlreiche Besprechungen der Anwälte untereinander und, wie ich annehme, noch etliche weitere Anhörungen in diesem Gerichtssaal stattfinden. Es geht einfach nicht, dass es jedes Mal, wenn wir im selben Raum sind, Streit oder Theater gibt. Die Atmosphäre ist gespannt. Wir sind uns alle darüber im Klaren, dass eine Menge auf dem Spiel steht. Und daher frage ich Sie jetzt: Was für eine Rolle werden Sie bei diesem Fall spielen, Sie und Ihr Kollege aus Memphis?«

Rufus Buckley, der plötzlich wieder ein freier Mann war und die Chance bekam zu reden, räusperte sich und packte die Gelegenheit beherzt beim Schopf. »Nun ja, Euer Ehren, wir werden die Interessen unserer Mandantin, Mrs. Lettie Lang, vertreten und ...«

»Das habe ich schon verstanden. Ich rede über den Prozess, Mr. Buckley. Mir scheint, dass wir nicht genug Platz haben für Mr. Brigance, den Hauptanwalt der antragstellenden Partei, und die Anwälte, die die Begünstigte des Testaments vertreten. Es ist zu voll hier. Sie verstehen, was ich meine?«

»Ähm, eigentlich nicht, Euer Ehren.«

»Gut, dann sage ich es mal ganz direkt. Jemand, der ein Testament anfechten möchte, hat das Recht, sich von einem Anwalt vertreten zu lassen und einen entsprechenden Antrag zu stellen«, erklärte der Richter, während er auf die Anwälte auf der anderen Seite des Gerichtssaals wies. »Dieser Anwalt ist dann vom Anfang bis zum Ende bei dem Verfahren dabei. Andererseits werden die Parteien, die die Testamentseröffnung beantragt haben, von dem für den Nachlass bestellten Anwalt vertreten. In diesem Fall ist das Mr. Brigance. Die diversen Begünstigten des Testaments laufen quasi nebenher mit.«

»Euer Ehren, da muss ich widersprechen. Wir ...«

»Moment. Mr. Buckley, bei allem Respekt, ich bin mir nicht so sicher, ob Sie wirklich gebraucht werden. Vielleicht ist das ja doch der Fall, aber davon müssen Sie mich erst überzeugen. Später. Wir haben viel Zeit. Denken Sie einfach darüber nach, ja?«

»Also, Euer Ehren, ich glaube ...«

Richter Atlee hob abwehrend die Hände. »Das reicht. Über diesen Punkt werde ich nicht diskutieren. Vielleicht an einem anderen Tag.«

Für einen Moment schien Buckley eine Diskussion beginnen zu wollen, aber dann fiel ihm wieder ein, warum er hier war. Es brachte nichts, den Richter noch einmal zu verärgern. »Sicher, Euer Ehren. Und danke.«

»Sie können gehen.«

Jakes Blick wanderte wieder zu der jungen Frau. Enge Jeans, ein roter Pullover, ausgetretene gelbe Laufschuhe, kurze Haare und eine modische Brille. Sie wirkte schlank und fit und sah überhaupt nicht so aus wie eine typische fünfundzwanzigjährige Schwarze in Ford County. Sie warf ihm einen kurzen Blick zu und lächelte.

Dreißig Minuten später stand die junge Frau vor Roxys Schreibtisch und erkundigte sich höflich, ob sie ein paar Minuten mit Mr. Brigance sprechen könne. Name bitte? Portia Lang, Letties Tochter. Mr. Brigance war zwar sehr beschäftigt, aber Roxy wusste, dass es vielleicht wichtig war. Sie ließ Portia zehn Minuten warten und fand dann eine Lücke in seinem Terminkalender.

Jake führte sie in sein Büro. Er bot ihr Kaffee an, den sie aber ablehnte. Sie setzten sich in eine Ecke, Jake in einen alten Ledersessel, Portia auf das Sofa, als wäre sie zu einer Therapie gekommen. Sie ließ den Blick durch den Raum schweifen und bewunderte die schönen Möbel und das geordnete Durcheinander. Dann gab sie zu, dass es ihr erster Besuch in einer Anwaltskanzlei war. »Wenn Sie Glück haben, wird es auch Ihr letzter sein«, scherzte Jake, was ihm ein Lachen von ihr einbrachte. Portia war nervös und wollte zuerst nicht viel sagen, aber da ihr Kommen vielleicht sehr wichtig war, gab Jake sich alle Mühe, damit sie sich wohlfühlte.

»Erzählen Sie mir von sich«, sagte er.

»Ich weiß, dass Sie sehr beschäftigt sind.«

»Ich habe jede Menge Zeit, und der Fall Ihrer Mutter ist der wichtigste Fall dieser Kanzlei.«

Portia lächelte nervös. Sie setzte sich auf ihre Hände, die Füße in den gelben Laufschuhen zuckten. Endlich begann sie zu reden. Sie war vierundzwanzig, die älteste Tochter, und hatte nach sechs Jahren in der Army gerade ihren Dienst beendet. Sie war in Deutschland gewesen, als sie die Nachricht erhalten hatte, dass ihre Mutter in Mr. Hubbards Testament erwähnt werde, was aber nichts mit ihrem Austritt zu tun hatte. Sechs Jahre waren genug. Sie hatte die Nase voll vom Militär und sehnte sich nach einem Leben als Zivilistin. Sie war eine gute Schülerin an der Highschool von Clanton gewesen, doch da ihr Vater damals immer nur zeitweise Arbeit hatte, war kein Geld fürs College da. Als sie über Simeon sprach, runzelte sie die Stirn. Weil sie von zu Hause und aus Ford County wegwollte, ging sie zur Army und kam viel in der Welt herum. Seit einer Woche war sie zurück, hatte aber nicht vor, in der Gegend zu bleiben. Sie hatte genug Leistungspunkte für drei Jahre College gesammelt, wollte ihren Abschluss machen und dann Jura studieren. In Deutschland hatte sie bei der Obersten Militärstaatsanwaltschaft gearbeitet und mit Verfahren an Kriegsgerichten zu tun gehabt.

Sie wohnte bei ihren Eltern und der Familie, die übrigens aus der Stadt weggezogen seien. Nicht ohne Stolz sagte sie, ihre Eltern hätten das ehemalige Haus der Sappingtons gemietet.

»Ich weiß«, erwiderte Jake. »Wir sind eine kleine Stadt. So was spricht sich schnell rum.«

Wie auch immer, fuhr sie fort, sie bezweifle, dass sie noch länger dort bleiben werde, da das Haus zwar viel größer sei, aber der reinste Zirkus, ständig gingen Verwandte ein und aus, und überall würden Leute schlafen.

Jake hörte ihr aufmerksam zu und wartete auf eine gute Gelegenheit, überzeugt davon, dass sie kommen würde. Hin und wieder stellte er eine Frage über ihr Leben, aber er musste sie nicht oft bitten. Sie kam immer mehr in Schwung und plauderte munter drauflos. Sechs Jahre in der Army hatten die schleppende, näselnde Sprechweise verschwinden lassen und dem nachlässigen Umgang mit der Grammatik ein Ende gemacht. Ihre Aussprache war perfekt, was kein Zufall war. In Europa hatte sie Deutsch und Französisch gelernt und als Übersetzerin gearbeitet. Jetzt lernte sie gerade Spanisch.

Aus reiner Gewohnheit wollte er sich Notizen machen, was ihm aber unhöflich vorkam.

Letztes Wochenende sei sie nach Parchman gefahren, sagte sie, um Marvis zu besuchen, und er habe ihr von seinem Gespräch mit Jake erzählt. Sie redete lange über ihn und wischte sich ab und zu Tränen aus den Augen. Marvis war ihr großer Bruder und immer ihr Held gewesen, und es war ja so eine Verschwendung. Wenn Simeon ein besserer Vater gewesen wäre, wäre Marvis nie kriminell geworden. Ja, er hatte Portia gebeten, ihrer Momma zu sagen, dass sie Jake als Anwalt behalten solle. Er habe mit seinem Anwalt, Nick Norton, geredet, der gesagt habe, die Anwälte aus Memphis würden alles vermasseln.

»Warum waren Sie heute Morgen im Gerichtssaal?«, fragte Jake.

»Ich war gestern auch schon da, Mr. Brigance.«

»Sagen Sie bitte Jake zu mir.«

»Okay. Jake. Ich habe das Fiasko gestern miterlebt, und heute Morgen bin ich wieder hingegangen, um mir in der Geschäftsstelle die Gerichtsakte anzusehen. Da habe ich das Gerücht gehört, dass sie die Anwälte aus dem Gefängnis rüberbringen.«

»Die Anwälte Ihrer Familie.«

»Genau.« Sie holte tief Luft und sprach erheblich langsamer. »Deshalb wollte ich mit Ihnen reden. Ist es in Ordnung, wenn wir über den Fall sprechen?«

»Natürlich. Genau genommen stehen wir auf derselben Seite. Es sieht zwar nicht so aus, aber fürs Erste sind wir Verbündete.«

»Okay.« Noch ein tiefer Atemzug. »Ich muss einfach mit jemandem darüber reden. Jake, während des Hailey-Prozesses war ich nicht hier, aber ich habe alles darüber gehört. In dem Jahr kam ich erst an Weihnachten nach Hause, und alle sprachen nur über den Prozess, Clanton, den Ku-Klux-Klan, die Nationalgarde und das alles. Ich fand es richtig schade, den ganzen Spaß verpasst zu haben. Aber Ihr Name ist bei uns in der Gegend gut bekannt. Vor ein paar Tagen erst hat meine Mutter zu mir gesagt, sie habe das Gefühl, Ihnen vertrauen zu können. Für Schwarze ist das nicht einfach, Jake, und in einer Situation wie dieser erst recht nicht.«

»Wir sind noch nie in so einer Situation gewesen.«

»Sie wissen, was ich meine. Hier geht es um eine Menge Geld, und wir gehen selbstredend davon aus, dass wir dabei den Kürzeren ziehen.«

»Ich glaube, jetzt verstehe ich es.«

»Als wir gestern nach Hause gekommen sind, gab es wieder Streit. Einen großen Streit, zwischen Momma und Dad, dazu ein paar überflüssige Kommentare von anderen. Ich weiß nicht, was alles passiert ist, bevor ich nach Hause gekommen bin, aber offenbar geht es um etwas Ernstes. Ich glaube, mein Dad beschuldigt sie, mit Mr. Hubbard geschlafen zu haben.« Tränen traten ihr in die Augen, und sie hörte auf zu reden, um sie wegzuwischen. »Meine Mutter ist keine Hure, Jake, sie ist eine großartige Frau, die fünf Kinder praktisch allein großgezogen hat. Zu wissen, dass so viele Leute hier glauben, sie hätte sich irgendwie in das Testament des alten Mannes geschlafen, tut weh. Das glaube ich nicht. Das werde ich nie glauben. Aber mein Vater ist eine andere Geschichte. Die beiden machen sich seit zwanzig Jahren gegenseitig die Hölle heiß, und als ich auf der Highschool war, habe ich meine Mutter bekniet, ihn zu verlassen. Er kritisiert alles, was sie tut, und jetzt kritisiert er etwas, was sie gar nicht getan hat. Ich hab ihm gesagt, er soll endlich damit aufhören.« Jake gab ihr ein Papiertaschentuch, doch die Tränen waren schon versiegt. Sie redete weiter: »Danke. Einerseits wirft er ihr vor, mit Mr. Hubbard geschlafen zu haben, andererseits ist er froh, dass sie es getan hat, falls sie es getan hat, weil es sich für ihn lohnen könnte. Sie kann nicht gewinnen. Und als wir gestern nach Hause gekommen sind, ist meine Momma wegen der Anwälte aus Memphis auf ihn losgegangen.«

»Dann hat er sie angeschleppt?«

»Ja, schließlich ist er jetzt ein großes Tier und muss sein bestes Pferd im Stall beschützen: meine Momma. Er ist fest davon überzeugt, dass die Weißen in der Gegend alle zusammenhalten und etwas aushecken, um das Testament für ungültig erklären zu lassen und das Geld zu behalten. Letzten Endes wird es doch auf die Hautfarbe hinauslaufen, warum engagiert man dann nicht gleich den größten Rassenhetzer, den es bei uns gibt? Jetzt haben wir den Schlamassel. Und er sitzt drüben im Gefängnis.«

»Was halten Sie davon?«

»Von Sistrunk? Er legt es doch drauf an, im Gefängnis zu sitzen. Das bringt sein Foto in die Zeitung, zusammen mit einer fetten Schlagzeile. Noch ein Schwarzer, der von den Rassisten in Mississippi zu Unrecht ins Gefängnis geworfen wurde. Etwas Besseres hätte ihm gar nicht passieren können. Das hätte er nicht besser planen können.«

Jake nickte und lächelte. Diese Frau war nicht so einfach hinters Licht zu führen.

»Der Meinung bin ich auch«, stimmte er ihr zu. »Es war alles gespielt. Zumindest von Sistrunk. Ich kann Ihnen versichern, dass Rufus Buckley nicht vorhatte, ins Gefängnis zu gehen.«

»Wie sind wir nur zu diesen Clowns gekommen?«

»Das wollte ich Sie gerade fragen.«

»Na ja, soviel ich weiß, ist mein Dad nach Memphis gefahren und hat sich dort mit Sistrunk getroffen, der, was niemanden überraschen dürfte, sofort Dollarzeichen in den Augen hatte. Also fährt er her, zieht seine Show ab, und meine Mutter fällt drauf rein. Sie mag Sie wirklich, Jake, und Sie vertraut

Ihnen, aber Sistrunk hat ihr eingeredet, dass man bei diesem Fall keinem Weißen trauen darf. Und aus irgendeinem Grund hat er dann Buckley in die Sache mit reingezogen.«

»Wenn die Anwälte aus Memphis den Fall nicht abgeben, werden wir verlieren. Können Sie sich diese Typen vor einer Jury vorstellen?«

»Nein, kann ich nicht, und darum ging es auch bei dem Streit gestern. Meine Momma und ich waren der Meinung, dass wir den Fall gerade in den Sand setzen. Simeon, der sich mit so was natürlich auskennt, behauptete, dass Sistrunk mit dem Fall vor ein Bundesgericht gehen und dort gewinnen wird.«

»Auf keinen Fall, Portia. Der Fall kann gar nicht an einem Bundesgericht verhandelt werden.«

»Der Meinung war ich auch.«

»Wie viel bekommt Sistrunk?«

»Die Hälfte. Und das weiß ich nur, weil es meiner Mutter bei dem Streit rausgerutscht ist. Sie sagte, es sei völlig absurd, dass sie die Hälfte ihres Anteils an Sistrunk abtreten müsse. Worauf mein Dad sagte: ›Die Hälfte von nichts ist nichts.‹«

»Haben sich Ihre Eltern Geld von Sistrunk geliehen?«

»Sie haben keine Hemmungen, Fragen zu stellen, stimmt's?«

Jake lächelte und zuckte mit den Schultern. »Irgendwann kommt es sowieso raus, das können Sie mir glauben.«

»Ja, es gibt einen Kredit. Ich weiß nicht, um wie viel es geht.«

Jake trank einen Schluck kalten Kaffee, während beide über die nächste Frage nachdachten. »Das ist eine schwerwiegende Angelegenheit, Portia. Es geht um ein Vermögen, und zurzeit ist unsere Seite am Verlieren.«

Sie lächelte. »Ein Vermögen? Als herauskam, dass diese arme Schwarze irgendwo auf dem Land in Mississippi zwanzig Millionen Dollar erben wird, sind die Anwälte völlig ausgerastet. Einer der Anrufe kam aus Chicago, von einem Anwalt, der uns alles

Mögliche versprochen hat. Zu dem Zeitpunkt hatte Sistrunk bereits das Mandat, und er hat ihnen dann eine Abfuhr erteilt, aber sie rufen immer noch an. Weiße Anwälte, schwarze Anwälte, alle haben uns einen besseren Deal angeboten.«

»Sie brauchen sie nicht.«

»Sind Sie sicher?«

»Meine Aufgabe besteht schlicht und einfach darin, das, was Mr. Hubbard in seinem Testament verfügt hat, durchzusetzen. Das Testament wird von seiner Familie angefochten, und genau dort sollte der Kampf stattfinden. Bei dem Prozess möchte ich Lettie neben mir am Tisch sitzen haben, zusammen mit Mr. Quince Lundy, dem Nachlassverwalter. Er ist weiß, ich bin weiß, und zwischen uns wird eine hübsche, glückliche Lettie sitzen. Hier geht es um Geld, Portia, aber es geht auch um die Hautfarbe. Wir können keinen Gerichtssaal gebrauchen, der auf der einen Seite schwarz und auf der anderen weiß ist. Ich bringe den Fall vor die Geschworenen und …«

»Und Sie werden gewinnen?«

»Nur ein vollkommen verblödeter Anwalt sagt voraus, wie die Geschworenen entscheiden werden. Aber ich schwöre, dass meine Chancen, den Fall zu gewinnen, erheblich größer sind als die Booker Sistrunks. Außerdem bekomme ich keinen festen Anteil von Letties Erbe.«

»Wie werden Sie bezahlt?«

»Sie haben keine Hemmungen, Fragen zu stellen, stimmt's?«

»Entschuldigung. Es gibt so vieles, was ich nicht weiß.«

»Ich arbeite für einen festen Stundensatz, und mein Honorar wird aus dem Nachlass bezahlt. Alles in vernünftigem Rahmen und vom Gericht genehmigt.«

Sie nickte, als würde sie so etwas die ganze Zeit hören. Dann hustete sie und sagte: »Mein Mund ist ganz trocken. Hätten Sie einen Softdrink oder etwas in der Art für mich?«

»Natürlich. Kommen Sie mit.« Sie gingen nach unten in die kleine Küche, wo Jake eine Dose Diätlimonade fand. Um sie zu beeindrucken, führte er sie in den Konferenzraum und zeigte ihr, wo Quince Lundy zurzeit arbeitete und sich durch Hubbards Akten wühlte. Lundy war noch nicht da.

»Wie viel von dem Erbe ist Bargeld?«, erkundigte sie sich schüchtern, als könnte die Frage verboten sein. Sie starrte die Kartons mit Akten an, als wären sie mit Geldscheinen gefüllt.

»Der größte Teil davon.«

Portia bewunderte die vielen Regale mit juristischen Fachbüchern und Abhandlungen, von denen die meisten seit Jahren nicht benutzt worden waren. »Sie haben eine schöne Kanzlei, Jake.«

»Ich habe sie sozusagen gebraucht übernommen. Sie gehört einem Mann namens Lucien Wilbanks.«

»Ich habe schon von ihm gehört.«

»Das haben die meisten Leute. Setzen Sie sich.«

Sie ließ sich in einen der Ledersessel an dem langen Tisch sinken, während Jake die Tür schloss. Roxy war natürlich in der Nähe und spitzte die Ohren.

Jake setzte sich ihr gegenüber. »Portia, wie wollen Sie Sistrunk loswerden?«

»Er soll noch für eine Weile im Gefängnis schmoren«, platzte sie in bester militärischer Tradition heraus.

Jake lachte. »Das wird nicht gehen. Ihre Mutter muss ihn feuern. Ihr Vater zählt dabei nicht, er hat kein Mandat erteilt.«

»Aber sie schulden ihm Geld.«

»Sie können den Kredit später abbezahlen. Wenn sie auf mich hört, werde ich ihr Schritt für Schritt erklären, was zu tun ist. Aber zuerst muss sie Sistrunk sagen, dass er gefeuert ist. Und Buckley auch. Schriftlich. Ich werde einen Brief formulieren, den sie nur noch zu unterschreiben braucht.«

»Lassen Sie mir ein bisschen Zeit, okay?«

»Wir haben nicht viel Zeit. Je länger Sistrunk sich hier rumdrückt, desto mehr Schaden richtet er an. Er ist auf Publicity aus und liebt die Aufmerksamkeit. Leider bekommt er die Aufmerksamkeit von sämtlichen Weißen in Ford County. Und diese Leute werden unsere Geschworenen sein, Portia.«

»Eine Jury, die nur aus Weißen besteht?«

»Nein, aber mindestens acht oder neun von den zwölf.«

»Bestand die Jury für Hailey nicht auch komplett aus Weißen?«

»Stimmt, und sie schien mit jedem Tag weißer zu werden. Aber das war ein anderer Prozess.«

Portia trank einen Schluck aus der Dose und sah sich wieder die Regale mit den dicken Wälzern an. »Anwalt zu sein muss ziemlich cool sein«, sagte sie ehrfürchtig.

»Cool« war nicht gerade das Adjektiv, das Jake benutzen würde. Insgeheim musste er zugeben, dass es schon eine ganze Weile her war, dass er seinen Beruf für etwas anderes als langweilig gehalten hatte. Der Hailey-Prozess war ein großer Triumph gewesen, doch für die viele Arbeit, die Belästigungen, die Gewaltandrohungen und zerrütteten Nerven waren ihm lediglich neunhundert Dollar bezahlt worden. Und dafür hatte er sein Haus und um ein Haar auch seine Familie verloren.

»Es hat seine angenehmen Seiten«, erwiderte er.

»Jake, gibt es in Clanton schwarze Anwältinnen?«

»Nein.«

»Wie viele schwarze Anwälte arbeiten hier?«

»Zwei.«

»Wo ist die nächste Kanzlei, die einer schwarzen Anwältin gehört?«

»In Tupelo.«

»Kennen Sie die Frau? Ich würde gern mit ihr reden.«

»Ich rufe gern für Sie an. Sie heißt Barbara McNatt und ist sehr nett. Barbara hat ein Jahr vor mir ihren Abschluss in Jura gemacht. Sie hat sich auf Familienrecht spezialisiert, aber auch mit Polizisten und Staatsanwälten zu tun. Sie ist eine gute Anwältin.«

»Das wäre großartig.«

Sie trank noch einen Schluck, während sie eine unangenehme Pause in ihrem Gespräch zu überbrücken versuchten. »Sie haben erwähnt, dass Sie Jura studieren wollen«, meinte Jake dann, womit er ihre Aufmerksamkeit hatte. Sie redeten ausführlich über das Studium, und Jake achtete darauf, seine Ausführungen nicht ganz so schrecklich klingen zu lassen wie seinen eigenen, drei Jahre währenden Leidensweg. Wie alle Anwälte wurde er hin und wieder von Studenten gefragt, ob er es empfehlen könne, als Anwalt zu arbeiten. Er war nie so ehrlich gewesen, mit Nein zu antworten, obwohl er viele Vorbehalte hatte. Es gab zu viele Anwälte und zu wenig gute Mandate. In den Hauptstraßen zahlloser Kleinstädte fand man eine Kanzlei neben der anderen, und in den großen Städten waren sie in den Hochhäusern im Zentrum übereinandergestapelt. Trotzdem konnte sich mindestens die Hälfte aller Amerikaner, die einen Rechtsbeistand brauchten, keinen Anwalt leisten, daher wurden noch mehr Anwälte gebraucht. Aber nicht noch mehr Firmen- oder Versicherungsanwälte und ganz bestimmt nicht noch mehr Kleinstadtanwälte wie er. Jake hatte das Gefühl, dass Portia Lang es richtig machen würde, wenn sie Anwältin wurde. Sie würde ihren Leuten helfen.

Quince Lundy kam und unterbrach ihr Gespräch. Jake stellte ihm Portia vor und begleitete sie dann zum Eingang. Draußen, unter dem Vordach der Kanzlei, lud er sie zum Abendessen ein.

Die aufgrund von Kendrick Bosts Antrag auf gerichtliche Anordnung eines Haftprüfungstermins angesetzte Anhörung fand im ersten Stock des Bundesgerichts in Oxford statt, wie vorgesehen um dreizehn Uhr. Bis zu diesem Zeitpunkt hatte der Anwalt Booker F. Sistrunk den Gefängnisoverall schon über vierundzwanzig Stunden getragen. Er war bei der Anhörung nicht anwesend, was auch nicht notwendig war.

Den Vorsitz der Anhörung führte der im Turnus zuständige Richter, der kein rechtes Interesse für seine Aufgabe aufzubringen schien. Es gab keinen einzigen Präzedenzfall dafür, dass ein Bundesgericht für eine an einem einzelstaatlichen Gericht angeordnete Festnahme wegen Missachtung des Gerichts zuständig war, jedenfalls nicht im Fünften Gerichtsbezirk. Der Richter erkundigte sich wiederholt nach einer maßgeblichen Gerichtsentscheidung, aus irgendeinem Bundesstaat, aber es gab keine.

Bost wurde gestattet, eine halbe Stunde wie ein Rohrspatz zu schimpfen, aber er sagte so gut wie nichts, was Hand und Fuß hatte. Ohne stichhaltige Begründung behauptete er, Mr. Sistrunk sei Opfer irgendeines obskuren Komplotts, mit dem ihn die Obrigkeit in Ford County aus dem Prozess um das Testament drängen wolle. Was nicht gesagt wurde, war klar: Sistrunk ging davon aus, dass er freigelassen wurde, schlicht und einfach deshalb, weil er schwarz war und sich von einem weißen Richter ungerecht behandelt fühlte.

Der Antrag wurde abgelehnt. Bost ging sofort beim Fünften Gerichtsbezirk in New Orleans in Berufung. Außerdem hatten er und Buckley bereits Berufung gegen die Festnahme wegen Missachtung des Gerichts am Obersten Gerichtshof von Mississippi eingelegt.

Währenddessen spielte Mr. Sistrunk Schach mit seinem neuen Zellengenossen, einem Scheckbetrüger.

Carlas Familie mütterlicherseits kam ursprünglich aus Deutschland, weshalb sie Deutsch an der Highschool gelernt und vier Jahre an der Ole Miss studiert hatte. In Clanton hatte sie selten Gelegenheit, ihre Fremdsprachenkenntnisse anzubringen, daher freute sie sich, Portia in ihrem bescheidenen, gemieteten Haus zu Gast zu haben, obwohl Jake, der es völlig vergessen hatte, ihr erst um siebzehn Uhr von der Einladung erzählt hatte. »Ganz ruhig«, hatte er gesagt. »Portia ist ein nettes Mädchen und wird vielleicht eine entscheidende Rolle bei dem Prozess spielen. Außerdem wurde sie vermutlich noch nie von einem Weißen zum Abendessen in seinem Haus eingeladen.« Während ihres Gesprächs, das anfänglich etwas angespannt verlief, wurde ihnen irgendwann klar, dass sie noch nie einen Schwarzen zu sich zum Essen eingeladen hatten.

Ihr Gast kam pünktlich um 18.30 Uhr und brachte eine Flasche Wein mit, eine mit einem Korken. Obwohl Jake betont hatte, der Abend solle »so zwanglos wie möglich« sein, hatte Portia sich umgezogen und trug jetzt ein langes, weites Baumwollkleid. Sie begrüßte Carla auf Deutsch, wechselte aber schnell wieder ins Englische. Dann entschuldigte sie sich für den Wein, einen billigen Roten aus Kalifornien, woraufhin sie sich über die dürftige Auswahl in den Spirituosengeschäften im Ort amüsierten. Jake erklärte, dass sämtliche alkoholischen Getränke in Mississippi vom Bundesstaat selbst eingekauft und dann an Spirituosengeschäfte in Privatbesitz verteilt würden. Das führte zu einer angeregten Diskussion über die absurden Alkoholgesetze in Mississippi, wo man in einigen Städten zwar neunzigprozentigen Rum, aber keine einzige Dose Bier kaufen konnte.

»Wir haben keinen Alkohol im Haus«, meinte Jake mit der Flasche in der Hand.

»Tut mir leid«, erwiderte Portia betreten. »Dann nehme ich die Flasche besser wieder mit.«

»Warum trinken wir den Wein nicht einfach?«, schlug Carla vor. Eine großartige Idee. Während Jake nach einem Korkenzieher suchte, gingen die Frauen an den Herd und sahen sich an, was es zu essen gab. Portia sagte, sie esse lieber, als zu kochen, habe aber in Europa eine Menge über Lebensmittel gelernt. Und dass sie eine Leidenschaft für italienische Weine entwickelt habe, von denen es aber nur selten einmal eine Flasche in Ford County gebe. »Da müssen Sie schon nach Memphis fahren«, rief Jake, der immer noch nach dem Korkenzieher suchte. Carla hatte eine Spaghettisoße mit scharfer Wurst gezaubert, und während die Soße vor sich hinköchelte, fing sie an, ein paar einfache Sätze auf Deutsch zu sagen. Portia antwortete langsam, wiederholte manchmal einen Satz, korrigierte häufig. Als Hanna die fremde Sprache hörte, kam sie aus dem hinteren Teil des Hauses in die Küche. Sie wurde dem Gast vorgestellt, der sie mit *ciao* begrüßte.

»Was bedeutet *ciao*?«, wollte Hanna wissen.

»Auf Italienisch bedeutet das unter Freunden Hallo und Auf Wiedersehen und auf Portugiesisch, glaube ich, auch«, erklärte Portia. »Das ist viel einfacher als *guten Tag* oder *bonjour*.«

»Ich kann auch ein paar Wörter auf Deutsch«, meinte Hanna. »Mama hat sie mir beigebracht.«

»Wir üben später«, sagte Carla.

Jake fand einen alten Korkenzieher und schaffte es, die Flasche zu öffnen. »Früher hatten wir auch richtige Weingläser«, meinte Carla, während sie drei billige Wassergläser aus dem Schrank holte. »Aber die sind wie alles andere bei dem Feuer verbrannt.« Jake goss den Wein ein, dann prosteten sie einander zu und setzten sich an den Küchentisch. Hanna ging auf ihr Zimmer.

»Reden Sie manchmal über den Brand?«, erkundigte sich Portia.

»Nicht oft«, sagte Jake. Carla schüttelte leicht den Kopf und wandte den Blick ab. »Aber wenn Sie Zeitung lesen, wissen Sie vermutlich, dass einer von den Typen wieder auf freiem Fuß ist, irgendwo hier in der Nähe.«

»Das hab ich gesehen«, erwiderte Portia. »Siebenundzwanzig Monate.«

»Genau. Okay, er hat das Streichholz nicht angezündet, aber er war bei der Planung dabei.«

»Macht es Ihnen Angst, dass er wieder draußen ist?«

»Natürlich macht es uns Angst«, warf Carla ein. »Wir haben Waffen im Schlafzimmer.«

»Um Dennis Yawkey mache ich mir gar nicht so viele Gedanken«, sagte Jake. »Er ist nur ein mieser kleiner Kerl, der versucht hat, ein paar andere zu beeindrucken. Außerdem passt Ozzie wie ein Schießhund auf ihn auf. Eine falsche Bewegung, und Yawkey ist wieder auf dem Weg nach Parchman. Die bösen Jungs da draußen, die nie angeklagt wurden, machen mir mehr Sorgen. Es waren ziemlich viele Männer beteiligt, einige von hier, einige nicht. Nur vier davon sind vor Gericht gelandet.«

»Fünf, wenn man Blunt mitzählt«, widersprach Carla.

»Er stand nie unter Anklage. Blunt war Mitglied des Ku-Klux-Klans und hat versucht, das Haus in die Luft zu jagen, eine Woche bevor sie es angezündet haben. Zurzeit ist er in einer psychiatrischen Klinik untergebracht und gibt sich alle Mühe, so zu tun, als wäre er verrückt.«

Carla stand auf und ging zum Herd, wo sie die Soße umrührte und die Flamme aufdrehte, um das Wasser zum Kochen zu bringen.

»Es tut mir leid«, sagte Portia leise. »Ich wollte keine unangenehmen Erinnerungen wecken.«

»Schon in Ordnung«, erwiderte Jake. »Erzählen Sie uns was über Italien. Wir sind noch nie dort gewesen.«

Beim Essen redete Portia über ihre Reisen nach Italien, Deutschland, Frankreich und die übrigen europäischen Länder. Als Schülerin an der Highschool hatte sie sich vorgenommen, die Welt kennenzulernen und so weit wie möglich von Mississippi wegzukommen. Die Army hatte ihr die Chance dazu gegeben, und sie hatte sie voll und ganz genutzt. Nach der Grundausbildung hatte sie die Wahl zwischen Deutschland, Australien und Japan gehabt. Während ihrer Stationierung in Ansbach hatte sie ihr Geld für Bahnnetzkarten und Studentenhostels ausgegeben und war oft allein unterwegs gewesen, um sich jedes Land von Schweden bis Griechenland anzusehen. Ein Jahr lang war sie auf Guam stationiert gewesen, aber sie hatte die Geschichte und die Kultur – vor allem das Essen und die Weine – Europas vermisst und erfolgreich um eine Versetzung gebeten.

Jake war einmal in Mexiko gewesen, Carla in London. Für ihren fünften Hochzeitstag hatten sie gespart und genug Geld für eine billige Pauschalreise nach Paris zusammengekratzt, von der sie nach wie vor schwärmten. Bis auf diese Reisen hatten sie immer irgendwo in der Nähe Urlaub gemacht. Wenn sie Glück hatten, verbrachten sie im Sommer eine Woche am Strand von Destin. Neidisch hörten sie Portia zu, die schon in der ganzen Welt herumgekommen war.

Hanna war fasziniert von ihr. »Haben Sie schon mal die Pyramiden gesehen?«, fragte sie einmal.

Portia hatte die Pyramiden tatsächlich besucht. Genau genommen bekamen sie den Eindruck, als hätte die junge Frau schon alles gesehen. Die Flasche war nach dem Salat leer, und sie hätten noch mehr Wein gebraucht. Stattdessen goss Carla Eistee in ihre Gläser, mit dem sie dann das Essen beendeten. Als

Hanna im Bett war, tranken sie entkoffeinierten Kaffee, aßen Kekse und redeten über alles Mögliche.

Lettie, das Testament und die damit zusammenhängenden Probleme wurden mit keinem Wort erwähnt.

20

Ancil Hubbard war nicht mehr Ancil Hubbard. Seinen alten Namen und sein altes Leben hatte er schon vor Jahren aufgegeben, als eine schwangere Frau ihn ausfindig gemacht, Anschuldigungen erhoben und Forderungen gestellt hatte. Sie war nicht die Erste gewesen, die ihm Ärger bereitet oder ihn zu einer Namensänderung bewogen hatte. Es gab noch eine sitzen gelassene Ehefrau in Thailand, ein paar eifersüchtige Ehemänner hier und da, das Finanzamt, die Polizei oder die Äquivalente dazu in mindestens drei Ländern und einen angepissten Drogenhändler in Costa Rica. Und das waren nur die Höhepunkte eines chaotischen, schlampig geführten Lebens, das er schon vor langer Zeit mit Freuden gegen etwas Traditionelleres eingetauscht hätte. Aber das war Ancil Hubbard nicht vorbestimmt gewesen.

Er arbeitete in einer Kneipe in Juneau, Alaska, in einer heruntergekommenen Gegend der Stadt, wohin Matrosen, Hafenarbeiter und Handlanger kamen, um sich zu betrinken, beim Würfeln zu verlieren und Dampf abzulassen. Zwei grimmig aussehende Rausschmeißer sorgten für Ordnung, was ihnen nicht immer gelang. Er war als Lonny bekannt, ein Name, den er vor zwei Jahren in einer Zeitung in Tacoma bei den Todesanzeigen gelesen hatte. Lonny Clark. Lonny wusste, wie man die Vorschriften umging, und wenn Lonny gewollt hätte, hätte er sich eine Sozialversicherungsnummer, einen Führerschein aus jedem beliebigen Bundesstaat, ja sogar einen Reisepass besorgen können. Aber Lonny ging auf Nummer sicher. Was die Behörden betraf, gab es ihn nicht. Er existierte nicht, allerdings besaß er gefälschte Papiere, für den Fall, dass es doch einmal eng wurde. Er arbeitete in Kneipen, weil er dort seinen Lohn in bar bekam. Er hatte ein Zimmer in einer Absteige ein Stück die Straße hinunter und zahlte die Miete in bar. Er war mit Fahrrädern und Bussen unterwegs, und wenn er verschwinden musste, was nie ganz auszuschließen war, zahlte er bar für eine Fahrkarte mit einem Greyhound-Bus und zeigte einen gefälschten Führerschein. Oder er fuhr per Anhalter, womit er schon unzählige Kilometer hinter sich gebracht hatte.

Wenn er hinter der Theke stand und arbeitete, musterte er jeden, der kam und ging. Nach dreißig Jahren auf der Flucht hatte er gelernt, wie man Leute beobachtete, allzu neugierige Blicke entdeckte und jemanden erkannte, der nicht in die Umgebung passte. Da er bei seinen Missetaten nie jemanden verletzt hatte, bedauerlicherweise aber auch nie viel Geld gemacht hatte, bestand eine gute Chance, dass er gar nicht verfolgt wurde. Lonny war ein Kleinkrimineller, dessen große Schwäche sein Faible für Frauen mit vielen Fehlern war. Das war kein Verbrechen. Gut, es hatte da ein paar Sachen gegeben – Drogenhandel in kleinem Maßstab, Waffenschmuggel in noch kleinerem Maßstab –, aber irgendwie musste er sich schließlich seinen Lebensunterhalt verdienen. Ein paar seiner Straftaten waren vielleicht doch etwas schwerer gewesen. Und so war es ihm nach einem unsteten Leben zur Gewohnheit geworden, ständig einen Blick über die Schulter zu werfen.

Mit den Straftaten war es inzwischen vorbei, mit den Frauen auch, meistens jedenfalls. Mit sechsundsechzig Jahren reifte in Lonny allmählich die Erkenntnis, dass eine schwächer werdende Libido vielleicht doch etwas Gutes war. Es sorgte dafür, dass er nicht mehr in Schwierigkeiten geriet und sich auf andere Dinge konzentrieren konnte. Er träumte davon, ein Fischerboot zu kaufen, was aber unmöglich war, da er von seinem mageren Lohn nichts sparen konnte. Aus reiner Gewohnheit dachte er oft darüber nach, einen letzten Drogendeal abzuziehen, eine richtig große Sache, die ihm einen schönen Batzen Geld einbrachte und allen Problemen ein Ende bereitete. Aber der Gedanke daran, vielleicht im Gefängnis zu landen, machte ihm Angst. In seinem Alter und mit der Menge, die er für einen solchen Deal brauchte, würde er hinter Gittern sterben. Außerdem waren seine letzten Drogendeals ziemlich in die Hose gegangen, was er allerdings nur ungern zugab.

Nein, danke. Er gab sich damit zufrieden, hinter der Theke zu stehen, mit Matrosen und Nutten zu plaudern und wohlverdiente Ratschläge zu erteilen. Jeden Morgen um zwei schloss er die Kneipe ab und ging halbwegs nüchtern zu seinem kleinen Zimmer, wo er sich auf das schmutzige Bett legte und wehmütig an seine Zeit auf See dachte, zuerst in der Navy und später dann auf Kreuzfahrtschiffen, Jachten, ja sogar Tankern. Wenn man keine Zukunft hat, lebt man in der Vergangenheit, und Lonny blieb ständig dort hängen.

An Mississippi oder seine Kindheit dort dachte er nie. Gleich nachdem er weggegangen war, hatte er sein Gehirn irgendwie darauf trainiert, alle Gedanken daran zu verdrängen. Er konnte mühelos die Kulisse und die Bilder wechseln, und nach Jahrzehnten hatte er sich eingeredet, dass er nie dort gelebt hatte. Sein Leben hatte mit sechzehn begonnen; davor war nichts geschehen.

Überhaupt nichts.

An seinem zweiten Morgen in Gefangenschaft, kurz nach dem Frühstück, das aus kaltem Rührei und noch kälterem Weißbrot bestand, wurde Booker Sistrunk aus der Zelle geholt und ohne

Hand- und Fußfesseln in das Büro des Sheriffs gebracht. Er ging hinein, während ein Deputy vor der Tür wartete. Ozzie begrüßte ihn herzlich und fragte, ob er frischen Kaffee haben wolle. O ja. Der Sheriff bot ihm auch frische Donuts an. Sistrunk begann sofort zu essen.

»Wenn Sie wollen, sind Sie in zwei Stunden draußen«, sagte Ozzie. Sistrunk hörte zu. »Sie brauchen nur ins Gericht rüberzugehen und sich bei Richter Atlee zu entschuldigen. Dann sind Sie noch vor dem Mittagessen wieder in Memphis.«

»Irgendwie gefällt's mir hier«, antwortete Sistrunk mit vollem Mund.

»Nein, Booker, Ihnen gefällt das hier.« Ozzie schob ihm die Zeitung aus Memphis hin. Erste Seite, Lokalteil, unterhalb des Knicks, ein Archivfoto unter einer Schlagzeile, die verkündete: SISTRUNKS ANTRAG AUF HAFTPRÜFUNG VON BUNDESGERICHT ABGELEHNT. ANWALT WEITERHIN IN CLANTON HINTER GITTERN. Sistrunk las den Text, während er den nächsten Donut in Angriff nahm. Ozzie fiel ein leichtes Grinsen auf.

»Neuer Tag, neue Schlagzeile, nicht wahr, Booker? Ist das alles, worum es Ihnen hier geht?«

»Ich kämpfe für meine Mandantin, Sheriff. Gut gegen Böse. Ich bin überrascht, dass Sie das nicht sehen können.«

»Ich sehe alles, und das hier springt mir geradezu ins Gesicht. Sie werden diesen Fall nicht vor Richter Atlee verhandeln. Basta. Mit dem Richter haben Sie es sich verscherzt, und jetzt hat er die Nase voll von Ihnen und Ihrer Dummheit. Sie stehen bei ihm auf der schwarzen Liste, und da kommen Sie nicht mehr runter.«

»Kein Problem, Sheriff. Dann gehe ich eben vor ein Bundesgericht.«

»Ja, klar, Sie können mit irgend so einer Bürgerrechtsscheiße vor ein Bundesgericht ziehen, aber es wird nicht funktionieren. Ich habe mit ein paar Anwälten geredet, Leuten, die oft mit Bundesgerichten zu tun haben, und die sagen alle, dass Sie nur Scheiße labern. Die Richter hier können Sie nicht so einfach schikanieren wie die in Memphis. Hier im nördlichen Bezirk gibt es drei Bundesrichter. Einer war mal Richter an einem Chancery Court, genau wie Atlee. Einer ist ehemaliger Bezirks-staatsanwalt, und einer war mal Staatsanwalt. Alle weiß. Alle ziemlich konservativ. Und Sie glauben, Sie können hier einfach so in ein Bundesgericht marschieren, anfangen, mit dieser Rassismus-Scheiße um sich zu werfen, und irgendjemand wird es Ihnen schon abkaufen. Sie sind ein Idiot.«

»Und Sie sind kein Anwalt, Sheriff. Aber trotzdem danke für den juristischen Rat. Bis ich wieder in meiner Zelle sitze, werde ich ihn vergessen haben.«

Ozzie lehnte sich zurück und legte die Füße auf seinen Schreibtisch. Seine Cowboystiefel waren auf Hochglanz poliert. Er starrte frustriert an die Decke. »Sie machen es den Weißen hier ganz schön einfach, Lettie Lang zu hassen. Das wissen Sie, Booker, oder?«

»Sie ist schwarz. Sie haben sie schon gehasst, lange bevor ich in die Stadt gekommen bin.«

»Da irren Sie sich. Ich bin zweimal von den Weißen in diesem County gewählt worden. Die meisten von ihnen sind anständige Leute. Sie werden Lettie eine faire Chance geben, zumindest hätten sie das getan, bevor Sie aufgetaucht sind. Jetzt ist es Schwarz gegen Weiß, und wir werden die Stimmen der Geschworenen nicht bekommen. Sie sind ein Idiot, Booker, das ist Ihnen klar, oder? Ich weiß nicht, was für eine Art Recht Sie da oben in Memphis praktizieren, aber hier unten wird es nicht funktionieren.«

»Danke für den Kaffee und die Donuts. Kann ich jetzt gehen?«

»Ja, bitte gehen Sie.«

Sistrunk stand auf und ging zur Tür, wo er stehen blieb. »Übrigens, ich bin mir nicht so sicher, ob Ihr Gefängnis bundesrechtlichen Bestimmungen entspricht«, sagte er.

»Verklagen Sie mich.«

»Mir sind eine ganze Menge Verstöße aufgefallen.«

»Es könnte noch schlimmer werden.«

Es war noch nicht zwölf, als Portia wieder in die Kanzlei kam. Sie wartete und unterhielt sich mit Roxy, während Jake mit einem langen Telefonat beschäftigt war, dann ging sie nach oben in sein Büro. Ihre Augen waren gerötet, ihre Hände zitterten, und sie sah aus, als hätte sie seit einer Woche nicht geschlafen. Sie schafften es, kurz über das Abendessen am Tag vorher zu plaudern. »Was ist los?«, fragte Jake schließlich ohne Umschweife.

Sie schloss die Augen, rieb sich mit den Fingern die Stirn und begann zu reden. »Wir haben die ganze Nacht nicht geschlafen. Es gab einen Riesenstreit. Simeon hatte getrunken, nicht viel, aber es reichte, um ihn zur Weißglut zu treiben. Momma und ich sagten, dass Sistrunk gehen müsse. Das gefiel ihm natürlich nicht, und dann fing der Streit an. Das Haus ist mit Leuten vollgestopft, und wir streiten wie ein Haufen Idioten. Irgendwann ist er gegangen, und seitdem haben wir ihn nicht mehr gesehen. Das ist die schlechte Nachricht. Die gute Nachricht ist, dass meine Mutter alles unterschreiben will, was notwendig ist, um die Anwälte aus Memphis loszuwerden.«

Jake ging zu seinem Schreibtisch, nahm ein Blatt Papier und gab es ihr. »Hier steht lediglich drin, dass sie ihn feuert. Das ist alles. Wenn sie das unterschreibt, sind wir im Geschäft.«

»Was ist mit Simeon?«

»Er kann so viele Anwälte engagieren, wie er will, aber er steht nicht im Testament und ist daher auch keine betroffene

Partei. Richter Atlee wird ihn nicht zur Verhandlung zulassen und seine Anwälte auch nicht. Simeon ist draußen. Hier geht es um Lettie und die Familie Hubbard. Wird sie unterschreiben?«

Portia stand auf. »Ich bin gleich wieder da.«

»Wo ist sie?«

»Draußen im Wagen.«

»Bitte sagen Sie ihr, dass sie reinkommen soll.«

»Sie will nicht. Sie hat Angst, dass Sie böse auf sie sind.«

Jake konnte es nicht glauben. »Portia, bitte. Ich mache uns Kaffee, und dann reden wir. Holen Sie Ihre Mutter.«

Sistrunk hatte es sich auf dem unteren Stockbett bequem gemacht und las, einen Stapel Anträge und Schriftsätze auf dem Bauch. Sein Zellengenosse saß in der Nähe und hatte die Nase in einem Taschenbuch vergraben. Metall klirrte, die Tür wurde entriegelt, dann stand wie aus dem Nichts Ozzie in der Zelle. »Gehen wir, Booker«, sagte der Sheriff. Er gab Sistrunk dessen Anzug, der zusammen mit Hemd und Krawatte auf einem Kleiderbügel hing. Schuhe und Socken waren in einer braunen Papiertüte.

Sie schlichen durch eine Hintertür auf den Parkplatz, wo Ozzies Wagen stand. Eine Minute später hielten sie hinter dem Gerichtsgebäude und eilten hinein. Die Gänge waren leer, sie wurden von niemandem gesehen. Im zweiten Stock betraten sie das kleine Vorzimmer von Richter Atlees Büro. Die Gerichtsstenografin, die auch seine Sekretärin war, wies auf eine Tür. »Sie warten schon«, sagte sie.

»Was ist hier los?«, murmelte Sistrunk mindestens zum vierten Mal. Ozzie gab keine Antwort. Er stieß die Tür auf. Am Ende eines langen Tisches thronte Richter Atlee, wie immer in einem schwarzen Anzug, aber ohne seine Robe. Rechts von ihm saßen Jake, Lettie und Portia. »Setzen Sie sich, meine Herren«, sagte der Richter, während er auf die Stühle zu seiner Linken wies. Sie folgten der Aufforderung, und der Sheriff nahm so weit wie möglich von den anderen entfernt Platz.

Sistrunk starrte Jake und Lettie über den Tisch hinweg an. Es fiel ihm schwer, den Mund zu halten, aber er schaffte es. Er hatte die Angewohnheit, zuerst zu schießen und Fragen gegebenenfalls später zu stellen, doch der gesunde Menschenverstand riet ihm, sich zurückzuhalten und nichts zu tun, was den Richter verärgern würde. Portia sah aus, als wollte sie sich jeden Augenblick auf ihn stürzen. Lettie starrte auf ihre Hände, während Jake auf einem Notizblock herumkritzelte.

»Sehen Sie sich das bitte an«, sagte Richter Atlee zu Sistrunk, während er ein Blatt Papier über den Tisch schob. »Sie sind gefeuert.«

Sistrunk las den kurzen Absatz, dann ging sein Blick zu Lettie. »Haben Sie das unterschrieben?«, fragte er.

»Ja.«

»Unter Zwang?«

»Bestimmt nicht«, fuhr Portia ihn an. »Sie hat sich dafür entschieden, auf Ihre Dienste zu verzichten. Da steht es, schwarz auf weiß. Verstehen Sie das?«

»Wo ist Simeon?«

»Weg«, erklärte Lettie. »Wann er wiederkommt, weiß ich nicht.«

»Ihn vertrete ich immer noch«, sagte Sistrunk.

»Er ist keine betroffene Partei«, warf Richter Atlee ein. »Daher wird er auch nicht am Verfahren teilnehmen dürfen, genauso wenig wie Sie.« Er nahm ein zweites Blatt Papier und reichte es weiter. »Das ist eine Anordnung, die ich gerade unterschrieben habe. Damit wird Ihre Festnahme wegen Missachtung des Gerichts aufgehoben. Da Sie in dieser Angelegenheit nicht länger tätig sind, Mr. Sistrunk, können Sie jetzt gehen.« Es war eher ein Befehl als eine Feststellung.

Sistrunk warf Lettie einen wütenden Blick zu. »Ich habe das Recht, für meine Zeit und meine Auslagen entschädigt zu werden. Außerdem sind da noch die Kredite. Wann kann ich mit dem Geld rechnen?«

»Zu gegebener Zeit«, antwortete Jake.

»Ich will mein Geld jetzt.«

»Sie bekommen es aber nicht jetzt.«

»Dann werde ich klagen.«

»In Ordnung. Ich übernehme die Klageerwiderung.«

»Und ich den Vorsitz«, mischte sich Richter Atlee ein. »Ein Prozessdatum gebe ich Ihnen dann in etwa vier Jahren.«

Portia konnte sich ein Schmunzeln nicht verkneifen.

»Sind wir hier fertig?«, fragte Ozzie. »Falls ja, werde ich Mr. Sistrunk jetzt wohl nach Memphis fahren müssen. Es sieht so aus, als wäre er hier bei uns gestrandet. Außerdem haben Mr. Sistrunk und ich noch einiges zu besprechen.«

»Sie werden von mir hören. Das ist nicht mein letztes Wort gewesen«, schleuderte Sistrunk Lettie entgegen.

»Da bin ich mir sicher«, meinte Jake.

»Bringen Sie ihn weg«, sagte Richter Atlee. »Und zwar so weit weg wie möglich.«

Die Sitzung wurde vertagt.

21

Die Kanzlei Jake Brigance hatte noch nie einen Praktikanten eingestellt. Die anderen Anwälte rund um den Clanton Square boten hin und wieder einen Praktikumsplatz an, in der Regel für Studenten vom örtlichen College, die Jura studieren wollten und einen Job suchten, mit dem sie ihren Lebenslauf aufpeppen konnten. Theoretisch waren Praktikanten kostenlose oder billige Arbeitskräfte, aber Jake hatte mehr schlechte als gute Geschichten gehört. Er war nie versucht gewesen, mit Praktikanten zu arbeiten, bis er Portia Lang kennengelernt hatte. Sie war intelligent, langweilte sich, hatte gerade keine Arbeit und redete ständig davon, Jura studieren zu wollen. Außerdem war sie die mit Abstand vernünftigste Person im ehemaligen Haus der Sappingtons, und ihre Mutter vertraute ihr vorbehaltlos. Dazu kam, dass ihre Mutter auf dem besten Weg war, die reichste Schwarze in ganz Mississippi zu werden, obwohl Jake inzwischen ernstliche Hindernisse dafür sah.

Er stellte Portia für fünfzig Dollar die Woche ein und gab ihr ein Büro im ersten Stock, außer Reichweite von Roxy, Quince Lundy und ganz besonders Lucien, der bis Thanksgiving jeden Tag in die Kanzlei kam und immer mehr in seine alten Gewohnheiten zurückfiel. Schließlich war es seine Kanzlei, und wenn er eine Zigarre rauchen und überall die Luft verpesten wollte, dann war das eben so. Wenn er spätnachmittags mit einem Glas Bourbon in der Hand im Empfangsbereich herumlaufen und Roxy mit schmutzigen Witzen nerven wollte, dann war das eben so. Wenn er Quince Lundy mit Fragen nach Seth Hubbards Vermögen löchern wollte – wer sollte ihn davon abhalten?

Jake musste immer mehr Zeit dafür aufwenden, zwischen seinen immer zahlreicher werdenden Mitarbeitern zu vermitteln. Bis vor zwei Monaten hatten er und Roxy eine ziemlich langweilige, aber auch produktive Koexistenz geführt. Jetzt gab es Spannungen, manchmal sogar Auseinandersetzungen, aber auch jede Menge Gelächter und Teamarbeit. Im Großen und Ganzen genoss Jake den Trubel, doch ihm graute davor, dass Lucien es mit seiner Rückkehr in die Kanzlei ernst meinte. Einerseits hatte er Lucien sehr gern und schätzte seinen Rat und seine Erfahrung. Andererseits wusste er, dass eine erneute Zusammenarbeit nicht von Dauer sein würde. Jakes Trumpfkarte war eine Bestimmung in der Gesetzgebung von Mississippi, nach der Anwälte, denen man die Lizenz entzogen hatte, vor einer erneuten Zulassung noch einmal die Anwaltsprüfung ablegen mussten. Lucien war dreiundsechzig und stand jeden Tag ab etwa siebzehn Uhr, manchmal auch schon früher, bis spät in die Nacht unter dem Einfluss von Jack Daniel's. Nie im Leben würde es ein alter Gewohnheitstrinker wie er schaffen, für die Prüfung zu lernen und sie dann auch noch zu bestehen.

An ihrem ersten Tag kam Portia fünf Minuten vor neun, dem vereinbarten Arbeitsbeginn, in die Kanzlei. Sie hatte sich etwas schüchtern bei Jake erkundigt, ob es Vorschriften für die Bürokleidung gebe. Er hatte geantwortet, dass er keine Ahnung habe, was Praktikanten so trügen, aber davon ausgehe, dass Freizeitkleidung in Ordnung sei. Wenn sie bei Gericht zu tun hätten, sei ein etwas gepflegteres Äußeres anzuraten, aber eigentlich sei es ihm egal. Er rechnete mit Jeans und Laufschuhen, stattdessen kam Portia in einer hübschen Bluse, Rock und Pumps mit hohen Absätzen. Die junge Frau brannte darauf, mit ihrer

Arbeit zu beginnen, und innerhalb weniger Minuten hatte Jake den Eindruck, dass sie sich schon für eine Anwältin hielt. Er führte sie in ihr Büro, eines von dreien, die im ersten Stock leer standen. Es war seit vielen Jahren nicht benutzt worden, das letzte Mal in den Glanzzeiten der alten Wilbanks-Kanzlei. Portia riss die Augen auf und sah sich die aus massivem Holz gefertigten Schreibtische und die schönen, aber staubigen Möbel an. »Wessen Büro war das zuletzt?«, fragte sie mit einem Blick auf das verblasste Porträt irgendeines alten Wilbanks.

»Da müssen Sie Lucien fragen«, erwiderte Jake. In den letzten zehn Jahren hatte er keine fünf Minuten in dem Raum verbracht.

»Es ist toll«, sagte sie.

»Nicht schlecht für eine Praktikantin. Später kommt ein Mann von der Telefongesellschaft und legt noch einen Anschluss. Dann können Sie anfangen.«

In der nächsten halben Stunde sprachen sie die Regeln durch: Telefonbenutzung, Mittagspause, Büroetikette, Überstunden und so weiter. Portias erste Aufgabe bestand darin, ein Dutzend Fälle aus Mississippi zu lesen, bei denen es um Testamentsanfechtungen ging, die vor einem Geschworenengericht verhandelt worden waren. Es sei wichtig, erklärte Jake, dass sie sich mit den entsprechenden Gesetzen und der Fachsprache auskenne und verstehe, wie der Fall ihrer Mutter gehandhabt werde. Lesen Sie die Fälle, und dann lesen Sie sie noch mal. Machen Sie sich Notizen. Beschäftigen Sie sich so lange mit den Gesetzen, bis Sie sich gut damit auskennen, damit Gespräche mit Lettie konstruktiver werden. Lettie würde die entscheidende Zeugin im Prozess sein, und sie mussten jetzt damit anfangen, die Grundlagen für ihre Aussage zu legen. Die Wahrheit war das Wichtigste, doch wie jeder Prozessanwalt wusste, gab es verschiedene Möglichkeiten, die Wahrheit zu sagen.

Sobald Jake ihr den Rücken zugedreht hatte, platzte Lucien herein und machte es sich in Portias Büro gemütlich. Die beiden hatten sich tags zuvor kennengelernt; es war nicht notwendig gewesen, sie einander vorzustellen. Lucien sprach ausgiebig darüber, wie klug es gewesen sei, die Anwälte aus Memphis zu feuern und sich mit Jake zu verbünden, obwohl es seiner Meinung nach schwer werde, den Fall zu gewinnen. Dann erinnerte er sich daran, dass er vor zwanzig Jahren einen Cousin ihres Vaters, einen Lang, in einer Strafsache vertreten hatte. Er habe den Jungen vor dem Gefängnis bewahrt. Großartige Arbeit von ihm. Das führte zu einer anderen Geschichte über eine Schießerei, an der vier Männer beteiligt gewesen waren, von denen keiner nicht einmal entfernt mit Portia verwandt war, jedenfalls soweit sie das beurteilen konnte. Vom Hörensagen kannte sie Lucien wie jeder andere als jenen alten, ständig betrunkenen Anwalt, der als erster Weißer dem Ortsverband der schwarzen Bürgerrechtsorganisation NAACP beigetreten war und jetzt mit seiner Haushälterin zusammen in dem großen Haus auf dem Hügel lebte. Teils Legende, teils Gauner, gehörte er zu den Männern, von denen sie geglaubt hatte, sie nie im Leben kennenzulernen. Und jetzt plauderte er mit ihr (in ihrem Büro!), als wären sie alte Freunde. Eine Weile hörte sie ihm höflich zu, doch nach einer Stunde begann sie sich zu fragen, wie oft er sie wohl noch besuchen würde.

Während die neue Praktikantin Lucien zuhörte, hatte sich Jake mit Quince Lundy in seinem Büro eingeschlossen und sah ein Dokument durch, das später das Erste Nachlassverzeichnis genannt werden sollte. Nach einem Monat Detektivarbeit war Lundy sicher, dass das Erste Nachlassverzeichnis dem endgültigen Verzeichnis sehr ähnlich sehen würde. Es gab kein verstecktes Vermögen. Seth Hubbard hatte gewusst, wann und wie er sterben würde, und er hatte dafür gesorgt, dass die entsprechenden Unterlagen nach seinem Tod zugänglich waren.

Die Bewertung der Immobilien war abgeschlossen. Zum Zeitpunkt seines Todes besaß Seth (1) sein Haus und das dazugehörende, achtzig Hektar große Grundstück mit einem Schätzwert von dreihunderttausend Dollar, (2) sechzig Hektar Forstland in der Nähe von Valdosta, Georgia, mit einem Schätzwert von vierhundertfünfzigtausend Dollar, (3) einhundertsechzig Hektar Forstland in der Nähe von Marshall, Texas, mit einem Schätzwert von achthunderttausend Dollar, (4) ein direkt am Strand gelegenes, unbebautes Grundstück in Clearwater, Florida, mit einem Schätzwert von einhunderttausend Dollar, (5) eine Blockhütte und zwei Hektar Land außerhalb von Boone, North Carolina, mit einem Schätzwert von zweihundertachtzigtausend Dollar und (6) eine im vierten Stock eines Apartmentgebäudes gelegene Eigentumswohnung in Destin, Florida, mit einem Schätzwert von zweihundertdreißigtausend Dollar.

Der Gesamtschätzwert von Seths Immobilien lag bei zwei Millionen und einhundertsechzigtausend Dollar. Hypotheken gab es keine.

Eine Beraterfirma aus Atlanta hatte den Wert der Berring Lumber Company auf vierhunderttausend Dollar geschätzt. Der Bericht war dem Nachlassverzeichnis beigefügt, zusammen mit den Immobiliengutachten.

Ebenfalls beigefügt waren Auszüge für ein Bankkonto in Birmingham, das mit sechs Prozent verzinst wurde und einen Saldo von einundzwanzig Millionen und dreihundertsechzigtausend Dollar und ein paar Cent aufwies.

Die kleinen Zahlen lasen sich am langweiligsten. Quince Lundy führte so viel von Seths beweglichem Vermögen auf, wie das Gericht seiner Meinung ertragen konnte, angefangen bei seinen fast neuen Fahrzeugen (fünfunddreißigtausend Dollar) bis hin zu seiner Garderobe (eintausend Dollar).

Das Endergebnis war trotzdem erstaunlich hoch. Das Erste Nachlassverzeichnis schätzte Seths gesamten Nachlass auf vierundzwanzig Millionen und zwanzigtausend Dollar. Das Bargeld war natürlich eine feste Zahl. Alles andere hing vom Markt ab, und es würde Monate, wenn nicht sogar Jahre dauern, es zu verkaufen.

Das Verzeichnis war fast drei Zentimeter dick. Jake wollte nicht, dass es sonst noch jemand aus der Kanzlei sah, daher machte er die beiden Kopien davon selbst. Dann ging er etwas früher als sonst in die Mittagspause, fuhr zur Schule und aß mit seiner Frau und seiner Tochter zusammen einen Teller Spaghetti aus der Schulkantine. Er versuchte, die beiden einmal in der Woche zu besuchen, meist mittwochs, wenn Hanna sich ihr Mittagessen ausnahmsweise in der Kantine kaufte. Sie liebte die Spaghetti von dort, aber noch mehr liebte sie es, ihren Vater bei sich zu haben.

Nachdem Hanna aufgestanden und zum Spielplatz gelaufen war, gingen Jake und seine Frau zu Carlas Klassenzimmer zurück. Die Klingel ertönte, gleich würde der Unterricht wieder beginnen.

»Ich muss jetzt zu Richter Atlee«, sagte Jake mit einem Grinsen. »Der erste Zahltag.«

»Viel Glück.« Sie gab ihm schnell einen Kuss. »Ich liebe dich.«

»Ich dich auch.« Jake verließ das Klassenzimmer schnell, weil er den Korridor hinter sich haben wollte, bevor die Schülermassen hereinströmten.

Richter Atlee saß an seinem Schreibtisch und löffelte gerade einen Teller Kartoffelsuppe leer, als Jake von seiner Sekretärin hereingeführt wurde. Entgegen den Anordnungen seines Arztes rauchte der Richter immer noch Pfeife, weil er es nicht schaffte aufzuhören. Während Jake sich setzte, stopfte der Richter eine Pfeife mit Sir Walter Raleigh und entzündete ein Streichholz. Nach dreißig Jahren extensiven Tabakkonsums war das gesamte Zimmer mit einem bräunlichen Belag überzogen. An der Decke waberte Dauernebel, den nur eine gesprungene Fensterscheibe erträglicher machte. In der Luft hing ein schwerer, würziger Geruch. Jake mochte das Büro des Richters mit seinen vielen dicken Abhandlungen und den verblassten Porträts, auf denen tote Richter und Generäle der Konföderierten abgebildet waren. In den zwanzig Jahren, in denen Richter Atlee in diesem Teil des Gerichts residierte, hatte sich absolut nichts verändert, und Jake hatte das Gefühl, dass sich auch in den letzten fünfzig Jahren nicht viel verändert hatte. Der Richter liebte Geschichte und bewahrte seine Lieblingsbücher auf einem maßgeschreinerten Regal in der Ecke auf. Der Schreibtisch war mit Dokumenten und Krimskrams überhäuft, und Jake hätte schwören können, dass die abgenutzte Akte vorn rechts auf dem Schreibtisch schon vor zehn Jahren dort gelegen hatte.

Kennengelernt hatten sie sich in der Kirche der Presbyterianer, vor zehn Jahren, als Jake und Carla nach Clanton gezogen waren. Der Richter führte die Kirchengemeinde genauso wie alle anderen Aspekte seines Lebens, und es dauerte nicht lange, bis er den jungen Anwalt unter seine Fittiche nahm. Die beiden wurden Freunde, allerdings mit einer gewissen Distanz. Reuben Atlee war vom alten Schlag. Er war Richter, Jake nur Anwalt. Grenzen musste man stets respektieren. Zweimal hatte er Jake vor Gericht zurechtgewiesen, was bei diesem einen bleibenden Eindruck hinterlassen hatte.

Mit der Pfeife im Mundwinkel holte Richter Atlee seine schwarze Anzugjacke und zog sie an. Er trug nichts anderes als schwarze Anzüge, außer wenn er in Robe im Gerichtssaal saß.

Niemand wusste, ob er zwanzig solcher Anzüge besaß oder nur einen; sie sahen alle gleich aus. Begleitet wurden die Anzüge unweigerlich von marineblauen Hosenträgern und gestärkten weißen Hemden, von denen die meisten winzige Löcher von Tabakasche hatten. Er nahm am Kopfende des Tisches Platz, während sie sich über Lucien unterhielten. Als Jake damit fertig war, Unterlagen aus seinem Aktenkoffer zu holen, gab er dem Richter eine Kopie des Nachlassverzeichnisses.

»Quince Lundy ist sehr gut«, meinte er. »Ich würde nicht wollen, dass er sich meine Finanzen ansieht.

»Das würde vermutlich nicht allzu lange dauern«, bemerkte Richter Atlee trocken. Viele hielten ihn für humorlos, aber wenn er jemanden mochte, konnte er mitunter herrlich ironisch sein.

»Nein. Vermutlich nicht.«

Für einen Richter war er nicht sehr gesprächig. Ohne ein Wort sah er sich das Verzeichnis an, Seite um Seite, während der Tabak erlosch und er nicht mehr an der Pfeife zog. Zeit spielte keine Rolle, denn wie viele Stunden in Rechnung gestellt wurden, bestimmte Reuben Atlee. Schließlich nahm er die Pfeife aus dem Mund, legte sie in einen Aschenbecher und sagte: »Vierundzwanzig Millionen?«

»Das ist die Gesamtsumme.«

»Das halten wir unter Verschluss, okay, Jake? Niemand sollte das sehen, zumindest jetzt noch nicht. Schreiben Sie mir eine Verfügung, dann werde ich diesen Teil der Akte versiegeln. Wer weiß, was geschieht, wenn das an die Öffentlichkeit kommt. Die Zeitungen würden auf der Titelseite darüber berichten, und es würde vermutlich noch mehr Anwälte nach Clanton bringen. Irgendwann kommt es raus, aber fürs Erste sollten wir es besser verschweigen.«

»Der Meinung bin ich auch.«

»Gibt es etwas Neues von Sistrunk?«

»Nein, Sir, und dafür habe ich inzwischen eine gute Quelle. Ich will mit offenen Karten spielen, daher muss ich Ihnen sagen, dass wir eine Praktikantin eingestellt haben. Portia Lang, Letties älteste Tochter. Ein intelligentes Mädchen, das vielleicht Jura studieren wird.«

»Kluge Entscheidung, Jake. Ich mag das Mädchen.«

»Dann ist das kein Problem?«

»Nein. Ihre Kanzlei fällt nicht in meinen Zuständigkeitsbereich.«

»Kein Interessenkonflikt?«

»Ich sehe keinen.«

»Ich auch nicht. Wenn Sistrunk wieder auftaucht oder irgendwo in der Gegend herumschleicht, werden wir das sofort wissen. Simeon ist immer noch verschwunden, aber ich vermute, dass er irgendwann wieder nach Hause kommen wird. Es wird Ärger mit ihm geben, aber dumm ist er nicht. Sie ist immer noch seine Frau.«

»Er kommt wieder. Da ist noch etwas, Jake. In dem Testament steht, dass ein Bruder, Ancil Hubbard, fünf Prozent bekommen soll. Das macht aus dem Bruder eine betroffene Partei. Ich habe Ihren Bericht und die eidesstaatlichen Erklärungen gelesen, und so, wie ich das sehe, gehen wir vor, als wäre dieser Ancil tot. Aber das macht mir Sorgen. Da wir es nicht mit Sicherheit wissen, sollten wir nicht einfach davon ausgehen, dass er tot ist.«

»Wir haben nach ihm gesucht, aber nirgendwo eine Spur von ihm gefunden.«

»Richtig, aber Sie sind kein Profi, Jake. Ich habe mir Folgendes überlegt. Fünf Prozent des Nachlasses sind über eine Million Dollar. Mir scheint es vernünftig zu sein, eine kleinere Summe zu nehmen, sagen wir mal in der Größenordnung von fünfzigtausend Dollar, und einer großen Detektei den Auftrag zu erteilen, nach ihm zu suchen. Oder herauszufinden, was mit ihm passiert ist. Was meinen Sie?«

In einer Situation wie dieser war es Richter Atlee eigentlich egal, was man meinte. Die Entscheidung war bereits gefallen, und er versuchte lediglich, höflich zu sein.

»Großartige Idee«, erwiderte Jake, was alle Richter gern hörten.

»Dann werde ich es genehmigen. Was ist mit den anderen Auslagen?«

»Ich bin froh, dass Sie fragen. Ich würde gern bezahlt werden.« Jake gab ihm eine Aufstellung der Stunden, die er für den Fall abgerechnet hatte. Richter Atlee studierte sie aufmerksam, dann runzelte er die Stirn, als wollte Jake den Nachlass plündern. »Einhundertachtzig Stunden. Was für einen Stundensatz habe ich genehmigt?«, fragte er schließlich.

Natürlich kannte er die Antwort. »Einhundertfünfzig«, erwiderte Jake.

»Das wären dann … lassen Sie mal sehen.« Er starrte durch die dicke Lesebrille auf seiner Nase die Zahlen an und runzelte immer noch heftig die Stirn, als hätte man ihn beleidigt. »Siebenundzwanzigtausend Dollar?«, wunderte er sich mit gespielter Ungläubigkeit.

»Mindestens.«

»Ist das nicht ein bisschen viel?«

»Ganz im Gegenteil, Sir. Das ist ein gutes Geschäft.«

»Und ein schöner Anfang der Weihnachtszeit.«

»O ja, das auch.« Jake wusste, dass Richter Atlee sein Honorar auch dann genehmigen würde, wenn er doppelt so viele Stunden angegeben hätte.

»Genehmigt. Weitere Auslagen?« Er griff in die Jackentasche und holte seinen Tabakbeutel heraus.

Jake schob ihm noch mehr Papiere hin. »Ja, eine ganze Menge. Quince Lundy muss sein Honorar bekommen. Er hat hundert

Stunden angesammelt, zu je hundert Dollar. Wir müssen auch die Gutachter, die Buchprüfer und die Beraterfirma bezahlen. Die Unterlagen habe ich hier, zusammen mit ein paar Verfügungen, die Sie unterschreiben müssten. Darf ich vorschlagen, dass wir eine bestimmte Summe von der Bank in Birmingham auf das Nachlasskonto bei der First National überweisen?«

»Wie viel?«, fragte der Richter, während er ein Streichholz anzündete und an den Pfeifenkopf hielt.

»Nicht so viel, weil mir der Gedanke nicht gefällt, dass jemand von der Bank hier das Geld sieht. In Birmingham ist es gut aufgehoben, und wir sollten es so lange wie möglich dort lassen.«

»Genau das habe ich auch gedacht«, meinte Richter Atlee. Das sagte er oft, wenn jemand mit einer guten Idee kam. Dann stieß er eine dicke Rauchwolke aus, die den Tisch einhüllte.

»Die Verfügung habe ich bereits aufgesetzt.« Jake holte weitere Unterlagen hervor und versuchte, den Qualm zu ignorieren. Richter Atlee zog die Pfeife zwischen den Zähnen hervor, hinter denen Rauch waberte. Er fing an, seine charakteristische Unterschrift zu kritzeln, die man zwar nicht entziffern, aber sofort wiedererkennen konnte. Plötzlich hielt er inne und starrte die Verfügung an, mit der das Geld überwiesen wurde. »Mit einem Federstrich kann ich eine halbe Million Dollar bewegen. Was für eine Macht«, sagte er.

»Das ist mehr, als ich in den nächsten Jahren nach Steuern verdienen werde.«

»Wenn Sie weiterhin so hohe Rechnungen schreiben, dürften Sie darüberliegen. Sie halten sich wohl schon für eine dieser Großkanzleien.«

»Eher gehe ich zur Müllabfuhr.«

»Ich auch.« Eine Weile setzte der Richter schweigend seine Unterschrift unter die Dokumente, wobei er immer abwechselnd rauchte und schrieb. »Lassen Sie uns über nächste Woche reden. Soweit alles in Ordnung?«, sagte er, als er den Papierstapel abgearbeitet hatte.

»Ich denke, ja. Letties Zeugenaussage ist für Montag und Dienstag angesetzt. Herschel Hubbard ist am Mittwoch dran, seine Schwester am Donnerstag, und am Freitag machen wir Ian Dafoe. Das wird eine anstrengende Woche. Fünf Tage hintereinander nur Zeugenaussagen.«

»Sie wollen den großen Gerichtssaal dafür benutzen?«

»Ja, Sir. Es ist keine Verhandlung angesetzt, und ich habe Ozzie gebeten, einen zusätzlichen Deputy abzustellen, der die Türen geschlossen hält. Wir werden viel Platz haben, den wir natürlich auch brauchen werden.«

»Und ich bin gleich nebenan, für den Fall, dass es Schwierigkeiten geben sollte. Ich möchte keine Zeugen im Saal haben, während ein anderer Zeuge seine Aussage macht.«

»Das ist allen Parteien bereits klargemacht worden.«

»Und ich will alle Aussagen auf Video.«

»Ist organisiert. Geld spielt keine Rolle.«

Richter Atlee kaute auf seiner Pfeife herum und schien sich über irgendetwas zu amüsieren. »Du meine Güte«, grübelte er. »Was würde Seth Hubbard wohl denken, wenn er nächsten Montag hier vorbeikommen und sehen würde, wie eine Horde gieriger Anwälte um sein Geld kämpft?«

»Ich bin sicher, dass ihm schlecht werden würde, aber er ist selbst schuld daran. Wenn er alles aufgeteilt hätte, wenn er seinen Kindern, Lettie und allen anderen, die er versorgen wollte, etwas vererbt hätte, würden wir jetzt nicht hier sitzen.«

»Glauben Sie, dass er verrückt war?«

»Nein, eigentlich nicht.«

»Warum hat er es dann getan?«

»Ich habe keine Ahnung.«

»Sex?«

»Meine Praktikantin sagt Nein, und das Mädchen ist ganz schön in der Welt herumgekommen. Es geht um ihre Mutter, aber Portia ist alles andere als naiv.«

Genau genommen war diese Art von Gespräch verboten. Unter den vielen antiquierten Artikeln der Gesetzgebung von Mississippi gab es einen, der vor allem unter Anwälten eine gewisse Berühmtheit erlangt hatte. Danach war es einem Anwalt verboten, mit dem vorsitzenden Richter über problematische Aspekte eines anhängigen Verfahrens zu sprechen, wenn kein Anwalt der Gegenseite zugegen war. Gegen diese Bestimmung wurde in schöner Regelmäßigkeit verstoßen. Es war völlig normal, solche Gespräche zu führen, vor allem im Richterzimmer von Reuben V. Atlee, allerdings nur mit einigen wenigen Anwälten, denen er vertraute.

Jake hatte die schmerzliche Erfahrung gemacht, dass alles, was im Richterzimmer gesagt wurde, auch dort blieb und im Gerichtssaal keinerlei Bedeutung hatte. Dort, wo es zählte, ging Richter Atlee streng nach den Buchstaben des Gesetzes vor, egal, wie oft er sich unter vier Augen mit einem unterhalten hatte.

22

Richter Atlee hatte mit seiner Vermutung richtiggelegen: Wenn der alte Seth Mäuschen hätte spielen können, hätte er sich in der Tat fürchterlich aufgeregt. Am Montagmorgen kamen ganze neun Anwälte im Gerichtssaal zusammen, um offiziell mit der Offenlegung in dem Fall zu beginnen, der in der Prozessliste inzwischen als *In der Sache Nachlass des Henry Seth Hubbard* geführt wurde. Anders ausgedrückt, neun Anwälte wetzten die Messer, um ein Stück vom Kuchen abzubekommen.

Außer Jake waren anwesend: Wade Lanier und Lester Chilcott aus Jackson, die Ramona Dafoe vertraten. Stillman Rush und Sam Larkin aus Tupelo, die Herschel Hubbard vertraten. Lanier drängte Ian immer noch dazu, Ramona dazu zu drängen, Herschel dazu zu drängen, die Anwälte aus Tupelo zu feuern und sich von ihm vertreten zu lassen. Bis jetzt hatte das aber nur dazu geführt, dass die Spannungen innerhalb der Familie noch größer geworden waren. Lanier kündigte an, alles hinzuwerfen, wenn die beiden Verbündeten sich nicht zusammentaten, doch seine Drohungen verpufften allmählich. Ian vermutete, dass einfach zu viel Geld im Topf war und deshalb keiner der Anwälte einen Rückzieher machen wollte. Herschels Kinder wurden von Zack Zeitler vertreten, einem Anwalt aus Memphis, der auch eine Zulassung in Mississippi hatte. Er wurde von einem völlig nutzlosen Kollegen begleitet, dessen Aufgabe einzig und allein darin bestand, einen Stuhl zu besetzen, pausenlos in seinem Notizbuch herumzukritzeln und den Eindruck zu erwecken, Zeitler hätte eine große Kanzlei. Ramonas Kinder wurden von Joe Bradley Hunt aus Jackson vertreten, unterstützt von einem Kollegen, der in die gleiche Kategorie fiel wie der Zeitlers. Ancil, der fünf Prozent erben sollte, wurde immer noch für tot gehalten und daher weder von einem Anwalt vertreten noch erwähnt.

Portia war eine von drei Anwaltsassistenten im Gerichtssaal. Wade Lanier und Stillman Rush hatten die beiden anderen mitgebracht, beide weiß, beide männlich wie alle anderen Anwesenden, bis auf die weiße Gerichtsstenografin und natürlich Portia. »Der Gerichtssaal gehört den Steuerzahlern«, hatte Jake zu Portia gesagt. »Also tun Sie bitte so, als ob er Ihnen gehört.« Sie gab sich alle Mühe, war aber trotzdem nervös. Sie hatte mit Anspannung gerechnet, vielleicht auch barschen Worten und einer von Konkurrenzkampf und Misstrauen durchdrungenen Atmosphäre. Doch jetzt sah sie eine Horde Weißer vor sich, die sich gegenseitig die Hand schüttelten, freundlich gemeinte Beleidigungen austauschten, Witze rissen, lachten und sich großartig amüsierten, während sie Kaffee tranken und darauf warteten, dass es neun Uhr wurde. Falls einer von ihnen nervös war, weil er gerade im Begriff stand, den Kampf um ein Vermögen zu beginnen, ließ er sich nichts anmerken.

»Es geht nur um Zeugenaussagen«, hatte Jake erklärt. »Sie werden sich zu Tode langweilen. Tod durch Zeugenaussage.«

In der Mitte des Gerichtssaals, zwischen der Schranke und der Richterbank, hatte man die Tische zusammengestellt und Stühle herangeschoben. Die Anwälte suchten sich langsam ihre Plätze, allerdings gab es keine feste Sitzordnung. Da Lettie die erste Zeugin sein würde, setzte sich Jake in die Nähe des leeren Stuhls an einem Ende des Tisches. Am anderen Ende war die Gerichtsstenografin gerade dabei, eine Videokamera aufzustellen, als eine Angestellte mit einer Kanne Kaffee hereinkam und sie auf den Tisch stellte.

Als alle saßen und es sich einigermaßen bequem gemacht hatten, nickte Jake Portia zu, die eine Seitentür öffnete und ihre Mutter hereinholte. Lettie trug ihr bestes Kleid und sah großartig aus, obwohl Jake ihr gesagt hatte, dass sie anziehen könne, was sie wolle. »Es geht nur um die Zeugenaussagen.«

Lettie setzte sich an das Tischende, mit Jake neben sich auf der einen Seite, der Gerichtsstenografin mit ihrer Maschine auf der anderen Seite und ihrer Tochter ganz in der Nähe. Sie sah den langen Tisch hinunter, lächelte die Horde Anwälte an und sagte: »Guten Morgen.« Jeder einzelne Anwalt erwiderte ihre Begrüßung mit einem Lächeln. Es war ein guter Anfang.

Aber nur für eine Sekunde. Als Jake gerade mit einigen einleitenden Bemerkungen beginnen wollte, wurde die große Doppeltür geöffnet, und Rufus Buckley kam herein, den Aktenkoffer in der Hand, als hätte er jedes Recht darauf, hier zu sein. Der Gerichtssaal war völlig leer, es gab keinen einzigen Zuschauer, und das würde aufgrund der Verfügung von Richter Reuben Atlee auch so bleiben. Offenbar hatte Buckley nicht vor, sich an die Verfügung zu halten.

Er ging durch die Schwingtür der Schranke und setzte sich an den Tisch, wo er von den anderen neun Anwälten argwöhnisch beäugt wurde.

Jake brannte plötzlich darauf, einen Streit vom Zaun zu brechen. »Oh, hallo, Rufus. Schön, Sie mal wieder außerhalb des Gefängnisses zu sehen«, rief er laut.

»Haha, Jake. Sie sind ja so ein Komiker.«

»Was machen Sie hier?«

»Ich bin wegen der Zeugenaussage hier. Sieht man das nicht?«, gab Buckley zurück.

»Wen vertreten Sie?«

»Den Mandanten, den ich schon seit einem Monat habe. Simeon Lang.«

»Er ist keine betroffene Partei.«

»Da sind wir anderer Meinung. Es könnte unter Umständen strittig sein, aber wir vertreten die Auffassung, dass Mr. Lang ein direktes finanzielles Interesse an der Anfechtung des Testaments hat. Und deshalb bin ich hier.«

Jake stand auf. »Okay, das reicht. Richter Atlee ist in Bereitschaft, für den Fall, dass es Ärger geben sollte. Ich werde ihn holen.« Eilig verließ er den Gerichtssaal, und Buckley rutschte unruhig auf seinem Stuhl herum.

Kurz darauf kam Richter Atlee durch eine Tür hinter der Richterbank – ohne seine Robe – und nahm seinen angestammten Platz ein. »Guten Morgen, meine Herren«, sagte er etwas gereizt und redete dann weiter, ohne auf eine Antwort zu warten. »Mr. Buckley, sagen Sie mir in so wenigen Worten wie möglich, warum Sie hier sind.«

Buckley schnellte mit der für ihn charakteristischen Verbissenheit nach oben. »Euer Ehren, wir vertreten immer noch Mr. Simeon Lang und …«

»Wer ist wir?«

»Mr. Booker Sistrunk und meine Wenigkeit, zusammen mit …«

»Mr. Sistrunk wird in diesem Gerichtssaal nicht mehr erscheinen, Mr. Buckley. Zumindest nicht in dieser Angelegenheit.«

»Ähm, ja, aber unsere Position hat sich nicht verändert. Mr. Lang ist eine der Verhandlungsparteien und …«

»Das ist er nicht, und ich werde auch nicht zulassen, dass er eine Partei wird. Und daher, Mr. Buckley, vertreten Sie keine betroffene Partei.«

»Das wurde noch nicht rechtskräftig entschieden.«

»Aber sicher wurde das rechtskräftig entschieden. Von mir. Sie haben hier nichts zu suchen, Mr. Buckley. Und diese Zeugenaussage findet unter Ausschluss der Öffentlichkeit statt.«

»Euer Ehren, das ist doch nur eine Zeugenaussage und keine geheime Sitzung. Die Zeugenaussage wird der Gerichtsakte hinzugefügt und ist dann für die Öffentlichkeit zugänglich.«

»Mr. Buckley, wollen Sie mich etwa belehren?«

»Tut mir leid. Ich hatte nicht die Absicht …«

»Die Zeugenaussagen werden so lange versiegelt, bis ich sie mir angesehen habe. Mr. Buckley, ich habe absolut keine Lust, mich von Ihnen in eine Situation drängen zu lassen, in der ich mit Ihnen diskutieren muss. Muss ich Sie daran erinnern, was passiert ist, als Sie in diesem Gerichtssaal das letzte Mal etwas zu viel gesagt haben?«

»Das ist nicht nötig, Euer Ehren«, erwiderte Buckley.

»Auf Wiedersehen, Mr. Buckley«, sagte der Richter mit dröhnender Stimme.

Buckley stand hilflos da, beide Arme ausgestreckt, als wäre er völlig fassungslos. »Euer Ehren, das ist doch nicht Ihr Ernst.«

»Und ob das mein Ernst ist, Mr. Buckley. Auf Wiedersehen.«

Buckley nickte, griff sich seinen Aktenkoffer und trat hastig den Rückzug aus dem Gerichtssaal an. »Machen Sie weiter«, sagte Richter Atlee, nachdem sich die große Doppeltür hinter Buckley geschlossen hatte. Dann ging er wieder.

Alle Anwesenden holten erst einmal tief Luft. »Wo waren wir stehen geblieben?«, sagte Jake schließlich.

»Irgendwie vermisse ich Sistrunk«, warf Wade Lanier ein, was ihm ein paar Lacher einbrachte.

»Davon bin ich überzeugt«, meinte Jake. »Er und Buckley hätten eine Jury aus Ford County sicher sehr beeindruckt.«

Jake stellte Lettie der Gerichtsstenografin und den anderen Anwälten vor, mit deren Namen und Gesichtern sie allein schon der bloßen Anzahl wegen heillos überfordert war. Dann erklärte er lange und ausführlich, wie die Zeugenaussage ablaufen würde. Die Anweisungen waren ziemlich simpel. Bitte sprechen Sie langsam und deutlich. Wenn Sie eine Frage nicht verstehen, bitten Sie darum, sie zu wiederholen. Wenn Sie sich nicht sicher sind, sagen Sie gar nichts. Er, Jake, werde Einspruch einlegen, falls eine Frage unzulässig sei. Und bitte sagen Sie die Wahrheit, da Sie unter Eid stehen. Die Anwälte werden sich mit ihren Fragen abwechseln. Wenn Sie eine Pause brauchen, sagen Sie das bitte. Die Gerichtsstenografin wird jedes Wort mitschreiben, und die Videokamera wird die gesamte Aussage aufzeichnen. Falls Sie aus irgendeinem Grund nicht in der Lage sind, bei der Verhandlung auszusagen, wird man das Video als Beweis verwenden.

Die Anweisungen waren vorgeschrieben, aber nicht notwendig. Jake, Portia und Lucien hatten stundenlang im Konferenzraum der Kanzlei mit Lettie geübt. Sie war gut vorbereitet, doch bei der Protokollierung einer Zeugenaussage war unmöglich vorherzusagen, welche Fragen gestellt wurden. In einer Verhandlung mussten alle Zeugenaussagen zur Sache gehörig sein. Das war nicht der Fall, wenn eine Aussage lediglich zu Protokoll gegeben wurde, weshalb dabei häufig ins Blaue hinein gefragt wurde.

Seien Sie höflich. Fassen Sie sich kurz. Wenn Sie etwas nicht wissen, wissen Sie es nicht. Denken Sie daran, dass die Videokamera alles aufzeichnet. Ich werde direkt neben Ihnen sitzen, hatte Jake immer wieder gesagt. Portia war auf den Dachboden der Kanzlei gegangen und hatte dort Dutzende alter Zeugenaussagen gefunden, in die sie sich stundenlang vertieft hatte. Die formellen Anforderungen, die Strategien, die Fallstricke waren ihr klar. Sie und ihre Mutter hatten stundenlang auf der Veranda des neu gemieteten Hauses darüber geredet.

Lettie war so gut vorbereitet, wie es nur irgendwie ging. Nachdem sie von der Gerichtsstenografin vereidigt worden war, stellte sich Wade Lanier mit einem breiten Lächeln vor und begann die Befragung. »Fangen wir mit Ihrer Familie an«, sagte er. Namen, aktuelle Wohnorte, Geburtsdaten, Geburtsorte, Bildungsstand, Arbeitgeber, Kinder, Enkel, Eltern, Brüder, Schwestern, Cousinen, Tanten, Onkel. Portia hatte fleißig mit ihrer Mutter geübt, und die Antworten gingen Lettie flüssig über die Lippen. Lanier stutzte kurz, als ihm irgendwann klar wurde, dass Portia ihre Tochter war.

»Sie ist Praktikantin in meiner Kanzlei. Bezahlt«, erklärte Jake. Das sorgte für Bedenken am Tisch.

»Ist das denn nicht ein Interessenkonflikt für Sie, Jake?«, fragte Stillman Rush schließlich.

Jake hatte lange darüber nachgedacht. »Überhaupt nicht. Ich vertrete den Nachlass. Portia ist keine Begünstigte des Testaments. Ich sehe da keinen Interessenkonflikt. Sie etwa?«

»Wird sie als Zeugin vernommen werden?«, wollte Lester Chilcott wissen.

»Nein. Sie war die letzten sechs Jahre in der Army.«

»Hat sie Zugang zu bestimmten Informationen, die ihre Mutter vielleicht nicht sehen sollte?«

»Als da wären?«

»Ich kann Ihnen jetzt kein Beispiel geben. Ich stelle lediglich Vermutungen an. Jake, ich sage ja nicht, dass hier ein Interessenkonflikt vorliegt. Ich bin nur etwas überrascht.«

»Haben Sie Richter Atlee darüber informiert?«, fragte Wade Lanier.

»Das habe ich letzte Woche getan, und er hat es genehmigt.«

Ende der Diskussion. Wade Lanier machte mit Letties Eltern und Großeltern weiter. Seine Fragen waren harmlos, richtiggehend alltäglich, als würde es ihn wirklich interessieren, wo ihre

Großeltern mütterlicherseits einmal gewohnt und womit sie sich ihren Unterhalt verdient hatten. Nach einer Stunde musste Jake aufpassen, dass er nicht in Tagträume verfiel. Es war wichtig, dass er sich Notizen machte, für den Fall, dass sich Stunden später ein anderer Anwalt unerwartet auf dasselbe Terrain wagte.

Zurück zu Lettie. 1959 hatte sie ihren Highschool-Abschluss in Hamilton, Alabama, gemacht, noch an einer der alten Schulen für Farbige. Dann lief sie von zu Hause weg, nach Memphis, wo sie Simeon kennenlernte. Sie heirateten auf der Stelle, und im Jahr darauf wurde Marvis geboren.

Wade Lanier widmete Marvis eine Menge Zeit: Vorstrafenregister, Verurteilungen, Gefängnisstrafen. Lettie begann zu weinen und wischte sich die Tränen von den Wangen, riss sich aber zusammen. Dann waren Phedra und ihre Probleme an der Reihe: zwei uneheliche Kinder, Letties erste Enkelkinder, der berufliche Werdegang, der alles andere als geradlinig war. Zurzeit wohnte Phedra wieder zu Hause; genau genommen war sie nie ausgezogen. Ihre beiden Kinder hatten verschiedene Väter, die keinen Kontakt zu ihren Sprösslingen hatten.

Portia zuckte zusammen, als Fragen zu ihrem älteren Bruder und ihrer Schwester kamen. Es war kein Geheimnis, aber sie sprachen nicht offen darüber. In der Familie unterhielt man sich nur hinter vorgehaltener Hand darüber, trotzdem wurde jetzt alles von einer Horde Weißer ans Licht gezerrt, noch dazu allesamt Fremde.

Um 10.30 Uhr wurde eine Pause von fünfzehn Minuten verkündet, und die Anwesenden zerstreuten sich. Die Anwälte stürmten aus dem Gerichtssaal, um nach einem Telefon zu suchen. Portia und Lettie gingen auf die Toilette. Eine Angestellte brachte eine Kanne mit frischem Kaffee und einen Teller mit Keksen aus dem Supermarkt herein. Die Tische ähnelten bereits einer Müllkippe.

Als es weiterging, übernahm Stillman Rush das Ruder und befasste sich ausgiebig mit Simeon, dessen Familie komplizierter war. Sein beruflicher Werdegang wies immer wieder Lücken auf, aber Lettie erinnerte sich an Jobs als Lastwagenfahrer, Baggerführer, Holzfäller, Maler und Maurergehilfe. Er sei ein paarmal festgenommen worden, das letzte Mal im Oktober. Geringfügige Vergehen, keine schweren Verbrechen. Ja, sie hätten sich schon ein paarmal getrennt, aber es sei nie länger als zwei Monate gewesen.

Genug von Simeon, jedenfalls fürs Erste; Stillman wollte mit Letties Lebenslauf weitermachen. Die letzten drei Jahre hatte sie mit Unterbrechungen für Seth Hubbard gearbeitet, manchmal Vollzeit, manchmal Teilzeit. Davor war sie drei Jahre als Haushälterin für ein älteres Ehepaar in Clanton tätig gewesen, von dem Jake noch nie etwas gehört hatte. Beide starben innerhalb von drei Monaten, und Lettie hatte keine Arbeit mehr. Davor war sie als Köchin in der Kantine der Mittelschule in Karaway angestellt gewesen. Stillman wollte Daten, Löhne, Lohnerhöhungen, Chefs, jedes noch so kleine Detail, und Lettie gab sich alle Mühe.

Im Ernst?, fragte sich Portia. Warum war es für die Anfechtung des Testaments wichtig, wie vor zehn Jahren der Chef meiner Mutter geheißen hatte? Sie würden ins Blaue hinein fragen, hatte Jake gesagt. Willkommen in der eintönigen Stumpfsinnigkeit von Zeugenaussagen.

Jake hatte ihr auch erklärt, dass sich Zeugenaussagen mitunter über Tage hinzogen, weil die Anwälte pro Stunde bezahlt werden, zumindest die, von denen die banalen, langweiligen Fragen kommen. Da es so gut wie keine Einschränkungen dafür gibt, was gefragt werden kann, und die Uhr tickt, haben Anwälte, ganz besonders jene, die für Versicherungsunternehmen und große Konzerne arbeiten, überhaupt kein Interesse daran, sich kurz zu fassen. Solange es bei dem Gespräch um Personen oder Angelegenheiten geht, die irgendetwas mit dem Verfahren zu tun haben, können sie stundenlang auf einem Zeugen herumhacken.

Jake hatte aber auch erklärt, dass der Fall Hubbard anders lag, da er der einzige Anwalt war, der für einen Stundensatz arbeitete. Die anderen waren auf gut Glück da und hofften auf einen bestimmten Prozentsatz des Nachlasses. Wenn das handschriftliche Testament für ungültig erklärt wurde, würde das Geld – wie in dem früheren Testament bestimmt – an die Familie gehen, und sämtliche Anwälte konnten ihren Anteil einstreichen. Da die anderen Anwälte keine Garantie dafür hatten, dass sie Geld bekamen, ging Jake davon aus, dass ihre Fragen vielleicht doch nicht so nervtötend waren.

Portia war sich da nicht so sicher. Im Gerichtssaal machte sich immer mehr Langeweile breit.

Stillman hatte die Angewohnheit, auf und ab zu hüpfen, vermutlich, weil er damit die Zeugin aus der Ruhe bringen wollte. »Haben Sie sich von Ihrem ehemaligen Anwalt, Booker Sistrunk, Geld geliehen?«, war dann die Frage, bei der alle wieder aufwachten.

»Ja.« Lettie wusste, dass die Frage kommen würde, und beantwortete sie, ohne zu zögern. Es gab kein Gesetz und keine Vorschrift gegen einen solchen Kredit, jedenfalls nicht für den, der das Geld bekam.

»Wie viel?«

»Fünfzigtausend Dollar.«

»Hat er Ihnen einen Scheck gegeben, oder war es Bargeld?«

»Bargeld, und wir, Simeon und ich, haben einen Schuldschein unterschrieben.«

»War das der einzige Kredit von Sistrunk?«

»Nein, es gab vorher schon einen Kredit über fünftausend Dollar.«

»Warum haben Sie sich von Mr. Sistrunk Geld geliehen?«

»Weil wir das Geld gebraucht haben. Ich habe keine Arbeit mehr, und bei Simeon weiß man nie so genau, was los ist.«

»Sind Sie, nachdem Sie das Geld genommen haben, in ein größeres Haus gezogen?«

»Ja, das sind wir.«

»Wie viele Personen leben jetzt in diesem Haus?«

Lettie überlegte einen Moment. »Für gewöhnlich elf, aber die Zahl schwankt. Manche kommen und gehen«, antwortete sie dann.

Jake starrte Stillman an, als wollte er sagen: »Denken Sie nicht mal im Traum daran, alle elf Namen zu verlangen. Können wir nicht einfach weitermachen?«

Stillman geriet in Versuchung, wandte sich dann aber anderen Dingen zu. »Wie hoch ist die Miete?«

»Siebenhundert im Monat.«

»Und Sie sind zurzeit arbeitslos?«

»Richtig.«

»Für wen arbeitet Ihr Mann im Augenblick?«

»Er arbeitet nicht.«

»Da Mr. Sistrunk nicht mehr Ihr Anwalt ist, wie wollen Sie ihm das Geld zurückzahlen?«

»Darüber werden wir uns später Gedanken machen.«

Roxy hatte Sandwichs und Kartoffelchips zum Mittagessen besorgt. Sie aßen im Konferenzraum, wo Lucien sich zu ihnen gesellte. »Wie ist es gelaufen?«, fragte er.

»Die übliche erste Runde mit sinnlosen Fragen«, erwiderte Jake. »Lettie war großartig, aber sie hat schon genug davon.«

»Noch eineinhalb Tage steh ich das nicht durch«, beklagte sich Lettie.

»Moderne Offenlegung«, meinte Lucien angewidert.

»Lucien, erzählen Sie uns doch mal, wie das so in den guten alten Zeiten war«, forderte Jake ihn auf.

»Na ja, damals, in den guten alten Zeiten, und die guten alten Zeiten waren eindeutig besser als heute, wo man all diese neuen Regeln hat ...«

»Ich habe sie nicht geschrieben.«

»Damals war man nicht verpflichtet, alle Zeugen zu benennen und vorher anzugeben, was sie sagen würden, nein, so war das nicht. Man verließ sich auf den Überraschungseffekt. Du schleppst deine Zeugen ran, ich schleppe meine ran, und dann marschieren wir alle zusammen zum Gericht und ziehen den Prozess durch. Das sorgte auch dafür, dass man ein besserer Anwalt war, denn man musste spontan und ohne Vorbereitung reagieren. Heute muss alles und jedes vorher offengelegt werden, und jeder Zeuge muss für eine Aussage zur Verfügung stehen. Was für ein Zeitaufwand. Was für Kosten. Damals war's entschieden besser, das schwöre ich Ihnen.«

»Warum essen Sie nicht Ihr Sandwich?«, meinte Jake. »Lettie muss sich ausruhen, aber hier kann sich niemand ausruhen, wenn Sie große Reden schwingen.«

Lucien biss schnell in sein Sandwich. »Was meinen Sie, Portia?«, fragte er dann.

Die junge Frau knabberte gerade an einem Kartoffelchip und legte ihn zur Seite, als sie antwortete: »Ich finde das alles ziemlich cool. Ich meine, in einem Raum mit so vielen Anwälten zu sein. Ich komme mir so wichtig vor.«

»Lassen Sie sich nicht zu sehr beeindrucken«, sagte Jake. »Die meisten von diesen Typen könnten nicht mal einen Ladendiebstahl vor einem Provinzgericht verhandeln.«

»Ich wette, Wade Lanier kann das«, meinte Lettie. »Er ist aalglatt. So langsam bekomme ich den Eindruck, dass er genau weiß, was ich sagen werde, bevor ich es sage.«

»Er ist sehr gut«, gab Jake zu. »Glauben Sie mir, Lettie, bald werden Sie ihn hassen. Jetzt scheint er noch ein netter Kerl zu sein, aber wenn das hier vorbei ist, werden Sie seinen Anblick nicht mehr ertragen können.«

Bei dem Gedanken an einen langen Kampf schien Lettie in sich zusammenzufallen. Sie hatten erst vier Stunden die Klingen gekreuzt, trotzdem war sie schon völlig erschöpft.

Während der Mittagspause steckten zwei Damen aus dem Büro des Geschäftsstellenleiters einen künstlichen Weihnachtsbaum zusammen und stellten ihn in der hinteren Ecke des Gerichtssaals auf. Von seinem Platz am Tisch aus hatte Jake ungehinderte Sicht auf den Baum. Um die Mittagszeit an Heiligabend versammelten sich fast alle Angestellten und Richter des Circuit Court und des Chancery Court sowie ein paar handverlesene Anwälte immer um den Baum, um Eierpunsch zu trinken und sich gegenseitig Scherzgeschenke zu überreichen. Jake tat jedes Mal sein Möglichstes, um bei der kleinen Feier nicht dabei zu sein.

Aber der Baum erinnerte ihn daran, dass in wenigen Tagen Weihnachten war und er noch kein einziges Mal daran gedacht hatte, Geschenke zu kaufen, jedenfalls nicht bis jetzt. Während Wade Lanier die Befragung fortsetzte, mit einer Stimme, die so tief und rau war, dass sie wie ein Schlafmittel wirkte, erwischte Jake sich dabei, wie seine Gedanken abschweiften. In den letzten zwei Jahren war es ihnen schwergefallen, das gemietete Haus für die Feiertage zu dekorieren. Hanna war ihnen dabei eine große Hilfe. Ein Kind im Haus sorgte dafür, dass man nicht den Mut verlor.

Lanier sprach gerade ein heikles Thema an. Langsam und geschickt erkundigte er sich nach Letties Pflichten im Haus, als Mr. Hubbard während der Chemotherapie und der Bestrahlungen krank und bettlägerig gewesen war. Lettie erklärte, dass ein Pflegedienst Krankenschwestern geschickt habe, um sich um ihn zu kümmern, diese Frauen aber nicht gut, nicht rücksichtsvoll genug gewesen seien. Zudem sei Mr. Hubbard sehr unhöflich gewesen. Sie mache ihm deshalb keinen Vorwurf. Er habe die Krankenschwestern vergrault und sich mit dem Pflegedienst gestritten. Schließlich übernahm Lettie seine Pflege. Sie kochte, was er wollte, und fütterte ihn, wenn er Hilfe brauchte. Sie half ihm aus dem Bett und ins Bad, wo er manchmal eine halbe Stunde lang auf der Toilette saß. Manchmal passierte ihm ein Malheur, dann wechselte sie die Bettwäsche. Mehrmals musste er eine Bettpfanne benützen, wobei Lettie ihm half. Nein, es sei keine angenehme Arbeit gewesen, sagte sie, und sie sei auch nicht dafür ausgebildet, aber sie habe es hinbekommen. Er sei dankbar dafür gewesen. Er habe ihr vertraut. Ja, sie habe Mr. Hubbard mehrmals in seinem Bett liegend gewaschen. Ja, sie habe ihn am ganzen Körper gewaschen, überall berührt. Er sei so krank und kaum einmal wach gewesen. Später, als die Chemotherapie und die Bestrahlungen für eine Weile aufhörten, sei er wieder zu Kräften gekommen und habe so bald wie möglich wieder angefangen herumzulaufen. Er sei mit erstaunlicher Zielstrebigkeit wieder auf die Beine gekommen. Nein, er habe nie zu rauchen aufgehört.

Ein intimes Verhältnis kann unseren Fall ruinieren, hatte Jake Portia unmissverständlich erklärt, was dann über die Tochter etwas abgemildert bei der Mutter ankam. Wenn die Geschworenen glaubten, Lettie wäre mit Seth Hubbard zu vertraut gewesen, würden sie eher urteilen, dass sie ihn auf unzulässige Weise beeinflusst hatte.

Habe Mr. Hubbard einen herzlichen Umgang mit ihr gepflegt? Sei er jemand gewesen, der einen umarmte, Küsschen auf die Wange verteilte, auch mal einen Klaps auf den Po gab?

Ganz und gar nicht, sagte Lettie. Nie. Ihr Boss sei ein gänzlich unsentimentaler Mann gewesen, der für sich geblieben sei. Er habe wenig Geduld mit anderen gehabt und wenige Freunde gebraucht. Er habe ihr nicht die Hand gegeben, wenn sie morgens zur Arbeit gekommen sei, und nicht einmal die Andeutung einer Umarmung gemacht, wenn er sich verabschiedet habe. Sie sei seine Angestellte gewesen, mehr nicht: keine Freundin, keine Vertraute, keine sonst was. Er sei höflich gewesen und habe sich bei ihr bedankt, wenn es angebracht gewesen sei, aber er habe nie viele Worte gemacht.

Weder über seine geschäftlichen noch seine privaten Angelegenheiten wisse sie etwas. Er habe nie über Frauen gesprochen, und sie habe auch nie eine in seinem Haus gesehen. Genau genommen könne sie sich nicht daran erinnern, dass er jemals von Freunden oder Geschäftspartnern in seinem Haus besucht worden sei, nicht in den drei Jahren, in denen sie für ihn gearbeitet habe.

Perfekt, gratulierte sich Jake im Stillen.

Schlechte Anwälte versuchten, Zeugen hinters Licht zu führen, sie auf irgendetwas festzunageln oder zu verwirren, damit sie bei der Befragung der Sieger waren. Gute Anwälte gewannen lieber den Prozess und nutzten die Befragung der Zeugen, um Informationen herauszufinden, die sie später zum Fallenstellen verwenden konnten. Und richtig gute Anwälte hielten sich nicht mit den Zeugenaussagen auf, sondern sorgten vor den Geschworenen für Überraschungen. Wade Lanier und Stillman Rush waren gute Anwälte, die den ersten Tag damit verbrachten, Daten zu sammeln. In den acht Stunden der Befragung fiel kein einziges böses Wort, und kein einziges Mal ließ man den Respekt vor der Zeugin vermissen.

Jake war beeindruckt von seinen Gegnern. Später, in der Kanzlei, erklärte er Lettie und Portia, dass sowohl Lanier als auch Rush im Grunde genommen schauspielerten. Sie taten so, als wären sie nette Menschen, die Lettie wirklich mochten und nur nach der Wahrheit suchten. Sie wollten, dass Lettie sie schätzte, dass sie ihnen vertraute, damit sie beim Prozess vielleicht unvorsichtig wurde. »Das sind zwei Wölfe«, warnte er Lettie. »Und im Prozess springen sie Ihnen an die Kehle.«

»Jake, ich werde doch nicht acht Stunden im Zeugenstand sein«, sagte sie völlig erschöpft.

»Das schaffen Sie schon.«

Lettie hatte da ihre Zweifel.

Am nächsten Morgen machte Zack Zeitler mit einer Reihe bohrender Fragen über Mr. Hubbards letzte Tage weiter. Er stieß auf eine Goldader, als er fragte: »Haben Sie ihn am Samstag, dem 1. Oktober, gesehen?«

Jake wappnete sich für das, was jetzt kam. Er wusste es schon seit ein paar Tagen, aber es gab keine Möglichkeit, der Sache aus dem Weg zu gehen. Wahrheit blieb Wahrheit.

»Ja, das habe ich«, antwortete Lettie.

»Sagten Sie nicht, Sie würden samstags nie arbeiten?«

»Das ist richtig, aber Mr. Hubbard bat mich, an dem Samstag zu kommen.«

»Und warum?«

»Er wollte mit mir zusammen zu seinem Büro fahren, damit ich es putze. Der Mann, der das sonst immer machte, war krank, und es war schmutzig.« Auf die Anwesenden hatte Letties Antwort eine weitaus effektivere Wirkung als der Kaffee. Die Anwälte öffneten die Augen, drückten den Rücken durch und rutschten nach vorn auf die Stuhlkante, während vielsagende Blicke ausgetauscht wurden.

Zeitler hatte Blut gerochen. »Um wie viel Uhr sind Sie zu Mr. Hubbards Haus gekommen?«, hakte er vorsichtig nach.

»Gegen neun Uhr.«

»Und was hat er gesagt?«

»Er sagte, dass er mit mir zu seinem Büro fahren wolle. Also sind wir in den Wagen gestiegen und zu seinem Büro gefahren.«

»In welchem Wagen?«

»In seinem. Dem Cadillac.«

»Wer ist gefahren?«

»Ich. Mr. Hubbard fragte mich, ob ich schon einmal mit einem neuen Cadillac gefahren sei. Ich sagte Nein. Ich hatte vorher eine Bemerkung darüber gemacht, wie schön das Auto sei, daher fragte er mich, ob ich es nicht fahren wolle. Zuerst habe ich Nein gesagt, aber er drückte mir einfach die Schlüssel in die Hand. Deshalb bin ich dann gefahren. Ich war sehr nervös.«

»Sie haben ihn gefahren?«, wiederholte Zeitler. Rund um den Tisch hatten sich sämtliche Köpfe gesenkt, da die Anwälte hektisch Notizen machten und in Gedanken schon alle möglichen Szenarien durchgingen. Bei der vielleicht berühmtesten Testamentsanfechtung in der Geschichte des Bundesstaates Mississippi hatte der Begünstigte, der kein Blutsverwandter war, den Sterbenden zu einer Anwaltskanzlei gefahren, wo dieser ein Testament unterschrieb, in dem die Familie leer ausging und der Fahrer zum Alleinerben bestimmt wurde. Der Oberste Gerichtshof erklärte das Testament für ungültig, mit der Begründung der unzulässigen Beeinflussung des Erblassers, und nannte als wesentlichen Grund die Tatsache, dass der »Überraschungsbegünstigte« an der Entstehung des neuen Testaments beteiligt gewesen sei. Seit dieser Gerichtsentscheidung vor dreißig Jahren war es für einen Anwalt nichts Ungewöhnliches, »Wer hat ihn oder sie gefahren?« zu fragen, wenn unvermutet ein Testament auftauchte.

»Ja«, sagte sie. Jake beobachtete die anderen acht Anwälte, die genau so reagierten, wie er es erwartet hatte. Für sie war es ein schönes Geschenk, für ihn ein Hindernis, das er aus dem Weg räumen musste.

Zeitler schob ein paar Notizen hin und her. »Wie lange waren Sie in seinem Büro?«

»Ich habe nicht auf die Uhr gesehen, aber ich würde sagen, zwei Stunden.«

»Wer war sonst noch da?«

»Niemand. Er sagte, dass samstags normalerweise nicht gearbeitet wurde, zumindest nicht im Büro.«

»Verstehe.« In der nächsten Stunde nahm Zeitler den besagten Samstagmorgen auseinander. Er bat Lettie, eine Zeichnung des Bürogebäudes anzufertigen, um herauszufinden, wo sie geputzt hatte und wo Mr. Hubbard gewesen war. Sie sagte, er habe das Büro zu keiner Zeit verlassen, die Tür sei geschlossen gewesen. Nein, sie sei nicht hineingegangen, nicht einmal, um zu putzen. Sie wisse nicht, woran er gearbeitet oder was er in seinem Büro gemacht habe. Er sei wie jeden Tag mit seinem Aktenkoffer gekommen und damit auch wieder gegangen, aber sie habe keine Ahnung, was in dem Aktenkoffer gewesen sei. Er schien bei klarem Verstand gewesen zu sein, hätte sicher auch fahren können, wenn er gewollt hätte. Sie wisse nicht viel über die Schmerzmittel, die er genommen habe. Ja, er sei schwach und müde gewesen, aber in der Woche sei er jeden Tag ins Büro gegangen. Falls jemand sie im Büro gesehen habe, sei ihr das nicht bewusst gewesen. Ja, sie habe den Cadillac zu Mr. Hubbards Haus zurückgefahren, dann sei sie heimgegangen und gegen Mittag dort angekommen.

»Und er hat kein einziges Mal erwähnt, dass er gerade sein Testament schreibt?«

»Einspruch«, meldete sich Jake. »Diese Frage hat sie bereits zweimal beantwortet.«

»Ja, okay. Ich wollte mich nur vergewissern.«

»Es steht im Protokoll.«

»Ja, natürlich.« Nachdem Zeitler einen Sieg eingefahren hatte, wollte er nur ungern mit etwas anderem weitermachen. Er brachte in Erfahrung, dass Lettie den Cadillac nur an diesem einen Tag gefahren, dass sie nur selten Tablettenpackungen oder Medikamente im Haus gesehen, dass Mr. Hubbard seine Medikamente vermutlich im Aktenkoffer aufbewahrt hatte. Dass er manchmal starke Schmerzen gehabt, dass er nie über Selbstmord gesprochen hatte und dass ihr zu keiner Zeit ein ungewöhnliches Verhalten an ihm aufgefallen war, welches darauf hingewiesen hätte, dass er unter dem Einfluss von Medikamenten stand. Dass er kein Trinker gewesen war, gelegentlich aber ein paar Flaschen Bier im Kühlschrank stehen hatte, und dass sich in seinem Schlafzimmer ein Schreibtisch befand, Mr. Hubbard aber so gut wie nie Büroarbeiten zu Hause erledigt hatte.

Am Dienstagmittag war Lettie so weit, dass sie hinwerfen wollte. Sie nahm ihr Mittagessen in Jakes Kanzlei ein, wieder zusammen mit Portia, und legte sich dann für ein Nickerchen auf das Sofa.

Tod durch Zeugenaussage wurde am Mittwoch fortgesetzt, als Jake das Kommando übernahm und mehrere Stunden lang Herschel Hubbard befragte. Der Vormittag schleppte sich in lähmender Eintönigkeit dahin. Es dauerte nicht lange, um herauszufinden, dass Herschel in seiner Karriere wenig erreicht und wenig gewagt hatte. Seine Scheidung war bei Weitem das aufregendste Erlebnis seines Lebens gewesen. So spannende Themen wie Schulbildung, Studium, Berufserfahrung, Arbeitgeber, frühere Wohnorte, Beziehungen, Freunde, Interessen, Hobbys, religiöse Überzeugung und politische Einstellung wurden ausführlich erörtert und erwiesen sich als ausnehmend langweilig. Mehrere der Anwälte nickten ein. Portia, die den dritten

Tag eines echten Verfahrens miterlebte, kämpfte darum, wach zu bleiben.

Nach dem Mittagessen kehrten die Anwälte widerstrebend in den Gerichtssaal zurück, um die Befragung fortzusetzen. Jake gelang es, etwas Leben in die Bude zu bringen, als er sich danach erkundigte, wie viel Zeit Herschel in den letzten Jahren mit seinem Vater verbracht hatte. Herschel versuchte, den Eindruck zu erwecken, dass er und der alte Mann sich sehr nahe gewesen waren, hatte aber Schwierigkeiten, sich an einzelne Besuche zu erinnern. Da sie ja so oft miteinander telefoniert hätten, stehe das doch bestimmt in den Verbindungsdaten für seinen Anschluss, meinte Jake. Hatte Seth Karten oder Briefe geschickt? Herschel war sicher, dass er das getan hatte, bezweifelte aber, dass er sie vorlegen konnte. Seine Anwälte hatten ihm geraten, so vage wie möglich zu bleiben, was ihm auch hervorragend gelang.

Was das Thema Lettie Lang anging, behauptete Herschel, sie häufig gesehen zu haben, während der vielen Besuche bei seinem geliebten Vater. Seiner Meinung nach hatte Seth sie sehr gern gehabt. Er gab zu, nie gesehen zu haben, wie sie sich berührten, aber die Art, wie sie sich angesehen hätten … Da sei so etwas in ihren Blicken gewesen. Was genau? Herschel wusste es nicht so genau, aber da sei etwas gewesen. Sie habe immer zugehört, habe sich immer irgendwo versteckt und versucht, ihre Gespräche zu belauschen. Und als es seinem Vater schlechter gegangen sei, sei er immer mehr auf Lettie angewiesen gewesen, wodurch sie einander noch näher gekommen seien. Jake fragte, ob er damit andeuten wolle, die beiden hätten ein sexuelles Verhältnis gehabt. »Das weiß nur Lettie«, erwiderte Herschel, womit er natürlich stillschweigend das Naheliegende andeutete.

Portia schäumte vor Wut, als sie sich am Tisch umsah. Sie ging davon aus, dass mit Ausnahme von Jake jeder Einzelne am

Tisch glaubte, dass ihre Mutter mit einem verrunzelten, halb toten Weißen geschlafen hatte, um sein Geld zu bekommen. Doch sie senkte den Kopf und ließ sich nichts anmerken, wie ein echter Profi, während sie Seite um Seite mit Notizen füllte, die sich nie jemand ansehen würde.

Nachdem Jake ihm sieben Stunden auf den Zahn gefühlt hatte, war mehr als deutlich, dass Herschel Hubbard ein durch und durch uninteressanter Mensch war und eine problematische, distanzierte Beziehung zu seinem Vater gepflegt hatte. Er wohnte bei seiner Mutter, kämpfte immer noch mit den Folgen der hässlichen Scheidung und lebte mit sechsundvierzig Jahren mehr schlecht als recht von den Mieteinkünften einiger Studentenwohnungen. Herschel brauchte ganz dringend eine Erbschaft.

Genau wie Ramona, mit deren Aussage am Donnerstagmorgen um neun Uhr begonnen wurde. Inzwischen hatten die Anwälte alle schlechte Laune und waren den Fall leid. Fünf Tage nacheinander mit Zeugenaussagen zu verbringen war selten, aber nicht beispiellos. In einer Pause erzählte Wade Lanier, wie er einmal bei einem Fall in New Orleans, in dem es um ein Öltankerunglück gegangen war, zehn Tage nacheinander ein Dutzend Zeugen befragt hatte. Die Zeugen stammten alle aus Venezuela, die meisten sprachen kein Englisch, und die Dolmetscher waren nicht die besten. Die Anwälte gingen jeden Abend auf Sauftour und saßen am nächsten Tag mit einem dicken Brummschädel im Gerichtssaal. Als die Tortur zu Ende war, mussten zwei von ihnen eine Entziehungskur machen.

Niemand hatte mehr Anekdoten im Repertoire als Wade Lanier. Er war der Älteste von ihnen und konnte auf dreißig Jahre Erfahrung im Gerichtssaal zurückblicken. Je länger Jake ihm zuhörte, desto mehr respektierte er ihn. Vor einer Jury würde er ein schwerer Gegner sein.

Ramona erwies sich als genauso langweilig wie ihr Bruder. Die Aussagen der beiden machten allmählich deutlich, dass Seth Hubbard ein gleichgültiger Vater gewesen war, dem seine Kinder einfach nur lästig gewesen waren. Im Nachhinein und mit der Aussicht auf viel Geld versuchten sie nun tapfer, den alten Herrn als liebevollen Vater und die Familie als glücklich und eng verbunden darzustellen, aber Seth ließ sich nicht neu erfinden. Jake stocherte und wühlte und stellte ihr hin und wieder eine Falle, aber er lächelte stets dabei und versuchte, sie nicht zu beleidigen. Da sie und Herschel so wenig Zeit mit ihrem Vater verbracht hatten, würden ihre Aussagen im Prozess nicht von entscheidender Bedeutung sein. Sie waren in den Tagen vor seinem Tod nicht bei ihm gewesen und konnten daher auch nichts zu seiner geistigen Zurechnungsfähigkeit sagen. Sie wussten nicht aus erster Hand, ob das Verhältnis zu Lettie tatsächlich so eng gewesen war wie angedeutet.

Das war nur der Anfang gewesen. Jake und die anderen Anwälte wussten, dass Lettie, Herschel, Ramona und Ian Dafoe aller Wahrscheinlichkeit nach noch einmal aussagen mussten. Waren die Fakten klarer und die Sachverhalte enger definiert, würden die Anwälte weitere Fragen haben.

23

Als Jake am späten Donnerstagnachmittag das Gerichtsgebäude verließ, wurde er von Stillman Rush aufgehalten, der fragte, ob er Zeit für einen kleinen Drink habe. Was eigenartig war, da die beiden bis auf den Hubbard-Fall keine Gemeinsamkeiten hatten. Sicher, meinte Jake, warum nicht? Stillman wollte mit Sicherheit etwas Wichtiges bereden, ansonsten würde er seine Zeit nicht mit einem kleinen Anwalt wie Jake verschwenden.

Sie trafen sich in einer Bar im Keller eines alten Gebäudes, das in einer Seitenstraße des Clanton Square lag und zu Fuß zu erreichen war. Draußen war bereits die Dunkelheit hereingebrochen, Nebel zog auf. Es war ein düsterer, trüber Abend und die perfekte Uhrzeit für einen Drink. Jake ging zwar nicht häufig in Bars, aber diese kannte er. Sie war spärlich beleuchtet und feucht, mit schummrigen Ecken und Sitznischen, und erweckte den Eindruck, als würden hier zweifelhafte Geschäfte abgewickelt werden. Bobby Carl Leach, der bekannteste Gauner der Stadt, hatte einen eigenen Tisch neben dem Kamin, an dem er häufig mit Politikern und Bankern gesehen wurde. Harry Rex Vonner war Stammgast.

Jake und Stillman bekamen eine Sitznische, bestellten Bier vom Fass und fingen an abzuschalten. Nachdem sie vier Tage lang an ein und demselben Tisch sitzend endlosen, kaum brauchbaren Zeugenaussagen zugehört hatten, waren sie wie betäubt vor Langeweile. Stillmans angeborene Überheblichkeit schien zu verschwinden, und er war Jake fast sympathisch. Als der Kellner ihre Biere auf den Tisch stellte, beugte Stillman sich vor und sagte: »Ich habe da eine Idee, nur meine persönliche Meinung, ohne dass ich von jemand anderem dazu ermächtigt wurde. Bei dem Verfahren geht es um einen Haufen Geld, das wissen wir alle. Ich weiß jetzt nicht so genau, wie viel es ist, aber ...«

»Vierundzwanzig Millionen«, unterbrach ihn Jake. Es würde nicht mehr lange dauern, bis die Anwälte die Höhe des Nachlasses erfuhren, und es schadete nicht, wenn er es Stillman jetzt sagte. Er versuchte lediglich, die Summe aus den Zeitungen herauszuhalten.

Stillman stutzte und lächelte. Dann trank er einen Schluck und schüttelte den Kopf. »Vierundzwanzig Millionen.«

»Und keine Schulden.«

»Schwer zu glauben, was?«

»Stimmt.«

»Es sind also vierundzwanzig Millionen. Wenn das Finanzamt sich seinen Teil geholt hat, bleibt mit etwas Glück noch die Hälfte davon übrig.«

»Das haben die Steuerberater auch gesagt«, meinte Jake.

»Dann sind es nur noch zwölf Millionen. Immer noch eine Menge Geld, mehr als Sie und ich jemals verdienen werden. Jake, ich habe mir Folgendes gedacht: Warum handeln wir keinen Vergleich aus? Es gibt drei Hauptakteure: Herschel, Ramona und Lettie. Wir könnten den Kuchen aufteilen und alle glücklich machen.«

Es war keine originelle Idee. Jake und Lucien hatten mehrmals mit dem Gedanken gespielt, sich auf einen Vergleich einzulassen, und sie waren sicher, dass die Anwälte der Gegenseite das Gleiche getan hatten. Jede Seite gibt ein bisschen – oder eine Menge – her, die Anwaltshonorare und Spesen werden abgezogen, man legt eine Vollbremsung hin, erspart sich den Stress und die Unsicherheit eines Prozesses, und alle bekommen ein schönes Stück vom Kuchen. Es klang völlig logisch. Anwälte denken bei jeder Klage an die Möglichkeit eines Vergleichs.

»Wollen Ihre Mandanten einen Vergleich?«, erkundigte sich Jake.

»Ich weiß es nicht. Wir haben noch nicht darüber gesprochen. Aber wenn ein Vergleich infrage kommt, werde ich Herschel darauf ansprechen und ihm dazu raten.«

»Okay. Der Kuchen, von dem wir sprechen, wie wollen Sie ihn aufteilen?«

Ein großer Schluck, dann wischte sich Stillman den Schaum von den Lippen und preschte vor. »Seien wir doch ehrlich, Jake. Lettie Lang steht nur sehr wenig zu. Wenn man es richtig betrachtet, passt sie einfach nicht ins Bild eines normalen Vermögens- und Nachlassübergangs. Sie gehört nicht zur Familie, und unabhängig davon, wie verkorkst eine Familie auch sein mag, das Geld geht fast immer an die nächste Generation. Das wissen Sie. Neunzig Prozent des Vermögens, das durch ein Testament weitergegeben wird, bekommen Familienmitglieder. Neunzig Prozent in Mississippi, ebenso in New York und Kalifornien, wo die Nachlässe, sagen wir mal, größer sind. Und sehen Sie sich die Gesetzgebung an. Wenn jemand ohne Testament stirbt, gehen Geld und Eigentum an Blutsverwandte über, an niemanden sonst. Von Rechts wegen soll das Geld in der Familie bleiben.«

»Stimmt, aber es wird keinen Vergleich geben, wenn Lettie gar nichts bekommt.«

»So war das nicht gemeint, Jake. Wir geben ihr zwei Millionen. Können Sie sich das vorstellen? Lettie Lang, eine arbeitslose Haushälterin, kommt mit zwei Millionen Dollar aus dieser Sache raus, und das nach Steuern? Jake, ich will diese Frau nicht schlechtmachen, ich habe sie bei ihrer Zeugenaussage schätzen gelernt. Sie ist nett, witzig sogar, und ein guter Mensch. Ich will sie nicht kritisieren, aber wissen Sie, Jake, wie viele Schwarze in Mississippi eine Million Dollar besitzen?«

»Sagen Sie's mir.«

»Nach der Volkszählung von 1980 sind es genau sieben Schwarze in diesem Bundesstaat, die von sich behaupten, mehr als eine Million Dollar zu besitzen. Alles Männer, und die meisten waren in der Bau- oder Immobilienbranche tätig. Lettie wäre die reichste Schwarze in Mississippi.«

»Und Ihr Mandant und seine Schwester teilen sich die restlichen zehn Millionen?«, erkundigte sich Jake.

»So ungefähr. Die Kirche bekommt ein nettes Sümmchen, und den Rest teilen wir auf.«

»Das wäre ein guter Deal für euch«, meinte Jake. »Ihr würdet ein Drittel von annähernd fünf Millionen bekommen. Kein schlechter Zahltag.«

»Jake, ich habe nicht gesagt, dass wir ein Drittel bekommen.«

»Aber Sie bekommen einen bestimmten Prozentsatz, habe ich recht?«

»Das kann ich Ihnen nicht sagen, aber ja, es wird eine schöne Summe sein.«

Für einige, dachte Jake. Falls der Fall in diesem Stadium mit einem Vergleich endete, würde sein Honorar erheblich geringer ausfallen. »Haben Sie mit Wade Lanier darüber gesprochen?«

Stillman verzog das Gesicht, als er den Namen hörte. »Das ist ein Kapitel für sich. Lanier will meinen Mandanten übernehmen, der fürs Erste noch an mir festhält. Ich traue Lanier nicht über den Weg und werde ihn in den nächsten sechs Monaten ständig im Auge behalten. Er ist eine richtige Schlange.«

»Dann ist die Antwort also Nein?«

»Die Antwort ist Nein. Bisher habe ich mit niemandem darüber gesprochen.«

»Dann steht es zwischen Ihrem Mandanten und seiner Mandantin wohl nicht zum Besten?«

»Ich nehme es an. Wenn es sein muss, können Herschel und Ramona miteinander auskommen, aber das Problem ist Ian. Herschel sagte, er und Ian könnten sich nicht ausstehen, hätten sich noch nie ausstehen können. Er hält Ian für einen verzogenen kleinen Scheißer aus einer Spießerfamilie, der es geschafft hat, sein ganzes Vermögen zu verlieren, und jetzt krampfhaft versucht, wieder nach oben zu kommen und den erfolgreichen Geschäftsmann zu spielen. Er hat immer auf die Hubbards herabgesehen, für ihn waren sie nicht viel besser als weißes Gesindel, bis jetzt natürlich. Jetzt ist er plötzlich ganz vernarrt in die Familie, und ihr Wohlergehen liegt ihm sehr am Herzen.«

Jake war nicht entgangen, dass Stillman jemand anders als einen »verzogenen kleinen Scheißer aus einer Spießerfamilie« titulierte. »Was für eine Überraschung«, erwiderte er. »Stillman, ich habe achteinhalb Stunden mit Ramona Frage und Antwort gespielt, und wenn ich es nicht besser wüsste, würde ich sagen, die Frau trinkt zu viel. Rote, tränende Augen, aufgedunsenes Gesicht, das sie unter Make-up versteckt, zu viele Falten für eine Frau, die erst zweiundvierzig ist. Ich bin Experte für Alkoholiker, weil ich ständig Lucien Wilbanks um mich herum habe.«

»Herschel sagt, sie säuft wie ein Loch und droht schon seit Jahren, Ian zu verlassen«, klärte Stillman ihn auf.

Jake war beeindruckt davon, dass er das so offen sagte. »Jetzt wird sie ihn nicht mehr los.«

»Stimmt. Ich glaube, Ian ist wieder völlig verknallt in sie. Ich habe einen Freund in Jackson, der einige von Ians Saufkumpanen kennt. Sie behaupten, er sei ein Schürzenjäger.«

»Ich werde ihn morgen danach fragen.«

»Tun Sie das. Die Sache ist die: Herschel und Ian werden einander nie trauen.«

Sie bestellten ein weiteres Bier und leerten die Gläser. »Sie scheinen nicht sonderlich begeistert von der Aussicht auf einen Vergleich zu sein«, sagte Stillman.

»Sie ignorieren, was der alte Mann wollte. Er hat es unmissverständlich gesagt, sowohl in seinem Testament als auch in dem Brief an mich. Er hat mich damit beauftragt, sein handschriftliches Testament mit allen Mitteln zu verteidigen, bis zum bitteren Ende.«

»Er hat Sie damit beauftragt?«

»Ja. In einem Brief, der dem Testament beilag. Sie werden ihn später noch zu sehen bekommen. Es war sein ausdrücklicher Wunsch, der Familie nichts zu hinterlassen.«

»Aber er ist tot.«

»Es ist trotzdem sein Geld. Wie können wir sein Geld einfach anders verteilen, obwohl er klar und deutlich gesagt hat, was er damit machen will? Es gehört sich nicht, und ich bezweifle, dass Richter Atlee einen Vergleich genehmigen würde.«

»Und wenn Sie verlieren?«

»Dann werde ich bei der Sache verlieren, mit der ich beauftragt wurde. Das Testament mit allen Mitteln zu verteidigen.«

Das zweite Bier kam, als Harry Rex ohne ein Wort an ihnen vorbeimarschierte. Er schien mit seinen Gedanken woanders zu sein und sah Jake nicht an. Es war noch keine achtzehn Uhr, eigentlich viel zu früh für Harry Rex, um die Kanzlei zu verlassen. Er zwängte sich in eine Sitznische und versuchte, sich zu verstecken.

Stillman wischte sich wieder den Schaum vom Mund. »Warum hat er das getan, Jake? Irgendwelche Hinweise?«

»Eigentlich nicht.« Jake zuckte mit den Schultern, als würde er tatsächlich so weit gehen und vor einer gegnerischen Partei schmutzige Wäsche waschen. Wenn er damit seiner Sache nutzte, würde er Stillman Rush einfach links liegen lassen.

»Sex?«

Noch ein lässiges Schulterzucken, ein schnelles Kopfschütteln, ein Stirnrunzeln. »Ich glaube nicht. Der alte Herr war einundsiebzig, Kettenraucher, krank, gebrechlich, zerfressen von Krebs. Ich kann mir schlecht vorstellen, dass er die Energie und die Ausdauer hatte, um etwas mit einer Frau anzufangen.«

»Vor zwei Jahren war er noch nicht krank.«

»Stimmt, aber es lässt sich nicht beweisen.«

»Ich rede nicht von Beweisen, Jake. Oder von Prozessen oder etwas anderem. Ich spekuliere nur. Es muss einen Grund dafür geben.«

Dann find's doch selbst raus, du Arsch, dachte Jake. Aber er sprach es nicht aus. Er amüsierte sich über Stillmans plumpe Versuche, mit ihm über Gerüchte zu sprechen, als wären sie zwei alte Saufkumpane, die sich gegenseitig Geheimnisse anvertrauten. Ein loser Mund gibt Wissen kund, sagte Harry Rex immer. Und mit diesem Wissen gewann man dann einen Prozess.

»Schwer zu glauben, dass ein bisschen Sex vierundzwanzig Millionen Dollar wert sein soll.«

Stillman lachte. »Da wäre ich mir nicht so sicher. Wegen Sex wurden schon Kriege geführt.«

»Wie wahr.«

»Kein Interesse an einem Vergleich?«

»Nein. Ich habe meinen Marschbefehl.«

»Das wird Ihnen noch leidtun.«

»Ist das eine Drohung?«

»Aber nein. So, wie wir das sehen, hat Booker Sistrunk es geschafft, jeden Weißen in Ford County gegen sich aufzubringen.«

»Ich habe gar nicht gewusst, dass Sie so ein Experte für Ford County sind.«

»Jake, Sie haben hier einmal ein sensationelles Urteil erreicht. Lassen Sie sich das nicht zu Kopf steigen.«

»Ich habe Sie nicht um Ihren Rat gebeten.«

»Aber vielleicht brauchen Sie ihn.«

»Einen Rat von Ihnen?«

Stillman leerte sein Glas und knallte es auf den Tisch. »Ich muss los. Ich zahle an der Theke.« Er hatte sich schon aus der Sitznische herausgezwängt und griff in die Hosentasche. Jake sah zu, wie er ging, und schickte ihm ein paar Flüche hinterher. Dann stand er auf und setzte sich Harry Rex gegenüber.

»Ein Abend mit deinen Freunden?«, fragte Jake.

»Sieh an, sieh an. Carla hat dich mal aus dem Haus gelassen.« Harry Rex hatte ein Bud Light vor sich stehen und las eine Zeitschrift, die er jetzt zur Seite legte.

»Ich hatte gerade meinen ersten und meinen letzten Drink mit Stillman Rush.«

»Wie aufregend. Lass mich raten. Er will einen Vergleich.«

»Woher hast du das gewusst?«

»Ist doch klar. Ein schneller Deal, und diese Jungs verdienen sich dumm und dämlich.«

Jake erläuterte Stillmans Version eines fairen Vergleichs, was sie beide zum Lachen brachte. Ein Kellner brachte einen Teller mit Nachos samt Käsedip. »Ist das dein Abendessen?«, erkundigte sich Jake.

»Nein, nur ein kleiner Snack. Ich muss wieder in die Kanzlei. Du wirst nie erraten, wer gerade in der Stadt ist.«

»Wer?«

»Kannst du dich noch an Willie Traynor erinnern, dem früher mal die *Times* gehört hat?«

»Vage. Ich habe ihn ein- oder zweimal getroffen, das ist aber schon Jahre her. Anscheinend hat er die Zeitung ungefähr zu der Zeit verkauft, als ich hergekommen bin.«

»Stimmt. Er hat sie 1970 von der Familie Caudle gekauft. Sie hatte Konkurs gemacht, und ich glaube, er hat um die fünfzigtausend dafür gezahlt. Zehn Jahre später hat er sie für 1,5 Millionen verkauft.« Harry Rex tauchte einen Nacho in Käse und stopfte ihn sich in den Mund. Nachdem er kurz geschwiegen hatte, fuhr er fort: »Er hat sich hier nie richtig eingelebt, daher ist er nach Memphis zurückgegangen, wo er geboren wurde, und hat alles verloren. Dann starb seine Großmutter und hinterließ ihm eine Menge Geld. Ich glaube, das ist jetzt auch schon fast alle. Wir waren damals eng befreundet, und manchmal kommt er auf einen Drink bei mir vorbei.«

»Gehört Hocutt House immer noch ihm?«

»Ja, und ich glaube, das ist einer der Gründe, warum er mit mir reden will. Er hat es 1972 gekauft, nachdem alle Hocutts gestorben waren. Das war vielleicht ein merkwürdiger Haufen. Zwillinge, Wilma und Gilma, dazu noch ein Bruder und eine durchgeknallte Schwester, und keiner von ihnen hat je geheiratet. Willie hat das Haus gekauft, weil niemand sonst es haben wollte, dann hat er ein paar Jahre gebraucht, um es zu restaurieren. Hast du es mal gesehen?«

»Nur von der Straße. Es sieht toll aus.«

»Es ist eines der schönsten Häuser im viktorianischen Stil hier in der Gegend. Es erinnert mich an dein altes Haus, nur viel größer. Willie hat einen guten Geschmack, und innen sieht es picobello aus. Das Problem ist nur, dass er in den letzten fünf Jahren keine drei Nächte drin geschlafen hat. Er will es verkaufen, vermutlich braucht er Geld, aber die Bude kann sich hier keiner leisten.«

»Egal, was er dafür haben will, es liegt eindeutig außerhalb meiner finanziellen Möglichkeiten«, sagte Jake schnell.

»Er glaubt, dass es dreihunderttausend wert ist. Ich habe gesagt, kann schon sein, aber so viel bekommt er nie im Leben dafür. Nicht jetzt und in zehn Jahren auch nicht.«

»Irgendein Arzt wird es schon kaufen.«

»Er hat von dir gesprochen, Jake. Er hat den Hailey-Prozess verfolgt und weiß, dass der Ku-Klux-Klan dein Haus niedergebrannt hat. Er weiß, dass du etwas kaufen willst.«

»Ich will nichts kaufen, Harry Rex. Ich prozessiere gegen meine Versicherung. Aber sag ihm trotzdem Danke von mir. Ich kann mir das Haus nicht leisten.«

»Willst du ein paar Nachos?«

»Nein, danke. Ich muss jetzt nach Hause.«

»Sag Carla, dass ich sie liebe und mich nach ihrem Körper verzehre.«

»Das weiß sie bereits.«

Als Jake zur Kanzlei zurückging, regnete es. Die Straßenlampen rund um den Clanton Square waren mit Tannengrün und Silberglocken geschmückt. Von einem Krippenspiel vor dem Gerichtsgebäude drangen Weihnachtslieder zu ihm herüber. Die Geschäfte hatten länger geöffnet und waren brechend voll. Für morgen bestand eine geringe Aussicht auf Schnee, und es gab nur wenige Dinge, die die Stadt derart in Aufregung versetzten wie ein solcher Wetterbericht. Die älteren Herrschaften behaupteten, 1952 habe es weiße Weihnachten gegeben, und selbst die geringste Chance auf Schnee ließ Kinder stundenlang aus dem Fenster starren und Geschäfte Schaufeln und Salz anbieten. Passanten hasteten erwartungsvoll vorbei, als würde ein Schneesturm unmittelbar bevorstehen.

Jake nahm den langen Weg nach Hause. Er fuhr langsam durch die von Bäumen gesäumten Straßen im Stadtzentrum, bis er die Market Street erreicht hatte. In Hocutt House brannte Licht, was selten vorkam. Jake und Carla waren oft daran vorbeigegangen, immer langsam, mit bewundernden Blicken und in dem Wissen, dass das schöne Haus im viktorianischen Stil kaum benutzt wurde. Es hatte schon lange Gerüchte gegeben, dass Willie Traynor verkaufen wollte. Er war aus Clanton weggezogen, nachdem er die Zeitung losgeschlagen hatte, was alle wussten.

Das Haus musste mal wieder gestrichen werden. Im Sommer waren die Blumenbeete von Unkraut überwuchert, und der Rasen wurde nur selten gemäht. Im Herbst wehte der Wind die Blätter auf die Terrasse, und niemand harkte sie zusammen.

Für einen Moment war Jake versucht, anzuhalten, an die Tür zu klopfen, mit Willie einen zu trinken und über den Kauf des Hauses zu reden. Doch er widerstand der Versuchung und fuhr heim.

24

An Heiligabend schlief Jake aus, zumindest länger als sonst. Während Carla noch tief und fest schlummerte, schlich er sich um sieben aus dem Bett und ging auf Zehenspitzen in die Küche. Er kochte Kaffee und bereitete Rührei mit Toast zu. Als er das Frühstückstablett ins Schlafzimmer brachte, kam allmählich Leben in seine Frau. Sie aßen langsam und unterhielten sich, froh über einen seltenen Moment der Ruhe, bis Hanna völlig aufgedreht hereinhüpfte und ohne Punkt und Komma über den Weihnachtsmann redete. Sie zwängte sich zwischen ihre Eltern und nahm sich einen Toast, dann zählte sie alles auf, was sie in ihren Brief an den Weihnachtsmann geschrieben hatte, und war angesichts ihrer vielen Wünsche sehr beunruhigt. Ihre Eltern waren anderer Meinung. Schließlich war sie ein Einzelkind und bekam in der Regel, was sie wollte. Außerdem sollte es noch eine Überraschung geben, die sämtliche Wünsche Hannas in den Schatten stellen würde.

Eine Stunde später brachen Jake und Hanna auf und fuhren ins Stadtzentrum, während Carla zu Hause blieb, um Geschenke einzupacken. Roxy hatte sich freigenommen, und Jake wollte ein Geschenk für seine Frau abholen. Die Kanzlei war das beste Versteck. Er ging davon aus, dass niemand dort sein würde, war aber nicht allzu überrascht, als er Lucien im Konferenzraum entdeckte, wo dieser sich durch alte Akten wühlte. Lucien sah aus, als wäre er schon seit Stunden dort, schien aber nüchtern zu sein, was erheblich wichtiger war. »Wir müssen reden«, sagte er.

Hanna fand es toll, im riesigen Büro ihres Vaters herumzustöbern, daher schickte Jake sie nach oben und zog los, um irgendwo Kaffee zu finden. Lucien hatte bereits eine halbe Kanne getrunken und schien ziemlich aufgedreht zu sein. »Das werden Sie nicht glauben«, platzte es aus ihm heraus, als er die Tür des Konferenzraums schloss.

Jake ließ sich in einen der Ledersessel fallen und rührte seinen Kaffee um. »Kann das nicht bis Montag warten?«, fragte er.

»Nein. Halten Sie den Mund, und hören Sie mir zu. Die große Frage ist: Warum tut ein Mann das, was Seth Hubbard getan hat? Richtig? In letzter Minute noch ein Testament machen, ganz einfach und mit der Hand geschrieben, seine Familie enterben und alles jemandem hinterlassen, der überhaupt keinen Anspruch auf sein Vermögen hat. Das ist die Frage, die Ihnen im Kopf herumspukt, und das immer häufiger, bis wir die Antwort darauf finden.«

»Vorausgesetzt, es gibt eine Antwort.«

»Genau. Um das Rätsel zu lösen, was Ihnen hoffentlich dabei helfen wird, den Fall zu gewinnen, müssen wir die Antwort auf diese Frage finden.«

»Und Sie haben sie gefunden?«

»Noch nicht, aber ich bin auf dem besten Weg dazu.« Lucien deutete auf das Durcheinander auf dem Tisch – Akten, Kopien alter Besitzurkunden, Notizen. »Ich habe mir die Besitzurkunden für die achtzig Hektar Land angesehen, die Seth Hubbard zum Zeitpunkt seines Todes in diesem County besessen hat. Viele Dokumente wurden zerstört, als das Gericht nach dem Zweiten Weltkrieg abgebrannt ist, aber das meiste von dem, was ich gesucht habe, konnte ich rekonstruieren. Ich habe mich durch sämtliche Grundstücksregister gewühlt, bis ins frühe

19. Jahrhundert, und jede Ausgabe der Lokalzeitungen durchkämmt, von dem Tag an, an dem sie mit Drucken angefangen haben. Außerdem habe ich ziemlich viel Ahnenforschung betrieben und einiges über die Familien Hubbard, Tayber und Rinds herausgefunden. Sie wissen ja, dass das bei Schwarzen nicht so einfach ist. Lettie wurde von Cypress und Clyde Tayber aufgezogen, aber nie rechtskräftig adoptiert. Portia zufolge hat Lettie das erst mit dreißig Jahren erfahren. Portia und meine Wenigkeit glauben auch, dass Lettie in Wahrheit eine Rinds ist, eine Familie, die es in Ford County nicht mehr gibt.«

Jake trank einen Schluck Kaffee und hörte aufmerksam zu. Lucien hielt eine große, mit der Hand gezeichnete Landkarte hoch und fing an, auf einzelne Parzellen zu zeigen. »Das ist das Land, das die Hubbards ursprünglich besaßen, dreißig Hektar, die schon seit einhundert Jahren in der Familie waren. Seth hat es von seinem Vater geerbt, Cleon, der vor dreißig Jahren gestorben ist. Cleon hinterließ ein Testament, in dem er alles Seth vermacht hat. Ancil wurde mit keinem Wort erwähnt. Daneben sind noch einmal dreißig Hektar, genau hier, an der Brücke, wo man Seth gefunden hat, nachdem er von der Leiter gefallen ist. Die zwanzig Hektar hier wurden vor zwanzig Jahren von Seth gekauft und sind nicht weiter wichtig.«

Lucien tippte die zweite Parzelle an, in die er mit der Hand einen kleinen Fluss, eine Brücke und einen Baum mit einer Schlinge gezeichnet hatte. »Hier wird es interessant. Die zweiten dreißig Hektar wurden 1930 von Cleon Hubbard erworben. Das Land wurde ihm von Sylvester Rinds verkauft, oder von Sylvester Rinds' Frau. Es war seit sechzig Jahren im Besitz der Familie Rinds gewesen. Ungewöhnlich daran ist, dass Rinds schwarz war. Allem Anschein nach war sein Vater der Sohn eines freigelassenen Sklaven, der die dreißig Hektar um 1870 herum, also nach dem Ende des Bürgerkriegs, in Besitz nahm.

Es ist nicht ganz klar, wie es ihm gelang, sich das Eigentum daran zu verschaffen, und ich bin mir sicher, dass wir das nie erfahren werden. Die Dokumente dazu gibt es nicht mehr.«

»Wie ist Cleon in den Besitz des Landes von Rinds gekommen?«, erkundigte sich Jake.

»Durch eine einfache Abtretungsurkunde, unterschrieben von Esther Rinds, nicht von ihrem Mann.«

»Wo war ihr Mann?«

»Keine Ahnung. Ich gehe davon aus, dass er entweder tot oder verschwunden war, denn das Land war auf seinen Namen eingetragen, nicht auf den seiner Frau. Um Grundbesitz übertragen zu können, musste sie ihn allerdings erst einmal geerbt haben. Daher war er vermutlich tot.«

»Wurde sein Tod irgendwo registriert?«

»Nein. Jedenfalls habe ich bis jetzt nichts gefunden, aber ich suche noch. Da ist noch mehr. Nach 1930 gibt es in Ford County keine Dokumente über die Familie Rinds mehr. Sie sind einfach verschwunden, und heute ist kein einziger Rinds mehr zu finden. Ich habe Telefonbücher, Wählerverzeichnisse, Steuerlisten überprüft, egal was, ich hab's mir angesehen. Kein einziger Rinds. Nirgendwo. Ziemlich ungewöhnlich.«

»Also?«

»Also sind sie verschwunden.«

»Vielleicht sind sie ja nach Chicago gegangen, wie alle anderen.«

»Vielleicht. Aus Letties Zeugenaussage wissen wir, dass ihre Mutter ungefähr sechzehn Jahre alt war, als sie geboren wurde, unehelich, und dass sie ihren Vater nie gekannt hat. Sie sagt, sie sei in der Nähe von Caledonia geboren worden, unten in Monroe County. Ihre Mutter starb zwei Jahre später, Lettie kann sich nicht an sie erinnern, und sie wurde zu einer Tante gegeben. Dann zur nächsten Tante. Und irgendwann ist sie dann bei den

Taybers in Alabama gelandet. Sie hat deren Namen angenommen und mit ihrem Leben weitergemacht. Den Rest davon haben Sie während ihrer Zeugenaussage gehört. Sie hat nie eine Geburtsurkunde besessen.«

»Lucien, worauf wollen Sie hinaus?«

Er klappte eine andere Akte auf und schob ein einzelnes Blatt Papier über den Tisch. »Damals wurden eine Menge schwarze Babys ohne Geburtsurkunde geboren. Sie wurden zu Hause geboren, mit Hebammen und so, und niemand machte sich die Mühe, Aufzeichnungen darüber zu führen. Aber die Gesundheitsämter in den Countys versuchten, wenigstens die Geburten zu registrieren. Dies ist die Kopie einer Seite aus dem Geburtenregister von 1941. Am 16. Mai wurde in Monroe County, Mississippi, eine gewisse Letetia Delores Rinds geboren; die Mutter war eine junge Frau namens Lois Rinds, sechzehn Jahre alt.«

»Sie sind nach Monroe County gefahren und haben das ausgegraben?«

»Allerdings. Und ich bin noch nicht fertig. Es sieht so aus, als könnte Lettie eine Rinds sein.«

»Aber sie hat doch gesagt, sie erinnert sich an nichts mehr, zumindest an nichts, was vor ihrer Kindheit in Alabama war.«

»Können Sie sich daran erinnern, was vor Ihrem dritten Geburtstag geschah?«

»Das weiß ich noch alles.«

»Dann sind Sie ein Fall für den Psychiater.«

»Und was, wenn Letties Familie tatsächlich aus Ford County kam?«

»Nehmen wir an, sie kam von hier, nur so zum Spaß. Und nehmen wir weiter an, dass die Rinds einmal die dreißig Hektar besessen haben, an denen Cleon Hubbard 1930 das Eigentum übernommen hat, dieselben dreißig Hektar, die Seth Hubbard hinterlassen wurden. Dieselben dreißig Hektar, die er Lettie vererbt hat. Der Kreis schließt sich, finden Sie nicht auch?«

»Vielleicht, vielleicht auch nicht. Es gibt immer noch ein paar große Lücken. Sie können nicht davon ausgehen, dass alle Schwarzen namens Rinds, die im Norden von Mississippi wohnen, aus Ford County stammen. Das ist ziemlich weit hergeholt.«

»Ich gebe zu, dass es nur eine Theorie ist, aber wir machen Fortschritte.«

»Wir?«

»Portia und ich. Ich habe sie gebeten, in ihrer Familiengeschichte zu wühlen. Sie hat Cypress nach Details gefragt, aber die alte Dame ist nicht sehr gesprächig. Und wie in den meisten Familien gibt es jede Menge Mist, den Portia am liebsten gar nicht erst gefunden hätte.«

»Zum Beispiel?«

»Cypress und Clyde Tayber haben nie geheiratet. Sie hatten sechs Kinder und lebten vierzig Jahre lang zusammen, aber sie haben nie den Bund der Ehe geschlossen, jedenfalls nicht rechtsgültig.«

»So ungewöhnlich war das gar nicht. Und es war rechtlich bindend.«

»Das weiß ich. Es besteht eine gute Chance, dass Cypress gar keine Blutsverwandte ist. Portia glaubt, ihre Mom könnte mehr als einmal herumgereicht worden sein, bevor sie bei den Taybers gelandet ist.«

»Redet Lettie darüber?«

»Wohl nicht oft. Sie können sich sicher denken, dass ihre Familiengeschichte kein angenehmes Gesprächsthema ist.«

»Würde Lettie es denn nicht wissen, wenn sie als eine Rinds geboren worden wäre?«

»Könnte man meinen, aber vielleicht weiß sie es wirklich

nicht. Sie war dreißig, als Cypress ihr erzählt hat, dass sie adoptiert worden ist. Und Cypress hat Letties Mutter nie kennengelernt. Denken Sie doch mal darüber nach, Jake. Die ersten dreißig Jahre ihres Lebens glaubt sie, dass Cypress und Clyde ihre biologischen Eltern und die sechs anderen Kinder ihre Geschwister sind. Portia sagte, sie hat sich fürchterlich aufgeregt, als sie die Wahrheit erfuhr, aber nie das Bedürfnis verspürt, in ihrer Vergangenheit herumzuwühlen. Die Taybers in Alabama sind mit der Familie Rinds aus Ford County nicht einmal entfernt verwandt, daher ist es vermutlich schon möglich, dass Lettie nicht weiß, wo sie herstammt.«

Jake dachte ein paar Minuten darüber nach, während er seinen Kaffee trank, und versuchte, die Geschichte aus allen möglichen Blickwinkeln zu sehen. »Gehen wir mal davon aus, an Ihrer Theorie ist etwas dran«, sagte er schließlich. »Warum würde Seth dann das Land an eine Rinds zurückgeben wollen?«

»So weit bin ich mit meiner Theorie noch nicht.«

»Und warum sollte er Lettie alles – die dreißig Hektar und noch eine ganze Menge mehr – und seiner eigenen Familie überhaupt nichts hinterlassen?«

»Das muss ich erst noch ausgraben.«

»Die Theorie gefällt mir. Graben Sie weiter.«

»Jake, das könnte von entscheidender Bedeutung sein, weil es ein Motiv liefert. Die große Frage ist: warum? Wenn wir die beantworten können, gewinnen Sie den Prozess vielleicht. Andernfalls geht es in die Hose.«

»Das denken *Sie,* Lucien. Soweit ich mich erinnern kann, war das ja auch Ihr allgemeiner Eindruck kurz vor dem Hailey-Prozess.«

»Je früher Sie diesen Prozess vergessen, desto eher werden Sie ein besserer Anwalt.«

Jake lächelte und stand auf. »Es gibt Dinge, die kann man nicht vergessen, Lucien. Und jetzt entschuldigen Sie mich bitte, ich muss mit meiner Tochter einkaufen gehen. Frohe Weihnachten.«

»Alles Humbug.«

»Kommen Sie zum Abendessen zu uns rüber?«

»Alles Humbug.«

»Das habe ich mir schon gedacht. Wir sehen uns am Montag.«

Simeon Lang kam an Heiligabend nach Hause, kurz nach Einbruch der Dunkelheit. Er war über zwei Wochen unterwegs gewesen und bis nach Oregon gekommen, in einem Sattelschlepper mit sechs Tonnen gestohlener Haushaltsgeräte. Er hatte die Taschen voller Geld, Liebe im Herzen, ein Weihnachtslied auf den Lippen und eine schöne Flasche Bourbon unter dem Beifahrersitz versteckt. Zurzeit war er stocknüchtern, und er nahm sich fest vor, Weihnachten nicht mit Alkohol zu ruinieren. Alles in allem war Simeon recht gut gelaunt, zumindest so lange, bis er vor dem ehemaligen Haus der Sappingtons anhielt. Er zählte sieben Autos, die kreuz und quer in der Einfahrt und auf dem Rasen des Vorgartens geparkt waren. Drei davon kamen ihm bekannt vor, bei den anderen war er nicht sicher. Mitten im Refrain hörte er mit »Jingle Bells« auf und hätte am liebsten laut geflucht. In sämtlichen Zimmern des Hauses brannte Licht, und alles deutete darauf hin, dass es voller Leute war.

Lettie zu heiraten hatte den Vorteil gehabt, dass ihre Familie weit weg wohnte, drüben in Alabama. In Ford County hatte sie keine Verwandten. Auf seiner Seite gab es zu viele, und sie machten alle Ärger, aber von ihren Leuten ließ er sich nicht kritisieren, jedenfalls nicht am Anfang ihrer Ehe. Insgeheim hatte er sich gefreut, als sie mit dreißig Jahren erfahren hatte, dass Cypress und Clyde Tayber gar nicht ihre richtigen Eltern und deren sechs Kinder nicht ihre Geschwister waren. Aber mit der Freude war es schnell wieder vorbei gewesen, da Lettie einfach

352

so weitergemacht hatte, als wären sie ihre Blutsverwandten gewesen. Clyde starb, die Kinder zogen aus, und Cypress brauchte eine neue Wohnung. Sie zog zu ihnen, vorübergehend, und fünf Jahre später war sie immer noch da, dicker und hilfsbedürftiger als jemals zuvor. Die Brüder und Schwestern kehrten zurück, mit ausgestreckter Hand und ihrer Brut im Schlepptau.

Fairerweise musste man sagen, dass auch ein paar Langs da drin waren. Vor allem eine seiner Schwägerinnen war zu einer richtigen Plage geworden. Sie hatte keine Arbeit und brauchte einen Kredit, vorzugsweise gegen ein mündliches Versprechen, mit dem man nichts anfangen konnte. Simeon hätte fast zur Flasche gegriffen, doch er widerstand der Versuchung und stieg aus dem Pick-up.

Überall rannten Kinder herum. Im Kamin brannte ein Feuer, die Küche war voller Frauen, die kochten, und Männer, die das Gekochte probierten. Fast alle freuten sich, ihn zu sehen, oder schafften es, so zu tun. Lettie lächelte, sie umarmten sich. Er hatte am Tag zuvor aus Kansas angerufen und versprochen, pünktlich zum Abendessen zu Hause zu sein. Sie gab ihm ein Küsschen auf die Wange, um herauszufinden, ob er getrunken hatte, und als er den Test bestand, war ihr die Erleichterung darüber anzumerken. Soviel sie wusste, war kein Tropfen Alkohol im Haus, und sie wollte unbedingt, dass das auch so blieb. Im Wohnzimmer umarmte Simeon seine Kinder Portia, Phedra, Clarice und Kirk und seine beiden Enkel. Von oben dröhnte aus einem Gettoblaster »Rudolph, the Red-Nosed Reindeer« zu ihnen herunter, und im Flur schoben drei kleine Jungen in einem halsbrecherischen Tempo Cypress im Rollstuhl hin und her. Vor den auf volle Lautstärke gedrehten Fernsehgeräten saßen Teenager und starrten auf die Mattscheibe.

Das alte Haus bebte fast vor ungezügelter Energie, und nach ein paar Minuten hatte Simeon sich wieder beruhigt. Mit der

Einsamkeit der Landstraße war es vorbei, aber schließlich war Heiligabend, und er war im Kreise seiner Familie. Sicher, ein Großteil der zur Schau getragenen Liebe und Wärme beruhte auf Gier und dem Wunsch, Lettie nahe zu sein, aber Simeon ließ es dabei bewenden. Für ein paar Stunden wollte er einfach nur den Moment genießen.

Es wäre schön gewesen, wenn Marvis auch da gewesen wäre.

Lettie rückte zwei Tische im Esszimmer zusammen. Dann stellten die Frauen gebratene Truthähne, Schinken, Süßkartoffeln, ein halbes Dutzend andere Gemüsesorten und Aufläufe und eine beeindruckende Anzahl von Kuchen und Torten darauf. Es dauerte ein paar Minuten, bis sich alle gesetzt hatten, und als es ruhig wurde, sprach Lettie ein kurzes Dankgebet. Doch sie hatten noch mehr zu sagen. Sie faltete ein aus einem Notizblock gerissenes Blatt Papier auseinander. »Hört zu, das hat Marvis geschrieben«, bat sie die anderen.

Beim Klang dieses Namens erstarrten alle und ließen die Köpfe noch ein Stück tiefer sinken. Jeder hatte seine eigenen Erinnerungen an das älteste Kind der Familie, und die meisten davon waren herzzerreißend und unangenehm.

Lettie las vor: »Hallo Mom und Dad, Brüder und Schwestern, Nichten und Neffen, Onkel und Tanten, Cousins und Freunde. Ich wünsche euch allen frohe Weihnachten und hoffe, dass ihr zusammen feiert. Ich schreibe das in meiner Zelle, nachts. Von hier kann ich ein Stück vom Himmel sehen, und heute scheint der Mond nicht, aber dafür gibt es eine Menge Sterne. Einer davon ist unglaublich hell, ich glaube, es ist der Polarstern, aber sicher bin ich mir nicht. Jedenfalls tue ich gerade so, als wäre es der Stern von Bethlehem, der die Heiligen drei Könige zum Jesuskind führt. Matthäus, Kapitel zwei. Ich liebe euch alle. Ich wünschte, ich könnte jetzt bei euch sein. Ich bereue meine Fehler, und es tut mir so leid, dass ich meiner Familie und meinen Freunden Kummer gemacht habe. Irgendwann lassen sie mich hier raus, und wenn ich frei bin, werde ich Weihnachten auch da sein und mit euch zusammen feiern. Marvis.«

Letties Stimme blieb fest, aber ihr liefen Tränen über die Wangen. Sie wischte sie weg und zwang sich zu einem Lächeln. »Lasst uns essen«, sagte sie.

Da es ein besonderer Anlass war, bestand Hanna darauf, bei ihren Eltern im Bett zu schlafen. Sie lasen bis weit nach zweiundzwanzig Uhr Weihnachtsgeschichten, mit mindestens einer Pause jede halbe Stunde, damit Hanna ins Wohnzimmer flitzen und sich vergewissern konnte, dass der Weihnachtsmann sich nicht doch irgendwie ins Haus geschlichen hatte. Vor lauter Vorfreude plapperte und zappelte sie herum, bis sie irgendwann nicht mehr konnte und ihr die Augen zufielen. Als Jake bei Sonnenaufgang aufwachte, lag sie eingeklemmt unter ihrer Mutter da, und beide schliefen tief und fest.

Doch als er leise »Ich glaube, der Weihnachtsmann war hier« sagte, waren seine Frauen auf einen Schlag wach. Hanna rannte zum Baum und kreischte vor Begeisterung, als sie die vielen Geschenke sah, die der Weihnachtsmann für sie gebracht hatte. Jake kochte Kaffee, während Carla Fotos machte. Sie packten Geschenke aus und lachten mit Hanna zusammen, während der Stapel aus Papier und Kartons immer größer wurde. Was konnte es Schöneres geben, als am Weihnachtsmorgen sieben Jahre alt zu sein? Nachdem sich die Aufregung seiner Tochter ein wenig gelegt hatte, schlich sich Jake aus dem Haus. Aus einem kleinen Hauswirtschaftsraum neben dem Carport holte er noch ein Paket, einen großen, quadratischen Karton, der in grünes Papier eingewickelt und mit einer großen roten Schleife verziert war. Das Winseln eines Hundewelpen drang zu ihm heraus. Es war eine lange Nacht gewesen, für sie beide.

»Sieh mal, was ich gefunden habe«, verkündete er, als er den Karton neben Hanna auf den Boden stellte.

»Was ist das, Daddy?« Hanna ahnte sofort etwas. Der verängstigte Welpe im Innern des Kartons gab keinen Laut von sich.

»Mach es auf«, sagte Carla. Hanna riss das Papier von dem Karton herunter. Jake klappte den Deckel auf, und Hanna warf einen Blick hinein. Sadie starrte sie mit traurigen, müden Augen an, die »Hol mich hier raus« zu sagen schienen.

Sie taten so, als hätte der Weihnachtsmann Sadie gebracht. In Wirklichkeit kam sie aus dem Tierheim des County, wo Jake sie für siebenunddreißig Dollar gekauft hatte, einschließlich sämtlicher Impfungen und als Zugabe eine Sterilisation zu gegebener Zeit. Da völlig unklar war, was für einen Stammbaum sie besaß, konnten die Mitarbeiter im Tierheim nur spekulieren, als es um ihre Größe und ihren Charakter ging. Einer fand, sie hätte »ziemlich viel Terrier drin«, während ein anderer widersprach und sagte: »Da muss irgendwo ein Schnauzer dabei sein.« Ihre Mutter war tot im Straßengraben gefunden worden, und sie und ihre fünf Geschwister waren im Alter von etwa einem Monat ins Tierheim gekommen.

Hanna hob den Welpen vorsichtig aus dem Karton, nahm ihn auf den Arm, streichelte ihn, drückte ihn an sich, und natürlich fing er sofort an, ihr das Gesicht zu lecken. Sie sah ihre Eltern mit Tränen in den weit aufgerissenen Augen an und brachte kein Wort heraus.

»Der Weihnachtsmann hat sie Sadie getauft, aber wenn du möchtest, kannst du ihr auch einen anderen Namen geben.«

Der Weihnachtsmann vollbrachte wahre Wunderdinge, aber in diesem Moment waren sämtliche anderen Geschenke, die er gebracht hatte, vergessen. »Sadie ist perfekt«, flüsterte Hanna.

Innerhalb einer Stunde hatte Sadie das Kommando über-nommen. Ihre drei Menschen folgten ihr auf Schritt und Tritt und sorgten dafür, dass sie alles bekam, was sie haben wollte.

Die Einladung zum Cocktail kam von Willie Traynor und war mit der Hand geschrieben. Achtzehn Uhr, der Tag nach Weih-nachten, Hocutt House. Festliche Kleidung, was immer das auch heißen sollte. Carla beharrte darauf, dass es zumindest eine Krawatte bedeutete, und irgendwann gab Jake nach. Zu-erst taten sie so, als wollten sie nicht hingehen, aber in Wirk-lichkeit gab es am Tag nach Weihnachten absolut nichts an-deres zu tun. Gute Cocktailpartys waren selten in Clanton, und sie gingen davon aus, dass Willie, der in Memphis aufgewach-sen war und aus einem wohlhabenden Elternhaus stammte, wusste, wie man eine schmiss. Am meisten aber lockte das Haus. Seit Jahren bewunderten sie es von der Straße aus, doch sie waren noch nie drin gewesen.

»Gerüchten zufolge will er es verkaufen«, sagte Jake, als sie über die Einladung sprachen. Er hatte seiner Frau nichts von der Unterhaltung mit Harry Rex erzählt, vor allem, weil der Kauf-preis – egal, wie hoch er war – weit jenseits ihrer finanziellen Mittel lag.

»Das Gerücht gibt es schon länger«, meinte Carla. Unmittel-bar darauf fing sie an, von dem Haus zu träumen.

»Ja, aber Harry Rex sagt, jetzt ist es Willie ernst damit. Er wohnt schließlich nicht dort.«

Sie waren die ersten Gäste, obwohl sie die üblichen zehn Mi-nuten zu spät kamen. Willie war allein. Seine festliche Kleidung bestand aus einer roten Fliege, einem schwarzen Dinnerjackett aus Satin und einem weiteren Kleidungsstück, das entfernte Ähnlichkeit mit einem schottischen Kilt hatte. Er war Anfang vierzig, gut aussehend mit langen Haaren und einem angegrauten

Bart und sehr charmant, vor allem zu Carla. Jake musste zugeben, dass er ein bisschen neidisch war. Willie war nur ein paar Jahre älter als er, hatte aber schon eine Million Dollar verdient. Er war nicht verheiratet, für seinen hohen Frauenverschleiß bekannt und machte den Eindruck eines Mannes, der viel in der Welt herumgekommen war.

Willie goss Champagner in schwere Kristallflöten, brachte einen Toast auf Weihnachten aus und meinte nach dem ersten Schluck lächelnd: »Ich möchte Ihnen etwas sagen«, als gehörten sie zur Familie und sollten wichtige Neuigkeiten erfahren.

»Ich habe beschlossen, dieses Haus zu verkaufen«, fuhr er fort. »Ich besitze es jetzt seit sechzehn Jahren, und ich liebe es heiß und innig, aber ich bin einfach nicht oft genug hier. Es braucht richtige Besitzer, Leute, die es schätzen, die es erhalten und so lassen, wie es ist.« Noch ein Schluck, während Jake und Carla in der Luft hingen. »Und ich verkaufe nicht an jedermann. Es ist kein Makler beteiligt. Ich möchte das Haus nur ungern auf den Markt bringen. Ich möchte nicht, dass in der Stadt darüber geredet wird.«

Als Jake das hörte, konnte er ein Schmunzeln nicht unterdrücken. In der Stadt wurde bereits darüber geredet.

»Okay, okay, in Clanton gibt es keine Geheimnisse, aber es muss ja niemand erfahren, was wir hier besprechen. Ich würde es gern Ihnen verkaufen. Ich habe Ihr Haus gesehen, bevor es abgebrannt ist, und mir hat sehr gefallen, wie Sie es restauriert haben.«

»Gehen Sie mit dem Preis runter, dann sind wir im Geschäft«, meinte Jake.

Willie sah Carla tief in die braunen Augen und sagte: »Dieses Haus ist wie für Sie gemacht.«

»Wie viel?«, fragte Jake. Er drückte den Rücken durch und schwor sich, nicht zusammenzuzucken, wenn er die Zahl hörte.

»Zweihundertfünfzigtausend«, erwiderte Willie, ohne zu zögern. »Ich habe es 1972 für einhunderttausend gekauft und einhunderttausend für die Restaurierung ausgegeben. Das gleiche Haus in der Innenstadt von Memphis würde fast eine Million bringen, aber das ist schließlich ein ganzes Stück von hier weg. Für zweihundertfünfzigtausend ist es fast geschenkt, aber man kann den Markt nicht einfach ignorieren. Wenn ich es für eine halbe Million annoncieren würde, würde es Moos ansetzen, bis jemand es kauft. Ehrlich gesagt möchte ich nur das zurückbekommen, was ich reingesteckt habe.«

Jake und Carla starrten sich fassungslos an, weil es nichts zu sagen gab, jedenfalls nicht im Moment. »Sehen Sie sich doch ein bisschen um«, schlug Willie vor, ganz Geschäftsmann. »Die anderen kommen um 18.30 Uhr.« Er füllte ihre Gläser auf und führte sie auf die Veranda hinaus. Nachdem die Besichtigung begonnen hatte, wusste Jake, dass es kein Zurück mehr gab.

Willie zufolge war das Haus um 1900 von Dr. Miles Hocutt gebaut worden, einem bekannten Arzt, der über Jahrzehnte in Clanton praktiziert hatte. Es war im klassischen viktorianischen Stil errichtet worden, mit zwei steilen Giebeldächern, einem Türmchen, das sich über vier Stockwerke erstreckte, und breiten, überdachten Veranden, die sich auf beiden Seiten um das Haus zogen.

Jake musste zugeben, dass der Kaufpreis nicht überzogen war. Er lag außerhalb seiner Möglichkeiten, aber es hätte viel schlimmer sein können. Jake vermutete, dass Harry Rex Willie geraten hatte, vernünftig zu sein, vor allem, wenn er wollte, dass die Brigances das Haus bekamen. Harry Rex zufolge ging das Gerücht um, dass Willie eine Menge Geld an der Börse verdient habe. Einem anderen Gerücht zufolge hatte er auf dem Immobilienmarkt in Memphis eine große Summe verloren, und wieder ein anderes Gerücht besagte, dass er von seiner

Großmutter BeBe ein Vermögen geerbt habe. Wer wusste schon, was stimmte. Aber der Preis schien darauf hinzudeuten, dass er in Geldschwierigkeiten steckte. Willie wusste, dass Jake und Carla ein neues Haus brauchten. Er wusste, dass sie gegen ihre Versicherung prozessierten. Und er wusste auch (vermutlich von Harry Rex), dass Jake im Fall Hubbard gute Aussichten darauf hatte, ein großzügiges Honorar zu erhalten. Während Willie unaufhörlich plauderte und Carla über das Parkett aus dunkel gebeiztem Kiefernkernholz, durch die moderne Küche und die Wendeltreppe hinauf nach oben bis in das runde Lesezimmer in der vierten Ebene des Türmchens führte, von wo man die Kirchtürme einige Straßen weiter sehen konnte, trottete Jake ihnen brav hinterher und fragte sich, wie um alles in der Welt sie es sich leisten sollten, das Haus zu kaufen, geschweige denn, es zu möblieren.

25

Für alle, die Seth Hubbards handschriftliches Testament anfochten, kam Weihnachten etwas später. Am 16. Januar, um genau zu sein.

Ein Privatdetektiv, der für Wade Lanier arbeitete, war auf eine Goldgrube gestoßen. Er hieß Randall Clapp und machte endlich einen potenziellen Zeugen namens Fritz Pickering ausfindig, der in der Nähe von Shreveport, Louisiana, lebte. Clapp, Wade Laniers bester Privatdetektiv, hatte eine gut trainierte Nase für das Ausgraben von Informationen. Pickering kümmerte sich nicht um anderer Leute Angelegenheiten und hatte keine Ahnung, was Clapp von ihm wollte. Aber er war neugierig, daher ließ er sich zum Mittagessen in einem Deli einladen.

Clapp war gerade dabei, Lettie Langs ehemalige Arbeitgeber zu befragen, fast alle wohlhabende weiße Hausbesitzer, die es gewohnt waren, schwarzes Hauspersonal zu haben. In ihrer Zeugenaussage hatte Lettie so viele dieser Namen angegeben, wie ihr eingefallen waren, jedenfalls hatte sie das zu Protokoll gegeben. Sie hatte aber auch klipp und klar gesagt, dass es in den letzten dreißig Jahren vielleicht noch ein oder zwei andere gegeben habe. Sie führe nicht Buch darüber, das täten die meisten Haushälterinnen nicht. Allerdings hatte sie nicht erwähnt, dass sie für Irene Pickering gearbeitet hatte. Der Name tauchte auf, als Clapp einen ihrer anderen ehemaligen Arbeitgeber befragte.

Lettie hatte nie länger als sechs Jahre für jemanden gearbeitet. Dafür gab es verschiedene Gründe, aber keiner davon hatte etwas mit Unfähigkeit ihrerseits zu tun. Ganz im Gegenteil. Fast alle ihrer ehemaligen Arbeitgeber lobten sie in den höchsten Tönen.

Bei Pickering sollte das anders sein. Während er Suppe und Salat vor sich stehen hatte, erzählte er seine Geschichte. Vor etwa zehn Jahren, entweder 1978 oder 1979, war Lettie Lang von seiner verwitweten Mutter, Irene Pickering, eingestellt worden, weil sie jemanden brauchte, der kochte und putzte. Mrs. Pickering lebte knapp außerhalb der Kleinstadt Lake Village in einem alten Haus, das schon seit Generationen in der Familie war. Damals wohnte Fritz Pickering in Tupelo, wo er für eine Versicherung arbeitete, die ihn später nach Shreveport versetzte. Er sah seine Mutter mindestens einmal im Monat und lernte Lettie recht gut kennen. Alle Seiten waren zufrieden mit dem Arbeitsverhältnis, vor allem Mrs. Pickering. 1980 verschlechterte sich ihr Gesundheitszustand rapide, und es wurde klar, dass das Ende nahte. Lettie arbeitete immer länger und zeigte großes Mitgefühl für die Sterbende, doch Fritz und seine Schwester, das einzige andere Geschwisterkind, wurden misstrauisch, als es um die finanziellen Angelegenheiten ihrer Mutter ging. Lettie hatte nach und nach die Aufgabe übernommen, Rechnungen zu sammeln und Schecks auszustellen, allerdings sah es so aus, als würden die Schecks stets von Mrs. Pickering unterschrieben werden. Lettie kümmerte sich um Kontoauszüge, Versicherungsunterlagen, Rechnungen und anderen Papierkram.

Eines Tages bekam Fritz einen Telefonanruf von seiner Schwester, die ein erstaunliches Dokument gefunden hatte. Es war ein handschriftliches Testament ihrer Mutter, in dem sie Lettie Lang fünfzigtausend Dollar in bar vermachte. Fritz nahm sich frei, raste nach Lake Village, traf sich nach Büroschluss mit seiner Schwester und sah sich das Testament an. Es war mit einem Datum von vor zwei Monaten versehen und von Irene Pickering unterschrieben worden. Hinsichtlich der Handschrift gab es keinen Zweifel, obwohl sie eine weitaus zittrigere Version dessen war, was sie kannten. Seine Schwester hatte das Testament in einem schlichten Umschlag gefunden, der auf einem Regal mit Kochbüchern zwischen den Seiten einer alten Familienbibel steckte. Sie sprachen ihre Mutter darauf an, die über die Angelegenheit nicht reden wollte, mit der Begründung, sie sei zu schwach.

Zu der Zeit besaß Mrs. Pickering einhundertzehntausend Dollar in Einlagenzertifikaten und achtzehntausend Dollar auf einem Girokonto. Lettie hatte Zugang zu den monatlichen Auszügen dieser Konten.

Am nächsten Morgen stellten Fritz und seine Schwester Lettie zur Rede, als diese zur Arbeit kam. Während eines hässlichen Streits behaupteten sie, Lettie habe ihre Mutter dazu überredet oder sogar gezwungen, das Testament zu schreiben. Sie bestritt, etwas davon gewusst zu haben, und schien wirklich überrascht, ja sogar gekränkt zu sein. Sie feuerten sie trotzdem und sorgten dafür, dass sie sofort das Haus verließ. Dann verfrachteten sie ihre Mutter ins Auto und fuhren mit ihr zu einer Anwaltskanzlei in Oxford, wo die Schwester lebte. Während sie warteten, formulierte der Anwalt ein aus zwei Seiten bestehendes Testament, das Lettie Lang nicht erwähnte und alles Fritz und seiner Schwester vermachte, zu gleichen Teilen, so, wie sie das schon oft mit ihrer Mutter besprochen hatten. Sie unterschrieb es an Ort und Stelle, starb einen Monat später, und die Testamentseröffnung lief völlig reibungslos ab. Fritz und seine Schwester verkauften das Haus und sämtlichen anderen Besitz ihrer Mutter und teilten den Erlös gleichmäßig unter sich auf, ohne dass ein einziges böses Wort fiel.

Bevor ihre Mutter starb, fragten sie sie mehrmals über das handschriftliche Testament aus, aber sie war dann immer völlig aufgelöst und wollte nicht darüber reden. Und wenn sie sie zu Lettie Lang befragten, brachte sie das auch zum Weinen. Irgendwann hörten diese Gespräche auf. Ehrlich gesagt sei sie zu der Zeit, als sie in der Kanzlei des Anwalts das Testament unterschrieb, nicht so ganz bei sich gewesen, was bis zu ihrem Tod auch nicht wieder besser geworden sei.

Als sie beim Kaffee angelangt waren, hörte Clapp mit wachsender Begeisterung zu. Fritz hatte ihm erlaubt, das Gespräch aufzuzeichnen, und Clapp konnte es kaum erwarten, Wade Lanier den Mitschnitt vorzuspielen.

»Haben Sie eine Kopie des handschriftlichen Testaments behalten?«

Fritz schüttelte den Kopf. »Ich kann mich nicht daran erinnern, und falls doch, ist sie schon lange nicht mehr da. Ich weiß wirklich nicht, wo sie sein könnte.«

»Hat der Anwalt in Oxford das Testament in den Akten?«

»Ich glaube, ja. Als wir Mutter zu ihm gebracht haben, haben wir ihm das Testament gegeben, das davor aufgesetzt worden war, von einem Anwalt in Oxford, und dazu das handschriftliche Testament. Ich bin sicher, er hat beide behalten. Er sagte, es sei wichtig, alle früheren Testamente sicher wegzuschließen, weil es manchmal vorkomme, dass sie wieder auftauchten und Probleme verursachten.«

»Können Sie sich an den Namen des Anwalts in Oxford erinnern?«

»Hal Freeman, ein älterer Herr, der inzwischen nicht mehr praktiziert. Als meine Schwester vor fünf Jahren gestorben ist, war ich der Testamentsvollstrecker. Da war Freeman schon längst im Ruhestand. Den Nachlass hat dann sein Sohn abgewickelt.«

»Haben Sie und der Sohn jemals über das handschriftliche Testament gesprochen?«

»Ich glaube nicht. Eigentlich hatte ich sehr wenig Kontakt mit ihm. Ich versuche, Anwälten aus dem Weg zu gehen, Mr. Clapp. Ich hatte ein paar unerfreuliche Erlebnisse mit ihnen.«

Clapp war schlau genug, um zu wissen, dass er auf Dynamit gestoßen war, und erfahren genug, um zu wissen, dass es an der Zeit war, sich zurückzuhalten. Lass es langsam angehen, erzähl Wade Lanier alles, und dann soll der Anwalt bestimmen, was geschieht. Pickering fing an, sich nach Clapps Gründen für sein Interesse an Lettie zu erkundigen, traf aber auf eine Mauer aus vagen Ausflüchten. Sie beendeten das Mittagessen und verabschiedeten sich.

Wade Lanier hörte sich das Band mit der üblichen grimmigen Miene und zusammengepressten Lippen an. Doch Lester Chilcott, sein Kollege, konnte seine Begeisterung kaum zügeln. Nachdem sie Clapp aus Laniers Büro hinauskomplimentiert hatten, rieb sich Chilcott die Hände. »Das war's dann wohl!«, sagte er. Wade lächelte endlich.

Schritt eins: kein weiterer Kontakt mit Pickering. Seine Mutter und seine Schwester waren tot, daher war er der Einzige, der möglicherweise zu dem handschriftlichen Testament aussagen konnte, bis auf Hal Freeman vielleicht. Zwei schnelle Telefonanrufe nach Oxford bestätigten, dass Freeman im Ruhestand und noch am Leben war und dass seine Kanzlei von den beiden Söhnen, Todd und Hank, übernommen worden war. Pickering mussten sie fürs Erste ignorieren. Keinerlei Kontakt zwischen Laniers Kanzlei und Pickering, da es zu einem späteren Zeitpunkt wichtig sein würde, dass Pickering aussagte, nie mit den Anwälten gesprochen zu haben.

Schritt zwei: Das handschriftliche Testament musste gefunden werden, um jeden Preis. Falls es existierte, musste es beschafft werden. Und wenn möglich, ohne dass Hal Freeman etwas davon bemerkte. Es musste gefunden werden, bevor Jake oder jemand anders Wind davon bekam.

Schritt drei: Das Ganze musste erst einmal unter den Teppich gekehrt werden, damit sie es später verwenden konnten. Irene Pickerings handschriftliches Testament ließ sich am effektivsten und aufsehenerregendsten während des Prozesses einsetzen, wenn Lettie Lang im Zeugenstand war und bestritt, von dem Testament gewusst zu haben. Dann konnten sie es hervorholen. Sie konnten sie zur Lügnerin machen. Und den Geschworenen beweisen, dass sie ihre gebrechlichen, wehrlosen Arbeitgeber bereits mehrfach mit List und Heimtücke dazu gebracht hatte, sie in einem handschriftlichen Testament zu bedenken.

Eine solche Strategie war mit zahlreichen Risiken verbunden. Der größte Hemmschuh waren natürlich die Regeln für die Offenlegung vor dem Prozess. Jake hatte die Anwälte der anfechtenden Parteien schriftlich dazu aufgefordert, die Namen aller potenziellen Zeugen anzugeben. Lanier und die anderen Anwälte hatten das Gleiche getan; in Zeiten der vollständigen Offenlegung, wo alles möglichst transparent sein sollte, war das so üblich. Einen Zeugen wie Fritz Pickering zu verstecken verstieß nicht nur gegen die Berufsethik, sondern war auch gefährlich. Versuche, während der Verhandlung ein weißes Kaninchen aus dem Hut zu ziehen, gingen häufig daneben. Lanier und Chilcott brauchten Zeit, um Mittel und Wege zu finden, mit denen sie die Regeln für die Offenlegung umgehen konnten. Es gab zwar Ausnahmen, trotzdem würde es eine Gratwanderung sein.

Genauso mühsam war es, Irene Pickerings handschriftliches Testament zu finden. Es war durchaus möglich, dass es zusammen mit tausend anderen nutzlosen Akten im Archiv der Freemans vernichtet worden war. Aber Anwälte bewahrten Altakten in der Regel länger als zehn Jahre auf, daher bestand eine gute Chance, dass das Testament noch irgendwo lag.

Pickering zu ignorieren war ebenfalls problematisch. Was, wenn er von einem anderen Anwalt ausfindig gemacht wurde, der ihm die gleichen Fragen stellte? Wenn dieser andere Anwalt zufällig Jake war, ging für Lanier das Überraschungsmoment verloren. Jake würde genug Zeit haben, um Lettie auf ihre Zeugenaussage vorzubereiten und sich etwas auszudenken, mit dem er die Geschworenen vielleicht besänftigen konnte. Er würde es mit Sicherheit schaffen, die Geschichte in einem anderen Licht darzustellen. Und er würde auf dem Verstoß gegen die Regeln der Offenlegung herumreiten. Richter Atlee würde kein Verständnis für sie haben.

Lanier und Chilcott zogen die Idee in Betracht, sich direkt mit Freeman in Verbindung zu setzen. Wenn das Testament zu den Akten gelegt worden war und dort Staub ansetzte, konnte Freeman es mit Sicherheit beschaffen, ohne dass sie gezwungen waren, es zu stehlen. Und er würde vor Gericht ein seriöser Zeuge sein. Aber wenn sie mit Freeman sprachen, war ihr großes Geheimnis keines mehr. Als potenzieller Zeuge würde sein Name schon vor der Verhandlung auftauchen. Das Überraschungselement wäre dahin. Vielleicht würde es später notwendig werden, mit ihm zu sprechen, doch fürs Erste begnügten sich Wade Lanier und Lester Chilcott damit, ein Netz aus Schweigen und Täuschung zu spinnen. Mogeln ließ sich oft nur schwer vertuschen und erforderte akribische Planung, aber darin waren die beiden sehr geschickt.

Zwei Tage später ging Randall Clapp in die Kanzlei Freeman und sagte der Sekretärin, dass er um sechzehn Uhr einen Termin habe. Die aus zwei Anwälten bestehende Kanzlei war in einem umgebauten Bungalow untergebracht und lag einen Block vom Oxford Square entfernt, neben einer Spar- und Darlehenskasse und nur einen Steinwurf vom Gericht entfernt. Während Clapp im Empfangsbereich wartete, blätterte er in einer Zeitschrift und sah sich unauffällig die Umgebung an. Keine Videokameras, keine Sensoren für eine Alarmanlage, einfaches Sicherheitsschloss an der Eingangstür, keine Kette, praktisch nichts, was einen Einbrecher davon abhalten könnte, nachts hereinzuschleichen und sich dabei viel Zeit zu lassen, selbst wenn er nicht allzu viel von seinem Handwerk verstand.

Es war eine typische Kleinstadtkanzlei, wie Dutzende andere, in denen Clapp schon gewesen war. Er war bereits durch die kleine Gasse an der Rückseite des Gebäudes geschlendert und hatte sich die Hintertür angesehen. Ein Sicherheitsschloss, aber nichts furchtbar Kompliziertes. Sein Mitarbeiter Erby schaffte es, schneller durch den Vordereingang oder die Hintertür zu kommen als einer der Mitarbeiter mit einem Schlüssel.

Clapp ging in Todd Freemans Büro und sprach mit ihm über ein westlich der Stadt gelegenes Grundstück am Highway, das er kaufen wolle. Er benutzte seinen richtigen Namen, seinen richtigen Beruf und seine richtige Visitenkarte, log aber, als er sagte, er und sein Bruder wollten dort eine rund um die Uhr geöffnete Fernfahrerkneipe aufmachen. Die damit verbundenen Formalitäten waren Routine, und Freeman schien ausreichend interessiert zu sein. Clapp fragte nach der Toilette und wurde den engen Flur hinuntergeschickt. Eine ausziehbare Treppe, mindestens zwei mit Akten vollgestopfte Räume, eine kleine Küche mit einem kaputten Fenster, kein Schloss. Kein Hinweis auf eine Alarmanlage. Ein Kinderspiel.

Erby betrat das Gebäude kurz nach Mitternacht, während Clapp in geduckter Haltung in seinem Wagen auf der anderen Straßenseite saß und die Umgebung im Auge behielt. Es war der 18. Januar, kalt und ein Mittwoch. Studenten waren nicht unterwegs. Der Platz war menschenleer, und Clapps größte Sorge bestand darin, von einem gelangweilten Polizisten entdeckt zu werden. Sobald Erby im Innern des Gebäudes verschwunden war, meldete er sich über Funk. Es war alles ruhig. Mit seinem bewährten Taschenmesser hatte er das Schloss an der Hintertür innerhalb weniger Sekunden geknackt. Mit einer Infrarottaschenlampe in der Hand schlich sich Erby durch die Büros; von den Innentüren war keine einzige verriegelt. Die ausziehbare Treppe war ziemlich klapprig und quietschte, aber es gelang ihm, sie fast lautlos herunterzuziehen. Als er am Fenster an der Vorderseite des Gebäudes stand und über Funk mit Clapp sprach, konnte Clapp seinen Schatten im Innern nicht erkennen. Erby, der Handschuhe trug und darauf achtete, nichts durcheinanderzubringen, fing in einem der Lagerräume an. Es würde Stunden dauern, aber er hatte es nicht eilig. Er zog Schubladen auf, blätterte durch Akten, sah sich Daten, Namen und so weiter an. Dabei berührte er Dokumente, die seit Wochen, Monaten, vielleicht sogar Jahren nicht angefasst worden waren. Clapp fuhr sein Auto auf die andere Seite des Platzes, parkte und ging hinten herum zur Kanzlei. Um ein Uhr morgens öffnete Erby die Hintertür, und Clapp betrat das Gebäude. »In jedem Raum stehen Aktenschränke. Es sieht so aus, als würden die Akten, die gerade in Gebrauch sind, in den Büros der Anwälte stehen. Einige sind auch bei den Sekretärinnen.«

»Was ist in den beiden Räumen?«, fragte Clapp.

»Die Akten reichen etwa fünf Jahre zurück. Einige enthalten abgeschlossene Mandate, einige nicht. Ich suche noch. Mit dem zweiten Raum bin ich noch nicht fertig. Es gibt einen großen Keller mit alten Möbeln, ausrangierten Schreibmaschinen, juristischen Fachbüchern und noch mehr Akten, alle mit abgeschlossenen Mandaten.«

Im zweiten Raum fanden sie nichts von Interesse. Die Akten waren das typische Sammelsurium aus abgeschlossenen Mandaten, das man in jeder Kleinstadtkanzlei fand. Um 2.30 Uhr stieg Erby vorsichtig die ausziehbare Treppe hoch nach oben und verschwand auf dem Dachboden. Clapp schob sie hinter ihm zusammen und ging in den Keller. Der Dachboden hatte keine Fenster, war stockfinster und auf beiden Seiten mit Archivboxen aus Karton vollgestellt, von denen jeweils vier ordentlich übereinandergestapelt waren. Da Erby von draußen nicht gesehen werden konnte, schaltete er seine Taschenlampe heller und richtete den Strahl auf die Kartons. Jeder war mit einem dicken schwarzen Filzstift markiert: »Immobilien 1. 1. 76–1. 8. 77«, »Strafprozesse 1. 3. 81–1. 7. 81« und so weiter. Erleichtert stellte er fest, dass die Akten zwölf Jahre zurückreichten, war aber frustriert, als er keine Unterlagen fand, die etwas mit Testamenten und Nachlässen zu tun hatten.

Sie mussten im Keller sein. Nachdem Clapp eine halbe Stunde dort herumgesucht hatte, fand er in einem Stapel mit Archivboxen, die genauso aussahen wie die auf dem Dachboden, einen Karton mit der Aufschrift »1979–80«. Er zog ihn aus dem Stapel heraus, öffnete ihn vorsichtig und begann, durch Dutzende von Akten zu blättern. Irene Pickerings Akte war mit dem Datum August 1980 versehen. Sie war sechs Zentimeter dick und enthielt Hal Freemans komplette Anwaltsarbeit von dem Tag an, an dem er das zweiseitige Testament aufgesetzt hatte, das von der alten Dame an Ort und Stelle unterschrieben worden war, bis hin zu der Schlussverfügung, mit der Fritz Pickering von seinen Aufgaben als Testamentsvollstrecker entbunden wurde. Das erste Dokument in der Akte war ein altes Testament, das von dem Anwalt in Lake Village aufgesetzt worden. Das zweite war ein handschriftliches Testament. Clapp las es laut und langsam, da die zittrige Handschrift an manchen Stellen kaum zu entziffern war. Der vierte Absatz sah eine Zuwendung in Höhe von fünfzigtausend Dollar für eine gewisse Lettie Lang vor.

»Volltreffer«, murmelte er. Er legte die Akte auf einen Tisch, drückte den Deckel auf den Karton und stellte ihn vorsichtig an seinen Platz zurück. Dann ging er auf dem gleichen Weg hinaus, den er gekommen war, und verließ den Keller. Mit den Unterlagen in seinem Aktenkoffer trat er in die dunkle Gasse auf der Rückseite des Gebäudes und meldete sich nach ein paar Minuten über Funk bei Erby. Erby schlich ebenfalls hinten hinaus und blieb nur kurz stehen, um die Tür wieder zu verriegeln. Soweit sie wussten, hatten sie nichts durcheinandergebracht und keine Spuren hinterlassen. Die Büros mussten sowieso einmal gründlich geputzt werden, und ein bisschen Schmutz von einem Schuh oder ein Abdruck im Staub würde keine Aufmerksamkeit erregen.

Sie fuhren zweieinhalb Stunden nach Jackson, wo sie sich noch vor sechs Uhr morgens mit Wade Lanier in dessen Büro trafen. Lanier stand seit dreißig Jahren im Gerichtssaal, aber er konnte sich an kein besseres Beispiel für einen unwiderlegbaren Beweis erinnern. Die Frage war nur: Was sollten sie jetzt damit machen?

Fat Benny's lag am Ende des asphaltierten Teils einer Landstraße; danach bestand die Fahrbahn aus Schotter. Portia war in Box Hill aufgewachsen, einem finsteren, abgelegenen Ort zwischen einem Sumpf und einem Bergrücken, in dessen Nähe nur wenige Weiße lebten. Aber im Vergleich zu dem bedrohlich wirkenden Provinznest Prairietown im hintersten Teil von Noxubee County, keine fünfzehn Kilometer von der Grenze zu Alabama entfernt, ging es in Box Hill zu wie am Times Square. Wenn sie weiß gewesen wäre, hätte sie nie im Leben hier angehalten. Vor dem Gebäude standen zwei Zapfsäulen, auf dem

Schotter parkten ein paar schmutzige Autos. Die mit einem Fliegengitter versehene Tür fiel mit einem lauten Knall hinter ihr zu, als sie dem Teenager hinter der Ladentheke zunickte. Es gab ein paar Regale mit Lebensmitteln, Kühltheken mit alkoholfreien Getränken und Bier und im hinteren Bereich ein Dutzend Tische mit rot-weiß karierten Tischtüchern. Es roch nach heißem Fett, auf einem Grill brutzelte Hamburger-Fleisch. Ein großer Mann mit einem gewaltigen Bauch hielt einen Pfannenwender wie eine Waffe in der Hand und redete mit zwei Gästen, die auf Barhockern vor ihm saßen. Es bestanden kaum Zweifel daran, wer Fat Benny war.

Auf einem Schild stand »Bestellungen«.

»Was darf es sein?«, fragte der Koch, freundlich lächelnd.

Sie bedachte ihn mit ihrem schönsten Lächeln und sagte leise: »Ich hätte gern einen Hotdog und ein Coke. Und ich suche nach Benny Rinds.«

»Das bin ich«, erwiderte er. »Und Sie sind?«

»Ich heiße Portia Lang und komme aus Clanton, aber es besteht die Möglichkeit, dass ich vielleicht eine Rinds bin. Ich weiß es nicht genau, deshalb suche ich nach Informationen.«

Er nickte in Richtung eines Tisches. Zehn Minuten später stellte er einen Hotdog und ein Coke vor sie und setzte sich ihr gegenüber. »Ich beschäftige mich gerade mit dem Stammbaum meiner Familie«, erklärte sie, »und ich finde eine Menge fauler Äpfel.«

Benny lachte. »Sie hätten vorher herkommen und mich fragen sollen.«

Ohne den Hotdog anzurühren, erzählte sie ihm von ihrer Mutter und deren Mutter. Benny hatte noch nie von ihnen gehört. Seine Familie stammte aus den Noxubee und Lauderdale Countys, mehr zum Süden hin als zum Norden. Er hatte nie jemanden von den Rinds aus Ford County gekannt, keinen einzigen.

Während er sprach, aß Portia hastig den Hotdog. Sobald ihr klar wurde, dass es eine Sackgasse war, schlang sie den Rest hinunter.

Sie bedankte sich und ging. Auf der Fahrt nach Hause hielt sie in jeder kleinen Stadt an und warf einen Blick in die Telefonbücher. In diesem Teil des Landes gab es nur sehr wenige Menschen, die Rinds hießen. Ungefähr zwanzig in Clay County. Ungefähr ein Dutzend in Oktibbeha County, in der Nähe der staatlichen Universität. Mit einem Dutzend in Lee County und in und um Tupelo herum hatte sie telefoniert.

Sie und Lucien hatten dreiundzwanzig Mitglieder der Familie Rinds ausfindig gemacht, die kurz vor 1930 in Ford County gelebt hatten und dann plötzlich verschwanden. Irgendwann würden sie einen Nachfahren finden, einen betagten Verwandten, der etwas wusste und vielleicht bereit war, mit ihnen zu reden.

26

Am letzten Freitag im Januar kam Roxy um 8.45 Uhr zur Arbeit.
Jake wartete neben ihrem Schreibtisch und las gelassen in einer
Akte, als wäre alles in schönster Ordnung. Das war es nicht.
Es war Zeit für eine Leistungsbeurteilung, und das Gespräch
würde nicht gerade angenehm sein. Es begann geradezu freundlich, als sie brüllte: »Jake, ich kann die Kanzlei nicht mehr
sehen!«

»Ich wünsche Ihnen ebenfalls einen guten Morgen.«

Sie weinte jetzt schon. Kein Make-up, zerzauste Haare, das
derangierte Aussehen einer Frau/Mutter, die mit ihren Nerven
am Ende war. »Ich ertrage Lucien nicht länger«, beklagte sie
sich. »Er ist fast jeden Tag hier und der unhöflichste Mann der
Welt. Er ist vulgär, unhöflich, geschmacklos, unanständig, und
er raucht die übelsten Zigarren, die je hergestellt wurden. Ich
hasse diesen Mann.«

»Sonst noch was?«

»Entweder er oder ich.«

»Ihm gehört das Haus.«

»Können Sie denn nichts unternehmen?«

»Was zum Beispiel? Lucien sagen, dass er ein netterer Mensch
sein soll, dass er aufhören soll, zu rauchen, Leute zu beleidigen,
schmutzige Witze zu erzählen, sich zu besaufen? Falls Sie es
noch nicht bemerkt haben sollten, Roxy, Lucien Wilbanks lässt
sich von niemandem sagen, was er tun soll.«

Sie schnappte sich ein Papiertaschentuch und wischte sich die Tränen aus dem Gesicht. »Ich ertrage es nicht mehr.«

Das war das perfekte Stichwort. Jake wollte die Gelegenheit auf keinen Fall verpassen. »Nennen wir es doch Kündigung«, sagte er mitfühlend. »Ich schreibe Ihnen ein gutes Zeugnis.«

»Sie wollen mich feuern?«

»Nein. Sie kündigen fristlos. Gehen Sie, Sie haben den Tag frei. Den letzten Gehaltsscheck schicke ich Ihnen mit der Post.«

Während Roxy ihre Sachen zusammensuchte, wurde aus ihrer Verzweiflung lautstarke Wut. Nach zehn Minuten knallte sie ein paar Türen hinter sich zu und war weg. Um Punkt neun Uhr kam Portia herein. »Ich bin gerade Roxy auf der Straße begegnet, aber sie wollte nicht mit mir reden.«

»Sie ist weg. Hier ist mein Angebot: Sie können vorübergehend als Sekretärin und Rezeptionistin arbeiten. Und ab jetzt sind Sie keine kleine Praktikantin mehr, sondern Anwaltsassistentin. Das ist eine Beförderung auf ganzer Linie.«

Sie nahm die Neuigkeit gelassen auf. »Ich kann nicht sehr schnell tippen«, meinte sie.

»Dann üben Sie.«

»Wie sieht das Gehalt aus?«

»Eintausend Dollar im Monat für die ersten zwei Monate, die als Probezeit gelten. Nach zwei Monaten unterhalten wir uns noch mal und reden über das Gehalt.«

»Arbeitszeiten?«

»8.30 bis 17.00 Uhr, dreißig Minuten Mittagspause.«

»Was ist mit Lucien?«, fragte sie.

»Was soll mit ihm sein?«

»Er ist hier unten. Da oben, im ersten Stock, wo es sicher ist, gefällt es mir sehr gut.«

»Hat er Sie belästigt?«

»Noch nicht. Jake, ich mag Lucien, und wir arbeiten gut zusammen, aber manchmal habe ich das Gefühl, er würde mir gern ein bisschen näherkommen. Sie verstehen, was ich meine?«

»Ich glaube, ja.«

»Wenn er mich anfasst, fliegt er quer durchs Zimmer.«

Jake lachte, als er sich das vorstellte. Er hatte absolut keinen Zweifel daran, dass Portia auf sich selbst aufpassen konnte. »Ich muss mit ihm reden. Lassen Sie mich das machen. Ich werde ihn warnen.«

Portia holte tief Luft und sah sich in der Kanzlei um. Sie nickte und lächelte. »Aber ich bin keine Sekretärin. Ich werde Anwältin sein, so wie Sie.«

»Und ich werde Ihnen auf jede mögliche Weise dabei helfen.«

»Danke.«

»Ich will eine Antwort haben. Jetzt. Auf der Stelle.«

»Aber den Prozess will ich nicht verpassen. Wenn ich an diesem Schreibtisch festklebe, werde ich beim Prozess nicht dabei sein können, stimmt's?«

»Darüber machen wir uns später Gedanken. Zurzeit brauche ich Sie hier unten.«

»Okay.«

»Dann sind wir uns also einig?«

»Nein. Eintausend im Monat ist zu wenig für eine Sekretärin, Rezeptionistin und Anwaltsassistentin in einem.«

Jake schlug die Hände über dem Kopf zusammen und wusste, dass er verloren hatte. »Was haben Sie sich denn so vorgestellt?«

»Zweitausend sind eher marktüblich.«

»Was zum Teufel wissen Sie über den Markt?«

»Nicht viel, aber ich weiß, dass eintausend Dollar im Monat zu wenig sind.«

»Okay. Fünfzehnhundert im Monat für die ersten zwei Monate, dann sehen wir weiter.«

Portia machte einen Satz auf ihn zu, umarmte ihn kurz und sagte: »Danke, Jake!«

Eine Stunde später musste sich Jake um die zweite Personalkrise an diesem Morgen kümmern. Mit einem kurzen Klopfen platzte Lucien in sein Büro und ließ sich auf einen Stuhl fallen. »Jake«, begann er in einem Ton, der nichts Gutes verhieß, »ich habe eine Entscheidung getroffen. Seit Monaten, ja sogar Jahren überlege ich, ob ich meine erneute Zulassung beantragen und mein Comeback starten soll.«

Jake, der gerade eine Antwort auf einen von Stillman Rush gestellten Antrag formulierte, legte den Stift weg und schaffte es, Lucien nachdenklich anzusehen. Das Wort »Comeback« war bis jetzt nie gefallen, aber in den letzten drei Monaten hatte Lucien es geschafft, jeden anderen nur möglichen Hinweis darauf anzubringen, dass er wieder ein richtiger Anwalt werden wollte. Obwohl Jake befürchtet hatte, dass es irgendwann so weit kommen würde, steckte er jetzt in der Zwickmühle. Er wollte ihn nicht in der Kanzlei haben, vor allem nicht als Anwalt. Lucien als unbetitelter und unbezahlter Berater war schon eine Zumutung gewesen. Als Anwalt wäre er der Chef, und das würde Jake nicht lange aushalten. Doch als Freund war Lucien jener Mann, der Jake einen Job, ein Büro, eine Karriere gegeben hatte und so loyal wie kein anderer gewesen war.

»Warum?«, wollte Jake wissen.

»Ich vermisse es. Ich bin zu jung, um auf der Veranda rumzusitzen. Werden Sie mir helfen?«

Die einzige Antwort darauf war Ja. »Natürlich. Sie wissen, dass ich Ihnen helfen werde. Aber wie?«

»Moralische Unterstützung, Jake, zumindest am Anfang.

Wie Sie wissen, muss ich zuerst die Anwaltsprüfung bestehen, bevor ich eine erneute Zulassung bekommen kann. Für einen alten Sack wie mich ist das nicht so einfach.«

»Sie haben es einmal geschafft, Sie können es noch mal schaffen«, sagte Jake mit der Überzeugung, die von ihm erwartet wurde. Er bezweifelte ernsthaft, ob es Lucien gelingen würde, ganz von vorn anzufangen und sechs Monate lang allein den Stoff für die Prüfung durchzupauken, während er gleichzeitig versuchte, dem Whiskey abzuschwören.

»Dann unterstützen Sie mich?«

»Wie soll ich Sie unterstützen, Lucien? Wenn Sie Ihre Zulassung wiederhaben, was dann? Wollen Sie dieses Büro zurück? Wollen Sie, dass ich als Mädchen für alles in der Kanzlei bleibe? Wird es wieder so sein wie vor acht, neun Jahren?«

»Ich weiß es nicht, aber wir werden es herausfinden, Jake. Ich bin sicher, wir schaffen das.«

Jake zuckte mit den Schultern. »Ja, ich unterstütze Sie, und ich werde Ihnen auf jede mögliche Weise helfen.« Und zum zweiten Mal an diesem Morgen bot Jake einem angehenden Anwalt seine Hilfe an. Wer würde der Nächste sein?

»Danke.«

»Und wenn Sie schon da sind, können wir auch gleich über ein paar Personalangelegenheiten sprechen. Roxy hat gekündigt, und Portia wird vorläufig als Sekretärin hier arbeiten. Sie ist allergisch gegen Zigarrenrauch, also gehen Sie bitte nach draußen. Und behalten Sie Ihre Hände bei sich. Sie war sechs Jahre in der Army, kennt sich mit Nahkampf aus und kann auch Karate. Sie hat absolut keine Lust darauf, sich von einem widerlichen alten Weißen betatschen zu lassen. Wenn Sie sie anfassen, schlägt sie Ihnen die Zähne aus und verklagt anschließend mich wegen sexueller Belästigung. Verstanden?«

»Das hat sie gesagt? Ich schwöre, dass ich nichts gemacht habe!«

»Es ist lediglich eine Warnung, Lucien, okay? Fassen Sie sie nicht an, erzählen Sie ihr keine schmutzigen Witze, machen Sie keine anzüglichen Bemerkungen, fluchen Sie nicht einmal, wenn sie dabei ist. Und trinken und rauchen Sie nicht in ihrer Nähe. Sie hält sich für eine Anwältin und will eine werden. Behandeln Sie sie wie eine Kollegin.«

»Ich dachte, wir würden großartig miteinander auskommen.«

»Vielleicht, aber ich kenne Sie. Benehmen Sie sich anständig.«

»Ich werde mir Mühe geben.«

»Geben Sie sich *mehr* Mühe. Wenn Sie mich jetzt entschuldigen würden, ich muss weiterarbeiten.«

Als Lucien das Büro verließ, murmelte er gerade so laut, dass Jake es hören konnte: »Aber sie hat wirklich einen knackigen Hintern.«

»Lucien, lassen Sie das.«

An einem typischen Freitagnachmittag war es so gut wie unmöglich, einen Richter im Gericht oder einen Anwalt in seiner Kanzlei anzutreffen. Das Wochenende begann früh, während sich alle irgendwie davonschlichen. Jede Menge Fische wurden gefangen. Jede Menge Bier wurde getrunken. Jede Menge juristische Angelegenheiten mussten bis Montag warten. Und an trüben Freitagnachmittagen im Januar sperrten Anwälte wie Nichtanwälte früh zu und verließen ihre Büros am Clanton Square.

Richter Atlee saß auf der vorderen Veranda seines Hauses, eingehüllt in eine Steppdecke, als Jake um sechzehn Uhr vorbeikam. Es war windstill, und über der Treppe hing eine Wolke aus Pfeifenrauch. Auf einem Schild am Briefkasten stand der Name des Hauses: Maple Run. Das stattliche Anwesen mit Säulen im georgianischen Stil und schief hängenden Fensterläden erinnerte an die großen Herrenhäuser und war eines der vielen alten Häuser, die es in Clanton und Ford County gab. Zwei Blocks weiter konnte man das Dach von Hocutt House erkennen.

Reuben Atlee verdiente achtzigtausend Dollar im Jahr als Richter und gab nur einen kleinen Teil davon für den Erhalt des Hauses aus. Seine Frau war vor Jahren gestorben, und angefangen bei den Blumenbeeten über die ramponierten Korbstühle auf der Veranda bis hin zu den zerrissenen Vorhängen an den Fenstern im oberen Stock war unübersehbar, dass dem Haus die weibliche Note fehlte, die es nicht bekam. Der Richter lebte allein. Seine langjährige Haushälterin war inzwischen ebenfalls gestorben, und er hatte sich nicht die Mühe gemacht, nach einer Nachfolgerin zu suchen. Jake sah ihn jeden Sonntagmorgen im Gottesdienst, und ihm war aufgefallen, dass die äußere Erscheinung des Richters im Laufe der Jahre immer mehr gelitten hatte. Seine Anzüge waren nicht mehr ganz so sauber wie früher. Seine Hemden nicht mehr ganz so gestärkt. Die Knoten in seinen Krawatten nicht mehr ganz so akkurat. Häufig fiel auf, dass er mal wieder zum Friseur musste. Es wurde immer deutlicher, dass Richter Atlee morgens aus dem Haus ging, ohne dass ihm jemand einen prüfenden Blick zuwarf.

Atlee war kein großer Trinker, aber nachmittags und vor allem am Freitagnachmittag genehmigte er sich fast immer einen Drink. Ohne nachzufragen, mixte er Jake einen großzügig eingeschenkten Whiskey Sour und stellte ihn auf den Korbtisch zwischen sie. Hatte man beim Richter einen Termin auf der Veranda, bedeutete das unweigerlich einen Drink. Er ließ sich in seinen Lieblingsschaukelstuhl fallen und trank einen großen, beruhigenden Schluck. »Es wird gemunkelt, dass Lucien sich zurzeit oft in Ihrer Kanzlei herumdrückt.«

»Die Kanzlei gehört ihm«, erwiderte Jake. Sie starrten auf den Rasen vor dem Haus, der jetzt, mitten im Winter, braun und fleckig war. Beide Männer trugen ihre Mäntel, und wenn der Whiskey nicht bald Wirkung zeigte, würde Jake, der keine Steppdecke um die Beine hatte, demnächst darum bitten müssen, ins Haus zu gehen.

»Was hat er vor?«, wollte Richter Atlee wissen. Er und Lucien kannten sich seit Jahren und hatten so einiges zusammen erlebt.

»Ich habe ihn gebeten, die Eigentumsverhältnisse von Seth Hubbards Grundbesitz und einige andere Dinge zu recherchieren, nur ein paar einfache juristische Informationen dieser Art.« Jake würde nie weitererzählen, was Lucien am Morgen zu ihm gesagt hatte, vor allem nicht Reuben Atlee. Wenn herauskam, dass Lucien Wilbanks sein Comeback plante, würden die meisten Richter in der Gegend zurücktreten.

»Passen Sie auf ihn auf«, sagte Richter Atlee. Wieder einmal erteilte er einen Rat, um den er nicht gebeten worden war.

»Er ist harmlos«, meinte Jake.

»Er ist nie harmlos.« Der Richter ließ die Eiswürfel in seinem Glas klirren und schien gar nicht zu spüren, wie kalt es war. »Gibt es etwas Neues über die Suche nach Ancil?«

Jake trank an seinen Eiswürfeln vorbei und versuchte, noch mehr Bourbon in den Magen zu bekommen. Seine Zähne begannen zu klappern. »Nicht viel«, erwiderte er. »Die Privatdetektive, die für uns arbeiten, haben eine Exfrau in Galveston ausfindig gemacht, die widerwillig zugegeben hat, vor fünfunddreißig Jahren einen Mann namens Ancil Hubbard geheiratet zu haben. Sie waren drei Jahre verheiratet, hatten zwei Kinder, dann verließ er fluchtartig die Stadt. Er schuldet ihr ein Vermögen an Unterhalt, aber das ist ihr egal. Es sieht so aus, als hätte er vor fünfzehn Jahren aufgehört, seinen richtigen Namen zu benutzen, und wäre untergetaucht. Wir suchen weiter.«

»Das sind diese Privatdetektive aus Washington, D.C.?«

»Ja, Sir. Die Agentur besteht aus lauter ehemaligen FBI-

Beamten, die sich darauf spezialisiert haben, vermisste Personen zu finden. Ich weiß nicht, wie gut sie sind, aber sie sind auf jeden Fall teuer. Ich habe schon eine Rechnung, die fällig ist.«

»Machen Sie weiter. Für das Gericht ist Ancil erst tot, wenn wir wissen, dass er tot ist.«

»Sie durchsuchen Sterberegister in allen fünfzig Bundesstaaten und einem Dutzend Ländern. Das dauert.«

»Wie sieht es bei der Offenlegung aus?«

»Es geht zügig voran. Der Fall ist ziemlich merkwürdig, weil jeder beteiligte Anwalt darauf drängt, dass der Prozess so bald wie möglich stattfindet. Wie oft haben Sie so was schon erlebt?«

»Vielleicht noch nie.«

»Der Fall hat in jeder Kanzlei Priorität, daher läuft es mit der Zusammenarbeit hervorragend.«

»Niemand will Zeit schinden?«

»Kein einziger Anwalt. Letzte Woche haben wir elf Zeugenaussagen in drei Tagen protokolliert, alle von Mitgliedern der Kirchengemeinde, die Mr. Hubbard am Morgen seines Todes gesehen haben. Nichts besonders Interessantes oder Ungewöhnliches. Die Zeugen sind einhellig der Meinung, dass er so war wie immer; ihnen ist nichts Bizarres oder Sonderbares aufgefallen. Bis jetzt haben fünf Leute ausgesagt, die am Hauptsitz seiner Firma arbeiten und ihn an dem Tag, an dem er das Testament geschrieben hat, gesehen haben.«

»Diese Aussagen habe ich gelesen«, sagte Richter Atlee, während er einen Schluck trank. Jake sollte zum nächsten Punkt kommen.

»Zurzeit sind alle damit beschäftigt, ihre Sachverständigen in Stellung zu bringen. Ich habe einen Schriftsachverständigen gefunden und ...«

»Einen Schriftsachverständigen? Sind sich denn nicht alle einig, dass es Seth Hubbards Handschrift ist?«

»Noch nicht.«

»Gibt es irgendeinen Zweifel?«

»Nein, eigentlich nicht.«

»Dann bringen Sie es in einer Anhörung vor der Hauptverhandlung zur Sprache, und ich sehe mir das an. Vielleicht können wir diesen Punkt sofort abhaken. Ich möchte alle strittigen Themen zügig bearbeiten und den Fall so straff wie möglich verhandeln.« Reuben Atlee war Experte für eine straffe Verfahrensführung. Er hasste Zeitverschwendung ebenso wie geschwätzige Anwälte. Kurz nach Abschluss seines Jurastudiums hatte Jake einmal miterlebt, wie ein schlecht vorbereiteter Anwalt, der Richter Atlees Geduld mit einer schwachen Beweisführung strapaziert hatte, von diesem zurechtgewiesen wurde. Als der Anwalt sich zum dritten Mal wiederholte, unterbrach ihn der Richter und fragte: »Halten Sie mich für dumm oder taub?« Der verblüffte Anwalt war so klug, auf eine Antwort zu verzichten, und starrte ihn nur ungläubig an. »Meine Hörgeräte funktionieren einwandfrei, und dumm bin ich auch nicht. Sollten Sie sich noch einmal wiederholen, werde ich zugunsten der anderen Seite entscheiden. Und jetzt machen Sie bitte weiter«, hatte der Richter dann gesagt.

Sind Sie dumm oder taub? In den juristischen Kreisen von Clanton war das zu einer Standardfrage geworden.

Der Bourbon sorgte endlich dafür, dass Jake ein bisschen wärmer wurde. Er nahm sich vor, nichts mehr zu trinken, ein Glas war genug. An einem Freitagnachmittag angeheitert nach Hause zu kommen würde Carla überhaupt nicht gefallen. »Wie abzusehen war, wird es ziemlich viele Zeugenaussagen zu Mr. Hubbards Gesundheitszustand geben«, fuhr er fort. »Er hatte starke Schmerzen und nahm eine Menge Medikamente. Die Gegenseite wird beweisen wollen, dass sein Urteilsvermögen dadurch beeinträchtigt war, daher ...«

»Ich verstehe, Jake. Wie viele medizinische Sachverständige können wir der Jury zumuten?«

»Da bin ich mir noch nicht sicher.«

»Wie viele medizinische Fachbegriffe kann eine Jury in dieser Stadt verstehen? Von den zwölf Geschworenen werden höchstens zwei einen College-Abschluss haben, dazu kommen noch zwei, drei Schulabbrecher, und der Rest hat die Highschool beendet.«

»Seth Hubbard hat die Highschool auch abgebrochen«, erinnerte ihn Jake.

»Stimmt, und ich wette, er wurde nie gebeten, widersprüchliche Aussagen medizinischer Sachverständiger einzuschätzen. Jake, ich will darauf hinaus, dass wir die Jury nicht mit zu vielen Expertenmeinungen überfordern dürfen.«

»Verstehe, und wenn ich auf der gegnerischen Seite wäre, würde ich jede Menge Sachverständige in den Zeugenstand rufen, um Zweifel zu säen. Ich würde die Geschworenen verwirren, ihnen einen Grund geben, damit sie glauben, Seth hätte nicht mehr klar denken können. Würden Sie das nicht auch tun?«

»Wir sollten nicht über Prozessstrategie sprechen, wenn kein Anwalt der Gegenseite dabei ist. Sie wissen, dass das gegen die Regeln verstößt.« Er sagte es mit einem Lächeln, aber es war klar, was er meinte.

In ihrem Gespräch entstand eine lange, bedeutungsschwangere Pause, während sie an den Drinks nippten und die Stille genossen. »Sie haben seit sechs Wochen kein Geld mehr bekommen«, sagte der Richter schließlich.

»Ich habe die Unterlagen mitgebracht.«

»Wie viele Stunden?«

»Zweihundertzehn.«

»Das wären dann also über dreißigtausend Dollar?«

»Ja, Sir.«

»Klingt realistisch. Ich weiß, dass Sie sehr hart arbeiten, Jake, und ich habe kein Problem damit, Ihr Honorar zu genehmigen. Aber es gibt da etwas, was mir ein bisschen Sorgen macht, und wenn Sie gestatten, würde ich mich gern in Ihre Angelegenheiten einmischen.«

Nichts, was Jake jetzt sagen konnte, würde verhindern, dass der Richter sich einmischte. Wenn Reuben Atlee einen mochte, hielt er es für geboten, ungefragt Ratschläge zu einem breiten Spektrum von Themen zu erteilen. Außerdem wurde von einem erwartet, dass man sich glücklich schätzte, solchermaßen behandelt zu werden. »Tun Sie sich keinen Zwang an«, erwiderte Jake, während er sich auf das gefasst machte, was jetzt kommen würde.

Ein Klirren mit den Eiswürfeln, noch ein Schluck und dann: »Jetzt und in der nahen Zukunft werden Sie für Ihre Arbeit gut bezahlt werden, was Ihnen auch niemand neiden wird. Wie Sie schon sagten, dieses Durcheinander wurde von Seth Hubbard angerichtet, und er wusste, dass es so weit kommen würde. So sei es denn. Allerdings habe ich meine Zweifel, ob es klug von Ihnen ist, wenn Sie den Anschein erwecken, plötzlich gut bei Kasse zu sein. Mrs. Lang ist mit ihrer Familie in die Stadt gezogen, in das ehemalige Haus der Sappingtons, was, wie wir beide wissen, nichts Besonderes und nicht ohne Grund immer noch unverkauft ist. Aber es ist eben nicht in Lowtown, sondern auf unserer Seite der Stadt. Deshalb gibt es Kritik. Es macht keinen guten Eindruck. Eine Menge Leute glauben, dass sie schon Geld aus dem Nachlass bekommen hat, und das sorgt für Ärger. Und jetzt gibt es auch noch Gerede, dass Sie ein Auge auf Hocutt House geworfen hätten. Fragen Sie mich nicht, woher ich das weiß; die Stadt ist klein. Ein solcher Schritt zu dieser Zeit würde eine Menge Aufmerksamkeit erregen, und zwar ausschließlich negative.«

Jake war sprachlos. Während er auf das Giebeldach von Hocutt House in der Ferne starrte, überlegte er, wer wem was gesagt haben könnte und wie das Ganze wohl bekannt geworden war. Willie Traynor hatte ihn zur Verschwiegenheit verpflichtet, weil er nicht von anderen Kaufinteressenten belästigt werden wollte. Harry Rex war sowohl mit Jake als auch mit Willie befreundet, aber obwohl er sonst jedes Gerücht mit großem Elan befeuerte, würde er Informationen wie diese nie nach außen tragen. »Wir träumen nur ein wenig«, stammelte er. »Es übersteigt meine finanziellen Möglichkeiten, und der Prozess mit der Versicherung läuft noch. Aber danke.«

Danke, Richter Atlee, dass Sie sich wieder mal eingemischt haben. Aber als Jake tief Luft holte und versuchte, seinen Zorn zu unterdrücken, musste er insgeheim zugeben, dass er und Carla ein sehr ähnliches Gespräch geführt hatten. Der Kauf des Hauses würde viele zu der Annahme verleiten, dass Jake sich auf Kosten eines Toten die Taschen füllte.

»Wurde das Thema einer außergerichtlichen Einigung angeschnitten?«, erkundigte sich der Richter.

»Ja, ganz kurz«, antwortete Jake schnell. Er wollte unbedingt vom Thema Immobilien weg.

»Und?«

»Es hat zu nichts geführt. In seinem Brief an mich hat Seth Hubbard eindeutige Anweisungen gegeben. Ich glaube, seine genauen Worte waren: ›Wehren Sie sich, Mr. Brigance, bis zum bitteren Ende. Wir müssen sie besiegen.‹ Das lässt nicht viel Raum für Verhandlungen über einen Vergleich.«

»Aber Seth Hubbard ist tot. Das Verfahren, das er uns eingebrockt hat, ist es nicht. Was wollen Sie Lettie Lang sagen, wenn die Geschworenen zu ihren Ungunsten entscheiden und sie nichts bekommt?«

»Lettie Lang ist nicht meine Mandantin. Der Nachlass ist mein

Mandant, und meine Aufgabe besteht darin, die Bestimmungen des Testaments durchzusetzen, durch das der Nachlass entstanden ist.«

Richter Atlee nickte, als wäre er der gleichen Meinung, aber er sagte es nicht.

27

Charley Pardue kam genau im richtigen Moment. Simeon war wieder weg. Wäre er an diesem späten Samstagnachmittag im Hause gewesen, hätten er und Charley sich sofort in die Haare bekommen, und der daran anschließende Streit wäre hässlich geworden.

Doch so waren nur Frauen und Kinder da, als Charley an die Tür des ehemaligen Sappington-Hauses klopfte. Die Kinder futterten Cornflakes aus dem Karton und sahen fern, die Frauen hatten sich in Morgenmantel und Pyjama in der unaufgeräumten Küche versammelt, wo sie Kaffee tranken und sich unterhielten. Phedra ging zur Tür und schaffte es gerade noch, den Besucher auf das Sofa im Wohnzimmer zu setzen. Dann rannte sie in die Küche und verkündete aufgeregt: »Momma, da ist ein Mann, der dich sprechen will, und er sieht sooo elegant aus!«

»Wie heißt er?«

»Charley Pardue. Er glaubt, er ist ein Cousin, sagt er.«

»Ich habe noch nie was von einem Charley Pardue gehört«, warf Lettie ein, die sofort misstrauisch geworden war.

»Jetzt ist er jedenfalls hier, und er ist wahnsinnig süß.«

»Lohnt es sich, mit ihm zu reden?«

»Auf jeden Fall.«

Die Frauen eilten nach oben und zogen sich schnell um. Phedra schlich zur Hintertür hinaus und ging zur Vorderseite des Hauses. Gelber Cadillac, neues Modell, blitzblank, Nummernschilder aus Illinois. Charley selbst sah genauso präsentabel aus. Dunkler Anzug, weißes Hemd, Seidenkrawatte, diamantenbesetzte Krawattenklammer und mindestens zwei kleine, dezente Diamantringe an den Fingern. Kein Ehering. Am rechten Handgelenk trug er ein Goldkettchen, am linken eine teure Uhr. Er strahlte großstädtische Gewandtheit aus, und Phedra hatte sofort gewusst, dass er aus Chicago kam, noch bevor er durch die Tür getreten war. Sie bestand darauf, neben ihrer Mutter zu sitzen, als Lettie wieder nach unten kam, um ihn zu begrüßen. Portia und Clarice sollten sich später dazugesellen. Cypress blieb in der Küche.

Charley begann seine Geschichte, indem er ein paar Namen fallen ließ, von denen ihnen keiner so richtig bekannt vorkam. Er sagte, er sei aus Chicago, wo er als Unternehmer arbeite, was immer das auch bedeutete. Er hatte ein breites, lässiges Lächeln, trat sehr gewandt auf, und wenn er lachte, blitzten seine Augen. Die Frauen fanden ihn zunehmend sympathischer. In den letzten vier Monaten waren eine Menge Leute gekommen, um Lettie zu besuchen. Wie Charley behaupteten viele von ihnen, Blutsverwandte zu sein. Angesichts der löchrigen Familiengeschichte fiel es Lettie und den Ihren nicht schwer, hart zu sein und zahlreiche potenzielle Verwandte einfach wegzuschicken. Die Wahrheit war, dass sie inoffiziell von Clyde und Cypress Tayber adoptiert worden war, nachdem sie mehr als einmal von einer Tante zur nächsten weitergereicht worden war. Sie hatte keine Ahnung, wer ihre Großeltern waren. Portia hatte Stunden damit zugebracht, die Geschichte ihrer Herkunft zu durchforsten, aber nicht viel herausgefunden. Und daher kam es wie ein Schock, als Charley sagte: »Meine Großmutter war eine Rinds, und du, Lettie, bist das auch, glaube ich.«

Als er einige Unterlagen hervorholte, gingen sie ins Esszimmer hinüber, wo sie sich um den Tisch versammelten. Charley faltete eine Zeichnung auseinander, die von Weitem eher wie eine Scheuerbürste und nicht wie ein normal gewachsener Baum aussah. Krumme Linien verliefen in alle möglichen Richtungen, und in die Ränder hatte jemand Anmerkungen geschrieben. Was immer es auch war, jemand hatte Stunden damit verbracht, es zu entschlüsseln.

»Meine Mutter hat mir dabei geholfen«, erklärte Charley. »Ihre Mutter war eine Rinds.«

»Und wo kommt das Pardue her?«, erkundigte sich Portia.

»Von der Familie meines Vaters. Sie stammt aus Kansas City und hat sich schon vor langer Zeit in Chicago niedergelassen. Dort haben sich auch meine Eltern kennengelernt.« Er zeigte mit einem Tintenschreiber auf die Zeichnung. »Die Familie geht auf einen Mann namens Jeremiah Rinds zurück, einen Sklaven, der um 1841 herum in der Nähe von Holly Springs geboren wurde. Er hatte fünf oder sechs Kinder, von denen eines Solomon Rinds war. Solomon hatte mindestens sechs Kinder, darunter Marybelle Rinds, meine Großmutter. Sie brachte 1920 meine Mutter, Effie Rinds, zur Welt, die in diesem County geboren wurde. 1930 gingen Marybelle Rinds, ihr Mann und einige andere aus der Familie Rinds nach Chicago und haben es nie bereut.«

»In dem Jahr wurde der Grundbesitz von Sylvester Rinds an die Familie Hubbard übertragen«, fiel Portia auf. Die anderen hörten das, aber es hatte nicht viel zu bedeuten. Portia war nicht einmal sicher, ob es überhaupt eine Verbindung gab; es fehlten zu viele Details.

»Davon weiß ich nichts«, erwiderte Charley. »Aber meine Mutter kann sich an eine Cousine erinnern, die das einzige Kind von Sylvester Rinds war. Soweit wir wissen, wurde diese Cousine 1925 geboren. Nach 1930, als die Familie auseinandergerissen wurde, haben sie den Kontakt verloren. Doch im Laufe der Jahre gab es den üblichen Familientratsch. Angeblich bekam dieses Mädchen sehr jung ein Kind, der Vater machte sich aus dem Staub, und die Familie hat nie erfahren, was mit dem Baby passiert ist. Meine Mutter kann sich noch daran erinnern, dass ihre Cousine Lois hieß.«

»Ich habe gehört, der Name meiner Mutter sei Lois gewesen«, sagte Lettie leise.

»Dann sieh doch nach, was auf deiner Geburtsurkunde steht«, schlug Charley vor, als wäre er endlich an einem entscheidenden Punkt angekommen.

»Ich habe nie eine Geburtsurkunde besessen«, erwiderte Lettie. »Ich weiß, dass ich 1941 in Monroe County geboren wurde, aber es gibt keine offizielle Geburtsurkunde.«

»Die Eltern wurden nicht aufgeführt«, fügte Portia hinzu. »Vor Kurzem haben wir in Monroe County einen Hinweis gefunden. Die Mutter wurde als L. Rinds angegeben, sechzehn Jahre alt. Der Vater ist H. Johnson, aber danach wird er nie wieder erwähnt.«

Charley war schwer enttäuscht. Er hatte so hart gearbeitet und war so weit gefahren, um der neu gefundenen Cousine ihre Abstammung zu beweisen, nur um dann in einer Sackgasse zu landen. Wie konnte man ohne Geburtsurkunde überhaupt am Leben sein?

»Meine Mutter wurde von Cypress und ihrem Mann sozusagen adoptiert«, fuhr Portia fort. »Die Wahrheit hat sie erst mit dreißig Jahren erfahren. Aber da zu der Zeit schon viele ihrer Verwandten tot oder weggezogen waren, spielte das sowieso keine Rolle mehr.«

»Ich war verheiratet und hatte drei Kinder, als ich es herausfand. Ich konnte schlecht losziehen und nach ein paar toten Verwandten suchen. Außerdem war es mir eigentlich egal. Es ist mir immer noch egal. Ich bin eine Tayber. Clyde und Cypress sind meine Eltern. Ich habe sechs Geschwister.« Lettie klang, als müsste sie sich verteidigen, was sie ärgerte. Sie schuldete diesem Fremden keine Erklärung, selbst wenn er tatsächlich ihr Cousin sein sollte.

»Nach deiner Theorie sieht es so aus, als könnte meine Mutter eine Rinds aus Ford County sein«, sagte Portia. »Was sich aber nicht beweisen lässt.«

»Oh, meiner Meinung nach ist sie ganz bestimmt eine Rinds«, widersprach Charley, der verzweifelt versuchte, seinen Standpunkt zu vertreten. Er klopfte auf seine Unterlagen, als enthielten diese die unbestrittene Wahrheit. »Wir sind vermutlich Cousins siebten oder achten Grades.«

»So wie alle anderen Schwarzen im Norden von Mississippi«, murmelte Portia vor sich hin. Die Frauen rückten vom Tisch ab. Shirley, eine von Cypress' Töchtern, kam mit der Kaffeekanne und schenkte ihnen nach.

Charley schien sich nicht beirren zu lassen und schwatzte weiter drauflos, als sich das Gespräch anderen Dingen als Stammbäumen und zweifelhafter Familiengeschichte zuwandte. Er war des Geldes wegen gekommen und hatte seine Hausaufgaben gemacht. Seine Detektivarbeit hatte Lettie mehr Informationen über ihre wahren Vorfahren gebracht als alles andere, aber es gab nicht genügend Beweise, um Gewissheit zu haben. Da waren immer noch zu viele Lücken, zu viele Fragen, die nicht beantwortet werden konnten.

Portia hielt sich im Hintergrund und hörte zu. Sie hatte schon genug von seinen Diamantringen und seinen geschliffenen Manieren, aber seine Recherchen faszinierten sie. Sie und Lucien – und jetzt auch Lettie – verfolgten die durch nichts zu begründende Theorie, dass Lettie mit der Familie Rinds verwandt war, der das Land gehört hatte, das 1930 in den Besitz der Hubbards übergegangen war. Falls sich das beweisen ließ, erklärte es vielleicht, warum Seth Hubbard Lettie in seinem Testament bedacht hatte. Oder auch nicht. Es konnte auch Dutzende andere Fragen aufwerfen, von denen einige sich vielleicht als nachteilig erwiesen. War irgendetwas davon vor Gericht zulässig? Luciens Meinung nach wahrscheinlich nicht, trotzdem konnte es nutzen, wenn sie weitersuchten.

»Wo kann man hier am besten Mittag essen?«, fragte Charley plötzlich. »Ich führe die Damen zum Mittagessen aus. Auf meine Rechnung.«

Auf was für Ideen Leute aus Chicago kamen! In Clanton aßen Schwarze nur selten außer Haus, daher war der Vorschlag, an einem Samstag in ein Restaurant zu gehen, in Begleitung eines charmanten jungen Mannes, der noch dazu die Rechnung übernehmen wollte, einfach unwiderstehlich. Sie waren sich schnell eilig, dass es Claude's sein sollte, ein kleines Restaurant am Clanton Square, das einem Schwarzen gehörte. Jake aß dort jeden Freitag und hatte einmal sogar Portia mitgenommen. Samstags grillte Claude Schweinekoteletts, und das Restaurant war immer brechend voll.

Das letzte Mal, dass Lettie in einem neuen Cadillac gefahren war, war an dem Morgen gewesen, an dem sie Seth ins Büro gefahren hatte, einen Tag bevor er sich umgebracht hatte. Er hatte sie dazu gedrängt, das Auto zu fahren, und sie war furchtbar nervös gewesen. Sie erinnerte sich gut daran, als sie jetzt vorn im Wagen neben Charley saß. Ihre drei Töchter ließen sich in das weiche Leder der Rückbank sinken und bewunderten die umfangreiche Innenausstattung, während sie ins Stadtzentrum fuhren. Charley quasselte pausenlos, fuhr langsam, damit jeder seinen Wagen bewundern konnte, und brachte das Gespräch nach wenigen Minuten auf ein höchst profitables Bestattungsinstitut in der South Side von Chicago, das er kaufen wollte. Portia sah Phedra an, die Clarice ansah. Charley ertappte sie im Rückspiegel dabei, hörte aber nicht auf zu reden.

Seiner Mutter zufolge – sechsundachtzig, bei guter Gesundheit, ausgezeichnetes Gedächtnis – habe ihr Zweig der Familie Rinds in der Nähe der anderen gelebt und zusammen mit ihnen eine ansehnliche Gemeinde gebildet. Im Laufe der Zeit seien sie jedoch wie viele andere weggezogen und nach Norden gegangen, auf der Suche nach Jobs und einem besseren Leben. Einmal aus Mississippi weg, hätten sie nicht mehr zurückkehren wollen. Die, die schon in Chicago gewesen seien, hätten Geld geschickt, damit die anderen nachkommen könnten, und mit der Zeit seien dann alle Mitglieder der Familie Rinds entweder fortgegangen oder gestorben.

Das Bestattungsinstitut könne eine Goldgrube sein.

Das kleine Restaurant war um zwölf Uhr mittags fast bis auf den letzten Platz besetzt. Claude, in einer blitzsauberen weißen Schürze, kümmerte sich um die Gäste, während seine Schwester die Küche unter sich hatte. Speisekarten gab es nicht. Manchmal wurden die Tagesgerichte auf eine Tafel geschrieben, aber meistens aß man das, was die Schwester gerade kochte. Claude servierte das Essen, wies den Gästen ihre Plätze zu, stand an der Kasse, setzte mehr Gerüchte in die Welt, als ihm zu Ohren kamen – er führte das Restaurant, und das mit harter Hand. Als Charley und die Damen sich setzten und Eistee bestellten, wusste Claude bereits, dass sie alle miteinander verwandt waren. Er verdrehte die Augen; war zurzeit nicht jeder mit Lettie verwandt?

Fünfzehn Minuten später schlenderten Jake und Lucien herein, als wären sie ganz zufällig vorbeigekommen. Das waren sie nicht. Portia hatte Lucien dreißig Minuten zuvor angerufen und gewarnt. Es bestehe eine gute Chance, dass Charley eine Verbindung zur Vergangenheit sei, dass er etwas über das Geheimnis der Familie Rinds wisse, und sie denke, Lucien wolle ihn vielleicht treffen. Die Männer wurden einander vorgestellt, dann setzte Claude die beiden Weißen an einen eigenen Tisch in der Nähe der Küche.

Bei Schweinekoteletts und Kartoffelbrei fuhr Charley fort, die grandiosen Vorzüge der Bestattungsbranche in »einer Stadt von fünf Millionen« zu betonen, doch die Frauen verloren allmählich das Interesse. Er sei verheiratet gewesen, inzwischen jedoch geschieden; zwei Kinder, die bei der Mutter lebten. Er sei aufs College gegangen. Während sie das Essen genossen, zogen sie ihm langsam die Details dazu aus der Nase. Als der Kokosnusskuchen kam, ignorierten sie ihn und zogen über einen Diakon her, der mit der Frau eines anderen durchgebrannt war.

Am späten Nachmittag fuhr Portia zu Luciens Haus, zum ersten Mal. Das Wetter war plötzlich kalt und windig geworden, die Veranda kam nicht infrage. Sie war neugierig darauf, Sallie kennenzulernen, eine Frau, die man nur selten in der Stadt sah, die aber trotzdem jeder kannte. Ihre Wohnverhältnisse wurden sowohl in den weißen als auch in den schwarzen Vierteln der Stadt heftig missbilligt, was aber weder Sallie noch Lucien etwas auszumachen schien. Wie Portia sehr schnell festgestellt hatte, gab es eigentlich nichts, was Lucien etwas ausmachte, zumindest nichts, was mit den Gedanken und Meinungen anderer Leute zu tun hatte. Er konnte sich fürchterlich über Unrecht oder Geschichte oder die Probleme der ganzen Welt aufregen, aber was die anderen von ihm hielten, war ihm herzlich egal.

Sallie war etwa zehn Jahre älter als Portia. Sie war nicht in Clanton aufgewachsen, und niemand wusste so genau, wo ihre Familie herstammte. Portia lernte eine höfliche, liebenswürdige Frau kennen, der eine andere Schwarze im Haus anscheinend überhaupt nichts ausmachte. Lucien hatte in seinem

Arbeitszimmer Feuer im Kamin gemacht, und Sallie servierte ihnen dort heißen Kakao. Lucien kippte Kognak in seine Tasse, Portia lehnte ab. Der Gedanke, Alkohol in ein derartiges Trostgetränk zu schütten, schien geradezu grotesk zu sein, aber ihr war schon lange klar, dass es für Lucien kein Getränk gab, das sich nicht mit einem oder zwei Schuss Schnaps verbessern ließ.

Mit Sallie im Raum, die hin und wieder eine Anmerkung machte, verbrachten sie eine Stunde damit, den Stammbaum der Familie zu aktualisieren. Portia hatte sich notiert, was Charley gesagt hatte: Wichtiges wie Namen und Daten, Überflüssiges wie Todesfälle und das Verschwinden von Leuten, die nicht mit ihnen verwandt waren. In der Gegend von Chicago gab es mehrere Zweige der Familie Rinds, dazu einen in Gary. Charley hatte einen entfernten Cousin namens Boaz erwähnt, der in der Nähe von Birmingham lebte, aber er hatte keine Kontaktdaten. Außerdem hatte er von einem Cousin gesprochen, der nach Texas gezogen war. Und so weiter und so fort.

Während Portia in dem schönen, alten Haus – einem Haus mit Geschichte – vor dem Kaminfeuer saß, Kakao trank, der von jemand anders zubereitet worden war, und sich mit Lucien Wilbanks unterhielt, konnte sie es mitunter kaum glauben. Sie war ihm gleichgestellt. Sie musste sich ständig daran erinnern, aber es stimmte, denn Lucien behandelte sie wie seinesgleichen. Es konnte durchaus sein, dass es Zeitverschwendung war, in der Vergangenheit herumzuwühlen, aber es war eine faszinierende Suche. Lucien war besessen von dem Puzzle. Er war fest davon überzeugt, dass es für das, was Seth Hubbard getan hatte, einen Grund gab.

Aber der Grund war weder Sex noch Freundschaft. Portia hatte das Gespräch mit ihrer Mutter gesucht und ihr mit allem Respekt und aller Wertschätzung, die sie aufbringen konnte, die entscheidende Frage gestellt. Nein, hatte Lettie geantwortet.

Nie. Es sei nie in Erwägung gezogen worden, jedenfalls nicht ihrerseits. Es sei nie darüber gesprochen worden, es sei nie infrage gekommen. Nie.

Randall Clapp steckte den Umschlag in einen Briefkasten vor dem Hauptpostamt im Stadtzentrum von Oxford. Er war weiß, A4-Format ohne Absenderangabe, und an Fritz Pickering in Shreveport, Louisiana, adressiert. In seinem Innern steckten zwei Blatt Papier – eine vollständige Kopie des Testaments, das Irene Pickering mit der Hand geschrieben und am 11. März 1980 unterschrieben hatte. Die andere Kopie war in Wade Laniers Kanzlei weggeschlossen. Das Original befand sich in der Akte, die aus der Kanzlei Freeman, zwei Blocks die Straße hinunter, gestohlen worden war.

Der Plan sah vor, dass Fritz Pickering den anonymen Brief bekam, feststellte, dass er in Oxford aufgegeben worden war, ihn öffnete, das alte Testament erkannte und sich fragte, wer um alles in der Welt es ihm geschickt hatte. Er würde vermutlich einen Verdacht haben, es aber nie mit Sicherheit wissen.

Es war später Samstagabend, die College-Bars waren brechend voll, und die Polizei machte sich mehr Gedanken um diese Aktivitäten als um den unwichtigen Einbruch in einer kleinen Anwaltskanzlei. Während Clapp in der Gasse hinter dem Gebäude Schmiere stand, verschaffte sich Erby durch die Hintertür Zugang zur Kanzlei und hatte innerhalb von fünf Minuten die Akte Pickering an ihren staubigen Platz zurückgebracht.

28

Am Montag, dem 20. Februar, rief Richter Atlee die Akteure zusammen, damit sie ihm über den Stand der Dinge berichteten. Da es keine offizielle Anhörung gleich welcher Art war, ließ er den Gerichtssaal absperren, um Reporter und Zuschauer fernzuhalten. Von den Prozessparteien waren fast alle anwesend: die Hubbards auf der einen Seite, Lettie und Portia auf der anderen. Von Ancil gab es nach wie vor keine Spur, allerdings war Richter Atlee noch nicht so weit, ihn für tot zu erklären.

Atlee, der die Robe trug, nahm seinen Platz auf der Richterbank ein, stieß ein barsches »Guten Morgen« hervor und verlas die Anwaltsliste. Alle anwesend. Bald war klar, dass der Richter schlechte Laune hatte und dass es ihm vermutlich nicht gut ging. »Meine Herren«, begann er mit müder Stimme, »in dieser Sache ist in sechs Wochen von heute an ein Geschworenenprozess festgesetzt. Ich verfolge aufmerksam die Offenlegung und sehe keinen Grund, warum wir nicht wie geplant am 3. April mit dem Prozess beginnen können. Habe ich etwas übersehen? Gibt es irgendeinen Grund, der den Prozess verzögern könnte?«

Darauf folgte heftiges Kopfschütteln. Nein, Sir. Überhaupt keinen Grund. Wie Jake bereits gesagt hatte, war es tatsächlich ein merkwürdiger Fall, da alle Anwälte einen schnellen Prozessbeginn anstrebten. Wenn ihn jemand verschleppen wollte, dann vielleicht Jake. Bei hundertfünfzig Dollar die Stunde hatte er allen Grund dazu, das Verfahren zu verzögern, aber er wusste auch, dass ihm Richter Atlee im Nacken saß. Der Fall, der offiziell *In der Sache Nachlass des Henry Seth Hubbard* hieß, wurde in Rekordgeschwindigkeit durch die Prozessliste gepeitscht.

»Mr. Brigance hat Kopien des Ersten Nachlassverzeichnisses zur Durchsicht für Sie«, fuhr der Richter fort. »Wie ich Sie bereits schriftlich angewiesen habe, ist dieses Verzeichnis so vertraulich wie möglich zu behandeln.« Portia begann damit, Kopien des Nachlassverzeichnisses an die Gegenseite zu verteilen. »Ich habe diesen Teil der Gerichtsakte versiegeln lassen, da bei der Verbreitung derart heikler Informationen nichts Gutes herauskommen kann. Sie als die Anwälte und Ihre Mandanten haben das Recht zu wissen, was sich im Nachlass befindet, also werfen Sie einen Blick in das Verzeichnis.« Die Anwälte schnappten sich die Kopien und blätterten sie durch. Einige hatten bereits den mutmaßlichen Betrag gehört, trotzdem wollten sie es schwarz auf weiß sehen. Vierundzwanzig Millionen und ein bisschen Kleingeld. Die Summe war die Bestätigung für das, was sie hier taten, der Grund, warum sie kämpften.

Im Gerichtssaal herrschte für eine Weile Totenstille, als ihnen klar wurde, um wie viel Geld es ging. Es war mehr, als jeder Einzelne von ihnen während einer langen Karriere verdienen konnte. Dann wurde geflüstert, und jemand lachte leise über eine witzige Bemerkung.

»Ich wende mich jetzt an die Parteien, die das Testament angefochten haben«, sagte Richter Atlee. »Bei der Durchsicht der Offenlegung ist mir aufgefallen, dass Sie unter Umständen vorhaben könnten, die Echtheit der Handschrift anzuzweifeln. Sie haben hier zwei Sachverständige mit diesem Spezialgebiet aufgeführt, und ich gehe davon aus, dass die antragstellende Partei eigene Sachverständige beauftragen muss. Ich habe mir die mit der Hand verfassten Dokumente angesehen, als da wären das Testament, die Anweisungen für die Beerdigung, den Brief; den

Mr. Hubbard auf seinem Küchentisch hinterlassen hat, und den Brief an Mr. Brigance mit Datum 1. Oktober. Ich habe mir auch die übrigen eingereichten Handschriftenmuster angesehen. Mr. Lanier, Mr. Rush, haben Sie vor, die Behauptung aufzustellen, dass dieses Testament nicht von Seth Hubbard geschrieben wurde?« Der Ton in seiner Stimme ließ wenig Zweifel daran, was er davon hielt.

Rush und Lanier standen langsam auf. Keiner der beiden war sonderlich erpicht darauf, die Frage zu beantworten. »Euer Ehren, diesen Punkt diskutieren wir noch«, erwiderte Lanier schließlich.

»Dann diskutieren Sie gefälligst schneller«, fuhr Richter Atlee ihn an. »Damit verschwenden Sie Ihre und meine Zeit. Es sieht doch ein Blinder, dass das seine Handschrift ist. Jeder Sachverständige, der in diesen Gerichtssaal kommt und etwas anderes behauptet, wird von den Geschworenen ausgelacht und vom Gericht auf der Stelle abgelehnt werden.«

Und damit war das Thema Handschrift erledigt. Sie setzten sich wieder. »Und was hat er sonst noch entschieden?«, flüsterte Lanier seinem Helfer, Lester Chilcott, zu.

Richter Atlee sah Jake an und brummte: »Mr. Brigance, gibt es Fortschritte bei der Suche nach Ancil Hubbard? Fünf Prozent des Nachlasses ist eine Menge Geld.«

Wem sagen Sie das, Euer Ehren, wollte Jake erwidern, als er aus seinen Gedanken gerissen wurde und sich, wenn auch etwas nervös, von seinem Platz erhob. »Eigentlich nicht, Euer Ehren. Bis jetzt hat die Suche nach ihm nicht viel ergeben. Anscheinend hat Ancil schon vor langer Zeit damit angefangen, verschiedene Namen zu benutzen. Wir haben keinen Beweis dafür gefunden, dass er tot ist, aber auch nichts, was beweisen könnte, dass er noch lebt.«

»Danke schön. Als Nächstes steht auf meiner Liste die Diskussion über den Geschworenenpool. Es ist jetzt acht Jahre her, seit ich das letzte Mal den Vorsitz bei einem Prozess mit einer Jury innehatte, und ich gebe zu, dass ich ein wenig aus der Übung bin. Ich habe mit Richter Noose, Richter Handleford und einigen anderen gesprochen und daher exzellente Ratgeber an meiner Seite. Sie scheinen der Meinung zu sein, dass ein Pool mit einhundert potenziellen Geschworenen ausreicht. Meine Herren?«

Keine Reaktion.

»Sehr schön. Ich werde den Geschäftsstellenleiter anweisen, die entsprechende Anzahl Namen nach dem Zufallsprinzip aus den Wählerlisten zu ziehen, und Ihnen die Liste zwei Wochen vor Prozessbeginn zur Verfügung stellen, die gleiche Vorgehensweise wie am Circuit Court. Es gelten die üblichen Vorsichtsmaßnahmen und Warnungen hinsichtlich eines nicht genehmigten Kontakts zu den potenziellen Geschworenen. Wir haben es mit einem Fall von großem öffentlichen Interesse zu tun, meine Herren, und manchmal glaube ich fast, dass jeder in diesem County bereits eine Meinung dazu hat.«

Jake stand auf. »In diesem Fall, Euer Ehren, sollten wir vielleicht eine Verlegung des Verhandlungsortes erwägen«, schlug er vor.

»Es ist Ihre Entscheidung, eine Verlegung zu beantragen. Bis jetzt habe ich nichts Schriftliches gesehen.«

»Ich habe noch keine Verlegung beantragt. Ich stelle lediglich Vermutungen an. Wenn die meisten unserer potenziellen Geschworenen über den Fall informiert sind, scheint es angebracht zu sein, den Verhandlungsort zu verlegen.«

»Mr. Lanier«, sagte Richter Atlee, während er die anderen Anwälte ansah. »Mr. Rush. Mr. Zeitler. Möchte jemand?«

Wade Lanier erhob sich sichtlich frustriert. »Bis jetzt hat es bei einer Testamentsanfechtung in Mississippi noch nie eine

Verlegung des Verhandlungsortes gegeben. Bei keinem einzigen Fall. Das haben wir recherchiert.« Plötzlich fing Lester Chilcott an, in seinem Aktenkoffer zu wühlen. »Und es scheint mir etwas verallgemeinernd zu sein, wenn behauptet wird, dass jeder in diesem County bereits eine Meinung hat, bevor wir die Beweise vorgelegt haben.« Chilcott drückte ihm einen dicken Schriftsatz in die Hand. »Ah, hier haben wir's ja, falls das Gericht einen Blick darauf werfen möchte. Kein einziger Fall.«

Jake war beeindruckt von der Recherche; Richter Atlee weniger. »Ich verlasse mich auf Ihr Wort, fürs Erste jedenfalls. Ihre Recherche werde ich später prüfen.«

Jake meinte es mit dem Antrag auf Verlegung nicht ernst, weil er in Richter Atlees Gerichtssaal bleiben wollte, aber den Fall in einem anderen County verhandeln zu lassen, hätte durchaus Vorteile: (1) die Chance auf mehr schwarze Geschworene. Man konnte (2) auf diese Weise das Desaster umgehen, das Booker Sistrunk mit seiner großen Klappe, seiner Rassenhetzerei und seinem schwarzen Rolls-Royce geschaffen hatte. Man fand (3) Geschworene, die noch nicht über Lettie und ihre Familie, deren Probleme und das angemietete Haus außerhalb Lowtowns getratscht hatten. Man konnte (4) eine Jury zusammenstellen, die noch nicht endlos über Lettie und Seth Hubbard und darüber, was tatsächlich zwischen ihnen gelaufen war, spekuliert hatte. Im Laufe der Wochen hatten Jake, Lucien und zunehmend auch Portia über diese Faktoren diskutiert. Doch sie konnten reden, so viel sie wollten, es war Zeitverschwendung. Richter Atlee würde den Fall nicht verlegen, was er Jake auch schon gesagt hatte.

Daher bluffte Jake und sah sich jetzt zufrieden an, wie seine Gegner sich in Stellung bringen wollten. »Euer Ehren, wenn Sie glauben, dass jeder in Ford County bereits eine Meinung zu dem Fall hat, werde ich einen Antrag auf Verlegung des Verhandlungsortes stellen«, sagte er.

»Ich habe eine bessere Idee, Mr. Brigance«, erwiderte Richter Atlee. »Wir lassen unsere potenziellen Geschworenen antreten und fangen mit der Auswahl der Jury an. Dann sehen wir ja, ob wir unsere Zeit verschwenden. Wenn es so aussieht, als würden wir keine unparteiische Jury zusammenbekommen, werden wir den Prozess an einen anderen Ort verlegen. In Mississippi gibt es eine Menge Gerichtssäle, mindestens einen in jedem County.«

Jake setzte sich, Lanier und Stillman Rush folgten seinem Beispiel. Richter Atlee schob ein paar Unterlagen hin und her und begann dann eine Diskussion darüber, welche Zeugenaussagen noch protokolliert werden mussten. Da die Anwälte zur Abwechslung einmal ausgesprochen umgänglich waren, gab es bei der weiteren Terminplanung so gut wie keine Probleme. Für den 20. März, zwei Wochen vor dem Prozess, wurde eine Vorverhandlung angesetzt.

Die Sitzung wurde vertagt.

Fünfzehn Minuten später wurde die Sitzung fortgesetzt, in Richter Atlees Büro ein Stück den Korridor hinunter. Nur Anwälte, keine Mandanten, Anwaltsassistenten, Mitarbeiter oder sonst jemand, der nicht vertrauenswürdig war. Nur die Anwälte und der Richter, der die Robe abgelegt hatte und an seiner Pfeife zog.

Als sich alle gesetzt hatten, sagte er: »Meine Herren, in den nächsten Minuten werden wir uns zumindest darüber unterhalten, diese Sache außergerichtlich beizulegen. Ich habe keine Vorbehalte, den Fall zu verhandeln; in so mancher Hinsicht freue ich mich sogar darauf. Geschworenenprozesse sind selten für mich, und es kommt nicht oft vor, dass die Fakten so faszinierend sind wie in dieser Sache. Trotzdem würde ich meiner Rolle als unparteiischer Schiedsrichter nicht gerecht werden, wenn ich nicht alle Möglichkeiten untersuchen würde, um zu einem Ergebnis zu gelangen, das allen Seiten etwas gibt, auch wenn es weniger ist, als sie gerne hätten. Hier geht es um eine Menge Geld, meine Herren, und wir finden sicher einen Weg, den Kuchen aufzuteilen und alle zufriedenzustellen.« Eine lange Pause, in der er kräftig an seiner Pfeife zog. »Darf ich den ersten Vorschlag machen?«

Als würde er eine Erlaubnis brauchen. Alle Anwälte nickten zustimmend, aber etwas verhalten.

»Sehr schön. Was die beiden kleineren Zuwendungen in Höhe von jeweils fünf Prozent des Nachlasses angeht, zahlen wir die Kirchengemeinde vollständig aus und überweisen Ancils Erbe auf ein Treuhandkonto, bis wir wissen, was damit zu tun ist. Die übrigen neunzig Prozent werden durch drei geteilt. Ein Drittel geht an Lettie Lang, ein Drittel an Herschel Hubbard, ein Drittel an Ramona Hubbard Dafoe. Wenn wir Steuerzahlungen in Höhe von fünfzig Prozent annehmen, geht jeder der drei mit ungefähr 3,6 Millionen Dollar nach Hause. Weitaus weniger, als sie haben wollen, aber weitaus mehr, als sie bekommen werden, wenn die Gegenseite gewinnt. Was halten Sie davon?«

»Die Kirchengemeinde nimmt den Vorschlag sicher an«, meinte Jake.

»Wir würden leer ausgehen«, meldete sich Zack Zeitler, der Anwalt von Herschels Kindern.

»Wir auch«, protestierte Joe Bradley Hunt, der Anwalt, der Ramonas Kinder vertrat.

»Ja, natürlich«, erwiderte Richter Atlee. »Aber man kann getrost davon ausgehen, dass die Kinder von einem solchen Vergleich in nicht unerheblicher Weise profitieren würden. Ihre Eltern kommen unverhofft zu Geld, da wird doch sicher etwas an die nächste Generation gehen. Vielleicht könnten Sie es zur Auflage machen, dass ein Teil des Geldes treuhänderisch für die Kinder verwaltet wird. Nur eine Idee.«

»Vielleicht«, stieß Zeitler hervor, der die anderen Anwälte mit Blicken durchbohrte, als wollten sie ihm an die Kehle.

»Interessanter Vorschlag«, murmelte Wade Lanier. »Ich glaube, meine Mandanten wären damit einverstanden.«

»Mein Mandant auch«, sagte Stillman Rush.

Der Richter kaute auf dem abgenutzten Stiel seiner Pfeife herum und sah Jake an, der wegen des überraschenden Vorschlags des Richters innerlich kochte. Er hatte von der spontanen Sitzung über einen Vergleich nichts gewusst und absolut keine Ahnung gehabt, dass sein alter Freund ein paar Zahlen auf den Tisch legen wollte. »Mr. Brigance?«, fragte Richter Atlee.

»Meine Herren, Sie haben alle Kopien von Seth Hubbards Brief an mich, den er mir zusammen mit seinem Testament zugeschickt hat«, erwiderte Jake. »Seine Anweisungen an mich sind unmissverständlich. Seine Wünsche bezüglich seiner beiden erwachsenen Kinder könnten nicht klarer sein. Ich schlage vor, dass Sie den Brief und das Testament noch einmal lesen. Ich vertrete den Nachlass, und ich habe meinen Marschbefehl. Meine Aufgabe besteht darin, mich an Mr. Hubbards Testament zu halten und dafür zu sorgen, dass seine Kinder nichts bekommen. Ich habe keine andere Wahl. Und daher werde ich einem Vergleich oder einem Kompromiss gleich welcher Art nicht zustimmen.«

»Sollten Sie das nicht mit Ihrer Mandantin besprechen?«, wollte Stillman wissen.

»Mein Mandant ist der Nachlass, der durch Mr. Quince Lundy, den Verwalter, vertreten wird.«

»Ich rede von Lettie Lang.«

»Ich vertrete Lettie Lang nicht. Wir haben die gleichen Interessen, die Bestätigung des handschriftlichen Testaments, aber ich bin nicht ihr Anwalt. Das habe ich allen klargemacht, vor allem ihr. Als betroffene Partei hat sie das Recht, sich einen

Anwalt zu nehmen, was sie bereits versucht hat, aber wie wir ja alle wissen, ist dieser Anwalt im Gefängnis gelandet …«

»Irgendwie vermisse ich den alten Booker«, unterbrach Wade Lanier, was ihm ein paar Lacher einbrachte.

»Ich möchte noch einmal betonen, dass ich nicht ihr Anwalt bin«, fuhr Jake fort.

»Ja, sicher, Jake, jedenfalls nicht offiziell«, meinte Stillman, »aber zurzeit haben Sie mehr Einfluss auf Lettie als alle anderen. Noch dazu ist ihre Tochter Assistentin oder Sekretärin oder was auch immer in Ihrer Kanzlei.«

»Ich habe noch mehr Mitarbeiter.«

»Jake, Sie wollen uns doch nicht erzählen, dass Lettie nicht sofort Ja sagen würde, wenn Sie ihr sagen, dass sie in zwei Monaten, ach was, in zwei Wochen mit über drei Millionen aus der Sache rauskäme«, sagte Wade Lanier.

»Ich weiß nicht, was sie tun würde. Sie hat ihren Stolz und glaubt, dass die anderen in der Stadt sie verachten. Sie will vor Gericht.«

»Mit drei Millionen Dollar dürfte sich die Verachtung leichter ertragen lassen«, spottete Lanier.

»Vielleicht, aber einem Kompromiss werde ich nicht zustimmen. Wenn es das Gericht wünscht, werde ich als Anwalt für den Nachlass zurücktreten, aber solange ich hier bin, bin ich nicht befugt, einen Vergleich zu akzeptieren.«

Richter Atlee zündete seine erloschene Pfeife wieder an und blies noch etwas Rauch in die Luft. Dann stützte er sich auf die Ellbogen, beugte sich vor und sagte: »Meine Herren, ich glaube, er hat recht. Wenn bewiesen wird, dass dieses Testament gültig ist, das heißt, wenn die Geschworenen glauben, dass Mr. Hubbard im Vollbesitz seiner geistigen Kräfte war und nicht auf unzulässige Weise beeinflusst wurde, haben wir keine andere Wahl, als den Bestimmungen des Testaments zu folgen.

Es ist unmissverständlich. Die erwachsenen Kinder bekommen nichts.«

Vielleicht, dachte Wade Lanier insgeheim, aber ihr wisst noch nicht, was ich weiß. Ihr habt Irene Pickerings Testament noch nicht gesehen. Ihr wisst noch nicht, dass Mrs. Lettie Lang sich nicht zum ersten Mal das Vertrauen ihres Arbeitgebers erschlichen hat, um in einem Testament bedacht zu werden. Und wenn die Geschworenen das hören und sehen, werden die erwachsenen Kinder von Seth Hubbard eine Menge Geld bekommen.

Jakes prinzipientreue Verteidigung des Testaments sowie sein etwas vermessener Glaube daran, dass der Prozess in Clanton stattfinden sollte, in *seinem* Gerichtssaal, wurde durch eine Tragödie erschüttert, die sich in dieser Nacht noch ereignete, während eines Eissturms in der Nähe von Lake Village im südlichen Teil von Ford County. Zwei Brüder, Kyle und Bo Roston, fuhren nach einem Basketballspiel ihrer Highschool nach Hause. Kyle war der beste Aufbauspieler seiner Mannschaft; Bo ging in die zehnte Klasse der Clanton High und war Ersatzspieler. Ein Augenzeuge im Wagen hinter ihnen sagte, der Fahrer, Kyle, sei vorsichtig unterwegs gewesen, nicht zu schnell, und habe seine Fahrweise dem Straßenzustand angepasst. Dann sei ein anderes Fahrzeug mit hoher Geschwindigkeit über die Kuppe und ins Rutschen gekommen. Der Zeuge sah entsetzt zu, wie ein Zusammenstoß unvermeidbar wurde. Er schätzte, dass Kyle mit etwa fünfundsechzig Stundenkilometern fuhr; das andere Fahrzeug, ein alter Pick-up, sei erheblich schneller gewesen. Der Frontalzusammenstoß ließ den kleinen Toyota der Rostons durch die Luft wirbeln, bis er schließlich im Straßengraben liegen blieb. Der Pick-up drehte sich um die eigene Achse und rutschte in ein Feld. Die Straße war mit Trümmern übersät. Der Zeuge konnte rechtzeitig anhalten und leistete erste Hilfe.

Kyle starb noch am Unfallort. Bo wurde von Rettungskräften aus dem Auto befreit und ins Krankenhaus von Clanton gebracht, wo er sofort operiert wurde. Er hatte schwere Kopfverletzungen erlitten und war mehr tot als lebendig. Der andere Fahrer kam ebenfalls ins Krankenhaus, war aber nicht ernstlich verletzt. Er hatte doppelt so viel Alkohol im Blut wie gesetzlich erlaubt. Vor seinem Zimmer wurde ein Deputy postiert.

Der andere Fahrer war Simeon Lang.

Ozzie rief Jake kurz nach Mitternacht an und riss ihn aus dem Tiefschlaf. Fünfzehn Minuten später hielt Ozzie vor dem Haus, Jake rannte hinaus und stieg in den Wagen. Das Wetter hatte sich weiter verschlechtert, die Straßen waren spiegelglatt, und während sie durch die Stadt krochen, brachte ihn Ozzie auf den neuesten Stand. Der zweite Junge wurde noch operiert, aber es sah nicht gut aus. Soweit Ozzie das zum jetzigen Zeitpunkt sagen konnte, hatte sich Simeon nicht in einer Kneipe in Clanton volllaufen lassen. Lettie zufolge, die bereits auf dem Weg ins Krankenhaus war, sei er seit über einer Woche nicht zu Hause gewesen. Sie hielt es für möglich, dass er von einer längeren Tour mit dem Lastwagen zurückkommen wollte, allerdings hatte er weder Bargeld noch einen Lohnscheck dabei. Er hatte sich die Nase gebrochen, war aber ansonsten unverletzt.

»Kinder und Betrunkene haben ihren Schutzengel immer dabei«, sagte Ozzie.

Sie fanden Lettie und Portia am Ende eines langen Korridors, wo sie sich nicht weit von Simeons Zimmer entfernt versteckten. Beide weinten und waren völlig verstört, ja untröstlich. Jake setzte sich zu ihnen, während Ozzie wieder ging, um ein paar andere Angelegenheiten zu erledigen. Nach ein paar Minuten, in denen nur wenig gesprochen wurde, stand Lettie auf, um nach einer Toilette zu suchen. Sobald sie weg war, sagte Portia: »Vor zehn Jahren, als ich vierzehn und in der neunten Klasse war, habe ich sie angefleht, ihn zu verlassen. Damals hat er sie geschlagen. Ich habe es gesehen. Ich sagte: ›Bitte, Momma, lass uns weggehen, irgendwohin, nur weg von ihm.‹ Vielleicht hat sie es ja versucht, aber sie hatte immer Angst vor ihm. Und jetzt das. Was wird mit ihm passieren, Jake?« Sie wischte sich mit dem Handrücken die Tränen aus dem Gesicht.

»Es sieht nicht gut aus.« Jakes Stimme war kaum mehr als ein Flüstern. »Wenn es seine Schuld war und wenn er tatsächlich betrunken war, wird er wegen fahrlässiger Tötung im Straßenverkehr angeklagt. In einem Fall, bis jetzt jedenfalls.«

»Was für eine Strafe gibt es dafür?«

»Fünf bis fünfundzwanzig Jahre. Bei so etwas hat der Richter eine Menge Ermessensspielraum.«

»Und da kommt er nicht wieder raus?«

»Nein. Ich sehe keine Möglichkeit.«

»Halleluja. Endlich wird er sehr, sehr lang weg sein.« Sie schlug beide Hände vors Gesicht und schluchzte noch heftiger. »Diese armen Jungs«, stammelte sie immer wieder.

Der Wartebereich im Hauptflügel des Krankenhauses füllte sich. Ozzie sprach mit Jeff und Evelyn Roston, den Eltern, die zu fassungslos waren, um viel sagen zu können. Daher redete er mit einem Onkel der Jungen und erklärte ihm, Simeon Lang stehe unter Arrest und werde innerhalb weniger Stunden ins Gefängnis verlegt werden. Ja, er sei betrunken gewesen, sei es immer noch. Es tue ihm sehr leid.

»Sie bringen ihn besser bald hier raus«, riet der Onkel, während er auf eine Gruppe Männer in der Nähe deutete. Zornige, zutiefst verstörte Männer vom Land, mit Pistolen und Gewehren aufgewachsen und wütend genug, um etwas Drastisches zu tun. Immer mehr Männer gesellten sich zu ihnen. Die Rostons waren Sojabauern und Hühnerzüchter und sehr aktiv in ihrer ländlichen Kirchengemeinde. Sie hatten viele Verwandte und Freunde und hatten nie für Ozzie gestimmt.

Um zwei Uhr morgens war jeder verfügbare Deputy im Krankenhaus. Um drei Uhr schmuggelten sie Simeon aus dem Gebäude und brachten ihn ins Gefängnis. Ozzie informierte den Onkel.

Lettie und Portia verließen das Krankenhaus durch denselben Nebeneingang. Jake begleitete sie zu ihrem Wagen. Er kehrte in den Hauptflügel zurück, machte einen großen Bogen um den Wartebereich und ging zu Ozzie, der sich gerade mit zwei von seinen Männern unterhielt. Als Dumas Lee auf sie zukam, die Kamera um den Hals, verstummte das Gespräch schlagartig.

»Jake, haben Sie kurz Zeit für mich?«, fragte Dumas.

Jake zögerte und sah Ozzie an, der »Kein Kommentar« sagte. »Worum geht es?«, fragte er Dumas.

»Nur ein paar Fragen.«

Sie entfernten sich von Ozzie und seinen Männern und gingen nebeneinander den langen Korridor hinunter. »Können Sie bestätigen, dass es Simeon Lang ist?«, fragte Dumas.

Es war sinnlos, das zu dementieren. »Ja«, antwortete Jake.

»Und Sie sind sein Anwalt?«

»Das bin ich nicht.«

»Okay, aber seit vier Monaten liegt gegen ihn eine Anklage wegen Trunkenheit am Steuer vor. Und in der Prozessliste werden Sie als sein Anwalt genannt.«

Vorsicht, warnte sich Jake. Er atmete tief durch und spürte einen dicken Kloß im Magen. »Da habe ich jemandem einen Gefallen getan«, erwiderte er.

»Mir ist egal, warum Sie es getan haben. In der Prozessliste werden Sie als sein Anwalt genannt.«

»Ich bin nicht sein Anwalt, okay? Ich war nie sein Anwalt. Ich kann nicht gleichzeitig den Nachlass von Seth Hubbard und Simeon Lang, den Ehemann einer der Begünstigten, vertreten.«

»Warum sind Sie dann am 19. Oktober vor Gericht erschienen und haben den Aufschub seines Falls beantragt?«

»Das war ein Gefallen. Ich bin nicht sein Anwalt, okay, Dumas?«

»Warum wurde der Fall vier Monate lang aufgeschoben?«

»Ich bin nicht der Richter.«

»Mit dem werde ich später reden«, gab Dumas zurück.

»Tun Sie das. Kein Kommentar mehr.« Jake drehte sich abrupt um und ging davon. Dumas folgte ihm und quasselte einfach weiter. »Jake, es wäre besser, wenn Sie mit mir reden, denn es sieht gar nicht gut aus.«

Jake drehte sich wieder um. Die beiden standen sich mitten auf dem Flur gegenüber und starrten sich an. Jake konnte sich gerade noch beherrschen. »Ziehen Sie keine voreiligen Schlüsse, Dumas«, sagte er. »Ich habe die Anklage wegen Trunkenheit am Steuer seit vier Monaten nicht angerührt, weil ich nicht sein Anwalt bin. Falls Sie sich noch erinnern können, wurde er zu der Zeit von diesen Clowns aus Memphis vertreten. Nicht von mir. Also seien Sie bloß vorsichtig.«

Dumas machte sich fieberhaft Notizen. Jake hätte ihm am liebsten eine reingehauen. Plötzlich war das alles nicht mehr wichtig, denn vom anderen Ende des Gebäudes drangen Schreie zu ihnen.

Um 4.15 Uhr wurde Bo Roston für tot erklärt.

29

Jake und Carla saßen am Küchentisch und warteten darauf, dass der Kaffee durchlief. Es war noch nicht ganz fünf Uhr an diesem Mittwoch, dem 22. Februar, einem Tag, der zweifellos einer der traurigsten und dunkelsten in der Geschichte des County sein würde. Zwei Teenager – intelligente Jugendliche, gute Schüler, Sportler, Kirchenmitglieder, beliebte Jungs aus einer anständigen Familie – waren auf einer eisglatten Straße von einem Betrunkenen um ihr Leben gebracht worden. Die furchtbare Neuigkeit verbreitete sich mit rasender Geschwindigkeit. Die Cafés würden brechend voll sein, wenn die Frühaufsteher hereinströmten, um Neuigkeiten zu erfahren. Die Kirchen würden zum Gebet öffnen. In der Clanton High School würde es am schlimmsten sein. Die armen Jugendlichen.

Carla schenkte Kaffee ein. Sie unterhielten sich leise, fast flüsternd, um Hanna nicht aufzuwecken. »Ich habe nie eine Akte für den Fall angelegt«, sagte Jake. »Ozzie rief mich an dem Montag an und erzählte, dass Simeon am Samstagmorgen verhaftet worden sei und am Mittwoch vor Gericht erscheinen müsse. Als er wieder nüchtern war, fuhr Ozzie ihn nach Hause und riet ihm auf dem Weg dorthin, die Anwälte aus Memphis loszuwerden. Ich bedankte mich bei Ozzie, und wir vereinbarten, uns später zu treffen. Dann rief er zurück und fragte, ob ich am Mittwoch ins Gericht kommen könne, um den Fall aufzuschieben. Ozzie dachte, er könne die Anklage wegen Trunkenheit am Steuer als Druckmittel gegen Simeon benutzen, um ihn zur Vernunft zu bringen. Am Mittwoch ging ich ins Gericht, kümmerte mich um den Papierkram und bat um Aufschub, den ich auch bekam. Und dann vergaß ich das Ganze, jedenfalls das meiste davon. Zu der Zeit wurde Simeon noch von Booker Sistrunk vertreten, und ich sagte zu Simeon vor Gericht, dass ich ihm bei der Anklage nicht helfen würde. Ich kann den Kerl nicht leiden. Genau genommen kann ich ihn nicht ausstehen.«

»Hast du einen Konflikt gesehen?«, fragte Carla.

»Ich habe darüber nachgedacht. Genau genommen habe ich es sogar Ozzie gegenüber erwähnt. Aber es gab keinen Konflikt. Ich vertrete den Nachlass. Simeon ist keine betroffene Partei des Nachlasses. Seine Frau schon, aber er nicht.«

»Jake, das ist nicht ganz so eindeutig.«

»Nein, ist es nicht, und ich hätte es nicht tun sollen. Es war ein Riesenfehler. Ich habe meinem Instinkt nicht getraut.«

»Aber man kann dir doch keinen Vorwurf daraus machen, dass Simeon sich betrunken ans Steuer gesetzt hat.«

»Selbstverständlich kann man das. Wenn der Fall ordnungsgemäß behandelt worden wäre, wäre Simeon inzwischen verurteilt worden und hätte seinen Führerschein verloren. Er wäre letzte Nacht nicht gefahren, jedenfalls theoretisch nicht. In Wirklichkeit hat die Hälfte der Schwarzen und der Landbevölkerung in diesem County keinen gültigen Führerschein.«

»Es waren doch nur vier Monate. Manchmal werden solche Fälle noch länger verschleppt.«

»Manchmal.«

»Wie hieß dieser Mann doch gleich, der Dachdecker? Du hast seinen Sohn bei einer Anklage wegen Trunkenheit am Steuer vertreten. Der Fall hat sich über ein Jahr hingezogen.«

»Chuck Bennett. Ich wollte nicht, dass der Junge ins Gefängnis kommt, bevor sein Vater mit unserem Dach fertig ist.«

»Ich will darauf hinaus, dass sich diese Fälle manchmal eben in die Länge ziehen.«

»Sicher, aber nach so einer Tragödie gibt es immer Leute, die mit dem Finger auf die Schuldigen zeigen. Und da ich im Lager der Langs bin, werde ich meinen Teil davon abbekommen. Anwälte kann man leicht für etwas verantwortlich machen. Ozzie wird ebenfalls einiges zu hören bekommen. Er wird als der schwarze Sheriff hingestellt werden, der versucht hat, seinesgleichen zu schützen, und jetzt sind zwei weiße Jugendliche tot. Das könnte übel ausgehen.«

»Vielleicht wird es ja nicht so schlimm, Jake.«

»Ich bin nicht sehr optimistisch.«

»Wie wird sich das auf die Testamentsanfechtung auswirken?«

Jake trank langsam seinen Kaffee und starrte durch das Fenster nach draußen in den dunklen Garten. »Es wird verheerende Folgen haben«, sagte er leise. »Simeon Lang wird viele Monate lang die meistgehasste Person in diesem County sein. Er wird vor Gericht gestellt werden, dann wird man ihn ins Gefängnis schicken. Im Laufe der Zeit werden ihn die meisten Leute wieder vergessen. Aber unser Prozess findet in sechs Wochen statt. Der Name Lang ist Gift. Und vor diesem Hintergrund werden wir unsere Geschworenen aussuchen müssen.« Er trank noch einen Schluck und rieb sich die Augen. »Lettie hat keine andere Wahl, als die Scheidung zu beantragen, und das möglichst schnell. Sie muss jegliche Verbindung zu Simeon kappen.«

»Wird sie es tun?«

»Warum nicht? Er wird die nächsten zwanzig oder dreißig Jahre in Parchman verbringen, wo er auch hingehört.«

»Für die Rostons wird das sicher eine Genugtuung sein.«

»Die armen Leute.«

»Triffst du dich heute mit ihr? Mit Lettie, meine ich?«

»Bestimmt. Als Erstes werde ich aber Harry Rex anrufen und

versuchen, mich mit ihm zu treffen. Er weiß bestimmt, was zu tun ist.«

»Wird es der Unfall in die *Times* schaffen?«

»Nein, die *Times* wird in einer Stunde ausgeliefert. Aber ich bin sicher, dass Dumas nächste Woche die gesamte Titelseite damit vollpflastern wird, einschließlich Fotos der Unfallautos, mit so viel Blut wie möglich. Und auf mich hat er es auch abgesehen.«

»Was ist das Schlimmste, das er über dich schreiben könnte?«

»Na ja, zunächst einmal könnte er mich als Simeons Anwalt bezeichnen. Dann könnte er das Ganze etwas verdrehen und andeuten, dass ich die Anklage wegen Trunkenheit am Steuer vom Oktober irgendwie blockiert hätte und dass Simeon, wenn ich es nicht getan hätte, vom Gericht der Führerschein entzogen worden und er deshalb nicht gefahren wäre. Und dann wären die beiden Jungs der Rostons nicht tot.«

»Das kann er nicht machen. Da sind zu viele Vermutungen dabei.«

»Er kann, und er wird.«

»Dann rede mit ihm. Jake, du musst Schadensbegrenzung betreiben. Heute ist Mittwoch, daher wird die Beerdigung vermutlich am Wochenende stattfinden. Warte bis Montag, dann reichst du den Scheidungsantrag ein. Wie nennt man dieses Verfügungsding noch mal?«

»Einstweilige Verfügung.«

»Das habe ich gemeint. Bring den Richter dazu, dass er eine unterschreibt, damit Simeon nicht in die Nähe von Lettie kommen kann. Er sitzt zwar im Gefängnis, aber wenn sie eine einstweilige Verfügung beantragt, macht das einen guten Eindruck. Ein sauberer Schnitt, sie läuft vor dem Kerl davon. In der Zwischenzeit redest du mit Dumas und sorgst dafür, dass er die Fakten richtig darstellt. Recherchiere ein bisschen und beweise ihm, dass sich einige dieser Fälle länger als vier Monate hinziehen. Du hast nie eine Akte dafür angelegt und auch nie einen Cent gesehen. Finde heraus, ob Ozzie bereit ist, seinen Kopf für dich hinzuhalten. Wenn ich mich recht erinnere, hat er bei der letzten Wahl über siebzig Prozent der Stimmen bekommen. Er ist kugelsicher. Außerdem will er, dass Lettie den Prozess gewinnt. Wenn du Probleme bekommst, soll Ozzie dir einen Teil davon abnehmen. Es wird ihm nicht schaden.«

Jake nickte die ganze Zeit und brachte sogar ein Lächeln zustande. Weiter so!

»Liebling, im Augenblick bist du schockiert und hast Angst«, fuhr sie fort. »Reiß dich zusammen. Du hast nichts Unrechtes getan, also lass dich nicht für etwas verantwortlich machen, an dem du keine Schuld hast. Kümmere dich um die Schadensbegrenzung, und anschließend versuchst du, die öffentliche Meinung zu beeinflussen.«

»Kann ich dich einstellen? Meine Kanzlei braucht noch eine Mitarbeiterin.«

»Das kannst du dir nicht leisten. Ich bin Lehrerin.«

Hanna hustete. Carla verließ die Küche, um nach ihr zu sehen.

Die eigentliche Schadensbegrenzung begann etwa eine Stunde später, als Jake in den Coffee Shop stürmte, fest entschlossen, alle miteinander davon zu überzeugen, dass er nie der Anwalt von Simeon Lang gewesen war. Im Coffee Shop wurden bei Rühreier und Speck jede Menge Gerüchte in die Welt gesetzt. Unter der Dusche hatte Jake beschlossen, direkt zur Quelle zu gehen.

Marshall Prather saß in Uniform vor einem Stapel Pfannkuchen und schien auf irgendetwas zu warten. Er war die ganze Nacht im Dienst gewesen und sah genauso müde aus wie Jake.

In der kurzen Pause, die nach Jakes Eintreten bei den Gesprächen der Gäste entstand, begrüßte ihn Marshall mit: »Hallo, Jake, ich habe Sie vor ein paar Stunden im Krankenhaus gesehen.« Das war Absicht und sollte die Gerüchteküche in Gang setzen, da Ozzie ebenfalls dabei war, Schadensbegrenzung zu üben.

»Ja, es war furchtbar«, erwiderte Jake mit ernster Miene. »Habt ihr Lang ins Gefängnis gebracht?«, fragte er dann laut.

»Ja. Er ist immer noch dabei, nüchtern zu werden.«

»Jake, sind Sie nicht sein Anwalt?«, fragte Ken Nugent, der drei Tische weiter saß. Nugent fuhr den Pepsi-Laster und tat den ganzen Tag nichts anderes, als Getränkekisten in kleine Geschäfte auf dem Land zu schleppen. Als er einmal nicht da gewesen war, hatte Dell gesagt, niemand bringe Klatsch und Tratsch schneller unter die Leute als Nugent.

»Bin ich nicht. Und ich war's auch nie«, erwiderte Jake. »Ich vertrete ihn nicht und seine Frau auch nicht.«

»Was zum Teufel haben Sie dann mit dem Fall zu tun?«, gab Nugent zurück.

Dell schenkte Jake Kaffee ein und streifte ihn mit ihrem Hintern, was zu ihrem Morgenritual gehörte. »Guten Morgen, Jake«, flüsterte sie. Jake lächelte sie an, dann wandte er seine Aufmerksamkeit wieder Nugent zu. Inzwischen waren sämtliche anderen Gespräche im Coffee Shop verstummt. »Nach dem Gesetz vertrete ich Mr. Seth Hubbard, der natürlich nicht mehr unter uns weilt, aber mich kurz vor seinem Tod zum Anwalt für seinen Nachlass bestimmt hat«, erklärte er. »Meine Aufgabe besteht darin, seine Wünsche beziehungsweise jetzt die Bestimmungen seines Testaments zu erfüllen und seinen Nachlass zu schützen. Mein Anwaltsvertrag wurde mit dem Nachlassverwalter geschlossen und niemandem sonst. Nicht mit Lettie Lang und ganz bestimmt nicht mit ihrem Mann. Ehrlich gesagt kann ich den Mann nicht ausstehen. Und vergesst bloß nicht, dass er diese Clowns aus Memphis angeheuert hat, die versucht haben, den Fall zu stehlen.«

»Das versuche ich denen schon die ganze Zeit zu sagen«, sprang Dell ihm bei, während sie Toast und Maisbrei vor Jake hinstellte.

»Wer ist denn jetzt sein Anwalt?«, wollte Nugent wissen, der die Kellnerin ignorierte.

»Ich habe keine Ahnung. Vermutlich wird ihm das Gericht einen Pflichtverteidiger besorgen. Ich bezweifle, dass Simeon sich einen Anwalt leisten kann.«

»Was wird er kriegen, Jake?«, wollte Roy Kern wissen, ein Klempner, der einige Arbeiten in Jakes abgebranntem Haus durchgeführt hatte.

»Eine Menge. Fahrlässige Tötung im Straßenverkehr in zwei Fällen mit jeweils fünf bis fünfundzwanzig Jahren. Ich weiß natürlich nicht, wie es laufen wird, aber Richter Noose ist in diesen Fällen sehr streng. Es würde mich nicht überraschen, wenn Simeon zwanzig oder dreißig Jahre bekäme.«

»Und warum nicht die Todesstrafe?«, erkundigte sich Nugent.

»Die Todesstrafe kann hier nicht verhängt werden, weil …«

»Und warum nicht? Schließlich geht es um zwei tote Jungs.«

»Es war kein Vorsatz dabei, er hat sie nicht mutwillig getötet. Für die Todesstrafe muss ein Mord plus noch etwas vorliegen: Mord plus Vergewaltigung, Mord plus Raub, Mord plus Entführung. Das ist hier nicht der Fall.«

Das kam bei den Gästen nicht gut an. Wenn die Gang im Coffee Shop in Rage geriet, ähnelte sie den Anfängen eines Lynchmobs, aber nach dem Frühstück beruhigte sie sich stets wieder. Jake spritzte Tabasco auf seinen Maisbrei und fing an, seinen Toast zu buttern.

»Können die Rostons etwas von dem Geld bekommen?«

Das Geld? Als wäre Seth Hubbards Nachlass jetzt frei verfügbar und könnte für alle möglichen Zwecke verwendet werden.

Jake legte die Gabel weg und sah Nugent an. Er rief sich in Erinnerung, dass dies seine Leute waren, seine Mandanten und Freunde, und dass sie sich nur vergewissern wollten. Sie hatten keine Ahnung von juristischen Finessen und den gesetzlichen Bestimmungen einer Testamentseröffnung und machten sich Sorgen darüber, dass hier vielleicht Unrecht drohte. »Nein«, erwiderte Jake gelassen, »auf keinen Fall. Es wird Monate, vermutlich sogar Jahre dauern, bis Mr. Hubbards Geld ausgezahlt wird, und zurzeit wissen wir im Grunde genommen noch gar nicht, wer es bekommen wird. Das wird der Prozess klären, aber das Urteil wird mit Sicherheit angefochten werden. Und selbst wenn Lettie das ganze Geld beziehungsweise neunzig Prozent davon bekommt, sieht ihr Mann keinen Cent davon. Er wird im Gefängnis sitzen. Und die Rostons werden kein Recht haben, Lettie zu verklagen.«

Jake biss in seinen Toast und beeilte sich zu kauen. Er wollte auf die anderen einwirken und keine Zeit verschwenden, nur weil er den Mund voll hatte.

»Er wird nicht auf Kaution freigelassen werden, oder?«, fragte Bill West.

»Das bezweifle ich. Der Richter wird eine Kaution festlegen, aber sie wird vermutlich zu hoch sein. Meiner Einschätzung nach wird er im Gefängnis bleiben, bis er eine Absprache mit dem Staatsanwalt trifft und sich schuldig bekennt oder der Prozess beginnt.«

»Was könnte er zu seiner Verteidigung vorbringen?«

Jake schüttelte den Kopf, als könnte es in einem solchen Fall keine strafmildernden Umstände geben. »Er war betrunken, und es gibt einen Augenzeugen, stimmt's, Marshall?«

»Genau. Der Mann hat alles gesehen.«

»Ich gehe von einer Absprache mit dem Staatsanwalt und einer langen Haftstrafe aus«, fuhr Jake fort.

»Hat er nicht einen Jungen im Gefängnis?«, fragte Nugent.

»Stimmt. Marvis.«

»Dann kann er sich die Zelle mit seinem Sohn teilen, sich derselben Gang anschließen und eine Menge Spaß in Parchman haben«, sagte Nugent, was ihm einige Lacher einbrachte. Auch Jake lachte, dann machte er sich über sein Frühstück her. Er war froh, dass sich das Gespräch nicht mehr darum drehte, ob es zwischen ihm und Simeon Lang irgendeine Verbindung gab.

Die Männer würden den Coffee Shop verlassen und zur Arbeit gehen, wo sie den ganzen Tag lang über nichts anderes als die Tragödie der Rostons reden würden. Und sie würden Insidernachrichten haben, weil sie mit Jake, der es schließlich wissen musste, gefrühstückt hatten. Sie würden ihren Kollegen und allen, die zuhörten, versichern, dass ihr Freund Jake nicht der Anwalt von Simeon Lang sei, dem meistgehassten Mann in Ford County. Sie würden ihre Ängste zerstreuen und versprechen, dass dieser Lang für viele Jahre hinter Gittern verschwinden werde.

Denn so hatte Jake es ihnen gesagt.

Helles Morgenlicht strömte durch die Holzjalousien und fiel in ordentlichen weißen Reihen auf den langen Konferenztisch. Irgendwo im Hintergrund klingelte ununterbrochen ein Telefon, doch niemand interessierte sich dafür, das Gespräch anzunehmen. Die Eingangstür war verriegelt, und etwa alle fünfzehn Minuten klopfte jemand. Die angespannten Diskussionen wurden heftiger, dann gerieten sie ins Stocken und ließen nach, um schließlich ganz zu verstummen, obwohl es noch so viel zu sagen gab.

Harry Rex hatte ihnen die verschiedenen Strategien für einen Scheidungsantrag erklärt. Lettie solle den Scheidungsantrag jetzt einreichen, mit möglichst viel Tamtam und möglichst vielen schmutzigen Anschuldigungen, um Mr. Lang wie den Scheißkerl aussehen zu lassen, der er war. Sie solle ihm Ehebruch, wiederholte grausame und unmenschliche Behandlung, böswilliges Verlassen, Trunkenheit, Nichterfüllung einer Unterhaltsverpflichtung und noch einiges mehr unterstellen, da die Ehe sowieso vorbei sei, ob Lettie das nun zugebe oder nicht. Harry Rex riet, Simeon unter Beschuss zu nehmen, da er aus dem Gefängnis heraus nichts dagegen tun könne und es ihm sowieso egal sein dürfte. Lettie solle gleich am Montag den Scheidungsantrag stellen und dafür sorgen, dass Dumas Lee und jeder andere Reporter mit nur vorübergehendem Interesse an dem Fall eine Kopie davon bekam. Sie solle auch einen Antrag auf einstweilige Verfügung stellen, um den Kerl von ihrem Grundstück und für den Rest ihres Lebens von ihr, ihren Kindern und ihren Enkeln fernzuhalten. Es gehe darum, eine schlechte Ehe zu beenden, aber auch, sich der Öffentlichkeit möglichst vorteilhaft zu präsentieren. Harry Rex erklärte sich bereit, den Fall zu übernehmen.

Portia hatte ihnen erzählt, dass der erste Drohanruf kurz nach fünf Uhr morgens gekommen war. Phedra war ans Telefon gegangen und hatte nach ein paar Sekunden langsam aufgelegt. »Er hat ›Nigger‹ zu mir gesagt«, stammelte sie fassungslos. »Er hat gesagt, wir würden dafür bezahlen, dass wir die beiden Jungs umgebracht haben.« Sie gerieten in Panik und verriegelten sämtliche Türen. Portia fand einen Revolver in einem Schrank und lud ihn. Sie schalteten das Licht aus, versammelten sich im Wohnzimmer und behielten die Straße im Auge. Dann klingelte das Telefon erneut. Und wieder. Sie beteten, dass es endlich hell wurde. Portia sagte, ihre Mutter werde die

Scheidungspapiere unterschreiben, doch danach würden sie sich vor den Langs in Acht nehmen müssen. Simeons Brüder und Cousins seien Abschaum, derselbe Genpool, und würden mit Sicherheit Ärger machen. Sie lägen Lettie sowieso schon in den Ohren, weil sie Geld wollten, und wenn sie glaubten, man wolle sie übergehen, sei es durchaus möglich, dass sie Dummheiten machten.

Lucien hatte eine lange Nacht hinter sich, aber er war trotzdem gekommen und dachte so logisch wie immer. Er kam schnell zu der Ansicht, dass der Prozess wegen der Testamentsanfechtung auf keinen Fall in Ford County stattfinden durfte. Jake habe jetzt keine andere Wahl mehr, als eine Verlegung des Verhandlungsortes zu beantragen, was Atlee vermutlich ablehnen würde, aber zumindest verschaffe ihnen das ein überzeugendes Argument für die Revision. Lucien hatte Jakes Chancen, vor einer Jury zu gewinnen, nie sehr hoch eingeschätzt, und er war schon lange davon überzeugt, dass der Geschworenenpool von Booker Sistrunk verdorben worden war. Letties unkluge Entscheidung, in die Stadt zu ziehen, noch dazu in ein Haus, das einer durchaus bekannten weißen Familie gehört habe, sei ihrem Ansehen in Clanton nicht gerade zuträglich gewesen. Es gebe schon Ressentiments und jede Menge Argwohn. Lettie arbeite nicht und habe seit dem Tod Hubbards nicht gearbeitet. Jetzt trage sie auch noch den meistgehassten Namen im County. Die Scheidung einzureichen sei keine Alternative, sondern ein Muss. Doch die Scheidung könne unmöglich bis zum Prozessbeginn am 3. April abgeschlossen sein. Ihr Name im Testament sei Lang, er sei jetzt Lang, und er werde während des Prozesses Lang sein. Wenn er, Lucien, an Wade Laniers Stelle wäre, würde er die Geschworenen so weit bringen, dass sie jeden Lang, der jemals gelebt habe, hassten.

»Tut mir leid, Portia«, sagte Lucien. »Das ist nicht böse

gemeint. Aber es wird mit Sicherheit so sein.« Portia verstand, zumindest versuchte sie es. Sie war zu müde, um viel zu sagen. Ihre Mutter und ihre Schwestern hatte sie im Haus zurückgelassen, wo sie sich im Morgenmantel um das Feuer im Wohnzimmer geschart hatten, mit dem Revolver auf dem Kaminsims, und sich fragten, ob sie die Kinder zur Schule schicken konnten und was sie ihnen sagen sollten. Kirk, der in die zehnte Klasse der Clanton High ging, kannte die Jungen der Rostons und schwor, dass er nie wieder in diese Schule gehen werde. Es seien so nette Jungs gewesen. Und er hasse seinen Vater. Sein Leben sei vorbei. Er wolle nur noch weg, wie Portia zur Army gehen und nie zurückkommen.

Jake und Harry Rex hatten über Möglichkeiten gesprochen, den Prozess zu verzögern. Falls sie ihn verschleppten, falls sich das Verfahren hinzog, hätte Harry Rex genug Zeit, die Scheidung durchzubekommen. Die Justizbehörde hätte genug Zeit, Simeon zu verurteilen und wegzuschaffen. Und das County würde Abstand gewinnen zu der entsetzlichen Tragödie, den beiden Beerdigungen und dem Kampf um Seth Hubbards Nachlass. Wo würden sie in sechs Monaten stehen? Lettie würde geschieden sein, sie konnte ihren alten Namen wieder annehmen. Lettie Tayber. Das klang viel besser, allerdings musste Portia sich ins Gedächtnis rufen, dass sie weiterhin Lang heißen würde. Simeon würde im Gefängnis sitzen. Sistrunk hätten alle vergessen. Die Bedingungen für einen fairen Prozess würden in sechs Monaten sicher weitaus besser sein. Aber Jakes Gegner würden lautstark Einspruch erheben, was ihnen mit einem solchen Trumpf in der Hand auch nicht zu verdenken war.

Jake war zuversichtlich, dass er ein Gespräch mit Richter Atlee arrangieren konnte, vielleicht wieder an einem Freitagnachmittag auf der Veranda mit Whiskey Sour. Und wenn die Wirkung des Alkohols einsetzte, wollte er einen Aufschub oder die Verlegung des Verhandlungsortes ansprechen. Es war einen Versuch wert. Der einzige Nachteil bestand darin, dass er den Richter durch einen derart offensichtlichen Versuch der Beeinflussung verärgern würde. Aber was sollte Atlee anderes tun, als Jake zu sagen, er solle die Klappe halten? Das würde er nicht tun, nicht nach zwei Whiskey Sour. Das Gespräch würde ihm nicht gefallen, doch er würde Jake nie mit einer Strafe belegen. Eine kleine Standpauke vielleicht, aber nichts, was dauerhaften Schaden anrichten würde.

Lassen wir etwas Zeit verstreichen, sagte Jake. Warten wir ab, bis Wut, Entsetzen und Trauer nicht mehr so frisch sind und nachlassen. Am Montag würden sie die Scheidung einreichen, und in einer Woche oder so wollte er mit Richter Atlee sprechen.

Quince Lundy kam zu einem seiner beiden wöchentlichen Besuche in die Kanzlei. Er fand die anderen im Konferenzraum, wo sie sich um den Tisch versammelt hatten, schweigend, in gedrückter Stimmung, fast schwermütig, während sie die Wände anstarrten und sich eine düstere Zukunft ausmalten. Lundy hatte im Lokalsender von Clanton von dem Unfall gehört, als er von Smithfield herübergefahren war. Er wollte fragen, was die Tragödie für den Prozess bedeutete, doch nach ein paar Momenten im Konferenzraum hatte er auch ohne Worte den Eindruck, dass der Prozess in ernsten Schwierigkeiten steckte.

Willie Hastings war einer von vier schwarzen Deputys unter Ozzies Mitarbeitern. Seine Cousine war Gwen Hailey, Frau von Carl Lee und Mutter von Tonya, die inzwischen dreizehn Jahre und ein fröhliches Mädchen war. Er klopfte an die Eingangstür des Sappington-Hauses und wartete, während er von drinnen eilige Schritte hörte. Schließlich wurde die Tür einen Spaltbreit geöffnet, und Lettie spähte heraus.

»Guten Morgen, Mrs. Lang. Sheriff Walls schickt mich.«

Die Tür öffnete sich etwas weiter, und Lettie zwang sich zu einem Lächeln. »Sind Sie das, Willie?«, fragte sie. »Möchten Sie nicht reinkommen?«

Als Hastings das Haus betrat, stellte er fest, dass die Kinder im Wohnzimmer vor dem Fernseher saßen und offensichtlich die Schule schwänzten. Er folgte Lettie in die Küche, wo Phedra ihm eine Tasse Kaffee einschenkte. Dann unterhielt er sich eine Weile mit den Frauen, machte sich ein paar Notizen über die Drohanrufe, stellte fest, dass der Telefonhörer nicht auf der Gabel lag, und sagte, er werde eine Weile hierbleiben, für den Fall, dass sie ihn bräuchten, und um Präsenz zu zeigen. Sheriff Walls bedaure das alles sehr. Simeon sei in einer Einzelzelle, ziemlich angeschlagen und schlafe immer noch seinen Rausch aus. Hastings sagte, er kenne die Rostons nicht und habe nicht mit ihnen gesprochen, aber er wisse, dass sie zu Hause seien, im Kreise ihrer Familie und Freunde. Lettie gab ihm einen Brief, den sie ganz früh am Morgen geschrieben hatte, und bat ihn, dafür zu sorgen, dass die Rostons ihn bekamen. »Wir wollten ihnen nur sagen, wie schrecklich wir uns fühlen«, erklärte sie.

Hastings versprach, der Brief werde noch vor Mittag bei den Rostons sein.

Nachdem ihm die Frauen Kaffee nachgeschenkt hatten, ging er nach draußen. Die Temperatur lag immer noch unter dem Gefrierpunkt, doch die Heizung in seinem Streifenwagen funktionierte gut. Den ganzen Morgen über trank er Kaffee, behielt die Straße im Auge, sah nichts Auffälliges und versuchte, wach zu bleiben.

Um sieben Uhr morgens wurde in den Morgennachrichten des Lokalsenders von Tupelo ein Bericht über den Unfall gebracht. Stillman Rush stand unter der Dusche und verpasste ihn, einer seiner Kollegen nicht. Telefonanrufe wurden gemacht, Details bestätigt, und eine Stunde später rief Stillman seinen Kollegen Wade Lanier in Jackson an und überbrachte ihm die tragische, aber auch vielversprechende Neuigkeit. Der Blitz hatte eingeschlagen. Keiner ihrer Geschworenen würde die Chance haben, Simeon Lang zu bestrafen, doch seine Frau war zu einem einfachen Ziel für ihre Rache geworden.

30

Am Donnerstagmorgen wurde Simeon Lang geweckt und bekam Frühstück. Dann wurden ihm Handschellen angelegt, und man führte ihn aus seiner Zelle hinaus den Flur hinunter zu einem kleinen Besprechungszimmer, wo ein Fremder auf ihn wartete. Simeon, der immer noch Handschellen trug, setzte sich auf einen Klappstuhl und hörte zu, als der Fremde sagte: »Ich heiße Arthur Welch und bin Anwalt aus Clarksdale drüben im Delta.«

»Ich weiß, wo Clarksdale ist«, antwortete Simeon. Auf seiner Nase klebte ein dicker Verband, und seine linke Augenbraue war genäht.

»Schön für Sie«, erwiderte Welch. »Ich bin hier, um Ihre Vertretung zu übernehmen, weil niemand sonst den Fall haben will. Sie müssen heute Morgen um neun Uhr zur Kautionsanhörung vor Gericht erscheinen, und dazu brauchen Sie einen Anwalt.«

»Warum sind Sie hier?«

»Ein Freund hat mich darum gebeten, okay? Das ist alles, was Sie wissen müssen. Sie brauchen einen Anwalt, und ich bin der einzige Idiot, der bereit ist, Sie zu vertreten.«

Simeon nickte langsam.

Um 8.30 Uhr wurde er zum Gericht gefahren und über eine Hintertreppe in den großen Gerichtssaal gebracht, wo er vorübergehend unter die Verfügungsgewalt des Ehrenwerten Percy

Bullard, Richter am County Court, fiel. Richter Bullards eigener Gerichtssaal lag ein Stück den Korridor hinunter und war ziemlich klein, daher benutzte er lieber den großen Saal, wenn dieser leer war, was mindestens die Hälfte der Zeit der Fall war. Den größten Teil seiner sechzehn Jahre auf der Richterbank hatte er mit kleineren Zivilstreitigkeiten und minder schweren Kapitalverbrechen verbracht, doch gelegentlich wurde er gebeten, einen schwereren Fall zu übernehmen und zügig zu bearbeiten. Da das County in Trauer und die Atmosphäre angespannt war, beschloss er, Lang herbringen zu lassen, ihm den Kopf zu waschen und die Leute wissen zu lassen, dass die Mühlen der Justiz in Bewegung waren, und das nicht etwa langsam.

Es hatte sich herumgesprochen, dass die Anhörung stattfinden sollte, daher waren auch Zuschauer im Gerichtssaal. Um Punkt neun Uhr wurde Simeon hereingeführt, und noch nie hatte ein Angeklagter schuldiger gewirkt. Sein Gesicht sah fürchterlich aus. Sein orangefarbener Gefängnisoverall war viel zu groß und blutbefleckt. Man hatte ihm die Hände auf dem Rücken gefesselt, und die Gerichtsdiener ließen sich alle Zeit der Welt, ihm die Handschellen abzunehmen.

Richter Bullard sah ihn an und sagte: »*Der Staat gegen Simeon Lang*. Hier rüber.« Er wies auf eine Stelle vor der Richterbank. Simeon schlurfte hinüber, während er sich nervös umsah, als wollte ihn jemand von hinten erschießen. Arthur Welch stand neben ihm, schaffte es aber irgendwie, Abstand zu halten.

»Sie sind Simeon Lang?«, fragte Richter Bullard.

Simeon nickte.

»Machen Sie den Mund auf!«

»Ja, das bin ich.«

»Danke. Und Sie sind?«

»Euer Ehren, mein Name ist Arthur Welch, ich bin Anwalt drüben in Clarksdale. Ich vertrete Mr. Lang.«

Richter Bullard sah ihn an, als wollte er sagen: »Wozu eigentlich?« Stattdessen fragte er Simeon: »Mr. Lang, ist Mr. Welch Ihr Anwalt?«

»Ja, das ist er.«

»Gut. Mr. Lang, Sie sind der fahrlässigen Tötung im Straßenverkehr in zwei Fällen und des Fahrens eines Kraftfahrzeugs unter Alkoholeinfluss in einem Fall angeklagt. Schuldig oder nicht schuldig?«

»Nicht schuldig.«

»Das habe ich mir schon gedacht. Ich setze den Termin für die Voruntersuchung in etwa dreißig Tagen an. Mr. Welch, Sie erhalten diesbezüglich Nachricht von mir. Ich nehme an, Sie wollen über eine Kaution sprechen.«

»Ja, Euer Ehren, wir würden gern eine Kaution in angemessener Höhe beantragen«, sagte Welch, als würde er aus einem Drehbuch vorlesen. »Mr. Lang hat Frau und Familie hier im County und sein ganzes Leben lang hier gelebt. Es besteht keine Fluchtgefahr, und er hat mir versichert und wird auch Ihnen versichern, dass er stets vor Gericht erscheinen wird, wenn er dazu aufgefordert wird.«

»Danke. Die Kaution wird hiermit auf zwei Millionen Dollar festgesetzt, eine Million für jeden Fall von fahrlässiger Tötung im Straßenverkehr. Sonst noch etwas, Mr. Welch?«

»Nein, Euer Ehren.«

»Sehr schön. Mr. Lang, Sie werden zur Untersuchungshaft an den Sheriff von Ford County überstellt, bis Sie Kaution leisten oder von diesem Gericht zum Erscheinen aufgefordert werden.« Richter Bullard ließ den Hammer niedersausen und blinzelte Welch zu. Simeon wurden wieder Handschellen angelegt, dann brachte man ihn aus dem Gerichtssaal, und Welch folgte ihm. Draußen, am Hinterausgang, genau dort, wo die Angeklagten in Kriminalfällen immer fotografiert wurden, wenn sie berichtenswert genug waren, um fotografiert zu werden, stand Dumas Lee und machte jede Mengen Aufnahmen von Lang und dessen Anwalt. Später unterhielt er sich mit Welch, der wenig zu berichten hatte, aber trotzdem sehr gewillt war zu reden. Er machte nur vage Andeutungen darüber, warum er einen Fall übernahm, für den er zwei Stunden hatte fahren müssen.

An diesem Morgen war Welch um fünf Uhr durch einen mit Schimpfwörtern gespickten Telefonanruf von Harry Rex Vonner, seinem Zimmergenossen während des Jurastudiums, aus dem Bett geholt worden. Welch hatte Harry Rex bei zwei von dessen Scheidungen vertreten, und Harry Rex hatte Welch bei zwei von dessen Scheidungen vertreten. Die beiden schuldeten einander so viele Gefallen und so viel Geld, dass sie inzwischen den Überblick verloren hatten. Harry Rex brauchte ihn ganz dringend in Clanton, also setzte sich Welch ins Auto, fuhr los und fluchte zwei Stunden lang auf dem Weg dorthin. Er hatte nicht vor, Simeon Lang über die Anklageerhebung hinaus zu vertreten und wollte den Fall in einem Monat oder so wieder loswerden.

Wie Harry Rex ihm mit überaus anschaulichen und durchweg beleidigenden Ausdrücken erklärt hatte, sollten die Einwohner Clantons sehen, dass Simeon Lang nicht von Jake Brigance vertreten wurde, sondern von irgendeinem Drecksack, von dem sie noch nie etwas gehört hatten.

Welch wusste, was gespielt wurde. Dies war wieder einmal ein Beispiel für das, was man im Jurastudium nicht lernte.

Es war früher Freitagnachmittag, kalt und feucht, und Jake durchlitt das wöchentliche Ritual, Liegengebliebenes zu erledigen, damit es nicht anfing, zu wachsen und zu gären, und ihm den Montag ruinierte. Eine seiner vielen ungeschriebenen, doch eisernen Regeln besagte, dass er jeden Telefonanruf bis

Freitagmittag beantwortet haben musste. Am liebsten hätte er die meisten gar nicht erst angenommen, was allerdings unmöglich war. Es war so einfach, Rückrufe aufzuschieben. Häufig wurden sie von einem Arbeitstag zum nächsten mitgeschleppt, doch Jake war fest entschlossen, sie nicht übers Wochenende liegen zu lassen.

Eine andere Regel verbot ihm, undankbare Fälle anzunehmen, die ihm wenig oder überhaupt nichts einbrachten und unweigerlich dazu führten, dass er seine unausstehlichen Mandanten am liebsten erwürgt hätte. Aber wie jeder andere Anwalt sagte er regelmäßig Ja zu irgendeinem Versager, dessen Mutter Jakes Lehrerin in der vierten Klasse gewesen war oder dessen Onkel seinen Vater gekannt hatte, zu der völlig mittellosen Witwe aus seiner Kirchengemeinde, die sich einen Anwalt nicht leisten konnte, aber einen brauchte. Aus diesen Fällen wurden dann ohne Ausnahme »Fischakten«, die immer übler stanken, je länger sie unberührt in einer Ecke lagen. Jeder Anwalt hatte solche Akten. Jeder Anwalt hasste sie. Jeder Anwalt schwor sich, dass er nie wieder so einen Fall annehmen würde. Man konnte sie fast riechen, wenn der Mandant zum ersten Mal zur Tür hereinkam.

Freiheit für Jake wäre eine Kanzlei, in der es keine Fischakten gab. Trotzdem begann er jedes neue Jahr mit dem Vorsatz, Nein zu den Versagern zu sagen. »Man wächst nicht mit den Fällen, die man annimmt, sondern mit den Fällen, die man nicht annimmt«, hatte Lucien vor Jahren erklärt. Man musste nur Nein sagen. Und doch war die Schublade für die Fischakten voll, und jeden Freitagnachmittag starrte er sie an und verfluchte sich.

Ohne zu klopfen, kam Portia in sein Büro. Sie war offensichtlich völlig außer Fassung und klopfte sich auf den Brustkorb, als könnte sie nicht atmen. »Unten steht ein Mann«, sagte sie fast flüsternd, weil sie nicht lauter sprechen konnte.

»Alles in Ordnung mit Ihnen?«, fragte Jake, während er eine Fischakte zur Seite legte.

Sie schüttelte heftig den Kopf. »Nein. Es ist Mr. Roston. Der Vater der Jungen.«

»Was?« Jake sprang auf.

Sie klopfte sich weiter auf den Brustkorb. »Er will mit Ihnen reden.«

»Warum?«

»Jake, sagen Sie ihm bitte nicht, wer ich bin.« Sie starrten sich eine Sekunde an. Keiner der beiden hatte eine Ahnung, worum es ging.

»Okay, okay. Bringen Sie ihn in den Konferenzraum. Ich bin gleich unten.«

Jeff Roston war nicht viel älter als Jake, aber unter diesen Umständen ein sehr alter Mann. Er saß mit gefalteten Händen und hängenden Schultern da, als würde eine gewaltige Last auf ihm ruhen. Mit der gebügelten Khakihose und dem marineblauen Blazer sah er eher aus wie ein Collegestudent und nicht wie ein Mann, der Sojabohnen anbaute. Sein Gesichtsausdruck war der eines Vaters, der sich gerade mitten in einem unsäglichen Albtraum befand. Er stand auf, und sie gaben sich zur Begrüßung die Hand. »Mein aufrichtiges Beileid, Mr. Roston.«

»Danke. Sagen Sie bitte Jeff zu mir, ja?«

»Gern. Und ich bin Jake.« Er nahm neben ihm an einer Seite des Konferenztisches Platz. »Ich kann mir gar nicht vorstellen, was Sie gerade durchmachen«, sagte Jake nach einer verlegenen Pause.

»Nein, können Sie nicht«, erwiderte Jeff leise und langsam, und die tiefe Trauer war aus jedem seiner Worte herauszuhören. »Ich kann es auch nicht. Ich glaube, zurzeit schlafwandeln wir irgendwie, wir tun alles völlig mechanisch, versuchen, eine Stunde zu überleben, damit wir mit der nächsten fertigwerden können.

Wir beten um Zeit. Wir beten darum, dass aus den Tagen Wochen und dann Monate werden, und vielleicht wird dieser Albtraum irgendwann in ein paar Jahren einmal vorbei sein, damit wir mit unserer Trauer zurechtkommen. Aber gleichzeitig wissen wir, dass es nie so weit sein wird. Man sollte seine Kinder nicht beerdigen müssen, Jake. Das ist wider die Natur.«

Jake nickte nur, unfähig, etwas zu sagen, was intelligent, wohlüberlegt oder irgendwie tröstlich geklungen hätte. Was sagte man einem Vater, dessen zwei Söhne in Särgen lagen und auf ihre Beerdigung warteten? »Ich kann es mir nicht einmal im Ansatz vorstellen«, erwiderte er. Seine erste Reaktion war »Was will er?« gewesen, und jetzt, Minuten später, fragte er sich das immer noch. »Morgen ist die Beerdigung«, sagte er nach einer langen, bedeutungsschweren Pause.

»Ja. Noch ein Albtraum.« Jeffs müde Augen waren rot gerändert, der Beweis dafür, dass er seit Tagen nicht geschlafen hatte. Er konnte Jake nicht direkt ansehen und starrte stattdessen die ganze Zeit auf seine Knie. Dann legte er alle zehn Finger aneinander, als wäre er tief in Meditation versunken. »Wir haben einen sehr schönen Brief von Lettie Lang bekommen«, fuhr er schließlich fort. »Er wurde von Sheriff Walls persönlich gebracht, der, wie ich sagen muss, ganz großartig gewesen ist. Er erwähnte, dass Sie Freunde sind.« Jake nickte, hörte zu und sagte kein Wort. Jeff sprach weiter: »Der Brief kam von Herzen und drückte aus, dass die Familie mit uns trauert und sich schuldig fühlt. Er bedeutet Evelyn und mir sehr viel. Lettie ist eine gute Christin, die entsetzt ist über das, was ihr Mann getan hat. Wären Sie so nett, sich in unserem Namen bei ihr zu bedanken?«

»Natürlich.«

Jeff starrte wieder auf seine Knie, legte die Fingerspitzen aneinander und atmete langsam ein und aus, als wäre selbst das schmerzhaft. »Jake, da ist noch etwas, was Sie ihnen ausrichten sollen, etwas, was Sie bitte an Lettie und ihre Familie weitergeben, auch an ihren Mann«, sagte er dann.

Sicher. Alles. Für einen derart vom Schicksal geschlagenen Vater würde Jake alles tun.

»Jake, sind Sie Christ?«

»Ja. Manchmal vielleicht kein guter, aber ich gebe mir Mühe.«

»Das dachte ich mir. In Lukas, Kapitel sechs, lehrt uns Jesus, wie wichtig Vergebung ist. Er weiß, dass wir alle menschlich sind und von Natur aus dazu neigen, auf Rache zu sinnen, zurückzuschlagen, jene zu verdammen, die uns etwas angetan haben, aber das ist falsch. Wir sollen vergeben, immer. Und deshalb möchte ich, dass Sie Lettie und ihrer Familie und vor allem ihrem Mann sagen, dass Evelyn und ich Simeon das, was er getan hat, vergeben. Wir haben darüber gebetet. Wir haben mit unserem Pastor darüber gesprochen. Und wir können nicht zulassen, dass der Rest unseres Lebens von Hass und Feindseligkeit bestimmt wird. Wir vergeben ihm. Könnten Sie ihnen das bitte sagen?«

Jake war so überwältigt, dass er nicht antworten konnte. Ihm war bewusst, dass seine Kinnlade ein Stück heruntergeklappt war, dass sein Mund offen stand und er Jeff Roston ungläubig anstarrte, aber es dauerte ein paar Sekunden, bis er sich wieder in der Gewalt hatte. Wie um alles in der Welt konnte man einem Säufer verzeihen, der einem vor nicht einmal zweiundsiebzig Stunden die beiden Söhne über den Haufen gefahren hatte? Er musste an Hanna denken, an das beinahe unfassbare Bild von ihr in einem Sarg. Er würde nach blutiger Rache schreien.

Schließlich brachte er ein Nicken zustande. Ja, ich werde es ihnen sagen.

»Wenn wir Kyle und Bo morgen beerdigen, wenn wir uns

von ihnen verabschieden, werden wir das voller Liebe und Vergebung tun. Für Hass ist da kein Platz«, sagte Roston.

Jake schluckte schwer. »Das Mädchen draußen am Empfang ist Letties Tochter. Simeons Tochter. Sie arbeitet für mich. Warum sagen Sie es nicht ihr?«

Ohne ein Wort stand Jeff Roston auf und ging zur Tür. Er öffnete sie, ging mit Jake im Gefolge zum Empfang und sah Portia an. »Sie sind also Simeon Langs Tochter«, sagte er.

Portia wäre fast zusammengezuckt. Sie stand auf und starrte ihn an. »Ja, Sir«, erwiderte sie.

»Ihre Mutter hat mir einen sehr schönen Brief geschickt. Bitte sagen Sie ihr Danke von mir.«

»Das werde ich«, erwiderte sie nervös.

»Und sagen Sie Ihrem Vater bitte, dass Evelyn, meine Frau, und ich ihm das, was er getan hat, vergeben.«

Portia schlug die rechte Hand vor den Mund. Tränen stiegen ihr in die Augen. Jeff trat zu ihr und umarmte sie kurz. Dann wich er plötzlich zurück, sagte noch einmal: »Wir vergeben ihm«, und verließ ohne ein weiteres Wort die Kanzlei.

Noch lange nachdem er gegangen war, starrten sie auf die Eingangstür. Sie waren sprachlos. Fassungslos. »Wir schließen jetzt ab und gehen heim«, sagte Jake schließlich.

31

Am späten Sonntagmorgen erlitten die Bemühungen, Seth Hubbards handschriftliches Testament für rechtsgültig erklären zu lassen, einen weiteren Rückschlag, was Jake und die Antragsteller allerdings nicht wussten. Randall Clapp schnüffelte in Dillwyn herum, einer Kleinstadt im tiefsten Süden von Georgia, knapp zehn Kilometer von der Staatsgrenze zu Florida entfernt, wo er schließlich eine Schwarze fand, deren Spur er seit einer Woche verfolgte. Sie hieß Julina Kidd und war neununddreißig, geschieden, Mutter von zwei Kindern.

Vor fünf Jahren hatte Julina in einer großen Möbelfabrik in der Nähe von Thomasville, Georgia, gearbeitet. Sie war in der Lohnbuchhaltung angestellt, verdiente fünfzehntausend Dollar im Jahr und war überrascht, als sie eines Tages erfuhr, dass die Firma von einem gesichtslosen Unternehmen mit Sitz in Alabama gekauft worden war. Kurze Zeit später kam der neue Besitzer, ein Mr. Hubbard, vorbei, um seine Mitarbeiter kennenzulernen.

Einen Monat später wurde Julina entlassen. Eine Woche danach reichte sie bei der Gleichstellungsbehörde Klage wegen sexueller Belästigung ein. Drei Wochen nachdem die Klage eingereicht worden war, wurde sie abgewiesen. Ihr Anwalt in Valdosta wollte mit Clapp nicht über den Fall sprechen, er sagte, er habe den Kontakt zu Julina verloren und keine Ahnung, wo sie sei.

Als Clapp sie fand, wohnte sie mit ihren beiden Kindern im Teenageralter und einer jüngeren Schwester zusammen in einer Sozialwohnung und arbeitete in Teilzeit für einen Ölgroßhändler. Zuerst hatte sie nur wenig Interesse daran, mit einem Weißen zu reden, den sie nicht kannte. Clapp machte so etwas jedoch beruflich und war sehr geschickt darin, Informationen zu beschaffen. Er bot ihr zweihundert Dollar in bar, plus Mittagessen, für eine Stunde Zeit und Antworten auf seine Fragen. Sie trafen sich in einer Fernfahrerkneipe und bestellten das Tagesgericht, Grillhähnchen. Clapp, ein verkappter Rassist, dem es nie im Leben einfallen würde, etwas mit einer Schwarzen anzufangen, musste sich Mühe geben, um seine Gedanken unter Kontrolle zu behalten. Die Frau war eine Wucht: wunderschöne dunkle Haut mit einem Schuss Milch, haselnussbraune Augen, deren Blick einen bis ins Herz traf, hohe afrikanische Wangenknochen, perfekte Zähne, die von einem unbefangenen, verführerischen Lächeln begleitet wurden. Sie war reserviert und zog ständig die Augenbrauen hoch, als würde sie jedem Wort, das aus seinem Mund kam, misstrauen.

Clapp erzählte ihr nicht viel, jedenfalls am Anfang. Er sagte, er sei in einen großen Prozess mit Seth Hubbard auf der Gegenseite involviert und wisse, dass etwas zwischen ihr und Hubbard gewesen sei. Ja, er suche nach Schmutz.

Den hatte sie. Seth Hubbard hatte sie angebaggert wie ein achtzehnjähriger Matrose auf Landgang. Damals war sie vierunddreißig und in der letzten Phase einer hässlichen Scheidung gewesen. Sie war mit den Nerven am Ende und machte sich Sorgen über ihre Zukunft. Sie hatte kein Interesse an einem sechsundsechzigjährigen Weißen, der wie ein Aschenbecher stank, egal, wie viele Firmen er besitzen mochte. Aber Hubbard war hartnäckig und verbrachte viel Zeit in seiner Fabrik in Thomasville. Er gab ihr eine großzügige Gehaltserhöhung und ließ ihren

Schreibtisch in die Nähe seines Büros bringen. Dann feuerte er die alte Sekretärin und ernannte Julina zu seiner »persönlichen Assistentin«. Sie konnte nicht einmal tippen.

Hubbard besaß zwei Möbelfabriken in Mexiko, die er besuchen musste. Er wies Julina an, sich einen Reisepass zu besorgen, und fragte, ob sie ihn begleiten wolle. Sie sah es eher als Befehl denn als Einladung. Aber da sie noch nie das Land verlassen hatte, reizte sie die Vorstellung, etwas von der Welt zu sehen, obwohl sie wusste, dass sie dafür einen Kompromiss eingehen musste.

»Hubbard dürfte nicht der erste Weiße gewesen sein, der Ihnen nachgestiegen ist«, sagte Clapp.

Sie lächelte kurz und nickte. »Stimmt. Es kommt vor.« Wieder musste Clapp sich anstrengen, seine Gedanken unter Kontrolle zu bekommen. Warum war sie immer noch Single? Warum lebte sie in einer Sozialwohnung? Jede Frau mit ihrem Aussehen und ihrer Figur, egal, ob schwarz oder weiß, konnte Kapital daraus schlagen und sich ein sehr viel besseres Leben verschaffen.

Ihre erste Reise in einem Flugzeug ging nach Mexico City. Sie stiegen in einem Luxushotel ab, zwei nebeneinanderliegende Zimmer. Das gefürchtete Klopfen an der Verbindungstür kam gleich am ersten Abend, und sie öffnete. Hinterher, als sie mit ihm zusammen im Bett lag, ekelte sie sich vor dem, was sie getan hatte. Sex gegen Geld. In dem Moment fühlte sie sich wie eine Prostituierte. Doch sie hielt den Mund, und sobald er am nächsten Tag das Hotel verließ, nahm sie sich ein Taxi zum Flughafen. Als er eine Woche später wiederkam, feuerte er sie auf der Stelle und ließ sie von einem bewaffneten Sicherheitsbeamten aus dem Büro führen. Sie ging zu einem Anwalt, der Klage wegen sexueller Belästigung gegen Hubbard einreichte, dessen eigener Anwalt entsetzt über die Fakten war. Die Gegenseite kapitulierte sehr schnell und wollte sich außergerichtlich einigen. Nach etwas Hin und Her stimmte Hubbard der Zahlung einer Pauschalsumme von einhundertfünfundzwanzigtausend Dollar im Rahmen einer vertraulichen Vereinbarung zu. Ihr Anwalt behielt fünfundzwanzigtausend Dollar für sich, und sie lebte vom Rest. Eigentlich durfte sie niemandem etwas davon verraten, aber das war ihr egal. Es war fünf Jahre her.

»Machen Sie sich keine Gedanken. Hubbard ist tot«, klärte Clapp sie auf. Dann erzählte er ihr den Rest der Geschichte. Julina hörte zu, während sie auf dem zähen Hähnchen herumkaute und es mit Eistee hinunterspülte. Sie hatte nichts für Hubbard empfunden und tat auch nicht so, als wären Gefühle mit im Spiel gewesen. Sie hatte den alten Mann praktisch schon vergessen.

»Hat er jemals gesagt, dass er auf schwarze Frauen steht?«

»Er sagte, er macht da keinen Unterschied«, erwiderte sie jetzt etwas langsamer. »Er sagte, ich war nicht die erste Schwarze.«

»Wann hat er das gesagt?«

»Bettgeflüster, Sie verstehen? Ich lasse mich nicht in einen Prozess reinziehen.«

»Ich habe nicht gesagt, dass wir Sie da reinziehen wollen«, versuchte Clapp sie zu beruhigen, aber er war jetzt noch vorsichtiger. Er wusste, dass er wieder auf etwas ganz Großes gestoßen war, hielt allerdings den Ball flach. »Ich bin aber sicher, dass die Anwälte, für die ich arbeite, bereit wären, für Ihre Aussage zu zahlen.«

»Ist das legal?«

»Natürlich ist das legal. Anwälte zahlen die ganze Zeit für Zeugenaussagen. Jeder Sachverständige verlangt ein Vermögen. Und sie würden Sie hinfliegen und alle Spesen erstatten.«

»Wie viel?«

»Ich weiß nicht, aber darüber können wir uns später noch

unterhalten. Kann ich Sie etwas fragen, das, nun ja, etwas delikat ist?«

»Warum nicht? Über was haben wir denn noch nicht gesprochen?«

»Als Sie mit Hubbard zusammen waren, wie war er da? Sie wissen, was ich meine? Er war sechsundsechzig, und seine schwarze Haushälterin hat er zwei Jahre später eingestellt. Das war, lange bevor er krank wurde. Der alte Junge war zwar schon in einem fortgeschrittenen Alter, aber es hört sich so an, als wäre er noch ziemlich munter gewesen.«

»Er war in Ordnung. Ich meine, für einen Mann seines Alters war er ziemlich gut.« Sie sagte das, als hätte sie viele Männer gehabt, jeden Alters. »Ich hatte den Eindruck, er hätte sich am liebsten im Hotelzimmer verkrochen, um eine Woche nur zu vögeln. Für so einen alten Mann, egal, ob schwarz oder weiß, ist das ganz schön beeindruckend.«

Wade Lanier trank gerade ein Bier im ausschließlich Männern vorbehaltenen Restaurant seines Country Club, als Clapp ihn ausfindig machte. Er stand jeden Sonntagmorgen um genau 7.45 Uhr am Abschlag, immer mit denselben drei Freunden, spielte achtzehn Löcher, gewann in der Regel mehr Geld, als er verlor, und trank dann zwei Stunden lang Bier beim Poker. Karten und Bier waren schnell vergessen, als er Clapp jedes Wort seines Gesprächs mit Julina Kidd wiederholen ließ.

Das meiste von dem, was sie gesagt hatte, war vor Gericht nicht zulässig. Aber wenn sie in den Zeugenstand trat, die Geschworenen ihre dunkle Hautfarbe sahen und sie über die Klage wegen sexueller Belästigung gegen Seth Hubbard redete, würde das jede weiße Jury davon überzeugen, dass der alte Mann und Lettie sehr wahrscheinlich ein Verhältnis gehabt hatten. Die Geschworenen würden glauben, dass Lettie ihm so nahe wie nur menschenmöglich gekommen war und dass sie ihn beeinflusst hatte. Sie hatte ihren Körper benutzt, um in seinem Testament bedacht zu werden. Das konnte Lanier zwar nicht eindeutig beweisen, aber es sprach nichts dagegen, es deutlich durchblicken zu lassen.

Er verließ den Country Club und fuhr zu seinem Büro.

Am frühen Montagmorgen fuhren Ian und Ramona Dafoe drei Stunden von Jackson nach Memphis und trafen sich zu einem späten Frühstück mit Herschel. Ihr Verhältnis hatte sich verschlechtert, und es wurde Zeit, sich wieder zu vertragen; jedenfalls sagte Ramona das. Sie stünden doch auf derselben Seite, es sei töricht, sich zu streiten und gegenseitig zu misstrauen. Sie hatten sich in einem Pfannkuchenrestaurant verabredet, und nach den üblichen Versuchen einer Versöhnung fing Ian an, Herschel unter Druck zu setzen, damit dieser Stillman Rush und dessen Kanzlei feuerte. Sein Anwalt, Wade Lanier, habe weitaus mehr Erfahrung und befürchte, dass Rush während des Prozesses vielleicht zur Behinderung werden könne. Er sei ein gut aussehender Mann, aber zu theatralisch und anmaßend und werde die Geschworenen vermutlich vor den Kopf stoßen. Lanier habe ihn jetzt über vier Monate lang sehr genau beobachtet, und was er sehe, gefalle ihm nicht. Aufgeblasenes Ego und nicht viel Talent. Prozesse könnten durch die Arroganz eines Anwalts gewonnen oder verloren werden, und Wade Lanier mache sich Sorgen. Er drohe sogar damit, aus dem Verfahren auszusteigen.

Das war noch nicht alles. Als Beweis dafür, dass ihre Anwälte von ganz unterschiedlichem Kaliber waren, erzählte Ian seinem Schwager die Geschichte von dem anderen handschriftlichen Testament und den fünfzigtausend Dollar, die Lettie hätte bekommen sollen. Er verrate keine Namen, weil er nicht wolle, dass Stillman Rush das Ganze vermassele. Herschel war sprachlos, aber auch fasziniert. Moment, es kommt noch besser. Inzwischen habe Wade Lanier auch eine Schwarze gefunden, die Seth Hubbard wegen sexueller Belästigung verklagt habe.

Sieh dir an, was mein Anwalt zustande bringt, und dann vergleich das mal mit deinem. Dein Anwalt setzt sich nicht genug für dich ein, Herschel. Lanier weiß, wie Guerillakrieg geht; dein Anwalt ist ein Pfadfinder. Wir sollten uns verbünden. Lanier hat sogar schon ein Angebot gemacht: Wenn wir uns zusammentun, Rush loswerden und Lanier das Mandat für uns beide bekommt, reduziert er sein Honorar auf fünfundzwanzig Prozent der Vergleichssumme. Er hat vor, einen Vergleich zu erzwingen, vor allem angesichts dessen, was sein Privatdetektiv alles herausgefunden hat. Er wird den richtigen Moment abwarten und Jake Brigance mit allem konfrontieren, der unter dem Druck einknicken wird. Wir können in ein paar Monaten an das Geld kommen!

Herschel wand sich noch eine Weile, aber irgendwann war er damit einverstanden, ein Geheimtreffen mit Lanier zu vereinbaren und nach Jackson zu fahren.

Am Montag aß Simeon Lang gerade sein Abendessen, Schweinefleisch mit Bohnen aus der Dose und vier Scheiben altes Weißbrot, als der Wärter kam und ein Päckchen durch die Gitterstäbe steckte. »Frohes Lesen«, sagte er und ging wieder. Absender war die Kanzlei Harry Rex Vonner.

In dem Päckchen war ein Brief des Anwalts, adressiert an Simeon Lang, zurzeit wohnhaft im Gefängnis von Ford County, in dem Simeon kurz und bündig mitgeteilt wurde, dass er in der Anlage einen Scheidungsantrag finde. Für eine Antwort habe er dreißig Tag Zeit.

Er las die Papiere ganz langsam durch. Wozu sollte er sich beeilen? Wiederholte grausame und unmenschliche Behandlung,

Ehebruch, böswilliges Verlassen, körperliche Misshandlung. Was spielte das noch für eine Rolle? Er hatte zwei Jungen getötet und war auf dem Weg nach Parchman, wo er viele Jahre bleiben würde. Sein Leben war vorbei. Lettie brauchte jemand anders. Seit sie ihn eingesperrt hatten, hatte sie ihn kein einziges Mal besucht, und er bezweifelte, dass sie ihn je wiedersehen wollte. Nicht hier und auch nicht in Parchman. Portia war vorbeigekommen, aber nicht lange geblieben.

»Was liest du da?«, fragte Denny vom oberen Stockbett. Denny, sein neuer Zellengenosse, war mit einem gestohlenen Auto erwischt worden. Simeon hatte schon genug von ihm. Er war lieber allein, obwohl es manchmal gar nicht so schlecht war, mit jemandem reden zu können.

»Meine Frau hat die Scheidung beantragt«, gab er Auskunft.

»Du Glücklicher. Ich habe schon zwei Scheidungen hinter mir. Sie drehen durch, wenn man im Gefängnis sitzt.«

»Wenn du meinst. Hattest du schon mal eine einstweilige Verfügung?«

»Ich nicht, aber mein Bruder. Das Miststück hat einen Richter davon überzeugt, dass er gefährlich ist, was er natürlich auch war, und der Richter hat zu ihm gesagt, dass er vom Haus wegbleiben und in der Öffentlichkeit Abstand halten muss. Hat ihn nicht gestört. Er hat sie trotzdem umgebracht.«

»Dein Bruder hat seine Frau getötet?«

»Ja, aber sie hat es sich selbst zuzuschreiben. Es war Tötung bei Vorliegen von Rechtfertigungsgründen, aber die Geschworenen haben das anders gesehen. Sie haben ihn wegen Mordes mit bedingtem Vorsatz verurteilt.«

»Wo ist er jetzt?«

»Angola, Louisiana, zwanzig Jahre. So viel wirst du auch kriegen, sagt mein Anwalt.«

»Dein Anwalt?«

»Ja. Ich habe ihn heute Nachmittag gefragt, als er hier war. Er kennt deinen Fall, sagt, die ganze Stadt redet drüber, und alle sind furchtbar wütend. Er sagt, dass deine Frau nach der Testamentsanfechtung reich sein wird und dass sie dich für die nächsten zwanzig Jahre wegsperren werden. Und dass das Geld weg sein wird, bis du wieder draußen bist, weil sie auf einmal viele neue Freunde hat. Stimmt das?«

»Frag deinen Anwalt.«

»Wie hat es deine Frau eigentlich geschafft, in das Testament des Alten zu kommen? Angeblich hat er so um die zwanzig Millionen Dollar hinterlassen. Stimmt das?«

»Frag deinen Anwalt.«

»Mach ich. Ich wollte jetzt nicht, dass du dich aufregst oder so.«

»Ich rege mich nicht auf. Ich will nur nicht drüber reden, okay?«

»Alles klar, Mann.« Denny nahm sein Taschenbuch und las weiter.

Simeon streckte sich auf dem unteren Stockbett aus und fing wieder mit Seite eins an. In zwanzig Jahren würde er sechsundsechzig sein. Lettie würde einen anderen Mann und ein erheblich besseres Leben haben. Sie würde die Kinder und Enkel und vermutlich auch Urenkel haben. Und er würde nichts haben.

Er würde der Scheidung zustimmen. Sie sollte alles haben.

Vielleicht konnte er im Gefängnis Marvis besuchen.

32

Acht Tage nach der Tragödie mit den Rostons, gerade, als sich alles wieder ein wenig beruhigt hatte und die Leute über etwas anderes sprachen, stand sie plötzlich wieder im Mittelpunkt, in der wöchentlichen Ausgabe der *The Ford County Times*. Auf der Titelseite, unter einer fetten Schlagzeile – COUNTY TRAUERT UM ROSTON-BRÜDER – waren großformatige Klassenfotos von Kyle und Bo abgedruckt. Darunter und unterhalb des Knicks waren Fotos des Autowracks, der Särge, die aus der Kirche getragen wurden, und der Klassenkameraden, die mit Kerzen in den Händen eine Mahnwache vor der Clanton High School abhielten. Dumas Lee war nur wenig entgangen. Seine Artikel waren lang und ausführlich.

Auf der zweiten Seite war ein großes Foto von Simeon Lang abgedruckt, wie er mit dick verbundenem Gesicht und in Handschellen letzten Donnerstag das Gerichtsgebäude verlassen hatte, in Begleitung seines Anwalts, Mr. Arthur Welch aus Clarksdale. In dem Artikel zum Foto wurde Jake Brigance mit keinem Wort erwähnt, was hauptsächlich daran lag, dass er Dumas und der Zeitung mit einer Verleumdungsklage gedroht hatte, falls auch nur im Entferntesten angedeutet werde, dass er Siméon vertrete. Die alte, aber immer noch anhängige Anklage wegen Trunkenheit am Steuer vom Oktober letzten Jahres wurde zwar erwähnt, doch Dumas ging nicht weiter darauf ein und unterstellte auch nicht, dass sie unsachgemäß bearbeitet worden sei.

Er hatte große Angst vor einem Prozess und machte in der Regel immer sofort einen Rückzieher. Die beiden Nachrufe waren lang und herzzerreißend. Außerdem gab es einen Artikel über die Highschool mit überschwänglichen Kommentaren von Klassenkameraden und Lehrern. Und einen über die Unfallstelle mit Details, die von Ozzie stammten. Der Augenzeuge hatte eine Menge zu sagen und bekam auf diese Weise sein Foto in die Zeitung. Die Eltern schwiegen. Ein Onkel hatte darum gebeten, seine Privatsphäre zu respektieren.

Um sieben Uhr hatte Jake jedes Wort gelesen und fühlte sich müde und ausgelaugt. Den üblichen Besuch im Coffee Shop ließ er ausfallen, weil er das endlose Gerede über die Tragödie leid war. Um 7.30 Uhr gab er Carla einen Kuss, ging ins Büro und hoffte, zu seinem normalen Tagesablauf zurückkehren zu können. Er hatte sich vorgenommen, die meiste Zeit an anderen Fällen als Hubbard zu arbeiten, da er eine Handvoll Mandanten hatte, die dringend seiner Aufmerksamkeit bedurften.

Kurz nach acht Uhr rief Stillman Rush an und erzählte ihm, dass Herschel Hubbard ihn gerade gefeuert habe. Jake hörte nachdenklich zu. Einerseits war er froh, dass Stillman einen Tritt in den Hintern bekommen hatte, weil er den Kerl wirklich nicht leiden konnte, andererseits machte er sich Sorgen wegen Wade Laniers Talent, andere zu manipulieren. In seinem einzigen anderen großen Prozess, dem gegen Carl Lee Hailey, hatte Jake sich mit Rufus Buckley angelegt, der damals ein erfahrener Bezirksstaatsanwalt gewesen war. Buckley war zwar sehr gewandt im Gerichtssaal und konnte schnell reagieren, aber er war nicht sonderlich intelligent, kein ausgefuchster Strippenzieher oder cleverer Intrigant. Ganz anders als Wade Lanier, der immer einen Schritt voraus zu sein schien. Jake war fest davon überzeugt, dass Lanier alles tun würde, dass er lügen, betrügen, stehlen, vertuschen würde, um den Prozess zu gewinnen, wofür er auch die Erfahrung, die schnelle Auffassungsgabe und die schmutzigen Tricks besaß. Er hätte lieber Stillman im Gerichtssaal gehabt, der alles vermasselte und sich vor den Geschworenen aufspielte.

Jake klang angemessen traurig darüber, sich von Stillman verabschieden zu müssen, hatte den Anruf nach einer Stunde aber schon wieder vergessen.

Portia brauchte moralische Unterstützung. Sie hatten sich angewöhnt, gegen 8.30 Uhr einen Kaffee zusammen zu trinken, immer in Jakes Büro. In den Tagen nach dem Unfall hatte Letties Familie vier Drohanrufe bekommen, aber inzwischen hatte das aufgehört. Ozzie hatte immer noch einen seiner Deputys abgestellt, der mit dem Streifenwagen in der Einfahrt parkte und nachts die Hintertür überprüfte, was der Familie ein Gefühl von Sicherheit gab. Die Rostons hatten sich derart zurückhaltend und besonnen verhalten, dass die erhitzten Gemüter sich wieder abgekühlt hatten, zumindest fürs Erste.

Doch falls Simeon der Meinung war, er müsse es zu einem Prozess kommen lassen, würde sich der ganze Albtraum wiederholen. Portia, Lettie und der Rest der Familie machten sich Sorgen wegen der Möglichkeit eines Prozesses und hatten Angst davor, der Familie Roston im Gerichtssaal gegenüberstehen zu müssen. Jake bezweifelte, dass es so weit kommen würde, und falls doch, würde es noch mindestens ein Jahr bis dahin dauern.

Seit drei Monaten drängte er Lettie, sich eine Arbeit zu suchen, irgendeine, Hauptsache, eine Arbeit. Beim Prozess sollten die Geschworenen wissen, dass sie berufstätig war und versuchte, ihre Familie zu unterstützen, und sich nicht mit siebenundvierzig zur Ruhe gesetzt hatte, weil sie mit einem Geldregen rechnete. Allerdings wollte sie kein Weißer als Haushälterin einstellen, nicht bei ihrer Vorgeschichte und dem vielen Gerede. Für die Fast-Food-Restaurants war sie zu alt, für Büroarbeiten zu schwarz.

»Momma hat einen Job«, verkündete Portia stolz.

»Großartig. Wo?«

»Bei den Methodisten. Sie wird dreimal in der Woche die Vorschule der Kirchengemeinde putzen. Mindestlohn, aber das ist alles, was sie zurzeit bekommen kann.«

»Ist sie glücklich?«

»Jake, sie hat vor zwei Tagen die Scheidung eingereicht, und ihr Nachname ist Gift in der Gegend. Sie hat einen Sohn im Gefängnis, das Haus voll mit arbeitsscheuen Verwandten und eine einundzwanzigjährige Tochter mit zwei ungewollten Kindern. Das Leben meint es gerade nicht eben gut mit meiner Mom. Und ein Job für dreieinhalb Dollar die Stunde wird ihr vermutlich kein großes Glücksgefühl bescheren.«

»Tut mir leid, dass ich gefragt habe.«

Sie saßen auf seinem Balkon, draußen, wo die Luft frisch, aber nicht zu kalt war. Jake schwirrten unzählige Dinge durch den Kopf, und er hatte schon mindestens zwei Liter Kaffee intus.

»Können Sie sich noch an Charley Pardue erinnern, meinen sogenannten Cousin aus Chicago?«, fragte sie. »Sie haben ihn vor zwei Monaten bei Claude's getroffen.«

»Ja, sicher. Sie haben ihn einen Gauner genannt, der sich Geld für ein Bestattungsinstitut erschleichen will.«

»Genau. Wir haben miteinander telefoniert, und er hat noch einen Verwandten drüben in der Nähe von Birmingham gefunden. Ein alter Mann in einem Pflegeheim, Nachname Rinds. Er glaubt, dieser Mann könnte die Verbindung sein.«

»Aber Pardue ist auf Geld aus, oder irre ich mich da?«

»Sie sind alle auf Geld aus. Jedenfalls bin ich am Überlegen, ob ich nicht am Samstag hinfahren soll, um dem alten Mann ein paar Fragen zu stellen.«

»Ist er ein Rinds?«

»Ja. Boaz Rinds.«

»Okay. Haben Sie mit Lucien gesprochen?«

»Habe ich, und er glaubt, es ist die Mühe wert.«

»Samstag ist Ihr freier Tag. Sie brauchen mich nicht zu fragen.«

»Ich wollte es Ihnen nur sagen. Und, Jake, da ist noch was. Lucien hat mir erzählt, dass das County einige der historischen Gerichtsdokumente in Burley, der alten Schwarzenschule, lagert.«

»Ja, das stimmt. Ich bin einmal dort gewesen, weil ich nach einer alten Akte gesucht habe, die aber nicht aufzufinden war. Das County lagert eine Menge altes Zeug dort.«

»Wie weit reichen die Aufzeichnungen zurück?«

Jake musste kurz nachdenken. Von drinnen hörte er sein Telefon klingeln. »Das Grundstücksregister ist immer noch im Gericht untergebracht, weil es benutzt wird«, sagte er schließlich. »Aber eine Menge von dem Zeug in der Schule ist praktisch wertlos. Heirats- und Scheidungsregister, Geburts- und Sterberegister, Gerichtsverfahren, Urteile und so weiter. Das meiste müsste eigentlich aussortiert werden, aber jeder scheut sich, Gerichtsunterlagen zu vernichten, selbst wenn sie hundert Jahre alt sind. Ich habe gehört, dass es Gerichtsprotokolle gibt, die aus dem Bürgerkrieg stammen, alle mit der Hand geschrieben. Interessant, aber heute nur noch von geringem Wert. Schade, dass das Feuer nicht alles zerstört hat.«

»Wann war das Feuer?«

»Jedes Gericht brennt irgendwann mal. Unseres wurde 1948 schwer beschädigt. Dabei sind eine Menge Dokumente verloren gegangen.«

»Kann ich mich durch die alten Akten wühlen?«

»Warum? Das ist Zeitverschwendung.«

»Weil ich eine Schwäche für Rechtsgeschichte habe. Ich habe Stunden im Gericht verbracht und alte Gerichtsakten und Grundstücksregister gelesen. Dabei lernt man eine Menge über

449

einen Ort und seine Einwohner. Haben Sie gewusst, dass 1915 ein Mann einen Monat nach seinem Prozess vor dem Gerichtsgebäude aufgehängt wurde? Er hatte eine Bank ausgeraubt, auf einen Mann geschossen, ihn aber gar nicht richtig getroffen, war mit zweihundert Dollar entkommen und wurde später gefasst. Sie haben ihn an Ort und Stelle verurteilt und dann aufgehängt.«

»Das ist sehr effizient. Ich glaube, damals hat man sich noch keine Gedanken um überfüllte Gefängnisse gemacht.«

»Oder zu volle Prozesslisten. Mich faszinieren solche Sachen jedenfalls. Ich habe ein altes Testament von 1847 gelesen, in dem ein Weißer seine Sklaven hergibt. Zuerst redet er davon, wie sehr er sie liebt und schätzt, und dann gibt er sie her wie Pferde und Kühe.«

»Klingt deprimierend. Sie werden keinen einzigen Brigance finden, der einen Sklaven besessen hat. Wir konnten uns glücklich schätzen, wenn wir eine Kuh hatten.«

»Um an die alten Akten zu kommen, brauche ich jedenfalls die Erlaubnis eines Mitglieds der Anwaltskammer. Das ist eine Vorschrift des County.«

»Erlaubnis erteilt. Aber machen Sie es nach Büroschluss. Suchen Sie immer noch nach Ihren Wurzeln?«

»Ja, klar. Ich suche überall. Die Familie Rinds hat dieses County 1930 verlassen und ist dann spurlos verschwunden. Ich will wissen, warum.«

Das Mittagessen im hinteren Teil des Lebensmittelgeschäfts der Bates bestand aus vier Gemüsesorten, willkürlich aus zehn Töpfen und Pfannen zusammengestellt, die auf einem großen Gasherd vor sich hinköchelten. Mrs. Bates persönlich deutete, schöpfte und kommentierte, während sie die Teller belud und an den Gast weiterreichte. Mr. Bates stand an der Kasse und nahm drei Dollar fünfzig für das Essen entgegen, mit Maisbrot, einschließlich Eistee. Jake und Harry Rex fuhren einmal im Monat hin, wenn sie essen und reden wollten, ohne dass jemand zuhörte. Die Kundschaft setzte sich aus Farmern und Landarbeitern zusammen, gelegentlich auch dem einen oder anderen Holzfäller. Alle weiß. Schwarze würden zwar anstandslos bedient werden, aber noch nie hatte einer hier gegessen. Die Schwarzen kauften im vorderen Teil des Geschäfts ihre Lebensmittel. Vor drei Jahren hatte Tonya Hailey hier eingekauft und war die fast zwei Kilometer zu ihrem Haus zurückgelaufen, als sie entführt wurde.

Die beiden Anwälte setzten sich an einen kleinen Tisch, so weit wie möglich von den anderen Gästen entfernt. Der Tisch wackelte, der alte Fußboden knarrte, und direkt über ihnen drehte sich quietschend ein klappriger Ventilator, obwohl immer noch Winter war und es im gesamten Gebäude heftig zog. In einer anderen Ecke strahlte ein Kanonenofen eine enorme Hitze aus, die den schmalen Raum wärmte. Nachdem sie ein paar Bissen gegessen hatten, sagte Harry Rex: »Dumas hat gute Arbeit geleistet, sofern so etwas bei ihm überhaupt möglich ist. Der Junge freut sich über einen spektakulären Verkehrsunfall genauso wie ein Anwalt.«

»Ich musste ihm drohen, aber du hast recht, er hat uns nicht geschadet. Jedenfalls nicht mehr, als er es ohnehin schon getan hat. Danke, dass du Arthur Welch für einen Gastauftritt beschafft hast.«

»Er ist ein Idiot, aber das bin ich schließlich auch. Wir haben eine Menge zusammen erlebt. Einmal haben wir zwei Nächte in einem Bezirksgefängnis verbracht, obwohl wir eigentlich in unseren Juravorlesungen hätten sein sollen. Um ein Haar hätten sie uns rausgeworfen.«

Jake wusste, dass er besser nicht fragte, aber er konnte nicht widerstehen. »Warum wart ihr im Gefängnis?«

Harry Rex schaufelte eine Ladung Gemüsekohl in seinen Mund und erzählte. »Wir waren für ein langes Wochenende in New Orleans und versuchten, wieder zur Ole Miss zu kommen. Ich saß am Steuer, habe getrunken, und irgendwo unten in Pike County haben wir uns dann verfahren. Als ich das Blaulicht sah, sagte ich: ›Scheiße, Welch, du musst dich ans Steuer setzen. Da kommt ein Polizist, und ich bin betrunken.‹ Welch sagte: ›Ich bin auch betrunken, du Blindgänger, das musst du schon allein durchziehen.‹ Aber wir saßen in seinem Wagen, und ich wusste genau, dass er nicht so betrunken war wie ich. ›He, Welch‹, sagte ich, ›du hattest nur zwei Bier. Ich halte jetzt an, und du bewegst deinen Arsch hier rüber.‹ Der Streifenwagen kam näher. ›Auf keinen Fall‹, meinte er. ›Ich bin seit Freitag betrunken. Außerdem habe ich schon eine Anklage wegen Trunkenheit am Steuer, und mein alter Herr bringt mich um, wenn ich noch eine bekomme.‹ Ich trat auf die Bremse und brachte das Auto am Straßenrand zum Stehen. Der Streifenwagen war direkt hinter uns. Ich packte Welch, der damals noch viel dünner war, und versuchte, ihn auf die Fahrerseite zu ziehen, was ihn richtig wütend machte. Er wehrte sich. Er hielt sich am Türgriff fest und stemmte die Füße gegen das Armaturenbrett, ich bekam ihn einfach nicht zu mir rüber. Inzwischen war ich auch wütend, daher verpasste ich ihm eine mit der Rückhand. Ich traf ihn mitten auf die Nase, was ihn so überraschte, dass er für eine Sekunde losließ. Dann packte ich ihn an den Haaren und zog ihn zu mir rüber, aber das Auto hatte die Gangschaltung in der Mittelkonsole, und da blieb er irgendwie stecken. Wir waren beide ineinander verheddert und stinksauer, wir fluchten und prügelten uns wie zwei Kater im Frühling. Irgendwann hatte ich ihn im Schwitzkasten, als plötzlich der Trooper zum Fenster reinsah und sagte: ›Entschuldigung, Jungs.‹

Wir erstarrten. Auf dem Polizeirevier redete der Trooper mit uns und sagte, wir seien beide betrunken. Das war, bevor sie diese Alkoholtestgeräte hatten, damals, in der guten alten Zeit.« Er trank hastig von seinem Tee und machte sich dann über einen kleinen Berg frittierter Okras her.

»Und was ist dann passiert?«, erkundigte sich Jake.

»Ich wollte meinen Dad nicht anrufen, und Welch wollte seinen nicht anrufen. Ein Anwalt, der gerade einen Mandanten im Gefängnis besuchte, hörte von den beiden betrunkenen Jurastudenten von der Ole Miss, die in einer Zelle saßen, versuchten, nüchtern zu werden, und ihre Vorlesungen versäumten. Er ging zum Richter, ließ ein paar Beziehungen spielen und sorgte dafür, dass man uns rausließ. Als wir zurückkamen, wartete der Dekan schon auf uns und drohte, uns entweder umzubringen oder uns die Anwaltslizenz zu entziehen, noch bevor wir sie überhaupt hatten. Nach einer Weile hatte sich alles wieder beruhigt. Der Dekan wusste, dass ich eine ungeheure Bereicherung für die Anwaltskammer sein würde und er mich auf keinen Fall abschreiben durfte.«

»Natürlich.«

»Ich brauche wohl nicht zu erwähnen, dass Welch und ich uns schon ziemlich lange kennen. Eine Menge Leichen im Keller. Er wird Simeon vertreten, bis die Testamentsanfechtung vorbei ist, dann gibt er das Mandat ab. Der Kerl wird sowieso für Jahre hinter Gitter landen, daran wird sich nicht viel ändern lassen.«

»Wie groß ist der Schaden für unseren Fall?«

Lucien, der Pessimist, war fest davon überzeugt, dass der Schaden nicht wiedergutzumachen war, aber Jake war sich da nicht so sicher. Harry Rex wischte sich mit einer billigen Papierserviette übers Gesicht und sagte: »Du weißt, wie das mit Prozessen ist, Jake. Wenn sie erst einmal angefangen haben, sind der Richter, die Anwälte, die Zeugen und die Geschworenen alle im selben Raum eingesperrt, alle in unmittelbarer Nähe voneinander. Sie hören alles, sehen alles, spüren sogar alles. Sie neigen dazu zu vergessen, was außerhalb des Gerichtssaals ist, was letzte Woche, letztes Jahr passiert ist. Ich habe so eine Ahnung, dass sie nicht an Simeon Lang und die Roston-Jungen denken werden. Lettie hatte mit dieser Tragödie überhaupt nichts zu tun. Sie tut ihr Bestes, um Simeon loszuwerden, der das County für sehr lange Zeit verlassen wird.« Ein Schluck Tee, ein Bissen Maisbrot. »Zurzeit sieht es so aus, als müssten wir uns Sorgen machen, aber in einem Monat oder so wird sich die Lage gebessert haben. Ich glaube, die Geschworenen werden so von Seth Hubbards Testament gefesselt sein, dass sie nicht viel Zeit damit verbringen werden, an einen Autounfall zu denken.«

»Ich glaube nicht, dass sie das so einfach vergessen werden. Wade Lanier wird sie mit Sicherheit daran erinnern.«

»Hast du immer noch vor, dich bei Atlee für eine Prozessverlegung einzusetzen?«

»Ja. Wir treffen uns am Freitag auf seiner Veranda, auf meine Bitte hin.«

»Das ist ein schlechtes Zeichen. Wenn er will, dass du rüberkommst, okay. Aber wenn du ihn bitten musst, wird es vermutlich nicht so gut laufen.«

»Ich weiß nicht. Ich habe ihn am Sonntag im Gottesdienst gesehen, und er hat gefragt, wie ich mit der Situation umgehe. Er schien wirklich besorgt zu sein und war nach der Predigt sogar bereit, über den Fall zu sprechen. Sehr ungewöhnlich.«

»Jake, ich will dir mal was über Atlee sagen. Ich weiß, dass du mit ihm befreundet bist, jedenfalls so, wie man das als Anwalt eben sein kann, aber bei der Sache gibt es noch einen faden Beigeschmack. Er ist von der alten Schule, aus dem alten Süden, alte Familienbande und Traditionen. Ich wette, dass er insgeheim entsetzt ist darüber, dass ein Weißer das Familienvermögen nimmt und es einer Schwarzen hinterlässt. Vielleicht werden wir eines Tages verstehen, warum Seth Hubbard das getan hat, vielleicht auch nicht, aber egal, was für einen Grund es dafür gibt, Reuben Atlee gefällt es nicht. Es geht ihm finanziell gut, weil seine Vorfahren ihm genug hinterlassen haben. Jake, seine Familie hat Sklaven besessen.«

»Vor ein paar Hundert Jahren. Luciens Familie hatte auch Sklaven.«

»Ja, aber Lucien ist verrückt. Er hat schon lange nicht mehr alle Tassen im Schrank. Er zählt nicht. Atlee schon, und geh mal nicht davon aus, dass er dir einen Gefallen tut. Er wird für einen fairen Prozess sorgen, aber ich wette, sein Herz schlägt für die Gegenseite.«

»Ein fairer Prozess ist alles, was wir verlangen können.«

»Sicher, aber zurzeit wäre ein fairer Prozess in einem anderen County wohl erheblich besser als ein fairer Prozess hier.«

Jake trank einen Schluck und sprach mit einem Mann, der an ihrem Tisch vorbeiging. Dann beugte er sich vor und sagte: »Ich habe den Antrag auf Verlegung des Verhandlungsortes immer noch nicht gestellt. Das können wir dann bei der Revision geltend machen.«

»Ja, klar. Stell den Antrag. Aber Atlee wird den Prozess nicht verlegen.«

»Warum bist du dir da so sicher?«

»Weil er ein alter Mann und nicht ganz gesund ist und nicht jeden Tag hundertsechzig Kilometer fahren will. Jake, er ist der vorsitzende Richter, egal, wo der Prozess stattfindet. Atlee ist faul, wie die meisten Richter, und er will diesen prominenten Fall hier in seinem Gerichtssaal haben.«

»Wenn ich ganz ehrlich bin, glaube ich das auch.«

»Er hat den ganzen Tag mit einvernehmlichen Scheidungen

zu tun und muss entscheiden, wer die Töpfe und Pfannen bekommt. Er will diesen Fall, wie jeder andere Richter, und er will ihn bei sich zu Hause. Wir bekommen hier auch eine gute Jury zusammen, Jake. Da bin ich mir sicher.«

»Wir?«

»Ja, natürlich. Du schaffst das doch gar nicht allein. Das haben wir schon beim Hailey-Prozess gesehen. Im Gerichtssaal bist du gut, aber es war mein Gehirn, das den Fall gewonnen hat.«

»Das habe ich anders in Erinnerung.«

»Jake, vertrau mir einfach. Möchtest du Bananencreme?«

»Ja, warum nicht?«

Harry Rex marschierte zur Theke und bezahlte für zwei riesige Portionen Dessert, die in Papierbechern kamen. Der Boden erzitterte, als er zu ihrem Tisch zurückstapfte und sich schwer atmend auf seinen Stuhl fallen ließ. »Gestern Abend hat Willie Traynor angerufen. Er will wissen, was du über das Haus denkst«, sagte er mit vollem Mund.

»Richter Atlee hat gesagt, ich soll es nicht kaufen, jedenfalls nicht jetzt.«

»Wie bitte?«

»Du hast mich schon verstanden.«

»Ich wusste gar nicht, dass der Ehrenwerte Reuben Atlee im Immobiliengeschäft ist.«

»Er glaubt, es macht vielleicht einen schlechten Eindruck. Es würden Gerüchte aufkommen, dass ich eine Menge Geld aus dem Nachlass abzweige und mir deshalb ein schönes altes Haus kaufen will.«

»Sag Atlee, er kann dich mal. Seit wann hat er das Kommando über deine Privatangelegenheiten?«

»Oh, er hat eindeutig das Kommando. Schließlich ist er derjenige, der mein Honorar genehmigt.«

»Quatsch. Jake, hör zu, sag dem alten Sack, dass er sich raushalten und um seine eigenen Angelegenheiten kümmern soll. Wenn du das jetzt vermasselst und das Haus nicht bekommst, wirst du dir für den Rest deines Lebens in den Hintern treten, weil du es nicht gekauft hast. Und Carla wird dir das auch nicht verzeihen.«

»Wir können es uns nicht leisten.«

»Ihr könnt es euch nicht leisten, es nicht zu kaufen. So etwas wird heutzutage nicht mehr gebaut. Außerdem möchte Willie, dass ihr das Haus bekommt.«

»Dann sag ihm, er soll mit dem Preis runtergehen.«

»Er ist schon unter den Marktpreis gegangen.«

»Er soll noch weiter runter.«

»Jake, es sieht so aus: Willie braucht das Geld. Ich weiß nicht, was er vorhat, aber offenbar ist er zurzeit nicht flüssig. Er wird von zweihundertfünfzigtausend auf zweihundertfünfundzwanzig runtergehen. Das ist fast geschenkt. Wenn meine Frau sich nicht weigern würde umzuziehen, würde ich es ja selber kaufen.«

»Beschaff dir eine andere Frau.«

»Ich werde darüber nachdenken. Und jetzt, du Blindgänger, werde ich dir sagen, was ich für dich tun kann. Du hast den Versicherungsfall wegen der Brandstiftung dermaßen festgefahren, dass er nie zum Abschluss kommen wird. Und warum? Weil du dein eigener Mandant bist und sie uns im Jurastudium beigebracht haben, dass ein Anwalt, der sich selbst vertritt, einen Idioten als Mandanten hat, richtig?«

»So ungefähr.«

»Daher werde ich den Fall zum Nulltarif übernehmen und dafür sorgen, dass es einen Vergleich gibt. Bei welcher Versicherung bist du?«

»Land Fire and Casualty.«

»Betrüger, alle miteinander! Warum hast du das Haus ausgerechnet bei denen versichert?«

»Tut das etwas zur Sache?«

»Nein. Was war ihr letztes Angebot?«

»Das Haus war für den Wiederbeschaffungswert versichert, für einhundertfünfzigtausend. Da wir nur vierzigtausend für das Haus bezahlt haben, behauptet die Versicherung, es sei zum Zeitpunkt des Feuers einhunderttausend wert gewesen. Ich habe sämtliche Quittungen, Kassenzettel, Handwerkerrechnungen, einfach alles behalten, daher kann ich beweisen, dass wir fünfzigtausend in die Restaurierung gesteckt haben, über einen Zeitraum von drei Jahren. Das plus die Beurteilung des Marktes, und ich gehe davon aus, dass das Haus einhundertfünfzigtausend wert war, als es verbrannte. Sie bewegen sich keinen Millimeter. Und sie berücksichtigen auch nicht, wie viel Eigenleistung Carla und ich in das Haus gesteckt haben.«

»Das macht dich wütend.«

»Und wie mich das wütend macht.«

»Da haben wir's! Du steckst zu viele persönliche Gefühle in den Fall, um etwas ausrichten zu können. Du hast einen Idioten als Mandanten.«

»Danke.«

»Gern geschehen. Wie hoch ist die Hypothek?«

»Hypotheken, Plural. Ich habe eine Refinanzierung gemacht, als wir mit der Restaurierung fertig waren. Die erste Hypothek läuft über achtzigtausend, die zweite über knapp fünfzehntausend.«

»Dann bietet dir die Versicherung gerade genug an, um beide Hypotheken abzahlen zu können.«

»Im Prinzip, ja. Und wir würden mit null aus der Sache rauskommen.«

»Okay, ich mache ein paar Anrufe.«

»Was für Anrufe?«

»Anrufe, um einen Vergleich zu erreichen. Das nennt man

verhandeln, und du musst noch eine Menge lernen. Bis fünf Uhr heute Nachmittag habe ich diese Betrüger auf Trab gebracht. Wir einigen uns auf einen Vergleich, schlagen ein bisschen Bargeld für dich raus, ich bekomme ja nichts, dann machen wir Nägel mit Köpfen, was Willie und Hocutt House angeht. Und in der Zwischenzeit wirst du dem Ehrenwerten Reuben Atlee sagen, dass er dich mal kreuzweise kann.«

»Das werde ich ihm sagen?«

»Und ob du ihm das sagen wirst.«

33

Jake sagte kein einziges Wort, das man auch nur im Entferntesten als respektlos hätte bezeichnen können. Sie trafen sich an
einem windigen, aber warmen Märznachmittag auf der Veranda
und verbrachten die erste halbe Stunde damit, über Richter
Atlees zwei Söhne zu sprechen. Ray war Juraprofessor an der
University of Virginia und hatte es bis jetzt geschafft, ein fried-
liches, produktives Leben zu führen. Forrest, der jüngere, nicht.
Beide waren auf ein Internat an der Ostküste gegangen und daher nicht sehr bekannt in Clanton. Forrest hatte mit diversen
Suchtkrankheiten zu kämpfen, was seinem Vater, der in den
ersten zwanzig Minuten zwei Whiskey Sour hinunterkippte,
große Sorgen bereitete.

Jake hielt sich zurück. Als der richtige Moment gekommen
war, sagte er: »Ich glaube, unser Geschworenenpool ist voreingenommen. Der Name Lang ist Gift hier in der Gegend, und
ich vermute, dass Lettie keinen fairen Prozess bekommen wird.«

»Diesem Kerl hätte man den Führerschein entziehen sollen,
Jake. Ich habe gehört, dass Sie und Ozzie die Anklage wegen
Trunkenheit am Steuer verschleppt haben. Das gefällt mir gar
nicht.«

Jake fühlte sich getroffen und holte tief Luft. Als Chancellor
hatte Reuben Atlee keine Gerichtsgewalt über Anklagen wegen
Trunkenheit am Steuer im County, obwohl er natürlich wie immer der Ansicht war, dass sie ihn etwas angingen.

»Das ist nicht wahr«, widersprach Jake, »aber Simeon Lang wäre auch dann gefahren, wenn er keinen Führerschein mehr gehabt hätte. Ein gültiger Führerschein ist diesen Leuten nicht wichtig. Vor drei Monaten hat Ozzie an einem Freitagabend eine Straßensperre errichtet. Sechzig Prozent der Schwarzen und vierzig Prozent der Weißen hatten keinen Führerschein.«

»Ich verstehe nicht, was daran relevant sein soll«, erwiderte Richter Atlee. Jake hatte nicht die Absicht, ihn aufzuklären. »Man hat ihn im Oktober mit zu viel Alkohol am Steuer erwischt. Wenn sein Fall ordnungsgemäß bearbeitet worden wäre, hätte er keinen Führerschein mehr gehabt. Es besteht eine realistische Möglichkeit, dass er am Dienstagabend letzte Woche nicht gefahren wäre.«

»Ich bin nicht sein Anwalt. Ich bin es jetzt nicht, und damals war ich es auch nicht.«

Beide ließen die Eiswürfel in ihren Gläsern klirren und den Moment vorbeigehen. Richter Atlee trank einen Schluck und sagte: »Stellen Sie den Antrag auf Verlegung des Verhandlungsortes. Ich kann Sie nicht davon abhalten.«

»Ich möchte, dass mein Antrag ernst genommen wird. Ich habe den Eindruck, als hätten Sie Ihre Entscheidung schon vor einiger Zeit getroffen. Die Situation hat sich geändert.«

»Ich nehme alles ernst. Wir werden eine Menge erfahren, wenn wir anfangen, die Geschworenen auszusuchen. Wenn es so aussieht, als wüssten die Leute zu viel über den Fall, werde ich eine Unterbrechung anordnen, dann entscheiden wir, wie wir damit umgehen. Ich dachte, das hätte ich Ihnen schon erklärt.«

»Das haben Sie, ja, Sir.«

»Was ist eigentlich mit Ihrem Freund Stillman Rush passiert? Er hat am Montag ein Fax geschickt und mich darüber informiert, dass er nicht länger Prozessbevollmächtigter für Herschel Hubbard ist.«

»Er wurde gefeuert. Wade Lanier intrigiert seit Monaten und versucht, die Parteien, die das Testament anfechten, in seinem Lager zu versammeln. Sieht so aus, als wäre es ihm gelungen.«

»Kein großer Verlust. Ein Anwalt weniger, um den wir uns kümmern müssen. Ich fand Stillman wenig überzeugend.«

Jake biss sich auf die Zunge und brachte es fertig, nichts zu sagen. Wenn Atlee über einen anderen Anwalt herziehen wollte, war Jake gern bereit, dabei mitzumachen. Aber er hatte so eine Ahnung, dass nichts weiter gesagt werden würde, jedenfalls nicht von dem alten Richter.

»Kennen Sie diesen Arthur Welch aus Clarksdale?«, wollte Richter Atlee wissen.

»Nein, Sir. Ich weiß nur, dass er ein Freund von Harry Rex ist.«

»Wir haben heute Morgen miteinander telefoniert, und er sagt, dass er Mr. Lang auch in der Scheidungssache vertrete, obwohl es da nicht viel zu tun gebe. Er sagt, sein Mandant sei bereit, auf alle Ansprüche zu verzichten und das Ganze hinter sich zu bringen. Nicht dass das eine Rolle spielen würde. Angesichts der hohen Kaution und der Anklagen wird er nicht so schnell wieder rauskommen.«

Jake nickte zustimmend. Arthur Welch tat genau das, was Harry Rex ihm sagte, und Harry Rex informierte Jake über jeden seiner Schritte.

»Danke, dass Sie die einstweilige Verfügung unterschrieben haben«, meinte Jake. »Das hat in der Zeitung ziemlich gut ausgesehen.«

»Es scheint mir ziemlich albern zu sein, einem Mann, der im Gefängnis sitzt und für sehr lange Zeit hinter Gittern verschwinden wird, zu sagen, dass er nicht in die Nähe seiner Frau kommen soll, aber nicht alles, was ich tue, ergibt einen Sinn.«

Stimmt, dachte Jake, doch er sagte es nicht. Sie sahen zu, wie das Gras sich mit dem Wind bog und Blätter herumwirbelten.

Richter Atlee nippte an seinem Drink und dachte darüber nach, was er gerade gesagt hatte. Er wechselte das Thema. »Gibt es etwas Neues über Ancil Hubbard?«

»Nein, eigentlich nicht. Wir haben bis jetzt dreißigtausend Dollar ausgegeben und wissen immer noch nicht, ob er am Leben ist. Die Privatdetektive vermuten allerdings, dass er noch lebt, vor allem, weil sie keinen Beweis dafür finden können, dass er gestorben ist. Aber sie suchen noch.«

»Bleiben Sie dran. Es widerstrebt mir immer noch, den Prozess ohne genauere Informationen zu beginnen.«

»Wir sollten den Prozess wirklich für ein paar Monate aufschieben, während wir weiter nach Ancil suchen.«

»Und während die Leute hier über die Tragödie mit den Rostons hinwegkommen.«

»Das auch.«

»Sprechen Sie das in der Sitzung am 20. März an. Dann werden wir sehen.«

Jake holte tief Luft. »Richter Atlee, ich muss einen Geschworenenberater für den Prozess beauftragen«, sagte er dann.

»Was ist ein Geschworenenberater?«

Jake überraschte die Frage nicht. Damals, zu der Zeit, als der Richter Anwalt gewesen war, hatte es Geschworenenberater noch nicht gegeben. Und Reuben Atlee war niemand, der Trends folgte. »Ein Experte, der mehrere Aufgaben hat«, erklärte Jake. »Zunächst einmal untersucht er die Demografie des County und analysiert sie vor dem Hintergrund des Falls, um den Modellgeschworenen zu bilden. Dann führt er eine Telefonbefragung durch, bei der er Oberbegriffe, aber ähnliche Fakten verwendet, um damit die Reaktion der Öffentlichkeit zu beurteilen. Wenn wir die Namen der Geschworenen im Pool haben, führt er Hintergrundrecherchen zu sämtlichen potenziellen Geschworenen durch, mit gebührendem Abstand natürlich. Wenn der Auswahlprozess beginnt, wird er mit im Gerichtssaal sein, um den Pool zu beobachten. Diese Jungs sind ziemlich gut darin, Körpersprache und solche Dinge zu lesen. Und wenn der Prozess beginnt, sitzt er jeden Tag im Gerichtssaal, um die Geschworenen zu lesen. Er wird wissen, welchen Zeugen geglaubt wird, welchen man nicht glaubt, und zu welchem Urteil die Jury tendiert.«

»Das ist eine ganze Menge. Wie viel kostet er?«

Jake biss die Zähne zusammen und erwiderte: »Fünfzigtausend Dollar.«

»Nein.«

»Sir?«

»Nein. Ich werde Ausgaben dieser Art nicht genehmigen. Das kommt mir wie Verschwendung vor.«

»Das ist bei großen Geschworenenprozessen heutzutage praktisch Standard.«

»Ich halte ein solches Honorar für unzumutbar. Es ist Aufgabe des Anwalts, die Jury zusammenzustellen, nicht die irgendeines hochtrabenden Beraters. Zu meiner Zeit habe ich an der Herausforderung, die Gedanken und Körpersprache potenzieller Geschworener zu lesen, großen Gefallen gefunden und immer die richtigen ausgesucht. Ich hatte ein richtiges Talent dafür, wenn ich das mal so sagen darf.«

Ja, Sir. Wie in dem Fall des einäugigen Predigers.

Seinerzeit, vor etwa dreißig Jahren, wurde der junge Reuben Atlee von der First United Methodist Church in Clanton beauftragt, die Kirchengemeinde bei einer Klage zu vertreten, Diese war von einem Prediger der Pfingstbewegung angestrengt worden, der sich in der Stadt aufhielt, um die Anhänger der Bewegung bei der jährlichen Herbsterweckung anzufeuern. Zum Programm des Predigers gehörte es, große Kirchengemeinden in der Stadt zu besuchen und auf den Treppenstufen vor deren Eingang böse Geister auszutreiben. Er und eine Handvoll seiner fanatischen Anhänger behaupteten, dass diese älteren, gesetzteren Gemeinden das Wort Gottes falsch darstellten, Abtrünnige versöhnlich stimmten und als Zufluchtsort für angebliche Christen dienten, die bestenfalls kleingläubig seien. Gott habe ihm befohlen, diese Ketzer auf ihrem eigenen Terrain herauszufordern, und so fanden er und seine kleine Clique sich während der Erweckungswoche jeden Nachmittag vor den verschiedenen Kirchen zu Gebeten und Tiraden zusammen. Von den Methodisten, Presbyterianern, Baptisten und Episkopalen wurden sie größtenteils ignoriert. Vor der Kirche der Methodisten verlor der Pfingstler, während er voller Inbrunst betete und die Augen fest geschlossen hatte, das Gleichgewicht und stürzte acht Stufen einer Marmortreppe hinunter. Er wurde schwer verletzt und erlitt einen Hirnschaden. Er verlor sein rechtes Auge. Ein Jahr später (1957) verklagte er die Kirchengemeinde wegen Fahrlässigkeit. Er forderte fünfzigtausend Dollar.

Reuben Atlee war erbost über die Klage und übernahm es, die Kirchengemeinde zu verteidigen, ohne dafür ein Honorar zu verlangen. Er war ein Mann des Glaubens und sah es als seine christliche Pflicht an, ein legitimes Gotteshaus gegen eine derart infame Forderung zu verteidigen. Während der Geschworenenauswahl sagte er voller Arroganz zum Richter: »Geben Sie mir die ersten zwölf.«

Der Anwalt des Predigers war so klug einzuwilligen. Die ersten zwölf Geschworenen wurden vereidigt und in die Geschworenenbank gesetzt. Der Anwalt erbrachte den Beweis, dass die Treppe der Kirche in schlechtem Zustand und seit Jahren vernachlässigt worden war. Es habe bereits Beschwerden gegeben und so weiter. Reuben Atlee stolzierte durch den Gerichtssaal, arrogant, wütend und entrüstet darüber, dass diese Klage überhaupt angestrengt worden war. Nach zwei Tagen sprachen die Geschworenen dem Prediger vierzigtausend Dollar zu, ein Rekord für Ford County. Es war ein schwerer Rüffel für Anwalt Atlee, der noch jahrelang mit der Geschichte aufgezogen wurde, bis er selbst zum Richter gewählt wurde.

Später kam heraus, dass fünf der ersten zwölf Geschworenen ebenfalls der Pfingstvereinigung angehörten, die dafür bekannt war, zu ihresgleichen zu halten und schnell beleidigt zu sein. Dreißig Jahre später murmelten Anwälte häufig im Scherz »Geben Sie mir die ersten zwölf«, wenn sie sich den Pool potenzieller Geschworener ansahen, die gespannt im großen Gerichtssaal Platz genommen hatten.

Der einäugige Prediger wurde später in den Senat Mississippis gewählt, trotz Gehirnschaden und so.

»Ich bin sicher, dass Wade Lanier einen Geschworenenberater haben wird«, wandte Jake ein. »Er arbeitet ständig mit ihnen. Ich versuche doch nur, für Chancengleichheit zu sorgen.«

»Hatten Sie beim Hailey-Prozess einen Geschworenenberater?«, wollte Richter Atlee wissen.

»Nein, Sir. Für diesen Prozess habe ich neunhundert Dollar bekommen. Als er vorbei war, konnte ich nicht mal mehr meine Telefonrechnung bezahlen.«

»Aber gewonnen haben Sie trotzdem. So langsam mache ich mir Sorgen über die Kosten für die Nachlassverwaltung und die Prozessführung.«

»Im Nachlass sind vierundzwanzig Millionen. Wir haben noch nicht einmal ein Prozent davon ausgegeben.«

»Ja, aber bei dem Tempo, das Sie vorlegen, wird es nicht mehr lange dauern.«

»Ich stelle keine überhöhten Rechnungen, wenn Sie das meinen.«

»Jake, Ihr Honorar zweifle ich nicht an. Aber wir haben für Buchprüfer, Sachverständige, Quince Lundy, Sie, Privatdetektive und Gerichtsstenografen bezahlt, und jetzt bezahlen wir Sachverständige, die vor Gericht aussagen sollen. Mir ist klar, dass wir das alles nur tun, weil Seth Hubbard so unklug war, dieses Testament zu schreiben, obwohl er wusste, dass es deshalb eine hässliche Auseinandersetzung geben würde. Trotzdem haben wir die Pflicht, seinen Nachlass zu schützen.« Der Richter hörte sich an, als müsste er das Geld aus der eigenen Tasche zahlen. Er klang ausgesprochen zugeknöpft, und Jake musste an Harry Rex' Warnung denken.

Er holte tief Luft und ließ die Bemerkung unkommentiert. Nach zwei Niederlagen – keine Verlegung des Verhandlungsortes, kein Geschworenenberater – beschloss er, den Richter nicht weiter zu drängen; irgendwann würde er es noch einmal versuchen. Es war ohnehin egal. Richter Atlee fing plötzlich zu schnarchen an.

Boaz Rinds lebte in einem tristen, heruntergekommenen Pflegeheim am Nord-Süd-Highway, der durch die kleine Stadt Pell City in Alabama führte. Nach einer vierstündigen Fahrt mit einigen Umwegen, falschen Abzweigungen und Sackgassen fanden Portia und Lettie das Heim an einem Samstag kurz nach Mittag. Nachdem Charley Pardue mit entfernten Verwandten in Chicago gesprochen hatte, war es ihm gelungen, Boaz aufzuspüren. Charley bemühte sich sehr, mit seiner neuen Lieblingscousine in Kontakt zu bleiben. Die Gewinnaussichten für das Bestattungsinstitut wurden von Woche zu Woche größer, und bald würde es an der Zeit sein zuzuschlagen.

Boaz war bei schlechter Gesundheit und konnte kaum noch hören. Er saß in einem Rollstuhl, den er aber nicht selbst bewegen konnte. Ein Pfleger schob ihn nach draußen auf eine Terrasse mit Betonboden und ließ ihn dort stehen, damit die beiden Damen ihn befragen konnten. Boaz war froh, Besuch zu haben. An dem Samstag schien niemand mehr zu kommen. Er sagte, er sei »etwa« 1920 als Sohn von Rebecca und Monroe Rinds geboren worden, irgendwo in der Nähe von Tupelo. Das würde bedeuten, dass er um die achtundsechzig war, was sie schockierte. Er sah erheblich älter aus, mit schneeweißen Haaren und zahlreichen Falten um die glasigen Augen. Er sagte, er habe Herzprobleme und sei früher Kettenraucher gewesen.

Portia erklärte, dass sie und ihre Mutter versuchten, den Stammbaum der Familie zusammenzustellen, und dass sie vielleicht mit ihm verwandt seien. Das brachte ein Lächeln auf seine Lippen, bei dem deutlich wurde, dass ihm mehrere Zähne fehlten. Portia wusste, dass es in Ford County keinen Nachweis über die Geburt eines Boaz Rinds gab, aber inzwischen wusste sie auch, wie lückenhaft die Aufzeichnungen geführt worden waren. Er sagte, er habe zwei Söhne, beide tot, und seine Frau sei schon vor Jahren gestorben. Falls er Enkelkinder habe, wisse er nichts davon. Niemand komme ihn je besuchen. So wie das Pflegeheim aussah, war Boaz nicht der einzige Bewohner, der hier vergessen wurde.

Er sprach langsam und hörte gelegentlich auf zu reden, um sich an der Stirn zu kratzen, während er versuchte, sich zu erinnern. Nach zehn Minuten war klar, dass er an irgendeiner Form von Demenz litt. Sein Leben war hart, fast brutal gewesen. Seine Eltern waren Landarbeiter gewesen, die durch Mississippi und Alabama zogen und ihre große Familie – sieben Kinder – von einem Baumwollfeld zum nächsten schleppten. Er erinnerte sich daran, schon mit fünf Jahren Baumwolle gepflückt zu haben. Er ging nie zur Schule, und die Familie blieb nie lange an einem Ort. Sie lebten in Hütten und Zelten, und Hunger war nichts Ungewöhnliches. Sein Vater starb jung und wurde hinter einer Kirche der Schwarzen in der Nähe von Selma begraben. Seine Mutter fing etwas mit einem Mann an, der die Kinder schlug. Boaz und einer seiner Brüder rissen aus und kehrten nie zurück.

Portia machte sich Notizen, während Lettie versuchte, das Gespräch durch Fragen am Laufen zu halten. Boaz genoss die Aufmerksamkeit. An die Namen seiner Großeltern konnte er sich nicht erinnern, und er wusste auch nichts über sie. Er glaubte, dass sie in Mississippi gelebt hatten. Lettie nannte ihm ein paar Namen, alle aus der Familie Rinds. Boaz grinste und nickte jedes Mal, dann gab er zu, dass er die Person nicht kannte. Aber als sie »Sylvester Rinds« sagte, hörte er gar nicht mehr auf zu nicken. »Das war mein Onkel. Sylvester Rinds. Er und mein Daddy waren Cousins«, meinte er schließlich.

Sylvester war 1898 geboren worden und 1930 gestorben. Er war der Besitzer der dreißig Hektar gewesen, die später von seiner Frau auf Cleon Hubbard, den Vater von Seth, überschrieben wurden.

Wenn Monroe Rinds, Vater von Boaz, ein Cousin von Sylvester war, konnte er genau genommen kein richtiger Onkel von Boaz sein. Aber angesichts der verschlungenen Verwandtschaftsverhältnisse im Stammbaum der Rinds hatten sie nicht die Absicht, den alten Mann zu korrigieren. Sie waren viel zu begeistert davon, diese Information zu bekommen. Lettie glaubte inzwischen, dass ihre biologische Mutter Lois Rinds war, die Tochter von Sylvester, und wollte das unbedingt beweisen. »Sylvester besaß ein Stück Land, nicht wahr?«, fragte sie.

Das übliche Nicken, dann ein Lächeln. »Scheint so, als hätte er Land gehabt. Ja, ich glaube schon.«

»Haben Sie und Ihre Familie jemals auf diesem Land gelebt?«

Boaz kratzte sich an der Stirn. »Ich glaube, ja, als ich ein kleiner Junge war. Jetzt erinnere ich mich. Ich habe Baumwolle auf dem Land meines Onkels gepflückt. Jetzt weiß ich es wieder. Und dann gab es Streit, weil er uns nicht für die Baumwolle bezahlen wollte.« Er fuhr sich über die Lippen und murmelte etwas.

»Es gab also eine Meinungsverschiedenheit. Und was ist dann passiert«?, fragte Lettie.

»Wir sind weggegangen, zu einer anderen Farm. Ich weiß nicht mehr, wohin. Es waren so viele.«

»Wissen Sie noch, ob Sylvester Kinder hatte?«

»Jeder hatte Kinder.«

»Können Sie sich an Sylvesters Kinder erinnern?«

Boaz kratzte sich und dachte so angestrengt nach, dass er einnickte. Als den beiden Frauen klar wurde, dass er schlief, rüttelte Lettie sanft an seinem Arm. »Boaz, können Sie sich erinnern, ob Sylvester Kinder hatte?«, fragte sie.

»Schieben Sie mich da rüber, in die Sonne«, bat er, während er auf eine Stelle auf der Terrasse wies, die nicht im Schatten lag. Sie rollten ihn hinüber und holten ihre Gartenstühle. Er saß so aufrecht wie möglich in seinem Rollstuhl, sah nach oben zur Sonne und schloss die Augen. Sie warteten. »Davon weiß ich nichts, Benson«, murmelte er schließlich.

»Wer war Benson?«

»Der Mann, der uns geschlagen hat.«

»Können Sie sich an ein kleines Mädchen namens Lois erinnern? Lois Rinds?«

Er sah Lettie an. »Ja. Jetzt erinnere ich mich an sie«, erwiderte er klar und deutlich. »Sie war Sylvesters kleines Mädchen, und ihnen gehörte das Land. Lois. Die kleine Lois. Es war nicht üblich, dass Farbige Land besaßen, aber jetzt erinnere ich mich. Zuerst war alles gut, aber dann gab es Streit.«

»Ich glaube, Lois war meine Mutter«, sagte Lettie.

»Sie wissen es nicht?«

»Nein, ich weiß es nicht. Sie starb, als ich drei war, und jemand anders hat mich adoptiert. Aber ich bin eine Rinds.«

»Ich auch. Immer gewesen«, meinte er, und sie lachten. Dann wirkte er plötzlich traurig. »Jetzt ist nicht mehr viel von der Familie übrig. Ist in alle Winde zerstreut.«

»Was ist mit Sylvester passiert?«, fragte Lettie.

Boaz verzog das Gesicht und verlagerte sein Gewicht, als hätte er große Schmerzen. Ein paar Minuten lang atmete er schwer und schien die Frage vergessen zu haben. Er starrte die beiden Frauen an, als hätte er sie noch nie gesehen, und wischte sich die Nase am Hemdsärmel ab. Dann kehrte er in die Gegenwart zurück. »Wir sind weggegangen. Ich weiß nicht. Später habe ich gehört, dass etwas passiert ist.«

»Und was?« Portias Stift bewegte sich nicht.

»Sie haben ihn getötet.«

»Wer hat ihn getötet?«

»Weiße.«

»Warum haben sie ihn getötet?«

Wieder schienen seine Gedanken abzuschweifen, als hätte er die Frage gar nicht gehört. Dann: »Ich weiß nicht. Wir waren schon weg. Jetzt kann ich mich wieder an Lois erinnern. Ein süßes kleines Mädchen. Benson war der Mann, der uns geschlagen hat.«

Portia fragte sich, ob sie jetzt noch etwas glauben konnten. Seine Augen waren geschlossen, seine Ohren zuckten, als hätte er einen Krampfanfall. »Benson, Benson«, wiederholte er.

»Und Benson hat Ihre Mutter geheiratet«?, fragte Lettie leise.

»Wir haben nur gehört, dass ein paar Weiße ihn getötet haben.«

34

Jake war mitten in einem ziemlich produktiven Morgen, als er das unverkennbare Geräusch von Harry Rex' riesigen Schuhen hörte, die sich auf der bereits ziemlich mitgenommenen Treppe nach oben bewegten. Er holte tief Luft, wartete und sah dann zu, wie seine Tür ohne jeglichen Ansatz eines höflichen Klopfens aufgestoßen wurde. »Guten Morgen, Harry Rex«, sagte er.

»Hast du schon mal was von den Whitesides drüben am See gehört?«, fragte Harry Rex, während er sich schwer atmend auf einen Stuhl fallen ließ.

»Vage. Warum …«

»So einem verrückten Haufen bin ich noch nie über den Weg gelaufen, alle komplett durchgeknallt. Letztes Wochenende hat Mr. Whiteside seine Frau im Bett erwischt, mit einem ihrer Schwiegersöhne, das macht dann gleich zwei Scheidungen auf einmal. Davor hat eine der Töchter die Scheidung eingereicht, die habe ich auch vertreten. Jetzt habe ich also …«

»Harry Rex, bitte. Es ist mir wirklich egal.« Jake wusste, dass es ewig so weitergehen konnte.

»Was soll ich denn machen? Ich bin hier, weil sie jetzt alle in meiner Kanzlei sind und sich gegenseitig an die Kehle springen. Ich musste sogar die Polizei rufen. Ich habe meine Mandanten satt, alle miteinander.« Er wischte sich mit dem Hemdsärmel über die Stirn. »Hast du ein Bud Light?«

»Nein. Ich habe Kaffee.«

»Das ist das Letzte, was ich jetzt gebrauchen kann. Ich muss heute Morgen mit der Versicherung reden. Sie bieten dir einhundertfünfunddreißig an. Du akzeptierst das, okay? Sofort.«

Jake, der es für einen Witz hielt, hätte fast gelacht. Seit zwei Jahren hatte die Versicherung auf ihren hunderttausend beharrt. »Ist das dein Ernst?«

»Ja, das ist mein Ernst, lieber Mandant. Nimm das Geld. Meine Sekretärin tippt gerade die Vergleichsvereinbarung. Sie bringt sie bis Mittag vorbei. Du nimmst die Papiere, lässt Carla auch unterschreiben und bringst das verdammte Ding wieder in meine Kanzlei. Okay?«

»Okay. Wie hast du das geschafft?«

»Jake, mein Junge, ich erklär dir jetzt mal, wo du Mist gebaut hast. Du hast die Klage gegen die Versicherung am Circuit Court eingereicht und eine Jury verlangt, weil sich dein Ego nach dem Hailey-Prozess ins Unermessliche aufgeblasen hat und du dir eingebildet hast, jede Versicherung würde vor Angst schlottern, wenn sie es mit dir, dem großen Jake Brigance, vor einer Jury in Ford County zu tun bekommt. Ich habe es gesehen. Andere haben es gesehen. Du hast auf Strafschadensersatz geklagt und gedacht, du würdest ein hübsches Sümmchen von den Geschworenen bekommen, richtig viel Geld machen und auf der zivilrechtlichen Seite auch noch einen Homerun hinlegen. Ich kenne dich, und ich weiß, dass du das gedacht hast, du brauchst es gar nicht abzustreiten. Als die Versicherung nicht einmal mit der Wimper gezuckt hat, haben sich die beiden Seiten in ihre Schützengräben eingebuddelt, das Ganze wurde persönlich, und die Jahre gingen dahin. Der Fall brauchte ein frisches Augenpaar, und er brauchte jemanden wie mich, der weiß, wie Versicherungen denken. Außerdem habe ich ihnen gesagt, dass ich die Klage am Circuit Court zurückziehen und am Chancery Court erneut einreichen würde, wo ich praktisch die Kontrolle über die Prozessliste und alles andere habe. Bei der Vorstellung, mir im Chancery Court gegenüberzustehen, in diesem County, graust es anderen Anwälten. Es ging eine Weile hin und her, aber irgendwann hatte ich sie dann bei einhundertfünfunddreißig. Du wirst mit etwa vierzigtausend aus der Sache rauskommen, kein Honorar für mich, das war der Deal, damit bist du wieder auf den Beinen. Ich werde Willie anrufen und ihm sagen, dass du und Carla bereit seid, zweihundertfünfzigtausend für Hocutt House zu zahlen.«

»Nicht so schnell, Harry Rex. Mit vierzig Riesen in der Tasche bin ich noch lange nicht reich.«

»Komm mir nicht mit dem Scheiß, Jake. Du erleichterst den Nachlass um dreißigtausend pro Monat.«

»Nicht ganz, und der Rest meiner Kanzlei löst sich dabei in Nichts auf. Ich werde ein Jahr brauchen, um mich von diesem Fall zu erholen. Bei Hailey war es genauso.«

»Aber dieses Mal wirst du wenigstens bezahlt.«

»Das werde ich, und ich weiß es wirklich zu schätzen, dass du deine erstaunlichen Fähigkeiten dafür eingesetzt hast, meinen Fall zum Abschluss zu bringen. Danke, Harry Rex. Ich werde die Papiere heute Nachmittag noch unterschreiben. Und ich würde mich wohler fühlen, wenn du ein Honorar dafür nehmen würdest. Ein kleines.«

»Nicht wenn es um einen Freund geht, und ein kleines schon mal gar nicht. Wenn es um ein großes Honorar ginge, würde ich sagen, scheiß auf die Freundschaft. Außerdem kann ich in diesem Quartal nicht noch mehr Einnahmen machen. Ich will keinen Alarm beim Finanzamt auslösen, sonst schicken sie mir schon wieder einen Steuerprüfer. Das geht auf mich. Was soll ich Willie sagen?«

»Sag ihm, er soll noch mal mit dem Preis runtergehen.«

»Er ist übers Wochenende hier. Am Samstagnachmittag gibt

er wieder eine Gin-Tonic-Party. Er hat gesagt, ich soll dich und Carla einladen. Kommt ihr?«

»Ich muss erst die Chefin fragen.«

Harry Rex wuchtete sich hoch und marschierte zur Tür. »Wir sehen uns am Samstag.«

»Ja, klar. Danke noch mal, Harry Rex.«

»Keine Ursache.« Er knallte die Tür hinter sich zu, und Jake musste schmunzeln. Was für eine Erleichterung, dass der Prozess mit der Versicherung endlich zu Ende war. Jetzt konnte er eine ziemlich dicke und deprimierende Fischakte schließen, zwei Hypotheken abzahlen, sich die Banken vom Hals schaffen und ein bisschen Bargeld in die Tasche stecken. Ihr altes Haus würden er und Carla nie ersetzen können, aber das war schließlich bei jedem größeren Brandschaden so. Sie waren nicht die Einzigen, die bei einem Unglück alles verloren hatten. Endlich konnten sie alles hinter sich lassen und mit der Vergangenheit abschließen.

Fünf Minuten später klopfte Portia an die Tür. Sie wollte Jake etwas zeigen, aber dazu mussten sie sich kurz ins Auto setzen.

Gegen Mittag verließen sie die Kanzlei, fuhren über die Bahngleise und durchquerten Lowtown, den schwarzen Teil der Stadt. Dahinter, ganz im Osten von Clanton, lag Burley, die alte Grund- und Mittelschule der Schwarzen, die 1969 nach Aufhebung der Rassentrennung geschlossen worden war. Kurze Zeit später wurde sie vom County zurückverlangt, auf Vordermann gebracht und als Lager und Archiv verwendet. Die Schule bildete einen Komplex aus vier großen, barackenähnlichen Gebäuden mit hellem Holz und Blechdächern. Auf dem Parkplatz standen die Autos von County-Angestellten. Hinter der Schule befand sich eine große Scheune, in der Kipplaster und größere Maschinen untergestellt waren. East, die schwarze Highschool, lag direkt gegenüber auf der anderen Straßenseite.

Jake kannte viele Schwarze, die in Burley zur Schule gegangen waren. Sie waren ausnahmslos dankbar für ein allen Hautfarben zugängliches Schulsystem, trotzdem dachten sie mit einer gewissen Wehmut an die alte Schule und die alten Gewohnheiten zurück. Die Schwarzen bekamen die Reste, die abgenutzten Pulte, Bücher, Wandtafeln, Schreibmaschinen, Aktenschränke, Sportausrüstungen, Musikinstrumente, alles. Nichts war neu, alles war von den weißen Schulen in Ford County aussortiert worden. Die weißen Lehrer verdienten weniger als die in jedem anderen Bundesstaat, und die schwarzen Lehrer bekamen nur einen Bruchteil davon. Es gab nicht einmal genug Geld für ein einziges gutes Schulsystem, aber über Jahrzehnte versuchte das County, wie überall sonst zwei Systeme zu unterhalten. Getrennt, aber gleich war eine grausame Farce. Trotz der erheblichen Nachteile waren die, die in Burley zur Schule gehen konnten, stolz darauf. Die Chancen standen schlecht für sie, daher waren Erfolge umso aufregender. Gelegentlich schaffte es ein Schüler, seinen Abschluss am College zu machen, dann wurde er oder sie zum Vorbild für die jüngere Generation.

»Sie sagten, Sie seien schon mal hier gewesen«, meinte Portia, als sie die Treppe nach oben gingen, in den Teil des Gebäudes, in dem früher die Verwaltung untergebracht gewesen war.

»Ja, einmal, in meinem ersten Jahr in Luciens Kanzlei. Er hatte mir den Auftrag gegeben, irgendwelche alten Gerichtsdokumente zu finden. Ich habe auf ganzer Linie versagt.«

Sie erreichten den ersten Stock. Portia wusste genau, wo sie hinmussten, und Jake folgte ihr. Die Klassenzimmer waren jetzt mit Aktenschränken aus Armeebeständen vollgestopft, in denen alte Steuerunterlagen und Liegenschaftsbewertungen aufbewahrt wurden. Alles Altpapier, dachte Jake bei sich, als er die Indexangaben auf den Schubladen las. Ein Raum enthielt alte Kraftfahrzeugzulassungen, in einem anderen wurden alte Ausgaben von Lokalzeitungen archiviert. Und so ging es endlos weiter. Was für eine Verschwendung von Platz und Arbeitskräften.

In einem dunklen, fensterlosen Raum, der ebenfalls mit Aktenschränken vollgestellt war, schaltete Portia das Licht ein. Dann holte sie ein schweres Buch von einem der Regale und legte es vorsichtig auf den Tisch. Es war in dunkelgrünes Leder gebunden, das nach Jahrzehnten des Alterns und der Vernachlässigung von tiefen Rissen durchzogen war. In der Mitte stand ein einziges Wort: PROZESSLISTE.

»Das sind Prozesslisten aus den 1920ern, genauer gesagt von August 1927 bis Oktober 1928«, erklärte Portia. Sie schlug es langsam auf und begann, die vergilbten, fast brüchigen Seiten mit großer Sorgfalt umzublättern. »Chancery Court«, sagte sie wie eine Kuratorin in einem Museum, die ihre Schätze präsentiert.

»Wie viel Zeit haben Sie hier verbracht?«, fragte Jake.

»Ich weiß es nicht. Stunden. Das Archiv fasziniert mich, Jake. An der Geschichte des Justizsystems lässt sich die Geschichte des County ablesen.« Sie blätterte noch einige Seiten um, bis sie gefunden hatte, wonach sie suchte. »Hier ist es. Juni 1928, vor sechzig Jahren.« Jake beugte sich vor, um besser sehen zu können. Alle Einträge waren mit der Hand geschrieben, die Tinte fast verblasst. Portia fuhr mit dem Zeigefinger eine Spalte hinunter. »Am 4. Juni 1928«, sagte sie. Dann bewegte sich ihr Zeigefinger nach rechts, in die nächste Spalte. »Der Kläger, ein Mann namens Cleon Hubbard, reichte Klage ein.« Der Finger ging in die nächste Spalte. »Der Beklagte war ein Mann namens Sylvester Rinds.« Der Finger ging in die nächste Spalte. »Die Klage wurde lediglich als Liegenschaftsstreit beschrieben. In der nächsten Spalte steht der Anwalt. Cleon Hubbard wurde von Robert E. Lee Wilbanks vertreten.«

»Das ist Luciens Großvater«, erwiderte Jake. Beide standen über das Buch gebeugt da, Schulter an Schulter. »Und der Beklagte wurde von Lamar Thisdale vertreten.«

»Thisdale ist seit dreißig Jahren tot. Auf Testamenten und Urkunden sieht man seinen Namen immer noch. Wo ist die Akte dazu?«, fragte Jake, während er einen Schritt zurücktrat.

Portia richtete sich auf. »Ich kann sie nicht finden.« Sie zeigte auf den Raum. »Wenn es sie gibt, müsste sie hier sein, aber ich habe überall gesucht. Bei sämtlichen Unterlagen gibt es Lücken, und ich vermute, es liegt daran, dass das Gerichtsgebäude abgebrannt ist.«

Jake lehnte sich an einen Aktenschrank und überlegte. »Dann haben die beiden 1928 also um ein Stück Land gestritten.«

»Ja, und man kann mit Sicherheit sagen, dass es die dreißig Hektar waren, die Seth zum Zeitpunkt seines Todes besessen hat. Aus Luciens Recherchen wissen wir, dass Sylvester zu der Zeit nicht noch mehr Land besessen hat. Cleon Hubbard hat das Grundstück 1930 übernommen, und seitdem war es im Besitz der Familie Hubbard.«

»Und die Tatsache, dass Sylvester das Land 1930 noch besessen hat, ist ein ziemlich eindeutiger Beweis dafür, dass er den Prozess von 1928 gewonnen hat. Denn sonst wäre es schon im Besitz von Cleon Hubbard gewesen.«

»Und genau das wollte ich Sie fragen. Sie sind der Anwalt. Ich bin nur die kleine Sekretärin.«

»Sie werden Anwältin sein, Portia. Ich bin nicht sicher, ob Sie dazu überhaupt noch studieren müssen. Gehen Sie davon aus, dass Sylvester Ihr Urgroßvater war?«

»Na ja, meine Mutter ist inzwischen fest davon überzeugt, dass er ihr Großvater war, dass sein einziges Kind Lois war und

Lois ihre Mutter. Das würde den alten Herrn zu meinem Urgroß-vater machen. Nicht dass wir uns besonders nahe gewesen wären oder so.«

»Haben Sie Lucien erzählt, was seine Vorfahren getan haben?«

»Nein. Soll ich? Aber warum? Es war nicht seine Schuld. Er war noch nicht mal geboren.«

»Ich würde es tun, nur um ihn zu quälen. Er würde sich be-schissen fühlen, wenn er wüsste, dass seine Familie den alten Hubbard vertreten und verloren hat.«

»Jake, bitte. Sie wissen, dass Lucien seine Familie und ihre Geschichte hasst.«

»Ja, aber gegen das Familienvermögen hatte er nichts einzu-wenden. Ich würde es ihm sagen.«

»Glauben Sie, dass es in der Kanzlei der Wilbanks noch alte Unterlagen gibt?«

Jake stöhnte, musste dann aber lächeln. »Ich bezweifle, dass sie sechzig Jahre zurückreichen. Auf dem Dachboden liegt eine Menge rum, aber so alt ist nichts davon. Anwälte werfen grund-sätzlich nichts weg, aber im Laufe der Zeit verschwinden immer mal wieder ein paar Dokumente.«

»Kann ich mir den Dachboden ansehen?«

»Ich habe nichts dagegen. Nach was suchen Sie?«

»Nach der Akte, nach irgendetwas, das mir einen Hinweis liefern könnte. Es ist ziemlich sicher, dass es wegen der dreißig Hektar Streit gegeben hat, aber was steckte dahinter? Und was ist mit der Klage passiert? Wie konnte ein Schwarzer in den 1920ern in Mississippi einen Prozess gewinnen, in dem es um ein Stück Land ging? Denken Sie doch mal drüber nach, Jake. Ein weißer Landbesitzer beauftragt die größte Anwaltskanzlei in der Stadt, die über Macht und Beziehungen verfügt, einen armen Schwarzen wegen eines Liegenschaftsstreits zu verkla-gen. Und der Schwarze gewinnt. Jedenfalls sieht es so aus.«

»Vielleicht hat er ja gar nicht gewonnen. Vielleicht war die Klage noch anhängig, als Sylvester starb.«

»Genau das ist es, Jake. Das muss ich herausfinden.«

»Viel Glück. Ich würde Lucien alles erzählen und ihn um Hilfe bitten. Er wird seine Vorfahren verfluchen, aber das tut er sowieso fast jeden Tag noch vor dem Frühstück. Er wird schon darüber hinwegkommen. Seine Ahnen haben weitaus Schlimmeres angerichtet.«

»Großartig. Ich sag's ihm, und dann fange ich heute Nachmittag damit an, den Dachboden zu durchsuchen.«

»Nehmen Sie sich in Acht. Ich gehe einmal im Jahr da hoch, aber nur, wenn es unbedingt sein muss. Ich bezweifle ernsthaft, dass Sie etwas finden werden.«

»Das werden wir ja sehen.«

Lucien trug es mit Fassung. Er ließ sich mit einer der üblichen, mit wüsten Schimpfwörtern gespickten Tiraden über seine Herkunft aus, schien aber durch die Tatsache besänftigt zu werden, dass sein Großvater die Klage gegen Sylvester Rinds verloren hatte. Ohne dass ihn jemand dazu aufgefordert hätte, fing er an, in seine Familiengeschichte abzutauchen, und erklärte Portia und – im Laufe des Nachmittags manchmal auch Jake –, dass Robert E. Lee Wilbanks kurz nach dem Bürgerkrieg geboren worden und die meiste Zeit seines Lebens in dem Glauben gewesen sei, die Sklaverei werde zurückkommen. Der Familie gelang es, die Spekulanten aus dem Norden von ihrem Land fernzuhalten, und Robert – das musste man ihm lassen – schaffte es, eine Dynastie aufzubauen, die Banken, Eisenbahnen, Politik und eine Anwaltskanzlei umfasste. Er war ein schroffer, unangenehmer Mensch gewesen, und als Kind hatte Lucien sich vor ihm gefürchtet. Aber auch dem Teufel musste man sein Recht lassen. Das stattliche Haus, das Lucien jetzt sein Eigen nannte, war von seinem lieben alten Großvater gebaut und in der Familie weitervererbt worden.

Nach Stunden gingen sie zusammen auf den Dachboden und vergruben sich noch tiefer in die Geschichte von Luciens Familie. Jake beteiligte sich eine Weile an der Suche, aber bald wurde ihm klar, dass es Zeitverschwendung war. Die Akten gingen bis 1965 zurück, das Jahr, in dem Lucien die Kanzlei geerbt hatte, nachdem sein Vater und sein Onkel bei einem Flugzeugabsturz ums Leben gekommen waren. Irgendjemand, vermutlich Ethel Twitty, die legendäre Sekretärin, hatte aufgeräumt und alle älteren Aufzeichnungen entsorgt.

35

Zwei Wochen vor dem offiziellen Beginn des Krieges kamen die Anwälte und ihre Mitarbeiter im großen Gerichtssaal zu einer Vorverhandlung zusammen. Solche Treffen waren früher gänzlich unbekannt gewesen, doch nach den moderneren Regeln der Kriegsführung vorgeschrieben. Anwälte wie Wade Lanier, die andauernd zivilrechtliche Klagen vertraten, kannten sich mit den Strategien und Nuancen von Vorverhandlungen aus. Jake weniger. Reuben Atlee hatte noch nie den Vorsitz bei einer Vorverhandlung geführt, obwohl er das natürlich nicht zugegeben hätte. Für ihn und seinen Chancery Court war ein großer Prozess dasselbe wie eine hässliche Scheidung, bei der es um viel Geld ging. Solche Scheidungen waren selten, und er wickelte sie auf die gleiche Art und Weise ab wie alle Scheidungen in den letzten dreißig Jahren, moderne Regeln hin oder her.

Kritiker der neuen Regeln für Offenlegung und Prozessablauf beklagten, die Vorverhandlung sei lediglich so etwas wie eine Generalprobe für den eigentlichen Prozess und zwinge die Anwälte dazu, sich zweimal vorzubereiten. Sie sei zeitaufwendig, teuer, lästig und außerdem restriktiv. Dokumente, Themen oder Zeugen, die bei der Vorverhandlung nicht ordnungsgemäß erwähnt wurden, konnten im eigentlichen Prozess nicht verwendet werden. Ältere Anwälte wie Lucien, die mit schmutzigen Tricks und Überraschungen arbeiteten, hassten die neuen Regeln, weil sie für Fairness und Transparenz sorgen sollten.

»Bei einem Prozess geht es nicht um Fairness, Jake, bei einem Prozess geht es darum zu gewinnen«, hatte er schon tausendmal gesagt.

Richter Atlee war ebenfalls nicht sonderlich begeistert von den neuen Regeln, aber er war dazu verpflichtet, sie zu befolgen. Um zehn Uhr am Montag, dem 20. März, scheuchte er die Handvoll Zuschauer aus dem Gerichtssaal und wies den Gerichtsdiener an, die Tür zu verriegeln. Es war keine öffentliche Anhörung.

Während es sich die Anwälte auf ihren Plätzen gemütlich machten, ging Lester Chilcott, Laniers Kollege, zu Jakes Tisch und legte ein paar Unterlagen vor ihn hin. »Aktualisierte Offenlegung«, sagte er, als wäre alles reine Routine. Während Jake sich die Unterlagen ansah, rief Richter Atlee die Anwesenden zur Ordnung und sah sich die Gesichter an, um sicherzustellen, dass alle Anwälte da waren. »Mr. Stillman Rush fehlt noch«, murmelte er in sein Mikrofon.

Jakes Überraschung schlug rasch in Ärger um. In einem Abschnitt des Dokuments, in dem alle potenziellen Zeugen aufgeführt wurden, hatte Lanier die Namen von fünfundvierzig Leuten angegeben. Den Adressen nach wohnten sie überall verstreut im Südosten des Landes, vier von ihnen sogar in Mexiko. Jake kam nur eine Handvoll Namen bekannt vor; einige der Leute hatten während der Offenlegung Zeugenaussagen gemacht. Jemanden mit Informationen vollzuschütten war ein durchaus üblicher schmutziger Trick, den große Unternehmen und Versicherungsgesellschaften perfektioniert hatten. Sie und ihre Anwälte hielten Dokumente, die unter die Offenlegung fielen, bis zum letztmöglichen Moment zurück. Kurz vor dem Prozess wurden dem Anwalt der Gegenseite dann Dokumente mit mehreren Tausend Seiten zugestellt, wohl wissend, dass es ihm und seinen Mitarbeitern nicht mehr gelingen würde, sie rechtzeitig durchzuarbeiten. Wade Lanier hatte gerade einen Überraschungszeugen präsentiert – ein naher Verwandter des Dokumententricks. Die Namen von potenziellen Zeugen wurden bis zum letzten Moment zurückgehalten, und dann versteckte man den Überraschungszeugen zwischen einer ganzen Reihe überflüssiger potenzieller Zeugen, um den Gegner zu verwirren.

Der Gegner kochte vor Wut, hatte aber plötzlich Dringenderes zu tun. »Mr. Brigance«, sprach Richter Atlee ihn an, »Sie haben zwei anhängige Anträge, einen auf Verlegung des Verhandlungsortes, einen auf Vertagung des Prozesses. Ich habe Ihre Schriftsätze und die Erwiderung der anfechtenden Parteien gelesen und gehe davon aus, dass Sie diesen Anträgen nichts hinzuzufügen haben.«

Jake erhob sich und war so klug, »Nein, Sir, ich habe nichts hinzuzufügen« zu sagen.

»Behalten Sie bitte Platz, meine Herren. Das ist eine Vorverhandlung, keine formelle Anhörung. Kann ich ferner davon ausgehen, dass es bei der Suche nach Ancil Hubbard keine Fortschritte gegeben hat?«

»Ja, Sir, Sie können davon ausgehen, allerdings könnte es durchaus sein, dass wir Fortschritte machen, wenn wir etwas mehr Zeit haben.«

Wade Lanier erhob sich. »Euer Ehren, darauf würde ich gern antworten. Die Anwesenheit oder Abwesenheit von Ancil Hubbard ist in dieser Sache nicht von Belang. Die Fragestellung läuft auf das hinaus, was wir erwartet haben, auf das, was bei der Anfechtung eines Testaments immer eine Rolle spielt: Geisteszustand, Testierfähigkeit und unzulässige Beeinflussung. Ancil, falls er überhaupt noch am Leben ist, hat seinen Bruder Seth vor dessen Selbstmord Jahrzehnte nicht gesehen. Daher kann er unmöglich aussagen, wie oder was sein Bruder gedacht hat. Wir sollten daher wie geplant fortfahren. Wenn die Geschworenen zugunsten des handschriftlichen Testaments urteilen, werden Mr. Brigance und der Nachlass viel Zeit haben, um nach Ancil zu suchen und ihm hoffentlich seine fünf Prozent zu geben. Aber wenn die Geschworenen das handschriftliche Testament für ungültig erklären, ist Ancil selbst ohne jede Relevanz, weil er in dem vorherigen Testament nicht erwähnt wird. Wir sollten weitermachen, Euer Ehren. Sie haben den Prozessbeginn vor vielen Monaten auf den 3. April festgelegt, und es gibt keinen guten Grund dafür, nicht wie geplant fortzufahren.«

Lanier wirkte nicht überheblich, sondern hemdsärmelig und überzeugend. Jake wusste bereits, dass der Mann mühelos aus dem Stegreif plädieren und jeden von so gut wie allem überzeugen konnte.

»Dem stimme ich zu«, erwiderte Richter Atlee barsch. »Der Prozess wird wie vorgesehen am 3. April beginnen. Hier, in diesem Gerichtssaal. Bitte setzen Sie sich, Mr. Lanier.«

Jake schrieb mit und wartete auf die nächste Erörterung. Richter Atlee warf einen Blick auf seine Notizen und rückte die Lesebrille zurecht. »Auf der Seite der Partei, die das Testament angefochten hat, zähle ich sechs Anwälte. Mr. Lanier ist der Hauptanwalt für die Kinder von Seth Hubbard, Ramona Dafoe und Herschel Hubbard. Mr. Zeitler ist der Hauptanwalt für die beiden Kinder von Herschel Hubbard. Mr. Hunt ist der Hauptanwalt für die beiden Kinder von Ramona Dafoe. Die übrigen Anwesenden sind Mitarbeiter der genannten Anwälte.« Er nahm seine Brille ab und steckte sich den Stil seiner Pfeife in den Mund. Jetzt kam eine Belehrung. »Meine Herren, während des Prozesses habe ich nicht die Absicht, unnötiges Geschwätz von sechs Anwälten zu tolerieren. Genau genommen heißt das, außer den Anwälten Lanier, Zeitler und Hunt wird niemand im Namen der anfechtenden Parteien sprechen. Das dürfte weiß

Gott genügen. Darüber hinaus werde ich nicht erlauben, dass die Geschworenen drei Eröffnungsplädoyers, drei Schlussplädoyers und drei Zeugenbefragungen über sich ergehen lassen müssen. Wenn es einen Einwand gibt, möchte ich nicht, dass drei oder vier von Ihnen aufspringen, mit den Armen herumfuchteln und ›Einspruch! Einspruch!‹ brüllen. Können Sie mir folgen?«

Selbstverständlich konnten sie ihm folgen. Er sprach langsam und deutlich, mit der ihm eigenen Autorität. »Ich schlage vor, dass Mr. Lanier die Führung für die anfechtenden Parteien und den größten Teil der Prozessangelegenheiten übernimmt«, fuhr er fort. »Er hat eindeutig die meiste Prozesserfahrung, ganz zu schweigen von den Mandanten mit dem größten Interesse an der Sache. Die Arbeit können Sie sich natürlich aufteilen, wie Sie wollen, in dieser Hinsicht will ich Ihnen nichts raten. Ich versuche nicht, jemandem einen Maulkorb zu verpassen. Sie haben das Recht, für Ihren oder Ihre Mandanten zu sprechen. Jeder von Ihnen kann eigene Zeugen aufrufen und die von der antragstellenden Partei aufgerufenen Zeugen ins Kreuzverhör nehmen. Aber sobald Sie anfangen, das zu wiederholen, was bereits gesagt wurde, wofür Anwälte eine angeborene Veranlagung zu haben scheinen, können Sie davon ausgehen, dass ich eingreifen werde. So etwas werde ich nicht tolerieren. Sind wir uns da einig?«

Sie waren sich einig, zumindest fürs Erste.

Richter Atlee rammte sich die Lesebrille wieder auf die Nase und warf einen Blick in seine Notizen. »Reden wir über die Beweise«, sagte er. Sie diskutierten eine Stunde lang über die Dokumente, die als Beweismittel zugelassen und den Geschworenen gezeigt werden sollten. Nachdem der Richter stur darauf beharrt hatte, stellten sie einvernehmlich fest, dass die Handschrift tatsächlich die von Henry Seth Hubbard war. Etwas anderes zu behaupten wäre Zeitverschwendung. Auch die Todesursache wurde einvernehmlich akzeptiert. Vier große Farbfotos wurden genehmigt. Sie zeigten, wie Seth an einem Baum hing, und beseitigten jegliche Zweifel daran, wie er gestorben war.

»Werfen wir einen Blick auf die Zeugen«, sagte Richter Atlee. »Ich sehe, dass Mr. Lanier eine ganze Menge neuer Namen hinzugefügt hat.«

Jake hatte seit einer Stunde ungeduldig darauf gewartet, dass das Thema an die Reihe kam. Er versuchte, ruhig zu bleiben, was ihm aber schwerfiel. »Euer Ehren«, begann er, »ich erhebe Einspruch dagegen, dass so viele Zeugen im Prozess aussagen sollen. Wenn Sie bitte einen Blick auf Seite sechs und folgende werfen wollen, werden Sie feststellen, dass dort die Namen von fünfundvierzig potenziellen Zeugen aufgeführt sind. Wenn ich mir die Adressen genauer ansehe, vermute ich, dass diese Leute in Mr. Hubbards diversen Fabriken und Firmen gearbeitet haben. Aber ich weiß es nicht, weil ich diese Namen zum ersten Mal sehe. Ich habe mir gerade die letzten Meldungen auf meine schriftliche Aufforderung zur Angabe aller potenziellen Zeugen angesehen, und von den fünfundvierzig, die hier stehen, wurden von den anfechtenden Parteien bisher nur fünfzehn oder sechzehn genannt. Nach den Regeln hätte ich diese Namen schon vor Monaten bekommen müssen. Die anfechtende Partei hat mich mit Zeugen bombardiert, Euer Ehren. Sie hat mir zwei Wochen vor dem Prozess eine endlose Liste mit Zeugen auf den Tisch geknallt, und ich habe keine Möglichkeit mehr, mit allen zu reden und herauszufinden, was sie aussagen werden. Eine eidesstattliche Aussage im Vorfeld kann man vergessen, das würde noch einmal sechs Monate dauern. Das ist ein eindeutiger Verstoß gegen die Regeln, und hinterhältig ist es auch.«

Richter Atlee warf einen finsteren Blick in Richtung des anderen Tisches. »Mr. Lanier?«

Lanier stand auf. »Darf ich mir ein wenig die Beine vertreten, Euer Ehren? Ich habe ein kaputtes Knie.«

»Meinetwegen.«

Lanier fing an, vor seinem Tisch auf und ab zu gehen, wobei er leicht hinkte. Vermutlich noch einer seiner schmutzigen Tricks, dachte Jake.

»Euer Ehren, das ist nicht hinterhältig, und ich verbitte mir diese Anschuldigung. Offenlegung ist stets ein noch nicht abgeschlossener Prozess. Ständig tauchen neue Namen auf. Manchmal erklären sich Zeugen erst in letzter Minute zu einer Aussage bereit. Ein Zeuge erinnert sich an einen anderen und dann vielleicht an noch einen, oder er erinnert sich an etwas, was passiert ist. Unsere Privatdetektive suchen jetzt seit fünf Monaten, und wenn ich das so offen sagen darf, wir hatten dabei einfach mehr Erfolg als die Gegenseite. Wir haben mehr Zeugen gefunden, und wir sind immer noch dabei, nach weiteren Zeugen zu suchen. Mr. Brigance hat zwei Wochen Zeit, jeden Zeugen auf meiner Liste telefonisch oder persönlich zu kontaktieren. Das ist nicht viel Zeit, aber wann hat man je genug Zeit? Wir wissen alle, dass man nie genug Zeit hat. Prozesse, bei denen viel auf dem Spiel steht, sind eben so, Euer Ehren. Beide Seiten bemühen sich bis zum allerletzten Moment.« Dass Lanier genauso gut hinken wie argumentieren konnte, brachte ihm Jakes widerwillige Bewunderung ein, obwohl er seinem Widersacher am liebsten eine Axt an den Kopf geworfen hätte. Lanier hielt sich nicht an die Regeln, aber er war sehr geschickt darin, seinen Betrug zu legitimieren.

Für Wade Lanier war es ein entscheidender Moment. Tief in der Liste der fünfundvierzig potenziellen Zeugen war der Name Julina Kidd vergraben. Sie war bis jetzt die einzige Schwarze, die Randall Clapp gefunden hatte, welche bereit war, auszusagen und zuzugeben, dass sie mit Seth geschlafen hatte. Für fünftausend Dollar plus Spesen hatte sie zugestimmt, nach Clanton zu kommen und in den Zeugenstand zu treten. Ferner hatte sie zugestimmt, Telefonanrufe oder sonstige Kontaktversuche seitens anderer Anwälte zu ignorieren, vor allem, wenn es sich dabei um einen gewissen Jake Brigance handelte, der auf der Suche nach Hinweisen unter Umständen bei ihr auftauchen könnte.

Nicht in der Liste aufgeführt war Fritz Pickering; sein Name war an keiner Stelle erwähnt worden und würde erst in einem kritischen Moment des Prozesses auftauchen.

»Wie viele Zeugenaussagen haben Sie bereits protokolliert?«, fragte Richter Atlee an Jake gewandt.

»Zusammengenommen haben wir bis jetzt dreißig Aussagen.«

»Das hört sich nach ziemlich viel an. Und diese Aussagen sind nicht billig. Mr. Lanier, Sie haben doch wohl nicht vor, fünfundvierzig Zeugen aufzurufen?«

»Natürlich nicht, Euer Ehren, aber die Regeln verlangen, dass wir alle potenziellen Zeugen aufführen. Ich weiß vielleicht erst nach der Hälfte des Prozesses, wen ich als Nächstes im Zeugenstand brauche. So viel Flexibilität gestatten die Regeln.«

»Das verstehe ich. Mr. Brigance, wie viele Zeugen wollen Sie aufrufen»?

»Etwa fünfzehn, Euer Ehren.«

»Meine Herren, ich kann Ihnen jetzt schon sagen, dass ich weder die Geschworenen noch mich selbst mit der Aussage von sechzig Zeugen strapazieren werde. Gleichzeitig bin ich nicht gewillt, Ihnen vorzuschreiben, wen Sie im Prozess in den Zeugenstand rufen dürfen und wen nicht. Sorgen Sie einfach dafür, dass alle Zeugen der Gegenseite offengelegt werden. Mr. Brigance, Sie haben alle Namen und zwei Wochen Zeit.«

Jake schüttelte frustriert den Kopf. Der Richter konnte es einfach nicht lassen, in seine alten Gewohnheiten zurück zu verfallen. »Wäre es dann vielleicht möglich, die Anwälte dazu zu verpflichten, eine kurze Zusammenfassung dessen vorzulegen, was ein Zeuge bei seiner Aussage sagen könnte?«, fragte Jake. »Das scheint mir angebracht zu sein, Euer Ehren.«

»Mr. Lanier?«

»Ich bin mir nicht sicher, ob ich das für angebracht halten soll, Euer Ehren. Nur weil wir uns abgerackert und eine ganze Menge Zeugen gefunden haben, von denen Mr. Brigance noch nie etwas gehört hat, heißt das nicht, dass wir ihm sagen müssen, was sie vielleicht bezeugen werden. Soll er doch auch mal was tun.« Sein Ton war herablassend, fast beleidigend, und für den Bruchteil einer Sekunde kam sich Jake vor wie ein fauler Hund.

»Der Meinung bin ich auch«, stimmte ihm Richter Atlee zu. Lanier warf Jake einen triumphierenden Blick zu und setzte sich wieder.

Die Vorverhandlung zog sich hin, als sie über die Sachverständigen und deren mögliche Aussagen sprachen. Jake war wütend auf Richter Atlee und versuchte nicht, das zu verbergen. Der Höhepunkt der Sitzung war die Herausgabe der Geschworenenliste, die sich der Richter bis zum Schluss aufgehoben hatte. Es war fast Mittag, als ein Mitarbeiter die Liste verteilte. »Es sind siebenundneunzig Namen«, verkündete Atlee. »Alle haben bis auf das Alter die Kriterien erfüllt. Wie Sie wissen, möchten manche, die älter als fünfundsechzig sind, nicht automatisch von der Geschworenenpflicht ausgenommen werden, daher überlasse ich es Ihnen, meine Herren, sich bei der Auswahl darum zu kümmern.«

Die Anwälte überflogen die Namen, suchten nach freundlichen, sympathischen, klugen Menschen, die sich sofort auf ihre Seite schlagen und das richtige Urteil fällen würden. »Und jetzt hören Sie mir bitte gut zu«, fuhr Atlee fort. »Ich werde keinerlei Kontakt zu diesen Leuten dulden. Bei großen Prozessen ist es heutzutage wohl nichts Ungewöhnliches, dass die Anwälte den Geschworenenpool so gründlich wie möglich untersuchen. Nur zu. Aber nehmen Sie keinen Kontakt zu den potenziellen Geschworenen auf, beschatten Sie sie nicht, schüchtern Sie sie nicht ein, belästigen Sie sie in keiner Weise. Jeder, der es versucht, wird schon sehen, was er davon hat. Und behandeln Sie diese Listen vertraulich. Ich möchte nicht, dass das gesamte County weiß, wer im Pool ist.«

»Nach welchem Prinzip erfolgt bei der Auswahl die Verteilung der Sitzplätze für die Geschworenen?«, erkundigte sich Wade Lanier.

»Nach dem Zufallsprinzip.«

Die Anwälte schwiegen, während sie sich beeilten, die Namen durchzugehen. Jake hatte eindeutig Heimvorteil. Aber jedes Mal, wenn er sich eine Geschworenenliste ansah, wunderte er sich darüber, wie wenige Namen er erkannte. Ein ehemaliger Mandant hier, ein Mitglied seiner Kirchengemeinde da. Ein früherer Klassenkamerad aus der Highschool in Karaway. Der Cousin seiner Mutter. Eine schnelle Überprüfung ergab vielleicht zwanzig Treffer von siebenundneunzig. Harry Rex kannte sicherlich mehr. Ozzie kannte alle Schwarzen und viele der Weißen. Lucien würde damit angeben, wie viele er kannte, aber in Wahrheit hockte er schon zu lange auf seiner Veranda.

Wade Lanier und Lester Chilcott aus Jackson kannten keinen einzigen Namen, aber sie würden Hilfe bekommen. Sie hatten sich mit der Kanzlei Sullivan zusammengetan, die mit ihren neun Anwälten die größte im County war und jede Menge Auskünfte geben konnte.

Um 12.30 Uhr war Richter Atlee müde und beendete die

Sitzung. Jake eilte aus dem Gerichtssaal und fragte sich, ob der alte Mann überhaupt körperlich in der Lage war, den anstrengenden Prozess durchzustehen. Außerdem fragte er sich, welche Regeln bei dem Prozess gelten würden. Es war bereits klar geworden, dass die offiziellen Regeln – also die neuen Regeln – nicht strengstens befolgt werden würden.

Doch Jake und jeder andere Anwalt in Mississippi wussten, dass der Oberste Gerichtshof des Bundesstaates bekannt dafür war, sich der Weisheit seiner einheimischen Richter zu beugen. Sie waren vor Ort, sie spürten die Hitze des Gefechts. Sie sahen die Gesichter, hörten die Zeugenaussagen, spürten die Spannung. Wer sind wir denn, hatte sich der Oberste Gerichtshof im Laufe der Jahrzehnte immer wieder gefragt, dass wir so weit weg von allem die Entscheidung des Richters Soundso einfach durch ein eigenes Urteil ersetzen können?

Wie stets würden für den Prozess die Regeln des Ehrenwerten Richter Atlee gelten.

Wie auch immer sie in dem Moment gerade aussehen mochten.

Wade Lanier und Lester Chilcott marschierten schnurstracks in die Kanzlei Sullivan und betraten den Konferenzraum im ersten Stock. Dort wartete eine Platte mit Sandwichs auf sie, außerdem ein kleiner, quirliger Mann mit einem Akzent aus dem nördlichen Teil des Mittleren Westens. Er hieß Myron Pankey, war früher Anwalt gewesen und hatte eine Nische in dem verhältnismäßig jungen Bereich der Geschworenenberatung gefunden, einem Fachgebiet, das bei größeren Prozessen zunehmend in Anspruch genommen wurde. Für ein stattliches Honorar vollbrachten Pankey und seine Mitarbeiter alle möglichen Wunder und lieferten die perfekte Jury, zumindest die bestmögliche. Er und sein Team hatten bereits eine Telefonumfrage durchgeführt. Zweihundert registrierte Wähler in Countys, die an Ford County angrenzten, waren interviewt worden. Fünfzig Prozent von ihnen sagten, eine Person solle das Recht haben, sein oder ihr Vermögen jedem Beliebigen zu hinterlassen, selbst wenn dies zulasten seiner oder ihrer Familie gehe. Aber neunzig Prozent würden misstrauisch werden, wenn jemand in einem handschriftlichen Testament alles der letzten Bezugsperson hinterlasse. Es hatten sich riesige Datenmengen angesammelt, die gerade in Pankeys Hauptsitz in Cleveland analysiert wurden. Die Hautfarbe war bei keinem Teil der Umfrage ein Faktor gewesen.

Aufgrund der vorläufigen Zahlen war Wade Lanier optimistisch. Er aß ein Sandwich im Stehen und redete pausenlos, während er mit einem Strohhalm Cola light trank. Kopien der Jurylisten wurden angefertigt und auf dem Konferenztisch verteilt. Jeder der neun Anwälte der Kanzlei Sullivan erhielt eine Kopie und wurde gebeten, sich so schnell wie möglich die Namen anzusehen, obwohl alle wie üblich bis über beide Ohren in Arbeit steckten und nicht wussten, wie sie es schaffen sollten, in ihren bis zum Bersten gefüllten Terminkalendern fünf freie Minuten zu finden.

An einer Wand des Konferenzraums wurde eine stark vergrößerte Straßenkarte von Ford County aufgehängt. Ein ehemaliger Polizist aus Clanton namens Sonny Nance war bereits dabei, nummerierte Markierungsnadeln in die Straßen zu stecken, in denen die potenziellen Geschworenen wohnten. Nance war in Clanton aufgewachsen, mit einer Frau aus Karaway verheiratet und behauptete, jeden zu kennen. Er war von Myron Pankey eingestellt worden, um sein Wissen einzusetzen. Um 13.30 Uhr kamen vier weitere neue Mitarbeiter herein, die ihre Anweisungen erhielten. Lanier war direkt, aber präzise. Er wollte Farbfotos von jedem Haus, jedem Viertel, jedem Auto, falls möglich.

Wenn auf der Stoßstange Sticker klebten, machen Sie Fotos davon. Aber lassen Sie sich auf gar keinen Fall dabei erwischen. Tarnen Sie sich als Interviewer, Inkassobeauftragter, Geldbote, Missionare, egal was, Hauptsache, es ist glaubhaft. Aber reden Sie mit den Nachbarn und finden Sie so viel heraus, wie Sie nur können, ohne jemanden misstrauisch zu machen. Nehmen Sie unter keinen Umständen direkten Kontakt mit einem potenziellen Geschworenen auf. Finden Sie heraus, wo die Leute arbeiten, in welcher Kirche sie beten, in welche Schule sie ihre Kinder schicken. Wir haben das Wesentliche: Name, Alter, Geschlecht, Hautfarbe, Adresse, Wahlbezirk, aber sonst nichts. Es müssen also viele leere Stellen gefüllt werden.

»Sie dürfen sich auf keinen Fall erwischen lassen«, sagte Lanier. »Wenn Ihre Aktivitäten Argwohn erregen, verschwinden Sie auf der Stelle. Wenn Sie jemand anspricht und fragt, was Sie da machen, geben Sie ihm einen falschen Namen und kommen hierher zurück. Auch wenn Sie nur glauben, gesehen worden zu sein, verschwinden Sie und kommen hierher. Noch Fragen?«

Keiner der vier war aus Ford County, daher war die Chance, erkannt zu werden, gleich null. Zwei waren ehemalige Polizisten, zwei arbeiteten in Teilzeit als Privatdetektiv; sie wussten also, wie man Informationen über jemanden sammelte. »Wie viel Zeit haben wir?«, fragte einer von ihnen.

»Der Prozess beginnt in zwei Wochen von heute an. Melden Sie sich jeden zweiten Tag, und geben Sie uns die Infos, die Sie gesammelt haben. Freitag nächste Woche ist Schluss.«

»Gehen wir«, sagte ein anderer.

»Und lassen Sie sich nicht erwischen.«

Jakes Geschworenenberaterin war gleichzeitig seine Sekretärin/ Anwaltsassistentin. Da Richter Atlee Ausgaben aus dem Nachlass inzwischen so verwaltete, als müsste er alles aus seiner eigenen

Tasche bezahlen, kam ein richtiger Geschworenenberater nicht infrage. Portias Aufgabe war es, Daten zusammentragen, oder besser gesagt: die Übersicht über die zusammengetragenen Daten zu behalten. Um 16.30 Uhr am Montag versammelten sich Portia, Jake, Lucien und Harry Rex in einem Arbeitsraum im ersten Stock, der neben ihrem alten Büro lag. Anwesend war auch Nick Norton, ein Anwalt aus einer Kanzlei auf der anderen Seite des Clanton Square, der zwei Jahre zuvor Marvis Lang vertreten hatte.

Sie gingen alle siebenundneunzig Namen durch.

36

Aufgrund von Aussehen und Akzent war Lonny klar, dass er es mit einem Haufen Russen zu tun hatte, und nachdem er eine Stunde zugesehen hatte, wie sie Wodka aus Wassergläsern tranken, war er felsenfest davon überzeugt. Ungehobelt, strohdumm und auf Ärger aus. Sie hatten sich ausgerechnet den Abend ausgesucht, an dem nur einer der beiden Rausschmeißer Dienst hatte. Der Besitzer der Kneipe hatte gedroht, allen Russen Lokalverbot zu erteilen, was er natürlich nicht getan hatte. Lonny hielt sie für Matrosen von einem Frachtschiff, vermutlich eines, das Getreide aus Kanada transportierte.

Er rief den zweiten Rausschmeißer zu Hause an, bekam aber keine Antwort. Der Besitzer war nicht da, und im Moment war Lonny der Chef. Die Russen bestellten noch mehr Wodka. Lonny überlegte, ob er den Wodka mit Wasser verdünnen sollte, aber das hätten die Jungs sofort bemerkt. Als einer von ihnen der Kellnerin einen Klaps auf den wohlgeformten Hintern gab, ging alles sehr schnell. Der Rausschmeißer, ein Typ, der noch vor keiner Schlägerei zurückgeschreckt war, brüllte den Russen an, der in einer anderen Sprache zurückbrüllte und wutentbrannt aufstand. Er schlug zu, traf aber nicht. Dann schlug der Rausschmeißer zu und traf. Von der anderen Seite des Raums aus schleuderte eine Gruppe patriotischer Motorradfahrer ihre Bierflaschen auf die Russen, die jetzt alle loslegten. Lonny murmelte »Oh, Scheiße!« und überlegte, ob er durch die Küche verschwinden sollte, aber er kannte das alles schon. In der Kneipe ging es zuweilen etwas rustikal zu, was auch der Grund dafür war, dass er so gut bezahlt wurde, und das auch noch in bar.

Als eine andere Kellnerin niedergeschlagen wurde, kam Lonny hinter der Theke hervor, um ihr zu helfen. Das Handgemenge tobte ganz in seiner Nähe, und als er die Hand ausstreckte, um nach der Frau zu greifen, wurde er von einem stumpfen Gegenstand am Hinterkopf getroffen. Er war sofort bewusstlos. Blut floss aus der Wunde und tränkte seinen langen grauen Pferdeschwanz. Mit sechsundsechzig war Lonny einfach zu alt für so etwas.

Er lag zwei Tage lang bewusstlos im Krankenhaus von Juneau. Der Besitzer der Kneipe meldete sich und gab zu, dass er keine Papiere für den Mann hatte. Nur einen Namen: Lonny Clark. Im Krankenhaus drückte sich ein Detective herum, und als sich herausstellte, dass Lonny vielleicht nie wieder aufwachen würde, wurde ein Plan ausgeheckt. Der Besitzer der Kneipe sagte ihm, in welcher Absteige Lonny wohnte, und ein paar Polizisten brachen die Tür auf. Bis auf wenige persönliche Sachen fanden sie dreißig Kilo Kokain, ordentlich in Folie verpackt und allem Anschein nach unberührt. Unter der Matratze entdeckten sie außerdem eine billige Plastikmappe mit Reißverschluss. Darin befanden sich zweitausend Dollar in bar, ein Führerschein aus Alaska auf den Namen Harry Mendoza, der sich als gefälscht herausstellte, ein Reisepass auf den Namen Albert Johnson, ebenfalls gefälscht, noch ein gefälschter Reisepass auf den Namen Charles Noland, ein gestohlener Führerschein aus Wisconsin auf den Namen Wilson Steglitz, der abgelaufen war, und vergilbte Entlassungspapiere der Navy für einen gewissen Ancil F. Hubbard mit Datum Mai 1955. Die Mappe enthielt Lonnys weltliche Besitztümer, mit Ausnahme des Kokains natürlich, das einen Straßenverkaufswert von ungefähr 1,5 Millionen Dollar hatte.

Die Polizei brauchte mehrere Tage, um die Papiere zu über-prüfen, und bis dahin war Lonny aufgewacht und fühlte sich schon etwas besser. Es wurde beschlossen, ihn erst nach dem Kokain zu fragen, wenn er so weit war, dass er entlassen werden konnte. Vor seinem Zimmer wurde ein Polizist in Zivil postiert. Da Ancil F. Hubbard und Wilson Steglitz anscheinend die ein-zigen echten Namen in Lonnys Arsenal waren, wurden sie in die landesweite Verbrechensdatenbank eingegeben, um heraus-zufinden, ob sich dort etwas fand. Der Detective fing an, mit Lonny zu plaudern, kam hin und wieder vorbei und brachte ihm Milchshakes mit, aber die Drogen wurden mit keinem Wort erwähnt. Nach einigen Besuchen sagte der Detective, er könne absolut nichts zu einem Mann namens Lonny Clark fin-den. Geburtsort, Geburtsdatum, Sozialversicherungsnummer, Wohnsitz? Irgendetwas, Lonny?

Lonny, der sein ganzes Leben auf der Flucht verbracht hatte, wurde misstrauisch und weniger redselig. »Haben Sie je einen Mann namens Harry Mendoza gekannt?«, fragte der Detective.

»Kann schon sein«, erwiderte Lonny.

Oh, tatsächlich? Von wo und wann? Wie? Unter welchen Umständen? Nichts.

Was ist mit Albert Johnson oder Charles Noland? Lonny sagte, es sei möglich, dass er diese Männer vor langer Zeit ein-mal getroffen habe, aber er sei nicht sicher. Sein Gedächtnis sei lückenhaft, es komme und gehe. Schließlich habe er einen ge-brochenen Schädel und ein gequetschtes Gehirn, und an die Zeit vor der Schlägerei könne er sich kaum erinnern. Warum die vielen Fragen?

Inzwischen wusste Lonny, dass die Polizei in seinem Zimmer gewesen war, aber er war sich nicht sicher, ob sie das Kokain ge-funden hatte. Es war sehr gut möglich, dass der Mann, dem das Kokain gehörte, kurze Zeit nach der Schlägerei in die Absteige gegangen und die Drogen mitgenommen hatte. Lonny war kein Dealer; er tat nur einem Freund einen Gefallen, für den er gut bezahlt werden sollte. Die Frage war also, ob die Polizei das Kokain gefunden hatte oder nicht. Falls ja, steckte Lonny in ernsthaften Schwierigkeiten. Je weniger er sagte, desto besser. Er hatte schon vor Jahrzehnten gelernt, dass man nur eines tun konnte, wenn die Polizei anfing, schwierige Fragen zu stellen: leugnen, leugnen, leugnen.

Jake saß gerade an seinem Schreibtisch, als Portia von unten anrief. »Albert Murray für Sie.« Jake schnappte sich den Hörer und sagte Hallo.

Murray hatte eine Agentur in Washington, D.C., die darauf spezialisiert war, vermisste Personen zu finden. Bis jetzt hatte Seth Hubbards Nachlass der Agentur zweiundvierzigtausend Dollar gezahlt, um einen seit Langem verschollenen Bruder zu finden, aber so gut wie nichts dafür bekommen. Die Ergebnisse der Agentur waren alles andere als beeindruckend, doch ihr Abrechnungsverfahren konnte es mit dem von Anwaltskanzleien in Großstädten aufnehmen.

Murray, der von Haus aus skeptisch war, begann mit: »Wir haben einen ersten Hinweis zu Ancil Hubbard, aber geraten Sie nicht gleich aus dem Häuschen.« Er gab die Fakten weiter, die er kannte: ein falscher Lonny, eine Kneipenschlägerei in Juneau, eine Schädelfraktur, eine Menge Kokain und gefälschte Papiere.

»Er ist sechsundsechzig Jahre alt und handelt mit Drogen?«, fragte Jake.

»Für Drogenhändler gibt es kein vorgeschriebenes Rentenalter.«

»Danke.«

»Jedenfalls ist der Kerl ziemlich clever und gibt nichts zu«, fuhr Murray fort.

»Wie schwer ist er verletzt?«

»Er liegt seit einer Woche im Krankenhaus. Von dort wird er direkt ins Gefängnis gehen, daher haben es die Ärzte nicht eilig. Eine Schädelfraktur ist eine Schädelfraktur.«

»Wenn Sie das sagen.«

»Die Polizei dort wundert sich über die Entlassungspapiere der Navy. Sie scheinen echt zu sein und passen irgendwie nicht zu dem Ganzen. Ein falscher Führerschein und ein falscher Reisepass sind ja ganz nützlich, aber Entlassungspapiere, die über dreißig Jahre alt sind? Warum würde ein Schwindler wie er so etwas brauchen? Sie könnten natürlich auch gestohlen sein.«

»Und damit wären wir wieder bei der gleichen Frage angelangt«, meinte Jake. »Wie überprüfen wir seine Identität, wenn wir ihn finden?«

»Sie sagen es.«

Es gab keine Fotos von Ancil Hubbard, die ihnen dabei helfen konnten. In einer Schachtel in Seth Hubbards Schrank hatten sie mehrere Dutzend Familienfotos gefunden, hauptsächlich von Ramona, Herschel und Seths erster Frau. Aus Seths Kindheit gab es keine Fotos, auch kein einziges Foto seiner Eltern oder seines jüngeren Bruders. Aus den Aufzeichnungen der Schule ließ sich nachweisen, dass er sie bis zur neunten Klasse besucht hatte, und auf einem Gruppenfoto, das 1934 in der Junior High School von Palmyra aufgenommen worden war, tauchte sein unscharfes, lächelndes Gesicht auf. Das Foto war vergrößert worden, zusammen mit einigen anderen, die Seth als Erwachsenen zeigten. Da Ancil seit fünfzig Jahren nicht mehr in Ford County gesehen worden war, gab es keinen einzigen Menschen, der wusste, ob er als Kind nach seinem älteren Bruder gekommen war oder völlig anders ausgesehen hatte.

»Haben Sie jemanden in Juneau?«, fragte Jake.

»Nein, noch nicht. Ich habe zweimal mit der dortigen Polizei geredet. Wenn Sie wollen, habe ich innerhalb von vierundzwanzig Stunden einen Mann in der Stadt.«

»Was wird er tun, wenn er dort ist? Wenn Lonny nicht mit Einheimischen redet, warum sollte er dann mit jemandem reden, der ihm völlig fremd ist?«

»Da habe ich auch so meine Zweifel.«

»Lassen Sie mich darüber nachdenken.«

Jake legte auf und dachte eine Stunde lang über nichts anderes nach. Es war der erste Hinweis seit Monaten, aber immer noch keine richtige Spur. Der Prozess begann in vier Tagen, und er würde es unmöglich schaffen, nach Alaska zu fliegen und die Identität eines Mannes festzustellen, der nicht identifiziert werden wollte. Und allem Anschein nach hatte dieser Mann die letzten dreißig Jahre damit verbracht, ständig seine Identität zu wechseln.

Er ging nach unten und suchte Lucien, der im Konferenzraum Karteikarten anstarrte, auf denen in großen Buchstaben die Namen der potenziellen Geschworenen standen. Sie waren in ordentlichen Reihen auf dem langen Tisch ausgelegt, in alphabetischer Ordnung, alle siebenundneunzig. Die Geschworenen wurden auf einer Skala von eins bis zehn bewertet, wobei zehn für den attraktivsten Geschworenen stand. Auf vielen Karteikarten war noch keine Bewertung vermerkt, weil sie nichts über die Person wussten.

Jake erzählte ihm von dem Gespräch mit Albert Murray. Luciens erste Reaktion war: »Richter Atlee sagen wir nichts davon, jedenfalls jetzt noch nicht. Ich weiß, was Sie jetzt denken: Wenn Ancil lebt und wir vielleicht wissen, wo er ist, sollten wir nach einem Aufschub schreien und uns mehr Zeit verschaffen. Aber das ist keine gute Idee.«

»Daran hatte ich nicht gedacht.«

»Der alte Knabe hat gute Aussichten, für den Rest seines

Lebens im Gefängnis zu sitzen. Selbst wenn er wollte, könnte er nicht zum Prozess kommen.«

»Nein, Lucien, ich mache mir eher Gedanken darüber, wie wir seine Identität feststellen sollen. Das schaffen wir nur, wenn wir mit ihm reden. Vergessen Sie nicht, dass eine Menge Geld für ihn drin ist. Er könnte kooperativer sein, als wir denken.«

Lucien holte tief Luft und begann, um den Tisch herumzulaufen. Portia hatte zu wenig Erfahrung, war jung, schwarz und eine Frau und nicht dafür geeignet, einem alten Weißen, der vor etwas oder allem auf der Flucht war, Geheimnisse zu entlocken. Blieb nur noch Lucien. Er marschierte zur Tür und sagte: »Ich gehe. Beschaffen Sie mir alle Informationen, die Sie kriegen können.«

»Sind Sie sicher?«

Lucien gab keine Antwort, als er die Eingangstür hinter sich schloss. Hoffentlich bleibt er nüchtern, war Jakes einziger Gedanke.

Am späten Donnerstagnachmittag kam Ozzie zu einem kurzen Besuch vorbei. Harry Rex und Portia waren im Konferenzraum und beschäftigten sich mit Namen und Adressen von Geschworenen. Jake saß oben an seinem Schreibtisch, telefonierte und verschwendete Zeit, weil er versuchte, noch einige von Wade Laniers fünfundvierzig Zeugen aufzuspüren. Bis jetzt hatte er nicht viel Erfolg dabei gehabt.

»Willst du ein Bier?«, fragte Harry Rex den Sheriff. Neben ihm stand ein frisches Bud Light.

»Ich bin im Dienst, und ich trinke nicht«, erwiderte Ozzie. »Und ich hoffe, du fährst nachher nicht. Ich würde dich nur ungern wegen Trunkenheit am Steuer verhaften.«

»Dann engagiere ich Jake, damit er die Anklage bis in alle Ewigkeit aufschiebt. Hast du ein paar Namen?«

Ozzie gab ihm ein Blatt Papier und sagte: »Ein paar. Dieser Oscar Peltz, über den wir gestern geredet haben, aus der Nähe von Lake Village, gehört derselben Kirchengemeinde an wie die Rostons.« Portia griff nach der Karte, auf der mit schwarzem Filzstift OSCAR PELTZ geschrieben war.

»Ich würde ihn nicht nehmen«, meinte Ozzie.

Harry Rex warf einen Blick in seine Notizen. »Wir haben ihm sowieso nur eine Fünf gegeben, also nicht sonderlich attraktiv.«

»Mr. Raymond Griffis wohnt in der Straße, in der Parkers Lebensmittelgeschäft ist, südlich von hier. Was habt ihr über ihn?«, fragte Ozzie.

Portia nahm eine andere Karte. »Weiß, männlich, einundvierzig, arbeitet bei einem Zaunbauer.«

»Geschieden, wieder verheiratet, Vater starb vor fünf Jahren bei einem Verkehrsunfall«, fügte Harry Rex hinzu.

»Lasst die Finger von ihm«, warnte Ozzie. »Ich habe eine Quelle, nach der sein Bruder vor drei Jahren während des Hailey-Prozesses mit dem Ku-Klux-Klan sympathisiert hat. Ich glaube nicht, dass der Bruder je Mitglied war, aber er hatte engen Kontakt zu ihnen. Sie sind auf den ersten Blick vielleicht ganz annehmbar, könnten aber Ärger machen.«

»Ich hatte ihm eine Vier gegeben«, sagte Harry. »Ich dachte, du wolltest dich um die schwarzen Geschworenen kümmern.«

»Das ist Zeitverschwendung. Die Schwarzen bekommen bei diesem Prozess automatisch eine Zehn.«

»Portia, wie viele Schwarze stehen auf der Liste?«

»Einundzwanzig. Von siebenundneunzig.«

»Wir nehmen sie alle.«

»Wo ist Lucien?«, wollte Ozzie wissen.

»Jake hat ihn vertrieben. Gibt es was Neues über Pernell Phillips? Du hast gedacht, dass Moss junior ihn vielleicht kennt.«

»Er ist ein Cousin dritten Grades von Moss juniors Frau, aber sie versuchen, Familientreffen zu vermeiden. Stockkonservative Baptisten. Von mir würde er nicht viele Punkte bekommen.«

»Portia?«

»Geben wir ihm eine Drei«, sagte sie mit der ganzen Autorität einer erfahrenen Geschworenenberaterin.

»Das ist das Problem bei diesem verdammten Pool«, schimpfte Harry Rex. »Viel zu viele mit drei und vier, aber nicht genug mit acht und neun. Wir werden mit Pauken und Trompeten untergehen.«

»Wo ist Jake?«, fragte Ozzie.

»Oben. Er telefoniert.«

Lucien fuhr nach Memphis, nahm von dort eine Maschine nach Chicago und flog dann über Nacht nach Seattle. Während des Flugs trank er, schlief aber ein, bevor es zu viel wurde. Auf dem Flughafen von Seattle schlug er sechs Stunden tot, dann hatte er eine Verbindung mit Alaska Air, die ihn in zwei Stunden nach Juneau brachte. Er fuhr zu einem Hotel in der Innenstadt, rief Jake an, schlief drei Stunden, duschte, rasierte sich sogar und zog dann einen alten schwarzen Anzug an, den er seit einem Jahrzehnt nicht mehr getragen hatte. Mit einem weißen Hemd und einer Krawatte mit Paisleymuster konnte er sich gerade noch so als Anwalt ausgeben, genau das, was er vorhatte. Mit einem abgenutzten Aktenkoffer in der Hand marschierte er ins Krankenhaus. Zweiundzwanzig Stunden nachdem er Clanton verlassen hatte, begrüßte er den Detective und bekam bei einem Becher Kaffee die neuesten Informationen.

Das Update brachte nicht viel. Eine Infektion hatte zu einer Gehirnschwellung geführt, und Lonny war nicht in der Stimmung für ein Gespräch. Die Ärzte sagten, er brauche Ruhe, und der Detective hatte Lonny an dem Tag noch gar nicht gesehen. Er zeigte Lucien die falschen Papiere, die er in der Absteige gefunden hatte, zusammen mit den Entlassungspapieren der Navy. Lucien zeigte dem Detective zwei vergrößerte Fotos von Seth Hubbard, der erwiderte, vielleicht gebe es eine entfernte Ähnlichkeit, vielleicht nicht, das lasse sich schlecht sagen. Der Detective rief den Besitzer der Kneipe an und bestand darauf, dass er ins Krankenhaus kam. Da er Lonny gut kenne, solle er einen Blick auf die Fotos werfen. Er sah sich die Fotos an, konnte aber nichts weiter sagen und ging.

Da Lucien nicht viel mehr zu tun hatte, erklärte er dem Detective den Zweck seines Besuchs. Sie hätten jetzt sechs Monaten nach Ancil gesucht, was aber nichts gebracht habe. Sein Bruder, der auf den Fotos, habe ihm etwas Geld hinterlassen. Kein Vermögen, aber genug, um dafür zu sorgen, dass er, Lucien, sich die Nacht um die Ohren geschlagen habe und von Mississippi nach Alaska geflogen sei.

Der Detective hatte kein großes Interesse an einem Gerichtsverfahren so weit weg. Das Kokain war ihm wichtiger. Nein, er glaube nicht, dass Lonny Clark Drogenhändler sei. Sie seien gerade dabei, einen Drogenring in Vancouver auffliegen zu lassen und hätten dort zwei Informanten. Angeblich habe Lonny das Kokain lediglich für jemanden versteckt und dafür ein Honorar erwartet. Sicher, dafür werde er eine Weile sitzen, aber sie redeten über Monate, nicht Jahre. Und nein, man werde ihm nicht erlauben, nach Mississippi zu reisen, aus welchem Grund auch immer, selbst wenn er tatsächlich Ancil Hubbard sei.

Nachdem der Detective gegangen war, schlenderte Lucien durch das Krankenhaus, um sich mit dem Labyrinth aus Korridoren, Anbauten und Halbgeschossen vertraut zu machen. Im zweiten Stock fand er Lonnys Zimmer und bemerkte einen Mann, der in der Nähe stand, in einer Zeitschrift blätterte und versuchte, wach zu bleiben. Lucien ging davon aus, dass es ein Polizist war.

Nach Einbruch der Dunkelheit kehrte er in sein Hotel zurück, rief Jake an, um ihn auf dem Laufenden zu halten, und ging in die Bar.

Es war entweder die fünfte oder sechste Nacht in diesem feuchten, dunklen Zimmer mit Fenstern, die sich nicht öffnen ließen und während des Tages das Licht aussperrten. Die Krankenschwestern kamen und gingen. Manchmal klopften sie leise an die Tür, bevor sie sie öffneten, manchmal tauchten sie ganz plötzlich an seinem Bett auf, ohne ein Geräusch, das ihn warnte. In seinen Armen waren Schläuche, über seinem Kopf Monitore. Man hatte ihm gesagt, dass er nicht sterben werde, doch nach fünf oder sechs Tagen und Nächten fast ohne Essen, dafür mit jeder Menge Medikamenten und zu vielen Ärzten und Krankenschwestern hätte er absolut nichts gegen ein längeres Blackout einzuwenden gehabt. Sein Kopf hämmerte vor Schmerzen, sein Rücken bekam Krämpfe vom Liegen, und manchmal hätte er sich am liebsten alle Schläuche herausgerissen und wäre aus dem Zimmer geflüchtet. Eine Digitaluhr zeigte die Zeit an: 23:10.

Konnte er überhaupt verschwinden? Würde man ihm erlauben, das Krankenhaus zu verlassen? Oder standen ein paar Polizisten vor seiner Tür, um ihn wegzubringen? Niemand wollte es ihm sagen. Er hatte mehrere der freundlicheren Krankenschwestern gefragt, ob draußen jemand warte, aber die Antworten waren alle unklar gewesen. Vieles war unklar. Manchmal konnte er das Fernsehbild erkennen, manchmal verschwamm es vor seinen Augen. Manchmal hörte er ein lautes Klingeln in seinen Ohren, das ihn undeutlich sprechen ließ. Die Ärzte sagten, da sei nichts. Nachts waren ständig Schatten im Raum,

Beobachter, die sich in sein Zimmer schlichen. Vielleicht waren es Studenten, die nach echten Patienten suchten, vielleicht nur Schatten, die es gar nicht gab. Seine Medikamente wurden häufig gewechselt, um herauszufinden, wie er darauf reagierte. Diese Tablette ist gegen die Schmerzen. Die hier gegen das verschwommene Sehen. Die hier gegen die Schatten. Die hier verdünnt das Blut. Die hier ist ein Antibiotikum. Dutzende von Tabletten, jede Stunde, Tag und Nacht.

Er nickte wieder ein. Als er aufwachte, war es 23.17 Uhr. Es war stockdunkel im Zimmer, das einzige Licht ein roter Nebel, der von einem Monitor über seinem Kopf kam, einem, den er nicht sehen konnte.

Leise wurde die Tür geöffnet, doch aus dem dunklen Flur drang kein Licht herein. Es war keine Schwester. Ein Mann, ein Fremder, stellte sich an sein Bett: lange graue Haare, schwarzes T-Shirt, ein alter Mann, den er noch nie gesehen hatte. Die funkelnden Augen waren zu schmalen Schlitzen zusammengepresst, und als er sich vorbeugte, schlug Lonny der Geruch nach Whiskey entgegen.

»Ancil, was geschah mit Sylvester Rinds?«, fragte er.

Lonny blieb fast das Herz stehen, während er den Fremden, der ihm behutsam eine Hand auf die Schulter legte, entsetzt anstarrte. Der Whiskeygeruch wurde stärker. »Ancil, was geschah mit Sylvester Rinds?«, wiederholte er.

Lonny versuchte zu sprechen, doch er brachte keinen Ton heraus. Er blinzelte, um besser sehen zu können, aber er sah schon gut genug. Die Worte waren deutlich zu verstehen und der Akzent unmissverständlich. Der Fremde kam aus dem tiefen Süden.

»Was?«, flüsterte Lonny. Es war fast ein Keuchen.

»Was geschah mit Sylvester Rinds?«, fragte der Fremde noch einmal, während sein laserscharfer Blick auf Lonny lag.

An seinem Bett gab es einen Knopf, mit dem man eine Krankenschwester rufen konnte. Lonny drückte ihn hastig. Der Fremde zog sich zurück, wurde wieder zum Schatten, dann verschwand er aus dem Zimmer.

Schließlich kam eine Krankenschwester. Sie war eine von denen, die er nicht ausstehen konnte, und hatte es nicht gern, wenn man ihr Arbeit machte. Lonny wollte reden, wollte ihr von dem Fremden erzählen, aber sie würde ihm sowieso nicht zuhören. Sie fragte, was er wolle, und er sagte, er könne nicht schlafen. Sie versprach, später noch einmal nach ihm zu sehen, das gleiche Versprechen wie immer.

Er lag da, im Dunkeln, und hatte Angst. Weil ihn jemand bei seinem richtigen Namen genannt hatte? Weil seine Vergangenheit ihn eingeholt hatte? Oder hatte er Angst, weil er nicht genau wusste, ob er den Fremden tatsächlich gesehen und gehört hatte? Verlor er den Verstand? War der Gehirnschaden nicht mehr rückgängig zu machen?

Lonny fielen die Augen zu, er dämmerte weg und kam wieder zu sich. Dann schlief er erneut für einen Moment oder zwei, bevor er an Sylvester dachte.

37

Um fünf Minuten nach sieben am Samstagmorgen kam Jake in den Coffee Shop, und wie immer verstummte das Geplauder für ein paar Sekunden, während er sich einen Platz suchte und einige Leute begrüßte. Der Prozess begann in zwei Tagen, und Dell zufolge wurden die Gespräche der Gäste morgens von Gerüchten und zahllosen Meinungen zu dem Fall beherrscht. In dem Moment, in dem Jake hereinkam, wurde das Thema gewechselt. Sobald er gegangen war, hatte man den Eindruck, als würde jemand einen Schalter umlegen, und Seths Testament stand wieder im Mittelpunkt. Obwohl Dells Gäste alle weiß waren, schienen sie sich in mehrere Lager zu teilen. Manche vertraten den Standpunkt, dass ein Mann, der noch bei klarem Verstand sei, sein Eigentum nach Belieben vererben könne, ohne Rücksicht auf die Familie. Andere wandten ein, dass er nicht mehr bei klarem Verstand gewesen sei. Lettie hatte viele Kritiker. Man hielt sie für eine Frau mit einem lockeren Lebenswandel, die den armen alten Seth ausgenutzt habe.

Jake kam mindestens einmal die Woche vorbei, wenn der Coffee Shop leer war, und bekam ausführliche Informationen von Dell. Von besonderem Interesse für ihn war ein Stammgast namens Tug Whitehurst, der als amtlicher Fleischkontrolleur arbeitete. Sein Bruder stand auf der Juryliste, doch Dell war sicher, dass Tug das mit keinem Wort erwähnt hatte. Er sei kein Schwätzer, aber bei einer Unterhaltung mit Kerry Hull habe er

Hull zugestimmt, als dieser erklärte, es gehe niemanden etwas an, wem er sein Hab und Gut vermache. Hull sei ständig pleite und hoch verschuldet, und alle wüssten, dass es bei ihm nichts zu erben gebe, aber seine Bemerkung sei unkommentiert geblieben. Jedenfalls war Dell der Meinung, dass Tug Whitehurst als Geschworener für Jake infrage kam, aber was sein Bruder denke, wisse sie natürlich nicht.

In dieser Phase des Verfahrens war Jake jede Information über die ausgewählten Siebenundneunzig willkommen.

Er setzte sich an einen Tisch mit zwei Farmern und wartete auf seinen Maisbrei und den Toast. Das Gespräch drehte sich vor allem um Barsche, ein Thema, zu dem er wenig beitragen konnte. Seit drei Jahren tobte in gewissen Kreisen eine heftige Diskussion darüber, ob die Forellenbarschpopulation im Lake Chatulla ab- oder zunahm. Die jeweilige Meinung wurde laut und energisch vertreten, und ein Kompromiss schien nicht infrage zu kommen. Es gab jede Menge Experten. Immer wenn die meisten davon überzeugt waren, dass die Population im See zurückging, fing jemand einen kapitalen dicken Barsch, und die Diskussion ging wieder von vorn los. Jake konnte es nicht mehr hören, aber jetzt war er dankbar dafür. Die Barsche sorgten dafür, dass der Hubbard-Fall nicht im Mittelpunkt stand.

Während er aß, fragte Andy Furr: »Jake, geht der Prozess nach wie vor am Montag los?«

»Ja.«

»Dann besteht also nicht die Chance, dass er verschoben wird oder sich sonst wie verzögert?«

»Nein, das glaube ich nicht. Die potenziellen Geschworenen werden um neun im Gerichtssaal sein, und kurz danach dürften wir anfangen. Werden Sie kommen?«

»Nein, ich muss arbeiten. Gehen Sie davon aus, dass eine Menge Zuschauer kommen?«

»Man weiß nie. Zivilprozesse sind in der Regel ziemlich langweilig. Am Anfang werden wir vielleicht ein paar Zuschauer haben, aber ich vermute, die werden schnell wieder verschwinden.«

Dell kam an den Tisch, um ihm Kaffee nachzuschenken. »Der Gerichtssaal wird aus allen Nähten platzen, und das wissen Sie auch. So viel Aufregung hat es hier seit dem Hailey-Prozess nicht mehr gegeben«, sagte sie.

»Oh, den Fall habe ich ganz vergessen«, erwiderte Jake, was ihm ein paar Lacher einbrachte.

Bill West sagte, er habe gehört, das FBI habe gerade die Büros von zwei hochrangigen Polizeibeamten unten in Polk County durchsucht, einer bekanntermaßen korrupten Gegend, was von fast allen Gästen mit Ausnahme von Jake und Dell lautstark kommentiert wurde. Es sorgte auch dafür, dass das Thema gewechselt wurde, wofür Jake dankbar war. Ihm stand ein langes Wochenende in der Kanzlei bevor, und Frühstück war jetzt alles, was er wollte.

Als Portia gegen neun Uhr in die Kanzlei kam, tranken sie erst einmal Kaffee auf dem Balkon vor seinem Büro, während um sie herum die Stadt zum Leben erwachte. Sie berichtete, dass sie mit Lettie zusammen gefrühstückt habe, die nervös, sogar unruhig sei und fürchterliche Angst vor dem Prozess habe. Lettie war müde und ausgelaugt von dem Stress, in einem mit Verwandten vollgestopften Haus zu leben, während sie gleichzeitig versuchte, in Teilzeit zu arbeiten und die Tatsache zu vergessen, dass ihr Mann im Gefängnis saß, weil er zwei Jungen getötet hatte. Dazu kamen die bevorstehende Scheidung und die Testamentsanfechtung, die ihr an die Nieren ging. Kein Wunder, dass sie nur noch ein nervöses Wrack war.

Portia gab zu, ebenfalls müde zu sein. Sie machte Überstunden in der Kanzlei und schlief wenig. Jake hatte Verständnis, aber nur bis zu einem gewissen Punkt. Bei Prozessen waren Achtzehnstundentage und durchgearbeitete Wochenenden häufig etwas ganz Normales, und wenn Portia es ernst damit meinte, Anwältin werden zu wollen, war es gut, dass sie den Druck einmal miterlebte. In den letzten zwei Wochen hatten sie sich gegenseitig dazu angetrieben, alle siebenundneunzig Namen auf der Geschworenenliste auswendig zu lernen. Wenn Jake »R« sagte, antwortete Portia: »Sechs. Rady, Rakestraw, Reece, Riley, Robbins und Robard.« Wenn Portia »W« sagte, antwortete Jake: »Drei. Wampler, Whitehurst, Whitten.« So ging es den ganzen Tag, hin und her, immer wieder.

In Mississippi war die Geschworenenauswahl in der Regel an höchstens einem Tag vorbei. Jake wunderte sich immer über Prozesse in anderen Bundesstaaten, wo es zwei Wochen oder einen Monat dauerte, um eine Jury zusammenzustellen. Ein solches System konnte er sich nicht vorstellen; die Richter in Mississippi auch nicht. Sie meinten es ernst mit der Zusammenstellung fairer und unparteiischer Jurys, wollten nur keine Zeit verschwenden.

Ein hohes Tempo würde äußerst wichtig sein. Schnelle Entscheidungen waren gefordert. Auf beiden Seiten würden die Anwälte nicht viel Zeit haben, um über Namen nachzudenken oder in ihren Unterlagen nach Informationen zu suchen. Es war unerlässlich, dass sie die Namen auswendig wussten und sofort ein Gesicht damit verbanden. Jake war fest entschlossen, jeden einzelnen Geschworenen mit Namen zu kennen, außerdem Alter, Adresse, Beruf, Schulbildung, Kirchengemeinde. Alles, was sie bekommen konnten.

Als die siebenundneunzig Namen im Gedächtnis aller verankert waren, bekam Portia die Aufgabe, sich durch die alten Akten des Gerichts zu wühlen. Sie verbrachte Stunden damit, in Urkunden und im Grundstücksregister nach Transaktionen der letzten zehn Jahre zu suchen. Sie stöberte in Prozesslisten, suchte nach Klägern und Beklagten, Gewinnern und Verlierern. Von den siebenundneunzig potenziellen Geschworenen hatten sich sechzehn in den letzten zehn Jahren scheiden lassen. Sie war sich nicht so sicher, was das mit einem Prozess zu tun haben könnte, in dem es um die Anfechtung eines Testaments ging, aber sie suchte trotzdem nach Informationen darüber. Einer der Geschworenen, ein gewisser Eli Rady, hatte vier Prozesse angestrengt und alle verloren. Als sie sich die Gläubigerverzeichnisse ansah, stellte sie fest, dass es Dutzende von Ansprüchen wegen unbezahlter Steuern, unbezahlter Lieferungen, unbezahlter Handwerkerrechnungen gab. Einige ihrer potenziellen Geschworenen schuldeten dem County Geld, weil sie ihre Grundsteuer nicht bezahlt hatten. Bei der Steuerbehörde wühlte sie sich durch die Grundsteuerbescheide und erstellte eine Liste, in der Marke und Baujahr der Autos im Besitz der Geschworenen aufgeführt wurden. Es gab eine Menge Pick-ups, was keine Überraschung war.

Die Arbeit war mühsam und häufig todlangweilig, aber Portia wurde nicht langsamer, dachte nie daran aufzugeben. Nachdem sie zwei Wochen mit diesen Leuten gelebt hatte, war sie überzeugt davon, sie zu kennen.

Nach der Kaffeepause machten sie sich ohne rechte Begeisterung wieder an die Arbeit. Jake begann, in groben Zügen sein Eröffnungsplädoyer zu umreißen. Portia ging wieder in den Konferenzraum zu ihren siebenundneunzig neuen Freunden.

Um zehn kam Harry Rex, der eine Riesentüte mit fettigen Wurstbrötchen von Claude's mitbrachte. Er drückte Jake eines in die Hand, bestand darauf, dass er es nicht wieder weglegte, und schob ihm dann einen Umschlag hin. »Das ist ein Scheck von deiner Versicherung, Land Fire and Casualty, alles Betrüger, also kauf nie wieder eine Police von denen, verstanden? Einhundertfünfunddreißigtausend Dollar. Voller Ausgleich. Und davon geht kein einziger Cent für das Anwaltshonorar ab, daher bist du mir jetzt einen Riesengefallen schuldig.«

»Danke. Und da dein Stundensatz so niedrig ist, solltest du dich jetzt endlich an die Arbeit machen.«

»Jake, ich habe wirklich genug von diesem Fall. Am Montag helfe ich dir noch, die Jury zusammenzustellen, dann bin ich weg. Ich habe meine eigenen Fälle zu verlieren.«

»In Ordnung. Aber zur Auswahl der Geschworenen kommst du.« Jake wusste genau, dass Harry Rex sich nur wenig von dem Geschehen im Gerichtssaal entgehen lassen würde und sich jeden Abend, wenn sie Sandwichs und Pizza im Konferenzraum aßen, dazusetzen und mit ihnen darüber streiten würde, was schiefgelaufen war und was am nächsten Tag alles passieren könnte. Er würde jeden Schritt von Jake im Nachhinein zerpflücken, Wade Lanier mit vernichtender Kritik überziehen, die für sie nachteiligen Entscheidungen Richter Atlees verfluchen, stets und ständig Ratschläge erteilen (ungefragt natürlich), die ganze Zeit darüber reden, dass sie gerade dabei waren, einen Fall zu verlieren, der nicht zu gewinnen war, und manchmal so unerträglich sein, dass Jake ihm am liebsten etwas an den Kopf geworfen hätte. Aber Harry Rex irrte sich selten. Er kannte das Gesetz und dessen Fallstricke. Er las Menschen, wie andere Zeitschriften lasen. Ohne dass die Geschworenen es bemerkten, würde er sie dabei beobachten, wie sie Jake beobachteten. Und sein Rat würde unbezahlbar sein.

Trotz Seth Hubbards unmissverständlichem Befehl, dass kein anderer Anwalt in Ford County von seinem Nachlass profitieren dürfe, war Jake fest entschlossen, ein Honorar in die Richtung von Harry Rex zu schleusen. Wenn Seth Hubbard wollte, dass sein im letzten Moment mit der Hand geschriebenes Testament allen Anfechtungen standhielt, brauchten sie Harry Rex Vonner, egal, ob es dem Erblasser gefiel oder nicht.

Als das Telefon auf Jakes Schreibtisch zu klingeln begann, ignorierte er es. »Warum geht hier eigentlich keiner mehr ans Telefon? Ich habe diese Woche zehnmal angerufen und bin nie durchgekommen«, beschwerte sich Harry Rex.

»Portia ist im Gericht. Ich muss arbeiten. Lucien geht nicht ans Telefon.«

»Denk doch mal daran, wie viele Verkehrsunfälle, Scheidungen und Ladendiebstähle dir entgehen. Das ganze menschliche Elend dieser Welt versucht verzweifelt, dich zu erreichen.«

»Ich würde sagen, wir haben im Moment genug zu tun.«

»Hast du schon was von Lucien gehört?«

»Heute Morgen noch nicht, aber es ist ja erst sechs Uhr in Alaska. So früh ist er vermutlich noch nicht auf.«

»Vermutlich geht er gerade ins Bett. Jake, du bist ein Idiot, weil du Lucien auf eine Geschäftsreise geschickt hast. Der Mann besäuft sich doch schon zwischen hier und seinem Haus. Wenn er unterwegs ist, in Flughafen-Lounges, Hotelbars, egal wo, wird er sich zu Tode trinken.«

»Er hält sich zurück. Er hat vor, für das Anwaltsexamen zu pauken und wieder eine Zulassung zu beantragen.«

»Zurückhalten bedeutet bei dem alten Sack, dass er um Mitternacht mit dem Saufen aufhört.«

»Seit wann bist du eigentlich so nüchtern, Harry Rex? Du trinkst schon die ganze Zeit Bud Light zum Frühstück.«

»Ich weiß, wann ich langsam machen muss. Ich bin ein Profi. Lucien ist nur ein Säufer.«

»Willst du jetzt die Daten für die Geschworenen überarbeiten oder den ganzen Morgen hier rumsitzen und Lucien schlechtmachen?«

Harry Rex stand auf und ging zur Tür. »Später. Hast du ein kaltes Bud Light?«

»Nein.« Als er weg war, öffnete Jake den Umschlag und sah

sich den Scheck von der Versicherung an. Einerseits war er traurig, weil der Scheck das Ende ihres ersten Hauses bedeutete.
Sicher, es war vor über drei Jahren in Flammen aufgegangen,
aber die Klage gegen die Versicherung hatte Carla und ihm
Hoffnung darauf gemacht, es wieder aufbauen zu können. Das
war immer noch möglich, aber unwahrscheinlich. Andererseits
bedeutete der Scheck, dass Geld auf ihr Konto kam. Nicht viel,
denn nachdem die beiden Hypotheken abgezahlt waren, würden
nur knapp vierzigtausend Dollar übrig bleiben. Es war kein Vermögen, doch es verschaffte ihnen ein wenig Luft.

Er rief Carla an und sagte, es gebe Grund zum Feiern. Sie
solle einen Babysitter suchen.

Lucien klang ganz normal, als er anrief, allerdings bedeutete
»normal« bei ihm die übliche heisere Stimme und die schleppende Aussprache eines Alkoholikers, der versucht, den Nebel
in seinem Gehirn loszuwerden. Er sagte, Lonny Clark habe eine
schlimme Nacht hinter sich, die Infektion wolle nicht zurück-
gehen, die Ärzte seien noch besorgter als tags zuvor, und, am
wichtigsten, er dürfe keinen Besuch bekommen.

»Was haben Sie vor?«, erkundigte sich Jake.

»Ich bleibe eine Weile hier, vielleicht mache ich auch ein paar
Ausflüge. Jake, sind Sie schon mal in Juneau gewesen? Ziemlich
spektakuläre Gegend, mit Bergen auf drei Seiten und dem Meer
direkt vor der Tür. Die Stadt ist nicht sehr groß und nicht sehr
hübsch, aber was für eine Landschaft. Es gefällt mir hier. Ich
glaube, ich werde rausfahren und mir einiges ansehen.«

»Glauben Sie, dass er es ist?«

»Ich weiß inzwischen noch weniger als bei meiner Abreise
aus Clanton. Das Ganze ist ein Rätsel. Der Polizei ist es eigentlich egal, wer er ist oder was mit ihm passiert. Sie haben gerade
damit zu tun, einen Drogenring auffliegen zu lassen. Jake, mir

gefällt es hier wirklich. Ich habe es überhaupt nicht eilig zurückzukommen. Im Gerichtssaal brauchen Sie mich ja sowieso nicht.«

Jake war der gleichen Meinung, sagte aber nichts.

»Hier ist es schön kühl und überhaupt nicht schwül. Stellen Sie sich das mal vor, ein Ort ohne hohe Luftfeuchtigkeit. Ja, hier gefällt es mir. Ich werde Lonny im Auge behalten und mit ihm plaudern, wenn sie mich zu ihm lassen.«

»Lucien, sind Sie nüchtern?«

»Morgens bin ich immer nüchtern. Probleme bekomme ich erst ab zehn Uhr abends.«

»Bleiben Sie in Verbindung.«

»Alles klar, Jake. Machen Sie sich keine Sorgen.«

Sie brachten Hanna zu Jakes Eltern in Karaway und fuhren eine Stunde nach Oxford, wo sie eine Tour über den Campus der Ole Miss machten und in Erinnerungen an ein anderes Leben schwelgten. Es war ein warmer, klarer Frühlingstag, und die Studenten trugen Shorts und gingen barfuß. Sie warfen Frisbees über die Rasenflächen, holten Bierdosen aus Kühlboxen und genossen die Sonne, die gerade am Verschwinden war. Jake war fünfunddreißig, Carla einunddreißig, und ihre Collegezeit schien noch gar nicht so lange zurückzuliegen, gleichzeitig aber ewig her zu sein.

Wie immer empfanden sie bei einem Spaziergang über den Campus Sehnsucht nach Vergangenem. Und Fassungslosigkeit. Waren sie wirklich in den Dreißigern? Es kam ihnen so vor, als wären sie letzten Monat noch Studenten gewesen. Jake vermied es, in die Nähe der juristischen Fakultät zu kommen, dieser Albtraum war noch zu frisch. Als es zu dämmern begann, fuhren sie zum Oxford Square und parkten am Gericht. Sie hielten sich eine Stunde lang in der Buchhandlung auf, tranken auf dem

Balkon oben Kaffee und gingen dann zum Abendessen in den Downtown Grill, das teuerste Restaurant im Umkreis von hundertzwanzig Kilometern. Da sie mit Geld um sich werfen konnten, bestellte Jake eine Flasche Bordeaux für sechzig Dollar.

Als sie wieder in Clanton waren, war es fast Mitternacht. Sie machten die übliche Runde und fuhren langsam an Hocutt House vorbei. In einigen Zimmern brannte Licht, und das schöne alte Anwesen schien sie heranzuwinken. In der Einfahrt parkte Willie Traynors Spitfire mit Nummernschildern aus Tennessee. »Sehen wir mal nach, was Willie macht«, sagte Jake, der immer noch ein bisschen aufgekratzt vom Wein war.

»Nein, Jake! Dafür ist es schon zu spät«, protestierte Carla.

»Komm schon. Willie hat bestimmt nichts dagegen.« Er hatte den Saab angehalten und schaltete in den Rückwärtsgang.

»Jake, das ist so was von unhöflich.«

»Bei jedem anderen, ja, aber nicht bei Willie. Außerdem will er, dass wir sein Haus kaufen.« Jake parkte hinter dem Spitfire.

»Und wenn er Besuch hat?«

»Dann kriegt er jetzt noch mehr Besuch. Komm mit.«

Widerstrebend stieg Carla aus. Sie blieben kurz auf dem schmalen Fußweg stehen und sahen sich die großzügige Veranda vor dem Haus an. Der schwere Duft von Strauchpfingstrosen und Schwertlilien lag in der Luft. Rosafarbene und weiße Azaleen leuchteten auf den Blumenbeeten.

»Wir sollten es kaufen«, sagte Jake.

»Wir können es uns nicht leisten«, erwiderte sie.

Sie betraten die Veranda, läuteten und hörten Billie Holiday im Hintergrund. Willie kam zur Tür, in Jeans und T-Shirt, und öffnete mit einem breiten Grinsen. »Sieh an, sieh an«, sagte er, »wenn das nicht die neuen Besitzer sind.«

»Wir waren gerade in der Gegend und haben Durst bekommen«, erwiderte Jake.

»Ich hoffe, wir stören nicht«, sagte Carla etwas verlegen.

»Überhaupt nicht. Kommen Sie rein.« Willie winkte sie ins Haus und führte sie ins Wohnzimmer, wo eine Flasche Weißwein in einem Kühler stand. Sie war fast leer, und Willie holte schnell eine neue und entkorkte sie. Dabei erklärte er, dass er in der Stadt sei, um über den Prozess zu berichten. Sein neuestes Projekt sei ein monatlich erscheinendes Magazin und der Kultur in den Südstaaten gewidmet. Für die erste Ausgabe sei ein ausführlicher Bericht über Seth Hubbard und das Vermögen, das er seiner schwarzen Haushälterin hinterlassen habe, geplant.

Das hatte Willie bis jetzt noch nicht erwähnt, und Jake war begeistert bei dem Gedanken daran, außerhalb von Ford County Publicity zu bekommen. Der Hailey-Prozess hatte ihm einen Vorgeschmack darauf gegeben, wie es war, berühmt zu sein, und für ihn war das ein berauschendes Gefühl. »Wer wird auf dem Titelblatt sein?«, fragte er scherzhaft.

»Sie vermutlich nicht«, erwiderte Willie, während er ihnen zwei Gläser gab, die bis zum Rand gefüllt waren. »Zum Wohl.«

Sie redeten kurz über den Prozess, aber alle drei hatten etwas anderes im Kopf. Schließlich brach Willie das Eis und sagte: »Ich mache Ihnen folgenden Vorschlag: Wir vereinbaren jetzt per Handschlag, dass Sie das Haus kaufen, ein mündlicher Vertrag, nur wir drei.«

»Ein mündlicher Immobilienvertrag ist nicht durchsetzbar«, wandte Jake ein.

»Wie halten Sie es eigentlich mit ihm aus?«, fragte Willie Carla.

»Ich muss mir viel Mühe geben.«

»Er ist durchsetzbar, wenn wir sagen, dass er durchsetzbar ist«, sagte Willie. »Wir geben uns jetzt die Hand drauf und halten das Ganze geheim. Und nach dem Prozess suchen wir uns einen richtigen Anwalt, der einen ordentlichen Vertrag aufsetzen kann. Sie gehen zur Bank und kümmern sich um die Hypothek, und nach neunzig Tagen gehört das Haus Ihnen.«

Jake und Carla wechselten einen Blick. Für einen Moment waren sie wie erstarrt, als wäre die Idee völlig neu für sie. In Wirklichkeit hatten sie so lange über den Kauf von Hocutt House gesprochen, bis sie es leid gewesen waren.

»Und wenn wir keine Hypothek bekommen?«, fragte Carla.

»Das ist doch albern. Ihnen würde jede Bank in der Stadt Geld leihen.«

»Das bezweifle ich«, warf Jake ein. »In Clanton gibt es fünf Banken, von denen ich drei schon mal verklagt habe.«

»Für zweihundertfünfzigtausend ist das Haus ein Schnäppchen, und die Bank weiß das auch.«

»Ich dachte, es wären zweihundertfünfundzwanzigtausend«, meine Jake mit einem Blick auf Carla.

Willie trank einen Schluck Wein und schmatzte zufrieden. »Waren es auch, ganz kurz, aber bei dem Preis haben Sie ja nicht angebissen. Das Haus ist mindestens vierhunderttausend Dollar wert. In Memphis …«

»Darüber haben wir schon gesprochen, Willie. Wir sind hier nicht in der Innenstadt von Memphis.«

»Nein, sind wir nicht, aber zweihundertfünfzigtausend scheint mir realistischer zu sein. Also sind es jetzt zweihundertfünfzigtausend.«

»Das ist eine merkwürdige Verkaufsstrategie, Willie. Wenn Sie nicht die Summe bekommen, die Sie haben wollen, gehen Sie immer weiter mit dem Preis rauf?«

»Ich werde nicht noch mal raufgehen, Jake, es sei denn, irgendein Arzt interessiert sich für das Haus. Zweihundertfünfzigtausend. Das ist ein fairer Preis. Und das wissen Sie beide. Jetzt geben Sie mir endlich die Hand drauf.«

Jake und Carla starrten einander für einen Moment an. Dann hob sie langsam den Arm und schüttelte Willie die Hand. »Gut gemacht«, lobte Jake. Sie hatten das Haus gekauft.

Das einzige Geräusch war das leise Brummen eines Monitors, irgendwo über und hinter ihm. Die einzige Lichtquelle war das rote Glühen der Digitalziffern, die seine Vitalfunktionen aufzeichneten. Lonny hatte Rückenschmerzen und versuchte, das Gewicht zu verlagern. Eine Infusion sorgte dafür, dass die farblosen, aber starken Medikamente in sein Blut gelangten und die Schmerzen unterdrückten, jedenfalls die meiste Zeit. Er dämmerte immer wieder weg, war ein paar Momente wach, dann erneut besinnungslos. Er hatte jedes Zeitgefühl verloren. Der Fernseher war ausgeschaltet, die Fernbedienung hatten sie ihm weggenommen. Die Medikamente waren so stark, dass ihn nachts nicht einmal mehr die lästigen Krankenschwestern aufwecken konnten, obwohl sie es immer wieder versuchten.

Wenn er wach war, spürte er Bewegungen im Zimmer – Pfleger, Putzkräfte, Ärzte, jede Menge Ärzte. Manchmal hörte er sie reden, mit leiser, ernster Stimme, und Lonny hatte entschieden, dass er sterben würde. Eine Infektion, deren Namen er sich weder merken noch aussprechen konnte, wütete in seinem Körper, und die Ärzte konnten nichts tun.

Völlig lautlos tauchte ein Fremder an seinem Bett auf und berührte das Schutzgitter. »Ancil«, sagte er mit leiser, aber kräftiger Stimme. »Ancil, sind Sie wach?«

Lonny riss die Augen auf, als er seinen Namen hörte. An seinem Bett stand ein alter Mann mit langen grauen Haaren, der ein schwarzes T-Shirt trug. Dasselbe Gesicht. Er war wieder da. »Ancil, können Sie mich hören?«

Lonny rührte keinen Muskel.

»Ihr Name ist nicht Lonny, das wissen wir. Sie heißen Ancil,

Ancil Hubbard, Bruder von Seth. Ancil, was ist mit Sylvester Rinds passiert?«

Lonny hatte Angst, doch er bewegte sich nicht. Er roch Whiskey und erinnerte sich daran, dass es in der Nacht zuvor genauso gewesen war.

»Was ist mit Sylvester Rinds passiert? Damals waren Sie acht Jahre alt, Ancil. Was ist mit Sylvester Rinds passiert?«

Lonny schloss die Augen und atmete keuchend. Eine Sekunde lang dämmerte er weg, dann zuckten seine Hände nach oben, und er riss die Augen auf. Der Fremde war verschwunden.

Er rief die Krankenschwester.

38

Vor dem Tod von Mrs. Atlee schaffte es das Ehepaar Atlee einmal, acht Jahre hintereinander den Sonntagsgottesdienst der First Presbyterian Church zu besuchen. Zweiundfünfzig Sonntage am Stück, acht Jahre lang. Ein Grippevirus setzte der Serie ein Ende. Dann starb sie, was den Richter so aus dem Konzept brachte, dass er tatsächlich ein- oder zweimal pro Jahr fehlte. Aber nicht öfter. Er war in der Kirche derart präsent, dass seine Abwesenheit sofort auffiel. Am Sonntag vor der Verhandlung war er nicht da, und als Jake das merkte, konnte er sich nicht mehr auf die Predigt konzentrieren. War der alte Mann etwa krank? Und wenn ja, würde der Prozess deswegen verschoben werden? Wie würde sich das auf seine Strategie auswirken? Ein Dutzend Fragen und keine Antworten.

Nach der Kirche fuhren Jake und seine Damen wieder zu Hocutt House, wo Willie Traynor dabei war, auf der Veranda hinter dem Haus einen Brunch vorzubereiten. Er bestand darauf, die neuen Eigentümer zu bewirten, angeblich wollte er unbedingt Hanna kennenlernen und herumführen. Alles natürlich unter dem Siegel der Verschwiegenheit. Jake und Carla hätten ihre Tochter für den Augenblick gern herausgehalten, aber sie waren furchtbar aufgeregt. Hanna versprach, das große Geheimnis nicht zu verraten. Nach einem Rundgang, bei dem sie sich versuchsweise schon einmal ein Zimmer aussuchte, setzten sie sich an einen Holztisch auf der Veranda und aßen Rührei mit Toast.

Willie brachte das Gespräch vom Haus auf den Prozess. Nahtlos in seine Rolle als Journalist wechselnd, stocherte und fischte er nach interessanten Informationen. Zweimal warf Carla Jake einen warnenden Blick zu, aber der hatte schon gemerkt, was Sache war. Als Willie wissen wollte, ob es Hinweise darauf gebe, dass Seth Hubbard mit Lettie Lang intim geworden sei, blockte Jake höflich ab. Der Brunch war nun nicht mehr ganz so entspannt, weil Jake immer stiller wurde, während sein Gastgeber angelegentlich über Gerüchte plauderte, für die er sich eine Bestätigung erhoffte. Hatte Lettie tatsächlich angeboten, das Geld zu teilen und sich auf einen Vergleich einzulassen? Jake erwiderte bestimmt, dazu könne er sich nicht äußern. Gerüchte gebe es viele.

Als Willie noch einmal nach der angeblichen »Intimität« fragte, schaltete sich Carla ein.

»Bitte, Willie, wir haben hier eine Siebenjährige.«

»Richtig, tut mir leid.«

Hanna ließ sich kein Wort entgehen.

Nach einer Stunde sah Jake auf die Uhr und erklärte, er müsse ins Büro, es werde ein langer Nachmittag und Abend werden. Willie schenkte noch einmal Kaffee nach, während sie sich bedankten und ihre Servietten auf den Tisch legten. Es dauerte fünfzehn Minuten, bis sie sich verabschieden konnten, ohne unhöflich zu werden. Als sie losfuhren, blickte Hanna aus dem Rückfenster unverwandt auf das Haus.

»Mir gefällt unser neues Haus«, sagte sie. »Wann können wir einziehen?«

»Bald, Kleines«, erwiderte Carla.

»Wo soll Mr. Willie dann wohnen?«

»Der hat mehrere Häuser«, sagte Jake. »Mach dir um den keine Sorgen.«

»Er ist richtig nett.«

»Ja, das ist er«, stimmte Carla zu.

Lucien folgte dem Detective ins Zimmer, wo sie von Lonny erwartet wurden, der von einer stämmigen Krankenschwester bewacht wurde. Sie rang sich kein Lächeln ab und schien sich über die Störung zu ärgern. Einer der Ärzte hatte ihnen widerwillig erlaubt, ein paar Fragen zu stellen. Lonnys Zustand hatte sich über Nacht verbessert, und er fühlte sich nicht mehr so elend, aber sein medizinisches Team stellte sich trotzdem schützend vor ihn. Für Anwälte hatte man sowieso nichts übrig.

»Das ist der Mann, von dem ich Ihnen erzählt habe, Lonny«, sagte der Detective ohne auch nur den Versuch einer Vorstellung. Lucien, der in einem schwarzen Anzug steckte, stellte sich ans Fußende des Bettes und setzte ein falsches Lächeln auf. »Mr. Clark, ich heiße Lucien Wilbanks und arbeite für einen Anwalt in Clanton, Mississippi.«

Das Gesicht kam Lonny bekannt vor. War es ihm nicht mitten in der Nacht auf geisterhafte Weise erschienen und dann wieder verschwunden?

»Sehr erfreut«, sagte Lonny so, als wäre er immer noch benommen, obwohl sein Verstand klar war wie nie, seit er den Schlag auf den Kopf bekommen hatte.

»Wir führen einen Rechtsstreit, für den wir einen Mann namens Ancil Hubbard ausfindig machen müssen. Mr. Hubbard wurde am 1. August 1922 in Ford County, Mississippi, geboren. Sein Vater war Cleon Hubbard, seine Mutter Sarah Belle Hubbard, und er hatte einen fünf Jahre älteren Bruder namens Seth. Wir suchen verzweifelt nach Ancil Hubbard und haben gehört, Sie kennen ihn vielleicht oder sind ihm in den letzten Jahren begegnet.«

»Dafür haben Sie den weiten Weg aus Mississippi auf sich genommen?«, fragte Lonny.

»Allerdings, aber das ist keine große Sache. Selbst bei uns

gibt es Flugzeuge. Und wir suchen sowieso den gesamten Kontinent nach Ancil ab.«

»Was ist das für ein Rechtsstreit?«, fragte Lonny mit der Abneigung, die die meisten Menschen für dieses unangenehme Thema hegen.

»Eine ziemlich komplizierte Sache. Seth Hubbard ist vor sechs Monaten plötzlich verstorben und hat ein einziges Chaos hinterlassen. Jede Menge Unternehmensbeteiligungen und keine richtige Nachlassplanung. Als Anwälte müssen wir zunächst einmal die gesamte Familie aufspüren, was bei den Hubbards eine echte Herausforderung ist. Wir haben Grund zu der Annahme, dass Sie etwas über Ancil Hubbard wissen. Ist das korrekt?«

Lonny schloss die Augen, weil eine Schmerzwelle durch seinen Kopf rollte. Er öffnete sie wieder und blickte zur Decke. »Der Name sagt mir nichts, tut mir leid«, erwiderte er leise.

Als hätte er diese Antwort erwartet oder sie gar nicht gehört, sprach Lucien weiter. »Fällt Ihnen irgendwer in Ihrer Vergangenheit ein, der Ancil Hubbard gekannt oder seinen Namen erwähnt haben könnte? Helfen Sie mir, Mr. Clark. Versuchen Sie, sich zu erinnern. Es sieht so aus, als wären Sie viel herumgekommen, da kennen Sie bestimmt überall Leute. Ich weiß, dass Ihnen der Schädel brummt, aber lassen Sie sich Zeit, überlegen Sie gründlich.«

»Der Name sagt mir nichts«, wiederholte er.

Die Krankenschwester starrte Lucien finster an und schien sich auf ihn stürzen zu wollen. Er ignorierte sie. Sorgfältig stellte er seinen abgewetzten Aktenkoffer so auf das Fußende des Bettes, dass Lonny ihn sehen konnte und annehmen musste, darin befänden sich wichtige Unterlagen.

»Waren Sie jemals in Mississippi, Mr. Clark?«, fragte Lucien.

»Nein.«

»Sind Sie sicher?«

»Natürlich bin ich mir sicher.«

»Da bin ich aber überrascht, wir dachten nämlich, Sie wären dort geboren. Wir haben eine Menge Geld für teure Privatdetektive ausgegeben, die sich auf die Suche nach Ancil Hubbard gemacht haben. Als sie auf Ihren Namen stießen, stellten sie weitere Nachforschungen an und fanden mehrere Lonny Clarks. Einer davon wurde vor sechsundsechzig Jahren in Mississippi geboren. Sie sind doch sechsundsechzig, Mr. Clark?«

Lonny starrte ihn an, er fühlte sich überfordert und verunsichert. »Stimmt«, erwiderte er langsam.

»Welche Verbindung besteht zwischen Ihnen und Ancil Hubbard?«

»Er hat doch gesagt, er kennt ihn nicht«, mischte sich die Krankenschwester ein.

»Mit Ihnen rede ich nicht!«, fuhr Lucien sie an. »Das ist eine wichtige Rechtssache, ein großes Verfahren, an dem Dutzende Anwälte und mehrere Gerichte beteiligt sind und bei dem es um sehr viel Geld geht. Falls ich Ihre Meinung hören will, lasse ich es Sie wissen. Bis dahin halten Sie sich gefälligst heraus.«

Sie lief dunkelrot an und schnappte nach Luft.

Lonny konnte die Frau ohnehin nicht ausstehen. »Reden Sie gefälligst nicht für mich! Ich kann selbst auf mich aufpassen.«

Eingeschüchtert trat die Krankenschwester einen Schritt zurück. Verbunden durch ihre gemeinsame Abneigung gegen die Frau, musterten Lucien und Lonny einander eingehend.

»Ich muss erst einmal darüber schlafen«, sagte Lonny. »Mein Gedächtnis ist im Augenblick mal besser, mal schlechter, und ich bin mit Medikamenten vollgepumpt.«

»Ich warte gern«, erwiderte Lucien. »Es ist extrem wichtig, dass wir Ancil Hubbard finden.« Er zog eine Visitenkarte aus der Tasche und reichte sie Lonny. »Das ist mein Chef, Jake Brigance.

Sie können ihn anrufen und nach mir fragen. Er ist der Hauptanwalt in der Sache.«

»Und Sie sind auch Anwalt?«, fragte Lonny.

»Ja. Mir sind nur die Visitenkarten ausgegangen. Ich bin im Glacier Inn in der Third Street abgestiegen.«

Am späten Nachmittag schloss Herschel Hubbard die Tür zum Haus seines Vaters auf und ging hinein. Wie lange hatte es jetzt leer gestanden? Er blieb stehen und rechnete. Sein Vater hatte am 2. Oktober, einem Sonntag, Selbstmord begangen. Heute war der 2. April, ebenfalls ein Sonntag. Seines Wissens war das Haus seit Letties Entlassung am Tag nach der Beerdigung nicht mehr gereinigt worden. Eine dicke Staubschicht bedeckte Fernsehschrank und Regale. Es roch nach kaltem Rauch und abgestandener Luft. Er betätigte einen Schalter, und das Licht ging an. Soweit er wusste, bezahlte Quince Lundy, der Nachlassverwalter, Strom- und Wasserrechnungen. Die Arbeitsflächen in der Küche waren makellos sauber, der Kühlschrank leer. Ein Wasserhahn tropfte langsam auf einen braunen Fleck in der Porzellanspüle. Er arbeitete sich zum hinteren Teil des Hauses vor. In dem Zimmer, das einmal seins gewesen war, klopfte er den Staub vom Bettüberwurf, streckte sich auf dem Bett aus und starrte an die Decke.

In den sechs Monaten hatte er das Vermögen im Geiste mehrfach durchgebracht, es einmal nach Lust und Laune ausgegeben, dann wieder durch kluge Investitionen verdoppelt und verdreifacht. Manchmal fühlte er sich als Millionär, dann wieder drohte ihn eine furchtbare Leere zu verschlingen, wenn er fühlte, wie ihm der Reichtum entglitt, bis nichts übrig blieb. Warum hatte der alte Mann das getan? Herschel war willens, Verantwortung für mehr als seinen eigenen Anteil an ihrer schwierigen Beziehung zu übernehmen, aber er konnte nicht begreifen, warum er völlig leer ausgehen sollte. Er hätte Seth mehr lieben können, aber der hatte nur wenig Liebe zurückgegeben. Er hätte mehr Zeit hier im Haus verbringen können, aber Seth hatte ihn nicht dahaben wollen. Seit wann war ihre Beziehung schiefgelaufen? Wie klein war Herschel gewesen, als er merkte, dass sein Vater kalt und distanziert war? Ein Kind kann keinen Vater für sich gewinnen, der es nicht will.

Doch Herschel hatte nie gegen seinen Vater aufbegehrt, ihn nie durch offene Rebellion oder Schlimmeres – Sucht, Gefängnis, ein Leben als Krimineller – bloßgestellt. Er war mit achtzehn bei Seth ausgezogen, um auf eigenen Füßen zu stehen. Dass er sich als Erwachsener nicht um Seth kümmerte, lag daran, dass Seth sich nicht um ihn gekümmert hatte, als er klein gewesen war. Kinder ignorieren von sich aus niemanden, das müssen sie erst lernen. Herschels Lehrer war ein Meister seines Fachs gewesen.

Hätte das Geld etwas verändert? Was hätte er anders gemacht, wenn er gewusst hätte, wie reich sein Vater war? Verdammt viel, musste er sich schließlich eingestehen. Anfänglich hatte er sich aufs hohe Ross gesetzt und zumindest seiner Mutter gegenüber behauptet, es hätte nichts geändert. Selbstverständlich nicht! Wenn Seth seinen einzigen Sohn nicht wollte, hätte sich dieser Sohn bestimmt nicht aufgedrängt. Aber als die Zeit verstrich und sich die Aussichten in seinem eigenen unglücklichen Leben immer weiter verfinsterten, änderte sich das. Jetzt war ihm klar, dass er da gewesen wäre, im Haus, und sich um seinen lieben alten Vater gekümmert hätte. Er hätte brennendes Interesse am Holz- und Möbelgeschäft gezeigt. Er hätte Seth angefleht, ihn ins Unternehmen einzuführen und als Nachfolger aufzubauen. Er hätte seinen Stolz hinuntergeschluckt und wäre nach Ford County zurückgekehrt, hätte sich irgendwo eingemietet. Und ganz bestimmt hätte er ein Auge auf Lettie Lang gehabt.

Von einem solch großen Erbe ausgeschlossen zu werden war entsetzlich erniedrigend. Seine Freunde tuschelten hinter seinem Rücken. Seine Feinde freuten sich über sein Pech. Seine Exfrau, die ihn fast so wenig leiden konnte, wie sie Seth verachtet hatte, fand Spaß daran, die furchtbaren, aber wahren Gerüchte in Memphis zu verbreiten. Obwohl ihre Kinder ebenfalls leer ausgingen, hackte sie weiter auf dem armen Herschel herum. In den letzten sechs Monaten war es ihm schwergefallen, sein Geschäft zu führen und sich auf seine Angelegenheiten zu konzentrieren. Rechnungen und Schulden sammelten sich an, seine Mutter zeigte immer weniger Verständnis und Hilfsbereitschaft. Zweimal hatte sie ihn aufgefordert, auszuziehen und sich eine eigene Wohnung zu suchen. Das hätte er gern getan, aber er konnte es sich nicht leisten.

Sein Schicksal lag nun in den Händen eines gewieften Anwalts namens Wade Lanier, eines übellaunigen alten Richters namens Reuben Atlee und einer zusammengewürfelten Schar zufällig ausgewählter Geschworener aus dem ländlichen Mississippi. Manchmal war er zuversichtlich. Die Gerechtigkeit würde siegen, das Recht über das Unrecht und so weiter. Es war einfach nicht in Ordnung, dass eine Haushälterin, gleich welcher Hautfarbe, in den letzten Jahren eines langen Lebens auftauchte und die Dinge auf diese teuflische Weise manipulierte. Die Fairness war auf seiner Seite. Dann wieder spürte er erneut den unerträglichen Schmerz, alles dahinschwinden zu sehen. Wenn es einmal geschehen war, konnte es wieder passieren.

Die Wände schienen immer näher zu rücken, die stickige Luft wurde dicker. Es war ein freudloses Zuhause gewesen, mit Eltern, die einander gehasst hatten. Er verfluchte sie eine Zeit lang, beide zu gleichen Teilen, und konzentrierte sich dann auf Seth. Warum hat man Kinder, wenn man sie nicht will? Jahrelang hatte er mit diesen Fragen gerungen, es gab keine Antworten. Er musste loslassen.

Genug. Er schloss das Haus ab und fuhr nach Clanton, wo er gegen achtzehn Uhr erwartet wurde. Ian und Ramona waren bereits im großen Konferenzraum im ersten Stock der Kanzlei Sullivan. Ihr Spitzen-Geschworenenberater Myron Pankey lobte gerade seine eigene fundierte Recherche, als Herschel eintraf. Einer flüchtigen Begrüßung folgten flüchtige Vorstellungen. Pankey hatte zwei Mitarbeiterinnen dabei, attraktive junge Frauen, die sich Notizen machten. Wade Lanier und Lester Chilcott saßen, flankiert von ihren Assistenten, an der einen Seite des Tisches in der Mitte.

»Unserer Telefonumfrage zufolge«, erklärte Pankey, »wollte die Hälfte der Befragten wissen, ob Sex im Spiel war, wenn wir sagten, dass das Testament von einem wohlhabenden siebzigjährigen Mann verfasst und die Betreuerin eine wesentlich jüngere, attraktive Frau war. Wir haben Sex nie erwähnt, aber das war oft die automatische Reaktion. Was lief da wirklich? Das Thema Rasse wurde nie angesprochen, aber von den schwarzen Befragten vermuteten achtzig Prozent einen sexuellen Hintergrund. Von den Weißen waren es fünfundfünfzig Prozent.«

»Die Frage liegt also sehr wohl in der Luft, auch wenn sie nicht ausgesprochen wird«, sagte Lanier.

Wussten wir das nicht schon vor sechs Monaten?, fragte sich Herschel, während er Kringel auf einen Block malte. Bisher hatten sie Pankey zwei Drittel seines Fünfundsiebzigtausend-Dollar-Honorars bezahlt. Im Augenblick wurde das Geld von Wade Laniers Kanzlei ausgelegt, die alle Prozesskosten übernahm. Ian hatte sich mit zwanzigtausend Dollar beteiligt, Herschel überhaupt nicht. Wenn sie jemals etwas zurückbekamen, würde ein Streit darüber ausbrechen, wer welchen Anteil erhielt.

Pankey verteilte dicke Mappen als Lesestoff, obwohl sich die Anwälte bereits stundenlang mit dem Material herumgeschlagen hatten. Von Ambrose bis Young war jeder Geschworene auf ein bis zwei Seiten kurz beschrieben. Viele Übersichten enthielten Fotos von Haus und Auto, einige wenige auch Bilder der Geschworenen selbst. Sie stammten aus Mitgliederlisten von Kirchengemeinden und Vereinen oder aus Highschool-Jahrbüchern, manchmal hatten auch Freunde unter der Hand ein Foto weitergegeben.

»Unser idealer Geschworener ist weiß und über fünfzig. Die jüngeren Leute haben integrierte Schulen besucht und sind beim Thema Rasse toleranter, was uns natürlich nicht recht sein kann. Es ist traurig, aber für uns gilt: je rassistischer, desto besser. Weiße Frauen sind für uns etwas günstiger als weiße Männer, weil sie gegenüber einer Geschlechtsgenossin härter wären, wenn der Verdacht der Erbschleicherei besteht. Ein Mann hätte vielleicht Verständnis dafür, dass sich ein anderer Mann mit seiner Haushälterin einlässt, eine Frau nicht.«

Und das kostet fünfundsiebzigtausend Dollar?, dachte Herschel, während er vor sich hin malte. Liegt das nicht auf der Hand? Gelangweilt blickte er zu seiner Schwester hinüber, die alt und müde wirkte. Mit Ian lief es nicht gut, und die Hubbard-Geschwister hatten in den vergangenen drei Monaten mehr miteinander telefoniert als in den zehn Jahren davor. Ians Geschäfte und die ohnehin schwierige Ehe gingen den Bach hinunter. Er verbrachte die meiste Zeit an der Golfküste, wo er gemeinsam mit Partnern ein Einkaufszentrum renovierte. Das störte Ramona nicht im Geringsten, sie wollte ihn nicht im Haus haben. Sie sprach offen von Scheidung, zumindest Herschel gegenüber. Aber falls sie diesen Prozess verloren, säße sie vielleicht fest. Wir verlieren nicht, versicherte Herschel ihr immer wieder.

Sie quälten sich bis halb acht durch die Unterlagen, dann erklärte Wade Lanier, er habe genug. Sie fuhren zu einem rustikalen Fischrestaurant mit Blick auf den Lake Chatulla und genossen ein ausgiebiges Mahl, nur die Anwälte und ihre Mandanten.

Nach ein paar Drinks beruhigten sich die Nerven, und die Stimmung entspannte sich. Wie die meisten Prozessanwälte war Wade Lanier ein begnadeter Geschichtenerzähler, der sie mit Schilderungen seiner Gefechte vor Gericht zum Lachen brachte.

»Wir gewinnen. Vertrauen Sie mir«, sagte er mehr als einmal.

Lucien hatte einen Jack Daniel's on the Rocks auf dem Nachttisch stehen und war wieder einmal in einen nur schwer verständlichen Faulkner-Roman vertieft, als in seinem Hotelzimmer das Telefon klingelte.

»Spreche ich mit Mr. Wilbanks?«, fragte eine schwache Stimme.

»Ja«, erwiderte Lucien, schloss leise das Buch und schwang die Füße auf den Boden.

»Hier ist Lonny Clark, Mr. Wilbanks.«

»Ich schlage vor, wir gehen zu Lucien und Lonny über.«

»Einverstanden.«

»Wie geht es Ihnen heute Abend, Lonny?«

»Besser, viel besser. Sie waren letzte Nacht bei mir im Zimmer, stimmt's, Lucien? Ich weiß, dass Sie da waren. Erst dachte ich, ich hätte geträumt, dass ein Fremder zu mir ins Zimmer kam und mit mir redete, aber heute habe ich Sie und Ihre Stimme erkannt.«

»Ich fürchte, da haben Sie wirklich geträumt, Lonny.«

»Nein, habe ich nicht. Die Nacht davor waren Sie nämlich auch da. Freitag- und Samstagnacht, das waren Sie. Ich weiß, dass Sie das waren.«

»Niemand kommt in Ihr Zimmer, Lonny. Vor der Tür sitzt rund um die Uhr ein Polizeibeamter, soweit mir bekannt ist.«

Lonny stutzte, als wäre ihm das neu und als müsste er überlegen, wie es ein Fremder trotzdem bis in sein Zimmer geschafft haben könnte.

»Der Fremde sagte etwas über Sylvester Rinds«, fuhr er schließlich fort. »Kennen Sie Sylvester Rinds, Lucien?«

»Wo kommt der her?«, fragte Lucien und nippte lässig an seinem Glas.

»Das frage ich Sie, Lucien. Kennen Sie Sylvester Rinds?«

»Ich habe mein gesamtes Leben in Ford County verbracht, Lonny. Ich kenne jeden, ob weiß oder schwarz. Aber ich habe das Gefühl, dass Sylvester Rinds vor meiner Geburt verstorben ist. Kannten Sie ihn?«

»Ich weiß nicht. Ich kann keinen klaren Gedanken fassen. Und es ist so lange her …« Seine Stimme wurde immer leiser, als hätte er das Telefon fallen lassen.

Lucien tat alles, um das Gespräch nicht abreißen zu lassen. »Ancil Hubbard interessiert mich viel mehr«, sagte er. »Sagt Ihnen der Name was, Lonny?«

»Vielleicht«, lautete die schwache Erwiderung. »Können Sie morgen vorbeikommen?«

»Selbstverständlich. Wann?«

»Kommen Sie früh. Am Morgen bin ich nicht so müde.«

»Um wie viel Uhr ist die Visite vorbei?«

»Weiß nicht. Neun oder so.«

»Ich bin um halb zehn da, Lonny.«

39

Nevin Dark parkte seinen Pick-up mit der Nase zum Gerichtsgebäude und sah auf die Uhr. Er war früh dran, aber das war Absicht. Er war noch nie als Geschworener herangezogen worden und musste sich widerstrebend eingestehen, dass er ziemlich aufgeregt war. Er besaß westlich von Karaway eine achtzig Hektar große Farm und kam nur selten nach Clanton. Tatsächlich konnte er sich nicht erinnern, wann er zuletzt am Verwaltungssitz des County gewesen war. Zu diesem Anlass trug er seine neueste gestärkte Baumwollhose und eine Fliegerjacke aus Leder, ein Erbstück von seinem Vater, der im Zweiten Weltkrieg Pilot gewesen war. Seine Frau hatte das Baumwollhemd mit dem geknöpften Kragen ordentlich gebügelt. Nevin warf sich nur selten so in Schale. Er blieb stehen und sah sich in der Umgebung des Gerichts nach anderen um, die eine Ladung in der Hand hielten.

Über die Sache wusste er wenig. Der Bruder seiner Frau, ein Großmaul, hatte behauptet, bei dem Prozess gehe es um ein handschriftliches Testament, aber darüber hinaus war nicht viel bekannt. Nevin und seine Frau abonnierten keine der Lokalzeitungen. Sie waren seit zehn Jahren nicht in der Kirche gewesen, diese reiche Quelle für Klatsch und Tratsch blieb ihnen also verschlossen. In der Ladung stand nichts über die Art des Geschworenendiensts. Nevin hatte weder von Seth Hubbard noch von Lettie Lang je gehört. Der Name Jake Brigance sagte ihm etwas, aber nur weil Jake aus Karaway war und der Hailey-Prozess solches Aufsehen erregt hatte.

Kurz gesagt, Nevin war der ideale Geschworene: hinreichend intelligent, fair und nicht informiert. Die Ladung steckte zusammengefaltet in seiner Jackentasche. Er wanderte ein paar Minuten auf dem Clanton Square herum, um die Zeit totzuschlagen, und schlenderte dann zum Gericht, wo es zunehmend lebhafter zuging. Er stieg die Treppe hinauf und schloss sich der Menge an, die sich um die großen Eichentüren des Hauptsitzungssaals drängte. Zwei Polizeibeamte in Uniform standen mit Klemmbrettern bereit. Als Nevin die Kontrolle durchlaufen hatte und in den Saal kam, schickte ihn eine freundlich lächelnde Justizangestellte auf einen Platz auf der linken Seite. Er ließ sich neben einer attraktiven Dame in einem kurzen Rock nieder, die ihm schon nach zwei Minuten erzählt hatte, dass sie an derselben Schule unterrichte wie Clara Brigance und wahrscheinlich aussortiert werde. Als er ihr gestand, dass er nichts über den Fall wisse, konnte sie das kaum glauben. Alle Geschworenen tuschelten untereinander und beobachteten, wie die Anwälte mit wichtiger Miene im Saal herumstolzierten. Der Richtertisch war nicht besetzt. Ein halbes Dutzend Justizbeamte hantierte mit Papieren, ohne viel zu tun, um ihre Anwesenheit im größten Erbschaftsstreit in der Geschichte von Ford County zu rechtfertigen. Manche Anwälte hatten gar keine Verbindung zu dem Verfahren, keinerlei Grund, dabei zu sein, aber ein Sitzungssaal voller potenzieller Geschworener zog immer ein paar Stammkunden an.

Da war zum Beispiel ein Anwalt namens Chuck Rea, der weder Mandanten noch eine Kanzlei noch Geld hatte. Gelegentlich überprüfte er ein paar Einträge im Grundstücksregister, daher trieb er sich ständig im Gericht herum, schlug jede Menge Zeit tot, schnorrte Kaffee, wo immer welcher frisch gekocht worden war, flirtete mit den Justizangestellten, die ihn gut kannten, tratschte mit jedem Anwalt, der in Hörweite kam, und war ganz allgemein einfach nur da. Chuck ließ sich nur selten eine Verhandlung entgehen. Da er selbst keine Prozesse führte, sah er sich alle anderen an. An diesem Tag trug er seinen dunkelsten Anzug und hatte seine Lederhalbschuhe frisch poliert. Er redete mit Jake und Harry Rex – die ihn nur allzu gut kannten – und den Anwälten von außerhalb, die längst begriffen hatten, dass Chuck sozusagen zum Inventar gehörte. Solche Leute gab es an jedem Gericht.

Ein Mann links von Nevin fing ein Gespräch an. Er sagte, er habe eine Firma für Zäune in Clanton und einmal einen Maschendrahtzaun für Harry Rex Vonners Jagdhunde gebaut.

»Das ist der Dicke da in dem schlecht sitzenden Anzug«, sagte er und deutete mit dem Finger. »Harry Rex Vonner. Der gewiefteste Scheidungsanwalt im County.«

»Arbeitet er mit Jake Brigance zusammen?«, fragte Nevin, der keinen blassen Schimmer hatte.

»Sieht so aus.«

»Wer sind die anderen Anwälte?«

»Keine Ahnung. Heutzutage gibt es so viele Anwälte. Am Clanton Square wimmelt es nur so von Kanzleien.«

Ein Gerichtsdiener erwachte zum Leben. »Bitte erheben Sie sich!«, brüllte er. »Der Chancery Court des Fünfundzwanzigsten Gerichtsbezirks von Mississippi unter Vorsitz von Richter Reuben V. Atlee.«

Richter Atlee erschien aus einem Raum hinter dem Saal und nahm am Richtertisch Platz, während die Menge aufsprang. »Bitte setzen Sie sich«, sagte er.

Das Publikum ließ sich mit viel Lärm wieder auf die Bänke plumpsen. Er begrüßte alle, wünschte einen guten Morgen und bedankte sich bei den Geschworenenkandidaten, dass sie gekommen seien – als hätten sie die Wahl gehabt. Er erklärte, erster Punkt der Tagesordnung sei die Auswahl der Geschworenen, zwölf und zwei Ersatzleute, die wohl den ganzen Tag dauern werde. Manchmal werde man nur langsam vorankommen, wie es bei Gericht häufig der Fall sei, und er bitte sie um Geduld. Eine Justizangestellte habe die Namen auf Zettel geschrieben. Er werde diese nun nach dem Zufallsprinzip aus einem Plastikbehälter ziehen und so die anfängliche Sitzordnung vorgeben. Sobald die ersten fünfzig ausgewählt seien, würden die anderen für den Rest des Tages entlassen und im Bedarfsfall morgen noch einmal einberufen.

Der Gerichtssaal war in zwei Bereiche rechts und links des Mittelgangs unterteilt, von denen jeder zehn lange Bänke mit etwa zehn Sitzplätzen umfasste. Da der Gerichtssaal überfüllt war, forderte Richter Atlee die Zuschauer auf, die ersten vier Bänke links von ihm zu räumen. Das dauerte ein paar Minuten, während sich die Leute unsicher und verwirrt durch die Reihen drängten und nach einem anderen Platz umsahen. Die meisten stellten sich an die Wände. Dann griff der Richter in den Plastikbehälter und holte einen Zettel heraus.

»Mr. Nevin Dark«, verkündete er laut.

Nevins Herz setzte kurz aus, aber er stand auf und meldete sich. »Ja, Euer Ehren.«

»Guten Morgen, Mr. Dark. Würden Sie sich bitte ganz links in die erste Reihe setzen; für den Augenblick werden wir Sie als Geschworener Nummer eins bezeichnen.«

»Selbstverständlich.«

Während Nevin durch den Gang marschierte, fiel ihm auf, dass ihn die Rechtsanwälte fixierten, als hätte er ein Verbrechen begangen. Er setzte sich in die leere erste Reihe, die Anwälte glotzten weiter. Alle, ohne Ausnahme.

Nevin Dark. Weiß, männlich, dreiundfünfzig, Farmer, in

erster Ehe verheiratet, zwei erwachsene Kinder, konfessionslos, keine Vereinsmitgliedschaften, kein Hochschulabschluss, keine Vorstrafen. Jake gab ihm eine Sieben. Er und Portia blickten auf ihre Notizen. Harry Rex, der in einer Ecke bei den Geschworenenbänken stand, studierte seine Notizen. Ihr Wunschgeschworener war schwarz, gleich ob weiblich oder männlich und gleich welchen Alters, aber Schwarze waren rar. Am Tisch der gegnerischen Partei verglichen Wade Lanier und Lester Chilcott ihre Rechercheergebnisse. Ihnen wäre eine weiße Frau ab fünfundvierzig am liebsten gewesen, jemand, der im alten Süden mit seiner strengen Rassentrennung aufgewachsen war und für Schwarze nichts übrig hatte. Nevin Dark gefiel ihnen, obwohl sie auch nicht mehr über ihn wussten als Jake.

Nummer zwei war Tracy McMillen, Sekretärin, weiß, einunddreißig. Richter Atlee entfaltete in aller Ruhe die Zettel und studierte die Namen, um sie nur ja richtig auszusprechen. Dann wartete er, bis jeder seinen neuen Platz gefunden hatte. Als die erste Reihe voll war, wechselten sie zur zweiten Reihe, die mit einer gewissen Sherry Benton begann, der ersten Schwarzen, die aufgerufen wurde.

Es dauerte eine Stunde, bis die ersten fünfzig saßen. Als alle ihren Platz gefunden hatten, entließ Richter Atlee die anderen und forderte sie auf, sich bis auf Weiteres bereitzuhalten. Manche gingen, aber die meisten rührten sich nicht von der Stelle und blieben als Zuschauer im Saal.

»Ich unterbreche die Verhandlung für fünfzehn Minuten«, sagte der Richter, schlug mit dem Hammer auf den Tisch, hievte seinen schweren Körper aus dem Stuhl und watschelte mit wehender schwarzer Robe davon. Die Anwälte drängten sich in hektischen Gruppen zusammen, in denen alle auf einmal redeten. Jake, Portia und Harry Rex verschwanden umgehend im Beratungsraum der Geschworenen, der im Augenblick leer war.

»Wir sind erledigt, wisst ihr das?«, fragte Harry Rex, sobald Jake die Tür geschlossen hatte. »Furchtbar, einfach furchtbar.«

»Mach mal halblang.« Jake warf seinen Schreibblock auf den Tisch und knackste mit den Knöcheln.

»Elf von den fünfzig sind schwarz«, wandte Portia ein. »Leider sitzen vier von ihnen in der hintersten Reihe. Wie zu Zeiten der Rassentrennung.«

»Finden Sie das witzig?«, fuhr Harry Rex sie an.

»Eigentlich schon.«

»Schluss jetzt«, sagte Jake. »Über die ersten vierzig werden wir vermutlich nicht hinauskommen.«

»Das fürchte ich auch«, erwiderte Harry Rex. »Und nur zur Information: Ich habe bei der Scheidung von Nummer sieben, achtzehn, einunddreißig, sechsunddreißig und siebenundvierzig die Gegenseite vertreten. Die ahnen noch nicht, dass ich für dich arbeite, und ich weiß selbst nicht, warum ich das tue. Geld bekomme ich jedenfalls keins. Es ist Montagmorgen, in meiner Kanzlei drängen sich in Scheidung lebende Paare, von denen manche bewaffnet sind, und ich hänge im Gerichtssaal herum wie Chuck Rea und verdiene nichts.«

»Kannst du jetzt endlich die Klappe halten?«, knurrte Jake.

»Wenn's sein muss.«

»Es ist nicht aussichtslos«, meinte Jake. »Die Auswahl ist nicht gut, aber auch nicht völlig hoffnungslos.«

»Ich wette, Lanier und seine Jungs lachen sich ins Fäustchen.«

»Ich verstehe Sie nicht«, sagte Portia. »Warum muss es immer Schwarz gegen Weiß sein? Ich habe diesen Leuten ins Gesicht gesehen, und sie kommen mir nicht vor wie hartgesottene Rassisten, die das Testament verbrennen und der Gegenseite alles nachwerfen. Da waren ein paar vernünftige Leute dabei.«

»Und auch ein paar unvernünftige«, sagte Harry Rex.

»Ich finde, Portia hat recht. Aber es ist ein langer Weg, bis die endgültige Wahl getroffen ist. Dann können wir uns immer noch streiten.«

Nach der Unterbrechung durften sich die Anwälte an die andere Seite ihrer Tische setzen, sodass sie die Kandidaten fixieren konnten, die die Anwälte ihrerseits ins Visier nahmen. Richter Atlee nahm formlos am Richtertisch Platz, ohne dass sich die Anwesenden hätten erheben müssen, und begann mit einer knappen Zusammenfassung der Sache. Er gehe davon aus, dass das Auswahlverfahren mindestens drei bis vier Tage dauern werde, bis Freitagnachmittag wolle er es spätestens abschließen. Er stellte alle Anwälte vor, nicht jedoch deren Assistenten. Jake stand ganz allein einer Armee gegenüber.

Richter Atlee erklärte, zunächst werde er selbst einige notwendige Punkte klären, dann sei es an den Anwälten, Fragen zu stellen und nachzuhaken. Er begann mit der Gesundheit: War irgendjemand krank, musste sich in Behandlung begeben oder war nicht in der Lage, längere Zeit zu sitzen und zuzuhören? Eine Dame erhob sich und sagte, ihr Mann liege in Tupelo im Krankenhaus und sie müsse zu ihm.

»Sie sind entlassen«, sagte Richter Atlee mit aufrichtigem Mitgefühl, und sie eilte aus dem Saal. Nummer neunundzwanzig war damit entfallen. Nummer vierzig hatte einen Bandscheibenvorfall, der über das Wochenende akut geworden war, und behauptete, unter heftigen Schmerzen zu leiden. Er nehme Schmerzmittel und sei deswegen benommen.

»Sie sind entlassen«, sagte Richter Atlee.

Er war offenbar bereit, jeden mit einem echten Anliegen zu entschuldigen, aber mehr auch nicht. Als er nach beruflichen Konflikten fragte, stand ein Herr in Jackett und Krawatte auf und erklärte, er könne es sich schlicht nicht leisten, im Büro zu fehlen. Er war Bezirksleiter einer Firma für Stahlbauwerke und hielt sich offenkundig als Manager für unersetzbar. Er deutete sogar an, er könnte seinen Posten verlieren.

Richter Atlee belehrte ihn fünf Minuten lang über Bürgerpflichten und wies ihn damit in seine Schranken. Er schloss mit den Worten: »Falls Sie Ihre Arbeit verlieren, Mr. Crawford, wenden Sie sich an mich. Dann lade ich Ihren Chef vor und rede hier im Gericht ein ernstes Wörtchen mit ihm.«

Zerknirscht und gedemütigt setzte sich Mr. Crawford. Niemand sonst versuchte, sich aus beruflichen Gründen vom Geschworenendienst befreien zu lassen. Richter Atlee ging zum nächsten Punkt seiner Checkliste über: frühere Einsätze als Geschworene. Mehrere Kandidaten meldeten sich, drei waren an einzelstaatlichen Gerichten, zwei an Bundesgerichten als Geschworene tätig gewesen. Sie waren davon überzeugt, dass diese Erfahrung ihre Entscheidungsfähigkeit in der vorliegenden Sache nicht beeinflussen werde.

Neun Personen kannten Jake Brigance. Vier waren frühere Mandanten und wurden entlassen. Zwei Damen gehörten zur selben Kirchengemeinde, waren aber der Meinung, dass sich das nicht auf ihre Urteilsfähigkeit auswirken werde. Sie wurden nicht entlassen. Eine entfernte Verwandte schon. Carlas Lehrerkollegin erklärte, sie kenne Jake gut und stehe ihm zu nah, um objektiv zu sein. Sie wurde entlassen. Zuletzt kam ein Highschool-Freund aus Karaway, der angab, Jake seit zehn Jahren nicht gesehen zu haben. Er verblieb vorerst in der Auswahl.

Dann wurden die anderen Anwälte noch einmal vorgestellt, um die letzten Fragen zu prüfen. Niemand kannte Wade Lanier, Lester Chilcott, Zack Zeitler oder Joe Bradley Hunt, aber sie stammten ja auch nicht aus der Stadt.

»Dann kommen wir zum nächsten Punkt«, sagte Richter Atlee. »Das fragliche Testament wurde von einem Mann namens

Seth Hubbard verfasst, der inzwischen bekanntermaßen verstorben ist. Kannte ihn jemand von Ihnen persönlich?«

Zwei Hände hoben sich schüchtern. Ein Mann stand auf und sagte, er sei in der Gegend von Palmyra im County aufgewachsen und habe Seth gekannt, als sie beide deutlich jünger waren.

»Wie alt sind Sie?«, fragte Richter Atlee.

»Neunundsechzig.«

»Sie wissen, dass Sie sich vom Geschworenendienst befreien lassen können, wenn Sie über fünfundsechzig sind?«

»Ja, Euer Ehren, aber ich muss nicht, oder?«

»O nein. Wenn Sie Ihren Dienst leisten wollen, ist das bewundernswert. Vielen Dank.«

Eine Frau stand auf und erklärte, sie habe einmal in einem Sägewerk gearbeitet, das Seth Hubbard gehörte, sehe aber kein Problem.

Richter Atlee nannte die Namen der beiden Ehefrauen von Seth und fragte, ob jemand sie kenne. Eine Frau sagte, ihre ältere Schwester sei einmal mit der ersten Frau befreundet gewesen, aber das sei lange her. Herschel Hubbard und Ramona Hubbard Dafoe wurden aufgefordert, sich zu erheben. Sie lächelten Richter und Geschworene verlegen an und setzten sich wieder. Richter Atlee fragte die Kandidaten, ob sie ihnen bekannt seien. Ein paar Hände hoben sich, alle waren frühere Klassenkameraden von der Clanton High. Richter Atlee stellte allen eine Reihe von Fragen. Alle behaupteten, wenig über die Sache zu wissen und sich davon nicht beeinflussen zu lassen.

Langeweile machte sich breit, während der Richter seinen Fragenkatalog Seite für Seite abarbeitete. Bis Mittag waren zwölf der fünfzig entlassen worden, alle weiß. Von den verbliebenen achtunddreißig waren elf schwarz, und kein Einziger von ihnen hatte die Hand gehoben.

In der Mittagspause saßen die Anwälte zusammen und

debattierten nervös, wer annehmbar war und wer ausgeschlossen werden sollte. Die Sandwichs waren vergessen, während Körpersprache und Gesichtsausdruck diskutiert wurden. In Jakes Büro war die Stimmung etwas entspannter, weil sich der Anteil der Schwarzen erhöht hatte. Im großen Konferenzzimmer der Kanzlei Sullivan hatte sich die Stimmung verschlechtert, weil die Schwarzen blockten. Von den elf verbliebenen hatte angeblich keiner Lettie Lang gekannt. Ein Ding der Unmöglichkeit in einem so kleinen County! Dahinter musste eine Verschwörung stecken. Fachberater Myron Pankey hatte mehrere von ihnen während der Befragung beobachtet und war davon überzeugt, dass sie unbedingt Geschworene werden wollten. Aber Pankey stammte aus Cleveland und wusste wenig über die Schwarzen in den Südstaaten.

Wade Lanier machte sich keine Sorgen. Er hatte mehr Prozesse in Mississippi geführt als alle anderen Anwälte zusammen und zerbrach sich über die verbliebenen achtunddreißig Kandidaten nicht den Kopf. In fast jedem Verfahren engagierte er Berater, um den persönlichen Hintergrund der Geschworenen unter die Lupe zu nehmen, aber wenn er sie erst einmal persönlich gesehen hatte, verließ er sich auf seine eigene Einschätzung. Und obwohl er es nicht aussprach, gefiel ihm, was er am Vormittag gesehen hatte.

Lanier hatte noch zwei wichtige Asse im Ärmel: das handschriftliche Testament von Irene Pickering und die Aussage von Julina Kidd. Seines Wissens hatte Jake keine Ahnung, was ihn erwartete. Wenn es Lanier gelang, diese beiden Bomben in der öffentlichen Verhandlung hochgehen zu lassen, erreichte er vielleicht einen einstimmigen Geschworenenspruch. Nach langwierigen Verhandlungen hatte sich Fritz Pickering für siebentausendfünfhundert Dollar zu einer Aussage bereit erklärt, Julina Kidd hatte schon bei fünftausend angebissen. Weder Pickering noch Kidd hatten mit jemandem von der Gegenseite gesprochen, daher war Lanier davon überzeugt, dass sein Überraschungsangriff erfolgreich sein würde.

Bisher waren seiner Kanzlei Aufwendungen und Verpflichtungen von mehr als fünfundachtzigtausend Dollar für den Rechtsstreit entstanden. Die Kosten des Verfahrens wurden nur selten erwähnt, obwohl sie jeder im Hinterkopf hatte. Während sich die Mandanten wegen der steigenden Ausgaben sorgten, wusste Wade Lanier, was große Prozesse kosteten. Vor zwei Jahren hatte seine Kanzlei zweihunderttausend Dollar in eine Produkthaftungssache investiert und war trotzdem unterlegen.

Man setzt alles auf eine Karte, und manchmal verliert man. Aber in der Sache Seth Hubbard hatte Wade Lanier nicht vor zu verlieren.

Nevin Dark setzte sich mit drei von seinen neuen Freunden in eine Nische im Coffee Shop und bestellte bei Dell Eistee. Alle vier trugen am Kragen weiße Anstecker mit der Aufschrift »Geschworener« in fetten blauen Lettern, als wären sie nun offiziell nicht mehr ansprechbar. Dell hatte diese Buttons schon hundertmal gesehen und wusste, dass sie am besten aufmerksam lauschte, ohne Fragen zu stellen oder ihre Meinung zu äußern.

Die achtunddreißig verbliebenen Geschworenenkandidaten waren von Richter Atlee darauf hingewiesen worden, dass sie nicht über die Angelegenheit sprechen durften. Da sich die vier an Nevins Tisch nicht kannten, unterhielten sie sich ein paar Minuten lang über ihre persönlichen Verhältnisse, während sie die Speisekarte studierten. Fran Decker war eine pensionierte Lehrerin aus Lake Village, fünfzehn Kilometer südlich von Clanton. Charles Ozier verkaufte für eine Firma aus Tupelo Traktoren und lebte in der Nähe des Sees. Debbie Lacker wohnte im Zentrum von Palmyra mit seinen dreihundertfünfzig Einwohnern, war aber Seth Hubbard nie begegnet. Nachdem sie über die Sache nicht sprechen durften, unterhielten sie sich über den Richter, den Sitzungssaal und die Anwälte. Dell spitzte die Ohren, hörte aber nichts, was sie Jake hätte berichten können, falls dieser später vorbeikam, um ein paar Worte mit ihr zu wechseln.

Um 13.15 Uhr bezahlte jeder seine eigene Rechnung, und sie kehrten in den Sitzungssaal zurück. Als um 13.30 Uhr alle achtunddreißig vollzählig versammelt waren, erschien Richter Atlee aus dem Raum hinter dem Saal und begrüßte die Anwesenden. Er erklärte ihnen, dass er bei der weiteren Auswahl der Geschworenen von der üblichen Vorgehensweise abweichen werde. Die Geschworenen sollten im Richterzimmer einzeln von den Anwälten befragt werden.

Jake hatte das beantragt, weil er davon ausging, dass die Geschworenen generell mehr über die Sache wussten, als sie in der Gruppe zugeben wollten. Er setzte darauf, dass sie bei einer Einzelbefragung aufrichtigere Antworten gaben. Wade Lanier erhob keine Einwände.

»Mr. Nevin Dark, würden Sie bitte ins Richterzimmer kommen?«, sagte Richter Atlee.

Ein Gerichtsdiener zeigte ihm den Weg, und Nevin ging nervös am Richtertisch vorbei durch eine Tür, die zu einem kurzen Gang und einem relativ kleinen Raum führte, in dem alle schon auf ihn warteten. Eine Gerichtsstenografin saß bereit, jedes Wort zu protokollieren. Richter Atlee hatte an einem Ende des Tisches Platz genommen, die Anwälte drängten sich um den restlichen Tisch.

»Bitte denken Sie daran, dass Sie unter Eid stehen, Mr. Dark«, sagte Richter Atlee.

»Selbstverständlich.«

Jake Brigance bedachte ihn mit einem aufrichtigen Lächeln.

»Manche Fragen könnten sehr persönlich werden, Mr. Dark, und wenn Sie nicht antworten wollen, ist das Ihr gutes Recht. Haben Sie das verstanden?«

»Ja.«

»Haben Sie im Augenblick ein Testament?«

»Ja.«

»Wer hat das verfasst?«

»Barney Suggs, ein Anwalt in Karaway.«

»Und Ihre Frau?«

»Auch, wir haben beide gleichzeitig vor etwa drei Jahren in der Kanzlei von Mr. Suggs unterzeichnet.«

Ohne sich weiter nach Einzelheiten des Inhalts der Testamente zu erkundigen, hakte Jake bei den Umständen nach, die zu ihrer Entstehung geführt hatten. Was hatte sie veranlasst, ein Testament zu machen? Wussten ihre Kinder, was in den Testamenten stand? Hatten sie sich gegenseitig zu Testamentsvollstreckern ernannt? Wie oft hatten sie ihren Letzten Willen geändert? Waren sie jemals von jemand anders in einem Testament bedacht worden? Glaubte er, Nevin Dark, dass jeder das Recht hatte, sein Eigentum zu vererben, an wen er wollte? Auch an Personen, die nicht zur Familie gehörten? An Wohltätigkeitsorganisationen? An Freunde oder Mitarbeiter? Auch wenn dafür Familienmitglieder, die es sich mit dem Erblasser verscherzt hatten, leer ausgingen? Hatten Mr. Dark oder seine Frau je daran gedacht, ihre Testamente zu ändern, um einen gegenwärtig Begünstigten auszuschließen?

Und so weiter. Als Jake fertig war, stellte Wade Lanier eine Reihe von Fragen zu Medikamenten und Schmerzmitteln. Nevin Dark erklärte, er gehe damit sehr sparsam um, aber seine Frau habe Brustkrebs gehabt und damals starke Schmerzmittel genommen. Wie die Medikamente hießen, wisse er nicht mehr. Lanier zeigte sich aufrichtig besorgt um die Frau, der er nie begegnet war, und bohrte so lange nach, bis alle verstanden hatten, dass starke Schmerzmittel, wie sie bei schweren Krankheiten eingenommen wurden, oft zu einer Beeinträchtigung des rationalen Denkens führten. Die Saat wurde geschickt gelegt.

Richter Atlee behielt die Uhr im Auge und beendete die Befragung nach zehn Minuten. Nevin kehrte in den Sitzungssaal zurück, wo ihn alle erwartungsvoll ansahen. Geschworene Nummer zwei, Tracy McMillen, wartete auf einem Stuhl neben dem Richtertisch und wurde rasch ins Hinterzimmer geführt, wo ihr dieselben Fragen gestellt wurden.

Die Langeweile wurde unerträglich, und viele Zuschauer verließen den Raum. Manche der Geschworenen hielten ein Nickerchen, während andere immer wieder dieselben Zeitungen und Illustrierten lasen. Die Gerichtsdiener gähnten und starrten durch die großen Glasfenster auf den Rasen vor dem Gericht. Ein Geschworenenkandidat nach dem anderen durchlief die Befragung in Richter Atlees Zimmer. Die meisten blieben volle zehn Minuten verschwunden, aber manche waren auch schon eher fertig. Als Geschworene Nummer elf von ihrer Befragung zurückkam, ging sie an den Bänken vorbei direkt zur Tür – aus Gründen, die die im Sitzungssaal Versammelten nie erfahren sollten, war sie vom Geschworenendienst befreit worden.

Lettie und Portia legten eine ausgiebige Pause ein. Während sie durch den Gang zur Doppeltür marschierten, vermieden sie angelegentlich jeden Blick auf den Hubbard-Clan, der sich in der hintersten Reihe drängte.

Es war schon fast halb sieben, als der Geschworene Nummer achtunddreißig das Richterzimmer verließ und in den Gerichtssaal zurückkehrte. Richter Atlee, der erstaunlich viel Energie zu besitzen schien, rieb sich die Hände.

»Meine Herren, ich schlage vor, wir bringen die Sache zu Ende, damit wir morgen früh frisch mit den Eröffnungsplädoyers beginnen können. Einverstanden?«

»Euer Ehren, ich beantrage erneut, die Verhandlung an einen anderen Ort zu verlegen«, sagte Jake. »Nach der Befragung der ersten achtunddreißig Geschworenen ist für mich klar, dass die Kandidaten viel zu viel über die Sache wissen. Praktisch alle haben bereitwillig zugegeben, dass sie schon davon gehört hatten. Das ist in einem Zivilverfahren höchst ungewöhnlich.«

»Ganz im Gegenteil, Mr. Brigance«, sagte Richter Atlee. »Ich finde, die Fragen wurden sehr zufriedenstellend beantwortet. Natürlich haben alle von der Sache gehört, aber fast alle fühlten sich nicht voreingenommen.«

»Da bin ich Ihrer Meinung«, sagte Wade Lanier. »Mit wenigen Ausnahmen bin ich mit den Kandidaten höchst zufrieden.«

»Der Antrag ist abgelehnt, Mr. Brigance.«

»Wundert mich nicht«, grummelte Jake, gerade noch hörbar.

»Können wir jetzt unsere Geschworenen auswählen?«

»Ich bin so weit«, sagte Jake.«

»Von mir aus gern«, erwiderte Wade Lanier.

Der Richter begann. »Sehr schön. Ich lehne die Geschworenen Nummer drei, vier, sieben, neun, fünfzehn, achtzehn und vierundzwanzig aus wichtigem Grund ab. Irgendwelche Einwände?«

»Ja, Euer Ehren«, sagte Lanier bedächtig. »Warum Nummer fünfzehn?«

»Weil er nach eigener Aussage die Familie Roston kennt und über den Tod der beiden Söhne zutiefst betrübt ist. Ich vermute, er hat etwas gegen jeden, der den Nachnamen Lang trägt.«

»Das hat er aber bestritten, Euer Ehren«, konterte Lanier.

»Natürlich hat er das. Ich glaube ihm nur nicht. Er ist aus wichtigem Grund abgelehnt. Sonst noch jemand?«

Jake schüttelte den Kopf. Lanier war wütend, hielt aber den Mund.

»Jede Seite kann vier Geschworene ohne Angabe von Gründen ablehnen. Mr. Brigance, Sie nennen die ersten zwölf.«

Jake überflog nervös seine Notizen. »Gut«, sagte er dann, »wir nehmen Nummer eins, zwei, fünf, acht, zehn, zwölf, vierzehn, sechzehn, siebzehn, neunzehn, einundzwanzig und zweiundzwanzig.« Eine lange Pause trat ein, während alle ihre Unterlagen prüften und sich Notizen machten.

»Sie haben also sechs, dreizehn, zwanzig und dreiundzwanzig gestrichen, richtig?«, fragte Richter Atlee schließlich.

»Das stimmt.«

»Sind Sie so weit, Mr. Lanier?«

»Einen Augenblick bitte.« Lanier und Lester Chilcott steckten die Köpfe zusammen. Sie tuschelten eine Weile und waren sich offenbar uneins. Jake lauschte aufmerksam, verstand aber kein Wort. Er starrte unverwandt auf seine Notizen, seine zwölf Auserwählten, wusste aber, dass er nicht alle davon behalten würde.

»Meine Herren«, sagte Richter Atlee.

»Ja, Euer Ehren«, erwiderte Lanier langsam. »Wir streichen Nummer fünf, sechzehn, fünfundzwanzig und siebenundzwanzig.«

Die Spannung im Raum ließ deutlich nach, als die Anwälte und der Richter Namen von den vorläufigen Listen strichen und die höheren Zahlen in die richtige Reihenfolge brachten.

»Es sieht so aus, als wären unsere Geschworenen Nummer eins, zwei, acht, zehn, zwölf, vierzehn, siebzehn, neunzehn, einundzwanzig, zweiundzwanzig, sechsundzwanzig und achtundzwanzig«, stellte Richter Atlee fest. »Sind alle meiner Meinung?«

Die Anwälte nickten, ohne von ihren Schreibblöcken aufzusehen. Zehn Weiße, zwei Schwarze. Acht Frauen, vier Männer.

Die Hälfte davon hatte ein Testament gemacht, die andere nicht. Drei hatten Hochschulabschlüsse, sieben hatten die Highschool beendet, zwei nicht. Das Durchschnittsalter war neunundvierzig, zwei Frauen waren in den Zwanzigern, was für Jake eine angenehme Überraschung darstellte. Insgesamt war er zufrieden. Wade Lanier auf der anderen Seite des Tisches ebenfalls. Tatsächlich hatte Richter Atlee mit sicherer Hand Kandidaten ausgeschlossen, die möglicherweise voreingenommen oder mit Vorurteilen in die Beratung gegangen wären. Zumindest auf dem Papier sah es so aus, als wären die Extremisten eliminiert und als läge der Prozess in den Händen von zwölf Menschen, die für alles offen waren.

»Dann wählen wir jetzt die Ersatzleute«, sagte der Richter.

Um sieben Uhr abends versammelten sich die neuen Geschworenen auf Anweisung von Richter Atlee im Geschworenenzimmer. Da er zuerst ausgewählt und aufgerufen worden war, als Erster auf der Bank Platz genommen hatte und überhaupt ein umgänglicher Mensch zu sein schien, der gern lächelte und immer ein freundliches Wort fand, wurde Mr. Nevin Dark zum Sprecher der Jury gewählt.

Es war ein sehr langer Tag gewesen, aber ein spannender. Als er nach Hause fuhr, freute er sich darauf, seiner Frau bei einem späten Abendessen alles erzählen zu können. Richter Atlee hatte ihnen verboten, untereinander über den Prozess zu reden, aber Ehepartner hatte er nicht erwähnt.

40

Lucien mischte die Karten und verteilte mit geübter Hand: zehn für Lonny und zehn für ihn selbst. Wie es inzwischen zur Gewohnheit geworden war, nahm Lonny langsam seine Karten vom Klapptisch und ließ sich endlos Zeit, um sie in seiner bevorzugten Reihenfolge zu arrangieren. Bewegungen und Sprache waren verzögert, aber sein Gehirn schien bestens zu funktionieren. In diesem fünften Spiel Gin Rommé führte er mit dreißig Punkten, von den ersten vier hatte er drei gewonnen. Er trug einen ausgebeulten Krankenhauskittel, und direkt über seinem Kopf hing eine Infusion. Eine nette Krankenschwester hatte ihm erlaubt, das Bett zu verlassen und am Fenster Karten zu spielen, aber erst nachdem Lonny laut geworden war. Er hatte das Krankenhaus gründlich satt und wollte weg. Nur wusste er nicht, wohin. Die einzige Alternative war das städtische Gefängnis, wo das Essen noch schlechter war und die Polizei lästige Fragen stellen würde. Tatsächlich wartete sie schon vor der Tür auf ihn. Dreißig Kilo Kokain machen immer Ärger. Sein neuer Freund Lucien, der angeblich Anwalt war, behauptete, das Beweismaterial müsse ausgeschlossen werden, sofern ein entsprechender Antrag gestellt wurde. Ohne hinreichenden Verdacht hätten die Cops Lonnys Zimmer in seiner Absteige gar nicht durchsuchen dürfen. Nur weil jemand bei einer Schlägerei in einer Bar etwas abbekommt, darf die Polizei noch lange nicht seine abgesperrte Behausung durchwühlen.

»Das ist eine sichere Bank«, versprach Lucien. »Jeder Strafverteidiger, der sein Geld wert ist, wird dafür sorgen, dass das Kokain nicht verwendet werden darf. Sie kommen mit Sicherheit frei.«

Sie hatten über Seth Hubbard geredet, und Lucien hatte alle Fakten, Legenden, Erfindungen, Spekulationen und Gerüchte erwähnt, die in den letzten sechs Monaten in Clanton im Umlauf gewesen waren. Lonny zeigte nur wenig Neugier, hörte aber gern zu. Lucien erwähnte weder das handschriftliche Testament noch die schwarze Haushälterin. Ausführlich schilderte er Seths erstaunlichen zehnjährigen Weg von einem Mann, der nach seiner hässlichen zweiten Scheidung am Boden zerstört war, zu einem Risikoinvestor erster Güte, der aus seiner eigenen, mit Hypotheken belasteten Immobilie ein Vermögen gemacht hatte. Er sprach von Seths Geheimnistuerei, Offshorebankkonten und dem Firmenlabyrinth. Er tischte die erstaunliche historische Anekdote auf, dass Seths Vater Cleon im Jahr 1928 in einem Liegenschaftsstreit von Luciens Großvater Robert E. Lee Wilbanks vertreten worden war. Und verloren hatte!

Lucien redete praktisch pausenlos, um Lonnys Vertrauen zu gewinnen, ihn davon zu überzeugen, dass er mit Geheimnissen aus seiner Vergangenheit herausrücken konnte. Wenn Lucien alles auf den Tisch legte, konnte Lonny das auch tun. Zweimal im Laufe des Vormittags hatte Lucien vorsichtig nachgehakt, ob Lonny etwas über Ancil wusste, aber keiner dieser Anläufe war erfolgreich gewesen. Lonny schien sich nicht für das Thema zu interessieren. Sie redeten und spielten den ganzen Vormittag. Gegen Mittag war Lonny erschöpft und brauchte Ruhe. Die Krankenschwester freute sich, dass sie Lucien wegschicken konnte.

Er ging, war aber zwei Stunden später schon wieder da, um nach seinem neuen Freund zu sehen. Jetzt wollte Lonny Blackjack spielen, mit einem Einsatz von zehn Cent pro Hand.

»Ich habe Jake Brigance angerufen, den Anwalt, für den ich in Mississippi arbeite«, sagte Lucien, »und ihn gebeten, diesen Sylvester Rinds zu überprüfen, den Sie erwähnt hatten. Er hat was herausgefunden.«

Lonny legte seine Karten ab und warf Lucien einen neugierigen Blick zu. »Und was?«, fragte er bedächtig.

»Dem Grundstücksregister von Ford County zufolge besaß Sylvester Rinds im Nordosten des County dreißig Hektar Land, die er von seinem Vater geerbt hatte, einem gewissen Solomon Rinds, der um die Zeit des Ausbruchs des amerikanischen Bürgerkriegs geboren war. Die Unterlagen sind nicht eindeutig, aber die Familie Rinds gelangte vermutlich unmittelbar nach dem Ende des Bürgerkriegs in den Besitz des Landes, als freigelassene Sklaven mithilfe von Kriegsgewinnlern, Bundesgouverneuren und anderem Abschaum, der damals unser Land überschwemmte, Grund erwerben konnten. Anscheinend waren diese dreißig Hektar eine Zeit lang umstritten. Die Familie Hubbard besaß ebenfalls dreißig Hektar, die an das Anwesen der Rinds angrenzten, und focht offenbar den Eigentumsanspruch an. Bei dem Verfahren, das ich heute Morgen erwähnt habe, bei der Klage, die Cleon Hubbard 1928 eingereicht hat, ging es um das Land der Rinds. Mein Großvater, einer der besten Anwälte im County und hervorragend vernetzt, verlor das Verfahren. Wenn mein Großvater Cleons Anspruch nicht gegen die Rinds durchsetzen konnte, müssen deren Ansprüche überzeugend begründet gewesen sein. Sylvester Rinds behielt den Grund, starb aber 1930. Nach seinem Tod erhielt Cleon Hubbard das Land von Sylvesters Witwe.«

Lonny hatte seine Karten aufgenommen und musterte sie, ohne sie zu sehen. Während er lauschte, sah er Bilder aus einem anderen Leben vor sich.

»Ganz schön spannend, was?«, meinte Lucien.

»Das ist alles so lange her«, sagte Lonny und verzog das Gesicht, weil eine Schmerzwelle durch seinen Schädel tobte.

Lucien bohrte weiter. Er hatte nichts zu verlieren und wollte auf keinen Fall aufgeben. »Das Merkwürdigste an der ganzen Geschichte ist, dass Sylvesters Tod nirgends verzeichnet ist. In Ford County gibt es keinen einzigen Rinds mehr, und es sieht so aus, als hätten sie alle die Gegend um die Zeit verlassen, als Cleon Hubbard das Land in die Finger bekam. Sie verschwanden allesamt von der Bildfläche, die meisten gingen nach Norden, nach Chicago, wo es Arbeit gab, aber das war während der Depression nicht ungewöhnlich. Viele hungernde Schwarze flohen aus dem tiefen Süden. Mr. Brigance sagt, sie hätten in Alabama einen entfernten Verwandten, einen gewissen Boaz Rinds, aufgespürt, der behauptet, Weiße hätten Sylvester verschleppt und ermordet.«

»Was hat das mit der Sache zu tun?«, wollte Lonny wissen.

Lucien erhob sich und ging zum Fenster, wo er auf den Parkplatz unten hinausblickte. Er überlegte, ob er jetzt mit der Wahrheit herausrücken, Lonny von dem Testament, Lettie Lang und ihrer Abstammung erzählen sollte: dass sie höchstwahrscheinlich eine Rinds und keine Tayber war, dass ihre Familie aus Ford County stammte und einmal auf dem Land gelebt hatte, das Sylvester gehört hatte, und dass Sylvester höchstwahrscheinlich ihr Großvater war.

Aber er setzte sich wieder. »Eigentlich gar nichts. Nur eine alte Geschichte über meine Familie, die von Seth Hubbard und vielleicht auch die von Sylvester Rinds.«

Einen Augenblick lang herrschte Schweigen. Keiner der beiden fasste seine Karten an. Keiner nahm Blickkontakt auf. Lonny schien seinen Gedanken nachzuhängen, bis Lucien ihn mit einer Frage in die Realität zurückholte. »Sie kannten Ancil, stimmt's?«

»Ja«, erwiderte Lonny.

»Erzählen Sie mir von ihm. Ich muss ihn finden, und zwar schnell.«

»Was wollen Sie über ihn wissen?«

»Lebt er noch?«

»Ja, er ist noch am Leben.«

»Wo ist er im Augenblick?«

»Weiß ich nicht.«

»Wann haben Sie ihn zuletzt gesehen?«

Eine Krankenschwester kam herein und schwatzte etwas von Überprüfung der Vitalfunktionen. Lonny sagte, er sei müde, und sie half ihm ins Bett, prüfte die Infusion, warf Lucien einen wütenden Blick zu und maß dann Lonnys Blutdruck und Puls.

»Er braucht Ruhe«, sagte sie.

Lonny schloss die Augen. »Gehen Sie noch nicht. Knipsen Sie nur das Licht aus.«

Lucien zog einen Stuhl ans Bett und setzte sich. »Erzählen Sie mir von Ancil«, sagte er, nachdem die Krankenschwester gegangen war.

Lonny hielt die Augen geschlossen und flüsterte fast. »Ancil war immer auf der Flucht. Er ging schon in jungen Jahren von daheim weg und kehrte nie zurück. Er hasste sein Zuhause, vor allem seinen Vater. Er kämpfte im Krieg, wurde verwundet und wäre fast gestorben. Eine Kopfverletzung, und die meisten Leute halten ihn für etwas merkwürdig. Er liebte das Meer, sagte, es fasziniere ihn, weil er so weit von der Küste entfernt geboren sei. Er fuhr jahrelang auf Frachtschiffen und sah die Welt, die ganze Welt. Es gibt keinen Fleck auf der Landkarte, den Ancil nicht kennt. Keinen Berg, keinen Hafen, keine Stadt, keine Sehenswürdigkeit. Keine Bar, keinen Nachtclub, kein Bordell – Ancil war überall. Er trieb sich mit üblen Gestalten herum und geriet gelegentlich mit dem Gesetz in Konflikt, erst als Kleinkrimineller, dann nicht mehr ganz so klein. Einige Male kam er nur knapp mit dem Leben davon, einmal lag er auf Sri Lanka eine Woche lang mit einer Stichwunde im Krankenhaus. Die Wunde war nichts gegen die Infektion, die er sich im Krankenhaus holte. Er hatte eine Menge Frauen, einige von ihnen hatten eine Menge Kinder, aber Ancil blieb nirgends lange. Soweit ihm bekannt ist, suchen manche dieser Frauen mit ihren Kindern immer noch nach ihm. Kann sein, dass ihm auch andere auf der Spur sind. Ancil hat ein wildes Leben geführt und fühlt sich ständig verfolgt.«

Er sprach das Wort »Leben« falsch aus – oder vielleicht so, wie es für ihn normal war, nämlich wie die Leute im Norden von Mississippi. Lucien hatte bewusst mit starkem Akzent gesprochen, in der Hoffnung, dass Lonny seinem Beispiel folgen würde. Lonny war aus Mississippi, und sie wussten es beide.

Er schloss die Augen und schien einzuschlafen. Lucien fixierte ihn einige Minuten lang, wartete. Die Atmung wurde mühsamer, als er eindöste. Die rechte Hand sank neben dem Körper auf das Bett. Die Monitore zeigten normalen Blutdruck und Herzschlag. Um sich wach zu halten, tigerte Lucien durch den abgedunkelten Raum, wobei er ständig damit rechnete, dass eine Krankenschwester erschien und ihn wegschickte. Schließlich stellte er sich neben das Bett und drückte Lonnys rechtes Handgelenk kräftig.

»Ancil! Ancil! Seth hat ein Testament hinterlassen, in dem er Ihnen eine Million Dollar vermacht.«

Die Augen öffneten sich, und Lucien wiederholte seine Worte.

Die Debatte tobte seit einer Stunde mit unverminderter Heftigkeit, und die Stimmung war äußerst angespannt. Tatsächlich wurde das Thema seit über einem Monat hitzig diskutiert, und die Meinungen hätten nicht unterschiedlicher sein können. Der

Konferenztisch war übersät mit Notizen, Akten, Büchern und den Resten einer schlechten Pizza zum Mitnehmen, die sie zum Abendessen hinuntergeschlungen hatten.

Sollten die Geschworenen erfahren, was Seths Nachlass wert war? Bei dem Prozess ging es ausschließlich darum, ob das handschriftliche Testament gültig war. Nicht mehr, nicht weniger. Rein formal-juristisch gesehen, spielte es keine Rolle, wie groß oder klein der Nachlass war. Auf der einen Seite des Tisches, wo Harry Rex saß, herrschte die Einschätzung vor, dass die Geschworenen nichts davon erfahren sollten, weil sie mit Sicherheit davor zurückschrecken würden, Lettie Lang vierundzwanzig Millionen Dollar zuzusprechen. Verständlicherweise würde ihnen der Transfer eines solchen Vermögens an eine nicht zur Familie gehörende Person suspekt vorkommen. Die Summe war so unerhört, so schockierend, dass es unvorstellbar schien, eine niedere schwarze Haushälterin damit davonkommen zu lassen. Lucien stimmte Harry Rex in Abwesenheit zu.

Jake sah das jedoch anders. Sein erstes Argument war, dass die Geschworenen vermutlich ohnehin ahnten, dass es um viel Geld ging, obwohl praktisch alle das während des Auswahlverfahrens geleugnet hatten. Ein Mammutprozess. Jede Menge Anwälte an Bord. Alles an der Sache und dem Verfahren roch nach dem großen Geld. Sein zweites Argument war, dass es am besten war, mit offenen Karten zu spielen. Wenn die Geschworenen das Gefühl hatten, dass er mit etwas hinter dem Berg hielt, büßte er von Anfang an Glaubwürdigkeit ein. Jeder im Saal will wissen, worum es geht. Sagen wir es ihnen. Lasst uns Klartext reden. Ohne etwas zurückzuhalten. Falls sie den Wert des Nachlasses verschleierten, würde das zur schwärenden Wunde werden.

Portia schwankte hin und her. Vor der Auswahl der Geschworenen war sie für rückhaltlose Offenheit gewesen. Aber als sie in die Gesichter der zehn Weißen und nur zwei Schwarzen geblickt hatte, fiel es ihr schwer zu glauben, dass sie überhaupt eine Chance hatten. Wenn alle Zeugen ausgesagt hatten, die Anwälte verstummt waren und Richter Atlee seine weisen Worte gesprochen hatte – würden diese zehn Weißen dann in ihrem tiefsten Herzen den Mut finden, Seth Hubbards Testament zu bestätigen? Müde und erschöpft, wie sie im Augenblick war, hatte sie große Zweifel.

Das Telefon klingelte, und sie nahm ab. »Es ist Lucien Wilbanks«, sagte sie und gab Jake den Hörer.

»Hallo«, meldete er sich.

»Wir haben ihn, Jake«, lautete die Neuigkeit aus Alaska. »Unser Kumpel hier ist Ancil Hubbard höchstpersönlich.«

Jake atmete tief durch. »Klingt erfreulich, Lucien.« Er hielt den Hörer zur Seite und sagte: »Es ist Ancil.«

»Was treiben Sie?«, fragte Lucien.

»Wir bereiten uns auf morgen vor. Ich, Portia, Harry Rex. Da entgeht Ihnen was.«

»Sind die Geschworenen bestimmt?«

»Ja. Zehn Weiße, zwei Schwarze, keine großen Überraschungen. Erzählen Sie mir von Ancil.«

»Gut geht's ihm nicht. Die Kopfwunde hat sich infiziert, und die Ärzte sind besorgt. Tonnen von Medikamenten, Antibiotika und Schmerzmittel. Wir haben den ganzen Tag Karten gespielt und über alles geredet. Mal ist er ansprechbar, mal nicht. Irgendwann habe ich das Testament erwähnt und ihm erzählt, dass ihm sein großer Bruder eine Million hinterlassen hat. Da wurde er hellhörig und gab seine Identität zu. Eine halbe Stunde später hatte er alles vergessen.«

»Soll ich Richter Atlee informieren?«

Harry Rex schüttelte den Kopf.

»Ich glaube nicht«, meinte Lucien. »Das Verfahren läuft und

wird deswegen nicht unterbrochen werden. Ancil kann nichts Neues beitragen. Er kann noch nicht einmal persönlich erscheinen, weil er einen Schädelbruch hat und die Geschichte mit dem Kokain nicht geklärt ist. Wahrscheinlich wird er letztendlich doch im Gefängnis landen. Die Polizei besteht darauf.«

»Haben Sie mit ihm über seine Familiengeschichte gesprochen?«

»Ja, ziemlich ausführlich, aber lange bevor er die Karten auf den Tisch gelegt hat. Ich habe die Geschichte der Familien Hubbard und Rinds geschildert, mit Betonung auf dem rätselhaften Schicksal von Sylvester Rinds. Er war nicht besonders interessiert. Morgen versuche ich es noch einmal. Vielleicht reise ich morgen Nachmittag ab. Ich will etwas von dem Prozess mitbekommen. Sonst vermurksen Sie noch alles, bis ich zurück bin.«

»Bestimmt, Lucien«, sagte Jake und legte gleich darauf auf. Er berichtete Portia und Harry Rex von dem Gespräch, aber sie hatten bei allem Interesse anderes im Kopf. Die Tatsache, dass Ancil Hubbard am Leben und in Alaska war, würde im Gerichtssaal keine Rolle spielen.

Das Telefon klingelte erneut, und Jake nahm ab.

Es war Willie Traynor. »Hören Sie, Jake, nur zur Information: Einer der Geschworenen hätte abgelehnt werden müssen.«

»Jetzt ist es vermutlich zu spät, aber ich höre.«

»Er sitzt in der hintersten Reihe und heißt Doley. Frank Doley.«

Jake war aufgefallen, dass sich Willie den ganzen Tag über Notizen gemacht hatte. »Okay, was stimmt mit diesem Doley nicht?«

»Er hat einen entfernten Cousin in Memphis. Vor sechs oder sieben Jahren wurde die fünfzehnjährige Tochter dieses Cousins von schwarzen Gangstern vor einem Einkaufszentrum in East

Memphis entführt. Sie haben sie stundenlang in einem Van festgehalten. Ihr wurden furchtbare Dinge angetan. Das Mädchen überlebte, war aber zu verstört, um irgendwen zu identifizieren. Es gab keinerlei Festnahmen. Zwei Jahre später beging das Mädchen Selbstmord. Eine echte Tragödie.«

»Warum erzählen Sie mir das erst jetzt?«

»Mir ist der Name vor einer Stunde aufgefallen. Ich war damals in Memphis und weiß noch, dass es in Ford County ein paar Doleys gab. Den werden Sie besser los, Jake.«

»So einfach ist das nicht mehr. Tatsächlich ist es zum jetzigen Zeitpunkt unmöglich. Der Mann ist von den Anwälten und dem Richter befragt worden und hat völlig korrekte Antworten gegeben.« Frank Doley war dreiundvierzig und besaß eine Dachdeckerfirma draußen in der Nähe des Sees. Er hatte behauptet, nichts über die Sache Seth Hubbard zu wissen, und unvoreingenommen gewirkt.

Den Anruf hätte Willie sich sparen können.

»Tut mir leid, Jake, aber im Gericht habe ich nicht gleich geschaltet«, sagte Willie. »Sonst hätte ich was gesagt.«

»Ist schon in Ordnung. Damit werde ich fertig.«

»Was halten Sie von den Geschworenen, von Doley einmal abgesehen?«

Jake war klar, dass er mit einem Journalisten sprach, und hielt sich daher bedeckt. »Eine gute Mischung«, sagte er. »Ich muss auflegen.«

»Der Bursche hat mir die ganze Zeit Sorgen gemacht«, behauptete Harry Rex. »Irgendwas kam mir komisch vor.«

»Ich kann mich nicht erinnern, dass du was gesagt hättest«, konterte Jake. »Im Nachhinein ist man immer schlauer.«

»Warum so gereizt?«

»Er schien unbedingt Geschworener werden zu wollen«, sagte Portia. »Ich habe ihm eine Acht gegeben.«

»Uns bleibt nichts anderes übrig, wir müssen mit ihm leben«, stellte Jake fest. »Er hat nichts Falsches gesagt.«

»Vielleicht hast du nicht die richtigen Fragen gestellt«, meinte Harry Rex und trank noch einen Schluck Bud Light.

»Herzlichen Dank, Harry Rex. Nur zur Info: Bei der Auswahl der Geschworenen dürfen Prozessanwälte normalerweise nicht fragen, ob die Kandidaten zufällig entfernte Cousins in Memphis haben, deren Töchter von schwarzen Gangstern vergewaltigt worden sind, und das hat einen Grund, nämlich den, dass die Anwälte im Allgemeinen gar nichts von solch abscheulichen Verbrechen wissen.«

»Ich gehe nach Hause.« Noch ein Schluck.

»Das machen wir am besten alle«, sagte Portia. »Wir kommen nicht richtig weiter.«

Es war schon fast halb elf, als sie das Licht ausschalteten. Jake drehte eine Runde um den Clanton Square, um einen klaren Kopf zu bekommen. In der Kanzlei Sullivan brannte Licht. Wade Lanier und sein Team waren noch bei der Arbeit.

41

Als er Carl Lee Hailey verteidigt hatte, hatte Jakes Eröffnungsplädoyer vor den Geschworenen nur vierzehn Minuten gedauert. Rufus Buckley hatte zum Auftakt einen eineinhalb-
stündigen Marathon hingelegt, bei dem die Geschworenen
weggedämmert waren, danach waren Jakes knappe Ausführungen besonders gut angekommen. Die Geschworenen hatten
aufmerksam gelauscht und jedes Wort in sich aufgenommen.

»Die Geschworenen können nicht weg«, sagte Lucien häufig.
»Da fasst man sich besser kurz.«

In der Sache der letztwilligen Verfügung von Henry Seth
Hubbard wollte sich Jake auf zehn Minuten beschränken. Er
trat ans Rednerpult und lächelte in die frischen, erwartungsvollen Gesichter, die ihm entgegensahen.

»Sehr geehrte Geschworene«, begann er, »Ihre Aufgabe ist es
nicht, das Geld von Seth Hubbard zu verteilen. Es ist viel Geld,
und Seth Hubbard hat es ausschließlich selbst verdient. Nicht
Sie, nicht ich, nicht irgendeiner der Anwälte in diesem Saal. Er
ging Risiken ein, verschuldete sich gelegentlich bis über beide
Ohren, nahm Hypotheken auf sein eigenes Haus und Grundstück auf, tätigte Geschäfte, die auf dem Papier gar nicht gut
aussahen, lieh sich noch mehr, spielte mit unglaublich hohem
Einsatz, und am Ende, als Seth Hubbard erfuhr, dass er Lungenkrebs im Endstadium hatte, verkaufte er alles. Er löste seine
Chips ein, gab den Banken, was ihnen zustand, und zählte sein

Geld. Er hatte gewonnen. Er hatte recht gehabt und alle anderen unrecht. Man kann gar nicht anders, man muss diesen Menschen bewundern. Ich bin ihm nie begegnet, aber ich hätte ihn gern kennengelernt.

Um wie viel Geld es geht? Sie werden von Mr. Quince Lundy, dem Herrn da drüben, den das Gericht zum Verwalter von Seth Hubbards Nachlass ernannt hat, hören, dass dieser Nachlass einen Wert von rund vierundzwanzig Millionen Dollar hat.«

Jake ging langsam auf und ab, und als er den Betrag nannte, blieb er stehen und blickte in einige der Gesichter. Fast alle Geschworenen lächelten. Bravo, Seth. Gut gemacht. Einige wirkten sichtlich schockiert. Tracy McMillen, Geschworene Nummer zwei, sah Jake aus weit aufgerissenen Augen an. Aber der Augenblick war schnell vorüber. Niemand in Ford County konnte sich unter einer solchen Zahl etwas vorstellen.

»Wenn Sie glauben, dass ein Mann, der es schafft, in zehn Jahren ein Vermögen von vierundzwanzig Millionen zu verdienen, weiß, was er mit seinem Geld tut, dann kann ich Ihnen nur zustimmen. Seth wusste genau, was er tat. Am Tag, bevor er sich erhängte, ging er in sein Büro, schloss die Tür ab, setzte sich an seinen Schreibtisch und verfasste ein neues Testament. Ein handschriftliches Testament, ein in jeder Hinsicht rechtskräftiges, ordnungsgemäßes und leserliches Dokument, das leicht verständlich und kein bisschen kompliziert oder verwirrend ist. Er wusste, dass er sich am nächsten Tag, am Sonntag, dem 2. Oktober, das Leben nehmen würde, und brachte seine Angelegenheiten in Ordnung. Er plante alles. Er schrieb eine Nachricht an einen Mann namens Calvin Boggs, einen seiner Angestellten, und erklärte, dass er Suizid begehen werde. Sie werden das Original vorgelegt bekommen. Er verfasste ausführliche Anweisungen für seine Trauerfeier und Bestattung. Sie werden die Originale vorgelegt bekommen. Und am selben Samstag, vermutlich in seinem Büro, als er sein Testament machte, schrieb er mir einen Brief und gab mir genaue Instruktionen. Auch hier werden Sie das Original vorgelegt bekommen. Nachdem er alles erledigt hatte, fuhr er zur Hauptpost in Clanton und gab den Brief an mich gemeinsam mit dem Testament auf. Ich sollte den Brief am Montag bekommen, weil seine Beerdigung am Dienstag um vier Uhr nachmittags in der Irish Road Christian Church stattfinden sollte. Seth Hubbard kümmerte sich um jede Einzelheit. Er wusste genau, was er tat. Er hatte alles geplant.

Wie bereits erwähnt, ist es nicht Ihre Aufgabe, Mr. Hubbards Geld zu verteilen oder zu entscheiden, wer was oder wie viel bekommen soll. Es ist jedoch Ihre Aufgabe zu entscheiden, ob Seth Hubbard wusste, was er tat. Der Fachausdruck dafür ist Testierfähigkeit. Um ein rechtskräftiges Testament zu verfassen, gleich ob es mit der Hand auf die Rückseite einer Einkaufstüte geschrieben oder von fünf Sekretärinnen in einer großen Kanzlei getippt und von einem Notar beurkundet ist, muss man testierfähig sein. Das ist ein juristischer Fachbegriff, der leicht zu verstehen ist. Er bedeutet, dass man weiß, was man tut – und Seth Hubbard wusste genau, was er tat. Er war nicht verrückt. Er litt nicht unter Wahnvorstellungen. Er stand nicht unter dem Einfluss von Schmerzmitteln oder anderen Medikamenten. Er war geistig ebenso fit und gesund wie Sie zwölf in diesem Augenblick.

Man könnte argumentieren, jemand, der seinen eigenen Selbstmord plant, könne nicht bei klarem Verstand sein. Wer sich umbringt, muss verrückt sein, oder? Nicht unbedingt. Als Geschworene müssen Sie sich auf Ihre eigene Lebenserfahrung verlassen. Vielleicht kennen Sie selbst jemanden – einen nahen Freund oder sogar ein Familienmitglied –, der am Ende seines Weges angelangt war und seinen Abgang selbst bestimmen wollte. Waren diese Menschen verrückt? Vielleicht, aber höchstwahrscheinlich nicht. Seth Hubbard war es bestimmt nicht. Er wusste genau, was er tat. Er kämpfte seit einem Jahr gegen den Lungenkrebs, hatte mehrere Chemotherapien und Bestrahlungen hinter sich, die alle erfolglos geblieben waren, und der Krebs hatte Rippen und Wirbelsäule befallen. Er litt unerträgliche Schmerzen. Bei seinem letzten Arztbesuch hieß es, er habe noch einen Monat zu leben. Wenn Sie lesen, was er am Tag vor seinem Tod geschrieben hat, werden Sie davon überzeugt sein, dass Seth Hubbard sein Leben völlig unter Kontrolle hatte.«

Jake hielt einen Schreibblock als Requisite in der Hand, benutzte ihn aber nicht. Das hatte er nicht nötig. Er ging vor den Geschworenen auf und ab, nahm mit jedem von ihnen Blickkontakt auf, sprach langsam und deutlich, so, als säßen sie in seinem Wohnzimmer und redeten über den neusten Film. Aber jedes einzelne Wort stand irgendwo geschrieben. Jeder einzelne Satz war eingeübt. Jede Pause war genau berechnet. Timing, Rhythmus, Tempo – alles perfekt orchestriert.

Selbst der meistbeschäftigte Prozessanwalt verbringt nur einen Bruchteil seiner Zeit mit Geschworenen. Diese Augenblicke waren selten, und Jake genoss sie. Er war ein Schauspieler auf der Bühne, der in einem von ihm selbst verfassten Monolog Worte der Weisheit zu seinem auserwählten Publikum sprach. Sein Puls schoss in die Höhe, sein Magen rebellierte, seine Knie wurden weich. Aber diesen inneren Kampf hatte Jake vollkommen unter Kontrolle, und die belehrenden Worte an seine neuen Freunde klangen ruhig und gelassen.

Seit fünf Minuten redete er und hatte bisher kein einziges Wort vergessen. Noch einmal fünf Minuten lagen vor ihm, und der schwierigste Teil kam erst noch.

»Diese Geschichte hat eine unangenehme Facette, und deswegen sind wir hier. Seth Hubbard hinterließ einen Sohn, eine Tochter und vier Enkelkinder. Sie sind in seinem Testament nicht bedacht. Mit Worten, die klar und eindeutig, aber nur schwer zu ertragen sind, schließt Seth Hubbard seine Familie testamentarisch ausdrücklich vom Erbe aus. Es liegt nahe, dass wir uns fragen, warum. Warum tut ein Mensch so etwas? Aber es ist nicht an uns, diese Frage zu beantworten. Warum Seth Hubbard so gehandelt hat, weiß nur er selbst. Er hat das Geld selbst verdient – es gehörte nur ihm. Er hätte jeden Penny dem Roten Kreuz, einem schmierigen Fernsehevangelisten oder der Kommunistischen Partei vermachen können. Das ist seine Angelegenheit, nicht Ihre, nicht meine, nicht die des Gerichts.

Statt das Geld seiner Familie zu hinterlassen, vererbte er fünf Prozent seiner Kirchengemeinde, fünf Prozent einem Bruder, den er vor vielen Jahren aus den Augen verloren hatte, und die verbleibenden neunzig Prozent einer Frau namens Lettie Lang. Mrs. Lang sitzt hier zwischen mir und Mr. Lundy. Sie arbeitete drei Jahre lang als Haushälterin, Köchin und manchmal als Krankenschwester für Seth Hubbard. Auch hier ist es naheliegend, nach dem Warum zu fragen. Warum enterbte Mr. Hubbard seine Familie und hinterließ praktisch sein gesamtes Vermögen einer Frau, die er erst seit Kurzem kannte? Glauben Sie mir, das ist die schwierigste Frage, vor der ich als Anwalt je gestanden habe. Ich selbst habe mir diese Frage gestellt. Die anderen Anwälte, die Familie Hubbard, Lettie Lang selbst, Freunde und Nachbarn und praktisch jeder im County, der von dieser Geschichte gehört hat, stellen sich diese Frage: warum?

Die Wahrheit ist, dass wir es nie erfahren werden. Die Antwort kannte nur Seth Hubbard, und er ist nicht mehr unter uns. Die Wahrheit ist, dass uns das nichts angeht. Wir – Anwälte, Richter und Sie als Geschworene – haben uns nicht damit zu befassen, warum Mr. Hubbard so gehandelt hat. Wie bereits gesagt, haben Sie einzig und allein *eine* wichtige Aufgabe: zu entscheiden, ob Seth Hubbard in der Lage war, klar zu denken, als er sein Testament verfasste, und ob er wusste, was er tat.

Beides war der Fall. Das werden wir eindeutig und überzeugend beweisen.«

Jake legte eine Pause ein und griff nach einem Glas Wasser. Er trank einen Schluck und ließ den Blick durch den überfüllten Gerichtssaal schweifen. Harry Rex in der zweiten Reihe sah ihn eindringlich an. Er nickte flüchtig. Läuft gut bisher. Du hast ihre Aufmerksamkeit. Komm zum Schluss.

Jake trat erneut ans Rednerpult und warf einen Blick auf seine Notizen. »Da es um so viel Geld geht, müssen wir damit rechnen, dass in den nächsten Tagen mit harten Bandagen gekämpft wird. Die Familie von Seth Hubbard ficht das handschriftliche Testament an, das kann ihr niemand verübeln. Sie ist aufrichtig davon überzeugt, dass ihr das Geld zusteht, und hat mehrere kompetente Anwälte engagiert, um das handschriftliche Testament anzufechten. Sie macht geltend, sein Urteilsvermögen sei beeinträchtigt gewesen. Sie wirft Lettie Lang unzulässige Beeinflussung vor. ›Unzulässige Beeinflussung‹ ist ein juristischer Fachausdruck, der in diesem Fall von ausschlaggebender Bedeutung sein wird. Die Gegenseite wird versuchen, Sie davon zu überzeugen, dass Lettie Lang ihre Position als Pflegerin ausnutzte, um eine intime Beziehung zu Seth Hubbard aufzubauen. Es gibt viele Arten von Intimität. Sie pflegte Seth, badete ihn, wechselte seine Kleidung, putzte seine Hinterlassenschaften weg, tat all die Dinge, die Pfleger in diesen schwierigen und heiklen Situationen tun. Seth Hubbard war ein alter Mann im Endstadium einer tödlichen Krebserkrankung, die ihn sehr geschwächt hatte.«

Jake drehte sich um und sah Wade Lanier und die Horde von Rechtsanwälten am anderen Tisch an. »Es wird viel unterstellt, aber nichts bewiesen werden. Es gab keine sexuelle Beziehung zwischen Seth Hubbard und Lettie Lang. Nichts als Andeutungen und Unterstellungen, doch keine Beweise, weil es diese Beziehung nicht gegeben hat.«

Jake warf seinen Block auf den Tisch und kam zum Schluss. »Dies wird ein kurzes Verfahren mit zahlreichen Zeugen werden. Wie in jedem Verfahren kann man dabei leicht aus den Augen verlieren, worum es geht. Oft ist das von den Anwälten durchaus beabsichtigt, aber lassen Sie sich nicht ablenken. Vergessen Sie nicht, Ihre Aufgabe ist es nicht, Seth Hubbards Vermögen zu verteilen. Ihre Aufgabe ist zu entscheiden, ob er wusste, was er tat, als er seinen Letzten Willen verfasste. Nicht mehr, nicht weniger. Danke für Ihre Aufmerksamkeit.«

Unter dem massiven Druck von Richter Atlee hatten sich die anfechtenden Parteien darauf geeinigt, Eröffnungs- und Schlussplädoyers dadurch zu verkürzen, dass nur Wade Lanier sprach. Er schlenderte in einem verknitterten Blazer zum Rednerpult, seine Krawatte war zu kurz, und das Hemd drohte, aus der Hose zu rutschen. Das spärliche Haar um seine Ohren stand in alle Richtungen ab. Er wirkte wie ein zerstreutes Arbeitstier, das vor lauter Schufterei schon einmal vergessen mochte, zur Verhandlung zu erscheinen. Alles nur Show, damit ihn die Geschworenen für harmlos hielten. Jake fiel nicht darauf herein.

»Danke, Mr. Brigance«, begann er. »Ich bin seit dreißig Jahren Prozessanwalt, und Jake Brigance ist der talentierteste junge Jurist, dem ich je begegnet bin. Ford County kann sich glücklich schätzen, einen so überragenden Anwalt zu haben. Es ist eine Ehre, gegen ihn anzutreten, noch dazu in diesem prächtigen historischen Sitzungssaal.« Er legte eine Pause ein und blickte auf seine Notizen, während Jake vor Wut über dieses falsche Lob kochte. Wenn er nicht gerade vor einem Geschworenengericht stand, war Lanier kühl und redegewandt. Jetzt, auf der Bühne, gab er sich volkstümlich, bodenständig und ungeheuer sympathisch.

»Dies sind nur die Eröffnungsplädoyers, was ich und Mr. Brigance hier von uns geben, es darf nicht als Beweis gewertet werden. Beweiskraft hat nur, was im Zeugenstand gesagt wird. Anwälte lassen sich manchmal dazu hinreißen, etwas zu äußern, was sie in der Verhandlung nicht beweisen können, oder sie lassen wichtige Fakten weg, von denen die Geschworenen wissen müssten. Zum Beispiel hat Mr. Brigance nicht erwähnt, dass Seth Hubbard ganz allein mit Lettie Lang im Gebäude war, als er seinen Letzten Willen verfasste. Es war ein Samstagvormittag, obwohl sie samstags nie arbeitete. Sie war bei ihm zu Hause und fuhr ihn von dort in seinem neuen Cadillac zu seinem Büro. Er schloss auf. Beide gingen hinein. Sie sagt, sie sollte sein Büro putzen, aber das hatte sie noch nie getan. Sie waren allein. Etwa zwei Stunden waren sie allein in den Büros der Berring Lumber Company, der Firmenzentrale von Seth Hubbards Unternehmen. Als sie am Samstagvormittag dort eintrafen, hatte Seth Hubbard ein Testament, das ein Jahr zuvor von einer kompetenten Kanzlei in Tupelo verfasst worden war – von Anwälten, denen er seit Jahren vertraute – und in dem er praktisch alles seinen beiden erwachsenen Kindern und seinen vier Enkelkindern vermachte. Ein typisches Testament. Ein übliches Testament. Ein vernünftiges Testament. Ein Testament, wie es praktisch jeder Amerikaner irgendwann unterzeichnet. Neunzig Prozent aller Vermögenswerte, über die testamentarisch verfügt wird, gehen an die Familie des Verstorbenen. So gehört es sich.«

Lanier ging nun auf und ab, seine kräftige, leicht gebeugte Gestalt stapfte durch den Saal. »Aber nachdem er an jenem Morgen zwei Stunden allein mit Lettie Lang in seinem Büro verbracht hatte, hatte er plötzlich ein anderes Testament, eins, das er selbst geschrieben hatte, das seine Kinder und Enkelkinder ausdrücklich von der Erbfolge ausschloss und neunzig Prozent seines Vermögens seiner Haushälterin vermachte. Klingt das vernünftig? Lassen wir die Kirche im Dorf. Seth Hubbard kämpfte seit einem Jahr gegen seine Krebserkrankung – ein harter Kampf, den er verloren hatte, und er wusste das. Der Mensch, der Seth Hubbard in seinen letzten Tagen auf dieser Welt am nächsten stand, war Lettie Lang. An guten Tagen kochte und putzte sie für ihn, kümmerte sich um seinen Haushalt und um seine Dinge, an schlechten Tagen fütterte sie ihn, badete ihn, kleidete ihn an, räumte seine Hinterlassenschaften weg. Sie wusste, dass er bald sterben würde – das war kein Geheimnis. Sie wusste auch, dass er reich war, und sie wusste, dass die Beziehung zu seinen erwachsenen Kindern schwierig war.«

Lanier blieb neben dem Zeugenstuhl stehen, breitete die Arme in gespieltem Unglauben weit aus und fragte laut: »Sollen wir wirklich glauben, dass sie nicht an Geld dachte? In welcher Welt leben wir denn? Mrs. Lang wird Ihnen selbst bestätigen, dass sie ihr Leben lang als Haushälterin tätig war, dass ihr Ehemann Simeon Lang, der gegenwärtig im Gefängnis sitzt, nur unregelmäßig arbeitete und als Brötchenverdiener eine Niete war, dass sie ihre fünf Kinder unter schwierigen finanziellen Bedingungen großziehen musste. Das Leben war hart! Es blieb nie etwas übrig. Wie viele Menschen war Lettie Lang praktisch mittellos. Sie hatte nie Geld gehabt. Und nun, als sie sah, wie der Tod ihres Arbeitgebers immer näher rückte, dachte sie ganz bestimmt an Geld, das ist uns doch allen klar. Das liegt in der menschlichen Natur. Es ist nicht ihre Schuld. Ich will nicht behaupten, dass sie böse oder gierig war. Wer von uns hätte nicht an das Geld gedacht?

An diesem Samstagvormittag im Oktober fuhr Lettie Lang ihren Arbeitgeber zu seinem Büro, wo beide zwei Stunden lang allein waren. Und in dieser Zeit wechselte eines der größten Vermögen in der Geschichte unseres Bundesstaates den Eigentümer. Vierundzwanzig Millionen Dollar wanderten von der Familie Hubbard an eine Haushälterin, die Seth Hubbard erst seit drei Jahren kannte.«

Gekonnt legte Lanier eine Pause ein, während sein letzter Satz durch den Saal hallte.

Verdammt, ist der gut, dachte Jake, während er beiläufig einen Blick auf die Geschworenen warf, als wäre alles in schönster Ordnung.

Frank Doley fixierte ihn mit einem Blick voller Verachtung.

Lanier senkte die Stimme und fuhr fort. »Wir werden versuchen nachzuweisen, dass Mrs. Lang Seth Hubbard in unzulässiger Weise beeinflusst hat. Der Schlüssel zu dieser Sache ist die Frage der unzulässigen Beeinflussung, die sich durch verschiedene Umstände nachweisen lässt. Ein Anzeichen für eine unzulässige Beeinflussung ist eine ungewöhnliche oder unangemessene Zuwendung. Mr. Hubbards Zuwendung an Mrs. Lang ist extrem, geradezu absurd ungewöhnlich und unangemessen. Ich bitte um Nachsicht. Mir fällt gar kein Adjektiv ein, mit dem ich das treffend beschreiben könnte. Neunzig Prozent von vierundzwanzig Millionen? Und nichts für seine Familie? Wenn das nicht ungewöhnlich ist! Da, wo ich herkomme, nennt man so etwas ungewöhnlich. Das riecht nach unzulässiger Beeinflussung. Wenn er etwas für seine Haushälterin hätte tun wollen, hätte er ihr eine Million Dollar vermachen können. Das wäre ganz schön großzügig gewesen. Zwei Millionen? Fünf Millionen? Meiner bescheidenen Meinung nach wäre alles über eine Million Dollar in Anbetracht der kurzen Dauer ihrer Beziehung als ungewöhnlich und unangemessen zu werten.«

Lanier trat erneut ans Rednerpult und warf einen Blick auf seine Notizen, dann sah er auf die Uhr. Acht Minuten, und er hatte keine Eile. »Wir werden versuchen, eine ungebührliche Beeinflussung nachzuweisen, indem wir uns mit dem früheren

Testament von Seth Hubbard befassen. Dieses Testament wurde von einer führenden Kanzlei in Tupelo ein Jahr vor Mr. Hubbards Tod erstellt und sah vor, dass fünfundneunzig Prozent seines Nachlasses an seine Familie gehen sollte. Es ist eine komplizierte Verfügung voller juristischer Fachausdrücke, die nur Steueranwälte verstehen. Ich begreife es selbst nicht, und wir werden versuchen, Sie nicht damit zu langweilen. Zweck der Auseinandersetzung mit diesem früheren Testament ist es nachzuweisen, dass Mr. Hubbard keineswegs klar dachte. Da das frühere Testament von Steueranwälten verfasst wurde, die wussten, was sie taten, und nicht von einem Mann, der kurz davor stand, sich zu erhängen, wurden alle erdenklichen Steuerschlupflöcher genutzt. Dadurch konnten mehr als drei Millionen Dollar Steuern gespart werden. Gemäß Mr. Hubbards handschriftlichem Testament bekommt das Finanzamt einundfünfzig Prozent, das sind mehr als zwölf Millionen Dollar. Dem früheren Testament zufolge gehen nur neun Millionen Dollar an das Finanzamt. Mr. Brigance will uns glauben machen, dass Seth Hubbard genau wusste, was er tat. Ich bezweifle das. Führen Sie sich das einmal vor Augen: Ein Mann, der gewieft und clever genug ist, um in zehn Jahren ein solches Vermögen anzuhäufen, schmiert doch nicht einfach ein handschriftliches Dokument zusammen, das seinen Nachlass drei Millionen Dollar kostet. Das ist absurd! Das ist ungewöhnlich und unangemessen!«

Er stützte sich mit den Ellbogen auf das Rednerpult und legte die Finger aneinander. Dabei blickte er in die erwartungsvollen Augen der Geschworenen. »Lassen Sie mich zum Schluss kommen«, sagte er schließlich. »Ich muss sagen, Sie haben Glück, dass ich genauso wenig von langen Reden halte wie Jake Brigance. Und wie Richter Atlee.« Einige der Geschworenen lächelten. Das war schon fast lustig. »Ich möchte mit einem ersten

Gedanken enden, einem Bild, mit dem ich in diese Verhandlung gehen möchte. Stellen Sie sich Seth Hubbard am 1. Oktober letzten Jahres vor, einen Mann, der weiß, dass er sterben muss, und der beschlossen hat, sein Ende zu beschleunigen. Einen Mann, der von unerträglichen Schmerzen gequält wird und starke Schmerzmittel nimmt, einen traurigen, einsamen, unverheirateten Mann, der den Kontakt zu seinen Kindern und Enkelkindern verloren hat, einen verbitterten, sterbenden alten Mann ohne jede Hoffnung, dem nur ein Mensch geblieben ist, der ihm nahe genug steht, um ihm zuzuhören und ihn zu trösten, nämlich Lettie Lang. Wir werden nie erfahren, wie nah sich die beiden wirklich gekommen sind. Wir werden nie erfahren, was zwischen ihnen geschehen ist. Aber wir kennen das Ergebnis. Meine Damen und Herren, dies ist ein klarer Fall eines Mannes, der sich von jemandem, der es auf sein Geld abgesehen hat, zu einem furchtbaren Fehler verleiten lässt.«

Als Lanier sich setzte, sagte Richter Atlee: »Rufen Sie Ihren ersten Zeugen auf, Mr. Brigance.«

»Die Antragsteller rufen Sheriff Ozzie Walls auf.« Ozzie, der in der zweiten Reihe saß, eilte zum Zeugenstuhl und wurde beeidigt. Quince Lundy, der in seiner vierzigjährigen Tätigkeit als Anwalt alles getan hatte, um sich von Gerichtsverhandlungen fernzuhalten, saß rechts von Jake an dessen Tisch. Jake hatte ihn angewiesen, gelegentlich einen Blick auf die Geschworenen zu werfen und sich Beobachtungen zu notieren. Als Ozzie Platz nahm, schob Lundy Jake einen Zettel zu.

Sie waren klasse. Lanier auch. Die Geschworenen sind hinund hergerissen. Wir sind erledigt.

Vielen Dank, dachte Jake.

Portia schob ihm ihren Block zu. Frank Doley ist Gift für uns, hatte sie notiert.

Was für ein Team, dachte Jake. Jetzt fehlte nur noch Lucien, der ihm absurde Ratschläge ins Ohr flüsterte und den gesamten Sitzungssaal gegen sie aufbrachte.

Von Jake befragt, schilderte Ozzie, wie sich der Suizid ereignet hatte. Dazu verwendete er vier große Farbfotos, die den im Baum hängenden Seth Hubbard zeigten. Die Geschworenen bekamen sie zu sehen und waren gebührend entsetzt. Jake hatte Einspruch gegen die Verwendung der Fotos erhoben, weil sie ihm zu drastisch erschienen. Lanier hatte Einspruch erhoben, weil er keine Sympathien für Hubbard wecken wollte. Letztendlich entschied Richter Atlee, die Geschworenen müssten sie zu Gesicht bekommen. Als sie wieder eingesammelt und als Beweismittel zu den Akten genommen waren, legte Ozzie den Abschiedsbrief vor, den Hubbard auf seinem Küchentisch für Calvin Boggs hinterlassen hatte. Die Mitteilung wurde auf einer großen Leinwand gezeigt, die vor den Geschworenenbänken aufgestellt worden war, und jeder Geschworene erhielt eine Kopie. Sie lautete wie folgt: »*Für Calvin. Bitte teilen Sie der Polizei mit, dass ich mir das Leben genommen habe und dass mir niemand dabei geholfen hat. Auf dem beigefügten Blatt habe ich Anweisungen zu meiner Bestattung und Trauerfeier aufgeschrieben. Keine Autopsie! S. H. Sonntag, 2. Oktober 1988.*«

Jake legte die Originale der Anweisungen für Trauerfeier und Bestattung vor, die ohne Einspruch zugelassen und auf der großen Leinwand gezeigt wurden. Alle Geschworenen erhielten eine Kopie. Die Anweisungen lauteten wie folgt:

Anweisungen für die Trauerfeier:

Ich will eine einfache Trauerzeremonie in der Irish Road Christian Church am Dienstag, den 4. Oktober, um sechzehn Uhr, gehalten von Reverend Don McElwain. Ich möchte, dass Mrs. Nora Baines »The Old Rugged Cross« singt. Ich möchte nicht, dass jemand eine

Rede hält. Wer sollte das auch wollen. Ansonsten darf der Reverend
sagen, was er will. Dreißig Minuten max.

Sollten Schwarze teilnehmen wollen, so soll ihnen der Zutritt zur
Kirche gewährt werden. Andernfalls findet keine Feier statt. Dann
lasse ich mich so verscharren.

Meine Sargträger sind: Harvey Moss, Duane Thomas, Steve
Holland, Billy Bowles, Mike Mills und Walter Robinson.

Anweisungen für die Beerdigung:

Ich habe erst kürzlich ein Grab auf dem Friedhof der Irish Road
Christian Church gekauft. Mit Mr. Magargel, dem Bestatter, ist be-
reits alles abgesprochen. Der Sarg ist bezahlt. Die Beisetzung nach
der Trauerfeier soll max. fünf Minuten dauern.

Bis dann.
Man sieht sich im Jenseits.
Seth Hubbard

Jake wandte sich an den Zeugen. »Sheriff Walls, ist es richtig,
dass dieser Abschiedsbrief und die Anweisungen von Ihnen und
Ihren Beamten in Seth Hubbards Haus entdeckt wurden, kurz
nachdem Sie die Leiche gefunden hatten?«

»Das ist richtig.«

»Was haben Sie damit getan?«

»Wir haben sie in Verwahrung genommen, Kopien angefertigt
und sie am folgenden Tag im Haus von Mr. Hubbard dessen
Familie übergeben.«

»Keine weiteren Fragen, Euer Ehren.«

»Möchten Sie den Zeugen ins Kreuzverhör nehmen, Mr. Lanier?«

»Nein.«

»Sie sind entlassen, Sheriff Walls. Ich danke Ihnen. Mr. Brigance?«

»Ja, Euer Ehren, ich möchte für die Geschworenen feststellen lassen, dass sich alle Parteien einig sind, dass die soeben zu den Akten genommenen Dokumente tatsächlich von Mr. Seth Hubbard geschrieben wurden.«

»Mr. Lanier?«

»Wir stimmen zu, Euer Ehren.«

»Sehr gut, dann ist also unbestritten, dass die Dokumente von Mr. Hubbard verfasst sind. Fahren Sie fort, Mr. Brigance.«

»Die antragstellende Partei ruft Mr. Calvin Boggs auf«, sagte Jake.

Sie warteten, bis Calvin aus dem Zeugenzimmer geholt worden war. Er war ein breit gebauter Hinterwäldler, der nie in seinem Leben eine Krawatte besessen und offenkundig auch nicht im Traum daran gedacht hatte, sich für diesen Anlass eine anzuschaffen. Er trug ein ausgefranstes Flanellhemd, das an den Ellbogen mit Flicken besetzt war, eine dreckige Baumwollhose, schlammige Stiefel und sah überhaupt aus, als wäre er direkt von einer Rodungsexpedition in den Gerichtssaal spaziert. Er war völlig verschüchtert und überwältigt von seiner Umgebung und geriet schon nach wenigen Sekunden ins Stottern, als er sein Entsetzen darüber schilderte, seinen Arbeitgeber in der Platane hängen zu sehen.

»Um welche Uhrzeit hat er Sie am Sonntagmorgen angerufen?«, fragte Jake.

»Gegen neun, ich sollte ihn um zwei an der Brücke treffen.«

»Und Sie sind Punkt zwei eingetroffen?«

»Ja, genau.«

Jake wollte Boggs' Aussage nutzen, um zu zeigen, dass Seth Hubbard an alles gedacht hatte. Den Geschworenen erklärte er später, Hubbard habe den Brief auf den Tisch gelegt, Seil und Leiter eingepackt, sei zum Ort der Tat gefahren und habe dafür gesorgt, dass er tot war, als Calvin Boggs um zwei Uhr eintraf. Er wollte kurz nach seinem Tod gefunden werden. Sonst hätten Tage vergehen können.

Lanier hatte keine Fragen. Der Zeuge wurde entlassen.

»Rufen Sie Ihren nächsten Zeugen auf, Mr. Brigance«, sagte Richter Atlee.

»Die antragstellende Partei ruft Finn Plunkett, den Coroner des County, auf«, verkündete Jake.

Finn Plunkett hatte auf dem Land die Post ausgetragen, als er dreizehn Jahre zuvor zum ersten Mal zum Coroner des County gewählt wurde. Damals besaß er keinerlei medizinische Kenntnisse, die in Mississippi auch nicht erforderlich waren. Er hatte bis dahin nie einen Tatort aus der Nähe gesehen. Die Tatsache, dass die Coroner für die einzelnen Countys in Mississippi immer noch gewählt wurden, war merkwürdig genug; die meisten Staaten taten das nicht mehr. Überhaupt war dieses Verfahren nur in wenigen Bundesstaaten jemals üblich gewesen. In den vergangenen dreizehn Jahren war Plunkett rund um die Uhr gerufen worden, um Pflegeheime, Krankenhäuser, Unfallorte, zwielichtige Kneipen, Flüsse, Seen und Wohnhäuser aufzusuchen, die von Gewalt heimgesucht worden waren. Üblicherweise beugte er sich über die Leiche und sprach feierlich die Worte: »Ja, der ist tot.« Dann spekulierte er über die Todesursache und stellte einen Totenschein aus.

Er war dabei gewesen, als Seth Hubbard aus dem Baum geholt wurde. Er hatte gesagt: »Ja, der ist tot.« Tod durch Erhängen, Selbstmord. Ersticken und Genickbruch. Unter Jakes Anleitung erklärte er den Geschworenen rasch, was ohnehin auf der Hand lag. Wade Lanier verzichtete auf ein Kreuzverhör.

Jake rief seine frühere Sekretärin Roxy Brisco in den Zeugenstand, die, da sie im Streit gegangen war, ursprünglich nicht hatte aussagen wollen. Also hatte Jake sie vorladen lassen und ihr erklärt, sie könne im Gefängnis landen, wenn sie das ignoriere. Daraufhin überlegte sie es sich schnell anders und erschien modisch herausgeputzt im Zeugenstand. Im Dialog gingen sie die Ereignisse vom Morgen des 3. Oktober durch, als sie mit der Post im Büro eintraf. Sie identifizierte den Umschlag, den Brief und das zweiseitige Testament von Seth Hubbard, und Richter Atlee ließ das als Beweismittel für die Antragsteller zu. Die Gegenseite erhob keine Einwendungen. Dem von Richter Atlee vorgeschlagenen Ablauf entsprechend, projizierte Jake eine vergrößerte Version des Briefs, den Seth Hubbard ihm geschrieben hatte, auf die Leinwand. Außerdem händigte er jedem Geschworenen eine Kopie aus.

»Wir legen jetzt eine kurze Pause ein, damit jeder von Ihnen den Brief gründlich lesen kann«, sagte Richter Atlee.

Im Saal wurde es auf einen Schlag still, als die Geschworenen ihre Kopien und die Zuschauer die Leinwand studierten.

… Anbei finden Sie meinen Letzten Willen, vollständig von meiner Hand verfasst, datiert und unterschrieben. Ich habe mir die rechtlichen Vorschriften des Staates Mississippi angesehen und erleichtert festgestellt, dass dieser Letzte Wille als eigenhändiges Testament vor dem Gesetz uneingeschränkt Bestand haben wird. Meine Unterschrift wurde von niemandem bezeugt, aber, wie Sie wissen, sind Zeugen für ein eigenhändiges Testament nicht erforderlich. Vor einem Jahr habe ich in den Räumen der Kanzlei Rush in Tupelo ein ausführlicheres Testament unterzeichnet, das ich jedoch widerrufe.

Das neue Testament wird mit Gewissheit einigen Ärger auslösen, deshalb habe ich Sie ausgewählt, um meinen Nachlass rechtlich zu vertreten. Ich will, dass diesem Testament um jeden Preis Geltung verschafft wird, und ich weiß, dass Ihnen das gelingen wird. Ich möchte insbesondere meine beiden erwachsenen Kinder, deren Kinder und meine beiden Exfrauen leer ausgehen lassen. Unser Verhältnis war alles andere als herzlich, aber sie werden kämpfen, darauf können Sie sich gefasst machen. Meine Vermögenswerte sind beträchtlich – die haben alle keine Ahnung, welche Ausmaße sie haben. Wenn das bekannt wird, werden sie die Messer wetzen. Wehren Sie sich, Mr. Brigance, bis zum bitteren Ende. Wir müssen sie besiegen.

Mein Abschiedsbrief enthält Anordnungen für meine Beisetzung. Erwähnen Sie das Testament meiner Familie gegenüber nicht, bevor die Beerdigung vorüber ist. Ich will, dass sie alle Trauerrituale durchlaufen, ehe sie erfahren, dass sie nichts bekommen werden. Schauen Sie sich an, wie sie die Trauer heucheln – sie können das gut. Aus Liebe zu mir heulen sie jedenfalls nicht.

Ich bedanke mich im Voraus für Ihre engagierte Vertretung. Es wird nicht leicht werden. Ich tröste mich damit, dass ich die Quälerei nicht miterleben muss.

Hochachtungsvoll,
Seth Hubbard, 1. Oktober 1988

Die Geschworenen, die fertig gelesen hatten, hoben einer nach dem anderen den Kopf und sahen Herschel Hubbard und Ramona Dafoe an. Letztere hätte am liebsten geweint, aber sie vermutete zu Recht, dass jeder das für Krokodilstränen gehalten hätte. Also starrte sie wie ihr Bruder und Ehemann auf den Boden und wartete, dass der ebenso peinliche wie schmerzhafte Augenblick vorüberging.

»Fünfzehn Minuten Pause«, sagte Richter Atlee nach einer Ewigkeit schließlich.

Trotz Seths Warnung vor den Gefahren des Rauchens brauchte mindestens die Hälfte der Geschworenen eine Zigarette. Die Nichtraucher blieben im Geschworenenzimmer und tranken Kaffee, während die Übrigen von einem Gerichtsdiener zu einer kleinen Terrasse mit Blick auf die Nordseite der Rasenfläche des Gerichtsgebäudes geführt wurden. Schnell zündeten sie sich eine an und pafften los. Nevin Dark versuchte, das Rauchen aufzugeben, und hatte seinen täglichen Konsum auf eine halbe Packung reduziert, aber im Augenblick benötigte er das Nikotin.

Jim Whitehurst stellte sich neben ihn und nahm einen Zug. »Was meinen Sie als Sprecher?«

Richter Atlee hatte sie ausdrücklich davor gewarnt, über die Sache zu sprechen. Aber wie in jedem Verfahren konnten es die Geschworenen kaum erwarten, sich über das Gehörte und Gesehene auszutauschen.

»Scheint, als hätte der alte Bursche genau gewusst, was er tat«, sagte Nevin mit gedämpfter Stimme. »Was meinen Sie?«

»Auf jeden Fall«, flüsterte Whitehurst zurück.

Direkt über ihnen, in der Rechtsbibliothek des County, saß Jake mit Portia, Lettie, Quince Lundy und Harry Rex zusammen, und jeder hatte etwas zu sagen. Portia war völlig entnervt, weil Frank Doley, Nummer zwölf, sie ständig finster anstarrte und dabei die Lippen bewegte, als würde er sie verfluchen. Lettie dachte, Debbie Lacker, Nummer zehn, wäre eingeschlafen, während Harry Rex davon überzeugt war, dass sich Tracy McMillen in Jake verliebt hatte. Quince Lundy war immer noch der Meinung, dass sie die Hälfte der Geschworenen auf ihrer Seite hatten, aber Harry Rex rechnete mit höchstens vier Stimmen. Jake bat ihn höflich, die Klappe zu halten, und erinnerte ihn an seine düsteren Prognosen im Verfahren gegen Carl Lee Hailey.

Nach zehn Minuten sinnlosen Geschwafels schwor sich Jake, allein zu Mittag zu essen.

Wieder im Sitzungssaal, rief er Quince Lundy in den Zeugenstand und stellte ihm eine Reihe harmloser, aber notwendiger Fragen zu seiner Rolle im Hinblick auf den Nachlass und zu seiner Ernennung zum Verwalter als Ersatz für Russell Amburgh, der damit nichts zu tun haben wollte. Lundy erklärte dröge die Pflichten des Verwalters und ließ sie so langweilig klingen, wie sie tatsächlich waren. Jake reichte ihm das Original des handschriftlichen Testaments und bat ihn, es zu identifizieren.

»Dies ist das eigenhändige Testament, das am 4. Oktober vergangenen Jahres durch das Nachlassgericht eröffnet wurde. Unterzeichnet von Mr. Seth Hubbard am 1. Oktober.«

»Sehen wir es uns einmal an«, sagte Jake und projizierte das Dokument erneut auf die Leinwand, während er Kopien an die Geschworenen verteilte.

»Auch diesmal möchte ich Sie bitten, sich Zeit zu lassen und das Dokument sorgfältig zu lesen«, sagte Richter Atlee. »Sie dürfen alle Unterlagen und Beweismittel mit ins Geschworenenzimmer nehmen, wenn die Beratungen beginnen.«

Jake stand mit einer Kopie des Testaments am Rednerpult und tat so, als würde er lesen, während er die Geschworenen genau beobachtete. Die meisten runzelten irgendwann die Stirn, wahrscheinlich gefiel ihnen das mit dem qualvollen Ende nicht. Jake hatte das Testament hundertmal gelesen und stolperte immer noch über zwei Punkte. Zum einen war es kleinlich, hart, gemein und überzogen. Zweitens fragte er sich, wie Lettie den alten Mann so für sich eingenommen hatte. Aber jedes Mal kam er bei der Lektüre zu dem Schluss, dass Seth Hubbard genau gewusst hatte, was er tat. Wer testierfähig war, konnte die abstrusesten und unsinnigsten Verfügungen treffen.

Als die letzte Geschworene zu Ende gelesen und ihre Kopie

zur Seite gelegt hatte, schaltete Jake den Overheadprojektor aus. Dann sprach er mit Quince Lundy eine halbe Stunde lang über die Höhepunkte von Seth Hubbards faszinierendem zehnjährigem Weg von den Trümmern seiner zweiten Ehe zu einem Reichtum, wie es ihn in Ford County noch nie gegeben hatte.

Um halb eins unterbrach Richter Atlee die Verhandlung bis zwei Uhr.

42

Der Detective verließ gerade das Krankenhaus, als Lucien hereinkam. Sie unterhielten sich kurz in der Eingangshalle, wechselten ein paar Worte über Lonny Clark, der immer noch oben im zweiten Stock lag und dem es gar nicht gut ging. Er hatte eine harte Nacht gehabt, und die Ärzte hatten jeden Besuch verboten. Lucien tauchte im Krankenhaus unter und erschien eine Stunde später im zweiten Stock. Kein Polizeibeamter vor der Tür, keine Krankenschwester, die sich um Lonny kümmerte. Lucien schlich sich ins Zimmer und schüttelte Ancil vorsichtig am Arm.

»Ancil. Ancil, hören Sie mich?«

Doch Ancil hörte nichts.

In der kleinen Kanzlei Brigance herrschte allgemeine Einigkeit darüber, dass der Vormittag nicht besser hätte laufen können. Der Abschiedsbrief, die Anweisungen für die Bestattung, das handschriftliche Testament und der Brief an Jake – in der Verhandlung allesamt vorgelegt – zeigten für Jake eindeutig, dass Seth Hubbard alles geplant und bis zum bitteren Ende unter Kontrolle gehabt hatte. Jakes Eröffnungsplädoyer war überzeugend gewesen. Lanier hatte jedoch ebenso geschickt agiert. Insgesamt ein guter Start.

Jake begann die Nachmittagssitzung damit, dass er Reverend Don McElwain aufrief, den Pastor der Irish Road Christian

Church. Der Prediger erklärte den Geschworenen, er habe am 2. Oktober nach dem Gottesdienst mit Seth Hubbard gesprochen, wenige Stunden, bevor dieser sich erhängte. Er wusste, dass Seth schwer krank war, allerdings nicht, dass die Ärzte ihm nur noch wenige Wochen gegeben hatten. An jenem Morgen schien Seth guter Stimmung zu sein, munter, er lächelte sogar und sagte zu McElwain, wie sehr er die Predigt genossen habe. Obwohl er krank und gebrechlich wirkte, schien er nicht unter Drogen- oder Medikamenteneinfluss zu stehen. Er gehörte der Gemeinde seit zwanzig Jahren an und kam etwa einmal im Monat zur Kirche. Drei Wochen vor seinem Tod hatte Seth für dreihundertfünfzig Dollar eine Grabstelle auf dem Friedhof erworben, wo er jetzt begraben lag.

Dann folgte der Schatzmeister der Kirche. Mr. Willis Stubbs sagte aus, Seth Hubbard habe einen auf den 2. Oktober datierten Scheck über fünfhundert Dollar auf den Kollektenteller gelegt. Im gesamten Jahr hatte Seth zweitausendsechshundert Dollar gespendet.

Mr. Everett Walker trat in den Zeugenstand und lieferte einen privaten Einblick in ein Gespräch, das vermutlich Seths letztes gewesen war. Als beide nach dem Gottesdienst zum Parkplatz gingen, erkundigte sich Mr. Walker, wie die Geschäfte liefen. Seth riss einen Witz über die enttäuschende Hurrikansaison. Mehr Hurrikane bedeuteten mehr Sachschäden und eine größere Nachfrage nach Holz. Seth hatte behauptet, er liebe Hurrikane. Mr. Walker schilderte seinen Freund als geistesgegenwärtig, witzig und offenbar schmerzfrei. Natürlich war er gebrechlich. Als Mr. Walker später erfuhr, dass Seth tot war und sich nicht lange nach ihrem Gespräch das Leben genommen hatte, war er wie vor den Kopf geschlagen. Seth hatte so gelassen und entspannt, geradezu zufrieden gewirkt. Mr. Walker hatte ihn seit vielen Jahren gekannt, und er war nie gesellig gewesen. Seth Hubbard war ein ruhiger Mensch gewesen, der am liebsten für sich blieb und wenig redete. Er erinnerte sich, dass Seth gelächelt hatte, als er an jenem Sonntag davonfuhr, und dass er zu seiner Frau gesagt hatte, man sehe ihn nur selten lächeln.

Mrs. Gilda Chatham erklärte den Geschworenen, sie und ihr Mann hätten bei Seths letzter Predigt hinter ihm gesessen, nach dem Gottesdienst kurz mit ihm gesprochen und nichts davon gemerkt, dass er eine so furchtbare Tat plante. Mrs. Nettie Vinson sagte aus, sie habe Seth kurz begrüßt, als sie aus der Kirche gekommen seien, und er sei ihr ungewöhnlich freundlich erschienen.

Nach einer kurzen Pause wurde Seths Onkologe, ein Dr. Talbert vom regionalen Ärztezentrum in Tupelo, beeidigt, der den ganzen Saal mit einer langen, trockenen Schilderung der Lungenkrebserkrankung seines Patienten langweilte. Er hatte Seth fast ein Jahr lang behandelt und schilderte, auf seine Notizen gestützt, endlos lang die Operation und die darauffolgende Chemotherapie, Bestrahlung und medikamentöse Behandlung. Es hatte von Anfang an kaum Hoffnung bestanden, aber Seth hatte tapfer gekämpft. Als sich der Krebs auf Wirbelsäule und Rippen ausbreitete, wussten sie, dass das Ende nicht mehr fern war. Dr. Talbert hatte Seth zwei Wochen vor seinem Tod gesehen und war überrascht, wie entschlossen er durchhielt. Aber die Schmerzen waren heftig. Er erhöhte die orale Dosis Demerol auf einhundert Milligramm alle drei bis vier Stunden. Seth nahm nur ungern Demerol, weil ihn das Medikament oft müde machte. Tatsächlich sagte er mehr als einmal, er versuche, jeden Tag ohne Schmerzmittel zu überstehen. Dr. Talbert wusste nicht, wie viele Tabletten Seth tatsächlich genommen hatte. In den letzten beiden Monaten hatte er zweihundert verschrieben.

Jake rief den Arzt aus zwei Gründen in den Zeugenstand. Zum einen wollte er die Tatsache festhalten, dass Seth den Kampf gegen den Lungenkrebs endgültig verloren hatte. In diesem Licht würde der Selbstmord hoffentlich nicht so drastisch und unvernünftig scheinen. Später wollte Jake damit argumentieren, dass Seth in seinen letzten Tagen durchaus klar gedacht hatte, auch wenn er diesen Tod gewählt hatte. Der Schmerz war unerträglich gewesen, das Ende hatte unmittelbar bevorgestanden, er hatte die Dinge nur beschleunigt. Zweitens wollte er das Thema der Nebenwirkungen von Demerol direkt angehen. Lanier hatte eine wirkungsvolle Zeugenaussage in petto: Ein Experte würde aussagen, dass das starke Medikament in der verschriebenen Menge Seths Urteilsvermögen ernsthaft beeinträchtigt hätte.

Merkwürdig an der Sache war, dass die letzte Verordnung nie gefunden wurde. Seth hatte das Rezept sechs Tage vor seinem Tod in einer Apotheke in Tupelo eingelöst und das Medikament dann offenbar entsorgt. Daher ließ sich nicht nachweisen, wie viel oder wie wenig er tatsächlich eingenommen hatte. Auf seine ausdrückliche Anweisung war er ohne Autopsie bestattet worden. Monate zuvor hatte Wade Lanier inoffiziell vorgeschlagen, die Leiche für eine toxikologische Untersuchung zu exhumieren. Richter Atlee hatte das ebenso inoffiziell abgelehnt. Der Opiatgehalt von Seths Blut am Tag seines Todes war nicht automatisch relevant für den Gehalt am Tag zuvor, als er das Testament verfasst hatte. Richter Atlee schien besonderen Anstoß an der Vorstellung zu nehmen, einen Menschen wieder auszugraben, der ordentlich beigesetzt worden war.

Jake war mit seiner Befragung von Dr. Talbert zufrieden. Sie hatten eindeutig festgestellt, dass Seth versucht hatte, die Einnahme von Demerol zu vermeiden, und dass sich schlicht nicht nachweisen ließ, wie viel davon in seinem Körper vorhanden war, als er das Testament verfasste.

Wade Lanier brachte den Arzt dazu einzugestehen, dass ein Patient, der sechs- bis achtmal täglich einhundert Milligramm Demerol einnahm, keine wichtigen Entscheidungen treffen sollte, vor allem nicht, wenn es um viel Geld ging. Ein solcher Patient sollte sich möglichst ruhig verhalten und schonen – keine Autofahrten, keine körperliche Betätigung, keine wichtigen Entscheidungen.

Nachdem der Arzt entlassen war, rief Jake Arlene Trotter auf, Seths langjährige Sekretärin und Büroleiterin. Sie war seine letzte Zeugin vor Lettie, und da es schon fast siebzehn Uhr war, beschloss Jake, sich Lettie für Mittwochmorgen aufzuheben. Er hatte seit Seths Tod oft mit Arlene gesprochen und war nervös wegen ihrer Aussage. Allerdings hatte er keine Wahl. Wenn er sie nicht aufrief, würde Wade Lanier es mit Sicherheit tun. Sie hatte ihre Zeugenaussage Anfang Februar zu Protokoll gegeben, und Jake hatte das Gefühl, dass sie mit etwas hinter dem Berg hielt. Nach vier Stunden war er fest davon überzeugt, dass sie von Lanier oder jemandem, der für ihn arbeitete, beeinflusst worden war. Trotzdem hatte sie in der letzten Woche von Seths Leben mehr Zeit mit ihm verbracht als irgendwer sonst, und ihre Aussage war wesentlich.

Als sie schwor, die Wahrheit zu sagen, und Platz nahm, wirkte sie ziemlich eingeschüchtert. Sie warf einen Blick auf die Geschworenen, die sie genau beobachteten. Jake begann mit beiläufigen Fragen, die sich leicht beantworten ließen, und sie schien sich ein wenig zu beruhigen. Er stellte fest, dass Seth in der Woche vor seinem Tod von Montag bis Freitag jeden Morgen gegen neun Uhr ins Büro gekommen war, also später als üblich. Er war generell bis mittags optimistisch und guter Stimmung, dann hielt er auf dem Sofa in seinem Büro ein langes Nickerchen. Er aß nichts, obwohl Arlene ihm immer wieder Snacks und Sandwichs anbot. Er rauchte nach wie vor, hatte es nie geschafft aufzuhören. Wie immer, blieb seine Tür geschlossen, sodass Arlene nicht genau wusste, was er tat. Allerdings war er die ganze Woche über beschäftigt, weil er drei Forstparzellen in South Carolina verkaufen wollte. Er telefonierte viel, was nicht ungewöhnlich war. Mindestens einmal pro Stunde verließ er das Gebäude und machte einen Spaziergang auf dem Betriebsgelände. Er blieb stehen und unterhielt sich mit Mitarbeitern. Er flirtete mit Kamila, dem Mädchen am Empfang. Arlene wusste, dass er starke Schmerzen hatte, weil er es manchmal nicht verbergen konnte, auch wenn er es nie zugab. Einmal rutschte ihm heraus, dass er Demerol nehme, aber das Pillenglas selbst hatte sie nie gesehen.

Nein, er hatte nicht benebelt gewirkt. Er hatte nicht gelallt. Manchmal war er erschöpft, und er hielt immer wieder ein Nickerchen. Normalerweise ging er zwischen drei und vier.

Jake gelang es, das Bild eines Mannes zu zeichnen, der immer noch alles unter Kontrolle hatte, der Herr im Haus blieb, wie in guten Zeiten. Fünf Tage hintereinander, bevor er das neue Testament verfasste, war Seth Hubbard im Büro, am Telefon, kümmerte sich um sein Geschäft.

Wade Lanier begann sein Kreuzverhör mit den Worten: »Fangen wir mit diesem Forstland in South Carolina an, Mrs. Trotter. Hat Seth Hubbard die drei Parzellen verkauft?«

»Ja, das hat er.«

»Und wann?«

»Am Freitagvormittag.«

»Am Vormittag des Freitags vor dem Samstag, an dem er sein Testament schrieb, richtig?«

»Richtig.«

»Hat er irgendeinen Vertrag unterschrieben?«

»Ja. Der wurde an mich gefaxt, und ich brachte ihn Mr. Hubbard. Er unterzeichnete ihn, und ich faxte ihn wieder an die Anwälte in Spartanburg.«

Lanier griff nach einem Dokument. »Euer Ehren, ich habe hier Beweismittel C-5, das bereits zugelassen und zu den Akten genommen wurde.«

»Fahren Sie fort«, sagte Richter Atlee.

Lanier gab Arlene das Dokument. »Würden Sie dies bitte identifizieren?«

»Ja. Das ist der Vertrag, den Mr. Hubbard am Freitagvormittag unterzeichnet und mit dem er die drei Parzellen in South Carolina verkauft hat.«

»Und wie viel sollte Mr. Hubbard dafür erhalten?«

»Insgesamt achthundertzehntausend Dollar.«

»Achthundertzehn. Mrs. Trotter, wie viel hat Mr. Hubbard für dieses Forstland bezahlt?«

Sie stockte einen Augenblick und warf einen nervösen Seitenblick auf die Geschworenen. »Sie haben die Unterlagen doch, Mr. Lanier.«

»Natürlich.« Lanier holte drei weitere Beweismittel hervor, die alle vorab registriert und zugelassen worden waren. Das war keine Überraschung; Jake und Lanier hatten wochenlang über Beweismittel und Dokumente gestritten. Richter Atlee hatte sie längst für zulässig erklärt.

Arlene ging die Beweismittel langsam durch, während der Saal wartete. »Mr. Hubbard hat den Grund 1985 gekauft und insgesamt 1,1 Millionen Dollar bezahlt.«

Lanier notierte sich das, als wäre es ihm neu. Er spähte über seine Lesebrille und zog ungläubig die Brauen hoch. »Ein Verlust von dreihunderttausend Dollar!«

»Scheint so.«

»Und das war nur vierundzwanzig Stunden, bevor er sein handschriftliches Testament verfasste?«

Jake war aufgesprungen. »Einspruch, Euer Ehren. Die Zeugin könnte nur Vermutungen anstellen. Die Gegenseite kann das in ihrem Schlussplädoyer vorbringen.«

»Stattgegeben.«

Lanier ignorierte die allgemeine Unruhe und konzentrierte sich ausschließlich auf die Zeugin. »Haben Sie eine Ahnung, warum sich Mr. Hubbard auf ein so schlechtes Geschäft eingelassen hat, Mrs. Trotter?«

Jake sprang erneut auf. »Einspruch, Euer Ehren. Auch hier könnte die Zeugin nur Vermutungen anstellen.«

»Stattgegeben.«

»Dachte er klar, Mrs. Trotter?«

»Einspruch.«

»Stattgegeben.«

Lanier legte eine Pause ein und blätterte eine Seite mit Notizen um. »So, Mrs. Trotter, wer war für die Reinigung des Gebäudes verantwortlich, in dem Sie und Mr. Hubbard arbeiteten?«

»Ein Mann namens Monk.«

»Was können Sie uns über Monk sagen?«

»Er ist ein langjähriger Mitarbeiter im Sägewerk, eine Art Mädchen für alles, und erledigt alle möglichen kleinen Arbeiten, vor allem die Reinigung. Er übernimmt auch Malerarbeiten, alle Arten von Reparaturen, wäscht sogar Mr. Hubbards Autos.«

»Wie oft putzt Monk die Büros?«

»Jeden Montag- und Donnerstagvormittag von neun bis elf, ohne Ausnahme und seit vielen Jahren.«

»Hat er die Büros am Donnerstag, dem 29. September letzten Jahres, geputzt?«

»Das hat er.«

»Hat Lettie Lang je die Büros geputzt?«

»Nicht dass ich wüsste. Das war nicht nötig. Monk war dafür zuständig. Ich sehe Mrs. Lang heute zum ersten Mal.«

Myron Pankey trieb sich den ganzen Tag über im Gerichtssaal herum. Seine Aufgabe war es, die Geschworenen ständig zu beobachten, aber damit er dabei nicht auffiel, musste er die verschiedensten Tricks zu Hilfe nehmen. Verschiedene Sitzplätze, verschiedene Blickwinkel, wechselnde Freizeitjacken, ein Platz hinter einem größeren Zuschauer, der sein Gesicht verdeckte, verschiedene Brillen. Er verbrachte sein Berufsleben in Gerichtssälen, hörte sich Zeugenaussagen an und beobachtete, wie die Geschworenen darauf reagierten. Seiner kundigen Meinung nach hatte Jake solide Arbeit geleistet. Keine Geniestreiche, nichts Denkwürdiges, aber auch keine Fehler. Die meisten Geschworenen mochten ihn und glaubten, dass ihm die Wahrheit wirklich am Herzen lag. Bis auf drei. Frank Doley, Nummer zwölf, stand fest auf der Seite der das Testament anfechtenden Parteien und würde sich nie dafür aussprechen, einer schwarzen Haushälterin so viel Geld zukommen zu lassen. Pankey kannte die tragische Geschichte von Doleys Nichte nicht, aber er hatte schon bei den Eröffnungsplädoyers gemerkt, dass der Mann Jake misstraute und Lettie nicht mochte. Nummer zehn, Debbie Lacker, eine fünfzigjährige Weiße mit ländlichem Hintergrund, hatte Lettie im Verlauf des Tages mehrere missbilligende Blicke zugeworfen, kleine Botschaften, die Pankey nicht entgangen waren. Nummer vier, Fay Pollan, ebenfalls eine fünfzigjährige Weiße, hatte eindeutig genickt, als Dr. Talbert aussagte, unter einer Behandlung mit Demerol sollten keine wichtigen Entscheidungen getroffen werden.

Als der erste Tag der Zeugenaussagen zu Ende ging, stand

es Pankeys Ansicht nach unentschieden. Zwei kompetente Anwälte hatten gute Arbeit geleistet, und die Geschworenen hatten sich kein Wort entgehen lassen.

Da Ancil nicht sprechen konnte, mietete Lucien ein Auto und sah sich Gletscher und Fjorde in den Bergen rund um Juneau an. Er überlegte, ob er nach Clanton zurückfliegen sollte, um sich die Verhandlung nicht entgehen zu lassen, aber die Schönheit Alaskas, die kühle Luft und das geradezu ideale Klima faszinierten ihn. In Mississippi war es schon sehr warm, die Tage waren länger, die Luft wurde schwüler. Als er in einem Bergcafé mit großartiger Sicht auf den Gastineau-Kanal zu Mittag aß, beschloss er, am folgenden Tag, dem Mittwoch, abzureisen.

Irgendwann, und zwar recht bald, würde Jake Richter Atlee davon unterrichten, dass Ancil Hubbard gefunden worden war und seine Identität bestätigt hatte, wobei diese Bestätigung etwas wackelig war, weil ihr Subjekt seine Meinung jeden Augenblick ändern und wieder eine falsche Identität annehmen konnte. Allerdings bezweifelte Lucien das, weil Ancil an das Geld dachte. Diese Enthüllung würde das Verfahren nicht beeinflussen. Wade Lanier hatte recht: Ancil konnte nichts zum Testament oder zur Testierfähigkeit seines Bruders sagen. Daher würde Lucien ihn seinen eigenen Problemen überlassen. Möglicherweise musste Ancil ein paar Monate im Gefängnis absitzen. Wenn er Glück hatte und einen guten Anwalt fand, kam er vielleicht ungeschoren davon. Lucien war davon überzeugt, dass die Durchsuchung des Zimmers und die Beschlagnahmung des Kokains ein klarer Verstoß gegen den Vierten Verfassungszusatz waren. Wurden die Durchsuchung und das Kokain nicht zugelassen, war Ancil ein freier Mann. Falls Jake den Prozess gewann, mochte Ancil eines Tages nach Ford County zurückkehren, um das er so lange einen Bogen gemacht hatte, und seinen Anteil am Erbe fordern.

Falls Jake verlor, würde Ancil untertauchen und auf Nimmerwiedersehen verschwinden.

Nach Einbruch der Dunkelheit ging Lucien in die Hotelbar und begrüßte Bo Buck, den Barkeeper, mit dem er mittlerweile gut befreundet war. Bo Buck war einmal Richter in Nevada gewesen, bevor sich die Dinge gegen ihn verschworen, und er und Lucien erzählten sich gern gegenseitig ihre Geschichten. Sie unterhielten sich einen Augenblick, während Lucien auf seinen ersten Jack Daniel's mit Cola wartete. Er setzte sich mit seinem Glas allein an einen Tisch und fühlte sich dabei sehr wohl. Ein einsamer Mann und sein Whiskey. Eine Minute später tauchte Ancil Hubbard aus dem Nichts auf und setzte sich zu ihm.

»Guten Abend, Lucien«, sagte er beiläufig.

Lucien fuhr auf und starrte ihn ein paar Sekunden lang ungläubig an. Ancil trug Baseballkappe, Sweatshirt und Jeans. Am Morgen hatte er bewusstlos und an jede Menge Schläuche angeschlossen in einem Krankenhausbett gelegen.

»Sie hatte ich hier nicht erwartet«, sagte Lucien.

»Ich hatte die Nase voll vom Krankenhaus, da bin ich lieber gegangen. Streng genommen bin ich wohl auf der Flucht, aber das ist nichts Neues für mich. Ich bin ganz gern auf der Flucht.«

»Was ist mit Ihrem Kopf und der Infektion?«

»Mir brummt der Schädel, aber längst nicht so, wie die Ärzte denken. Vergessen Sie nicht, dass ich vom Krankenhaus ins Gefängnis sollte, Lucien, da hatte ich es nicht eilig. Sagen wir, ich war viel ansprechbarer, als die dachten. Die Infektion ist unter Kontrolle.« Er zückte ein Gläschen mit Tabletten. »Meine Antibiotika habe ich mitgenommen. Das wird schon wieder.«

»Wie sind Sie rausgekommen?«

»Zu Fuß. Ich wurde zum Röntgen nach unten gefahren. Das habe ich für eine Toilettenpause genutzt. Da die dachten, ich kann nicht gehen, bin ich ein paar Stufen nach unten in den

Keller gerannt und habe mich in einem Umkleideraum umgezogen. Ich bin durch die Zufahrtsrampe für Lieferanten raus. Da wimmelt es jetzt von Cops. Ich hab mir das vom Café auf der anderen Straßenseite aus angesehen.«

»Das ist eine kleine Stadt, Ancil. Lange können Sie sich nicht verstecken.«

»Was verstehen Sie denn davon? Ich habe Freunde.«

»Wollen Sie was trinken?«

»Nein, aber ein Burger mit Pommes wäre klasse.«

Harry Rex starrte die Zeugin finster an. »Haben Sie seinen Penis angefasst?«

Lettie wandte verlegen den Blick ab. »Ja, das habe ich«, stammelte sie betreten.

»Natürlich haben Sie das, Lettie«, sagte Jake. »Er war nicht in der Lage, sich selbst zu waschen, deswegen mussten Sie das für ihn tun, und nicht nur einmal. Bei einem Bad wird der gesamte Körper gewaschen. Er konnte das nicht tun, deswegen mussten Sie das für ihn übernehmen. Daran war nichts Intimes oder auch nur im Entferntesten Sexuelles. Sie haben einfach nur Ihre Arbeit getan.«

»Ich schaffe das nicht.« Lettie sah Portia hilflos an. »Solche Fragen wird er mir doch nicht stellen, oder?«

»Und ob er das wird«, knurrte Harry Rex. »Diese und viele andere, und ich rate Ihnen dringend, die passenden Antworten parat zu haben.«

»Machen wir eine Pause«, sagte Jake.

»Ich brauche ein Bier«, verkündete Harry Rex und rappelte sich hoch. Er stürmte aus dem Zimmer, als hätte er sie alle satt. Sie übten seit zwei Stunden, und es war fast zehn Uhr abends. Jake stellte Lettie die einfachen Fragen, und Harry Rex nahm sie gnadenlos ins Kreuzverhör. Manchmal war er zu grob oder grober, als Atlee es Lanier gestatten würde, aber besser, sie war auf das Schlimmste vorbereitet. Portia fühlte mit ihrer Mutter mit, doch es frustrierte sie, wie labil Lettie war. Manchmal hielt sie tapfer durch, dann wieder brach sie völlig zusammen. Es gab keinerlei Garantie dafür, dass ihre Aussage reibungslos durchgehen würde.

Denken Sie an die Regeln, Lettie, sagte Jake immer wieder. Lächeln Sie, aber nur wenn Ihnen wirklich danach zumute ist. Sprechen Sie langsam und deutlich. Sie dürfen ruhig weinen, wenn Sie zu aufgewühlt sind. Sagen Sie nichts, wenn Sie sich nicht sicher sind. Die Geschworenen sehen genau hin, denen entgeht nichts. Blicken Sie sie von Zeit zu Zeit an, seien Sie selbstbewusst. Lassen Sie sich von Wade Lanier nicht aus dem Konzept bringen. Ich bin immer da, um Sie in Schutz zu nehmen.

Harry Rex hätte gern seinen Senf dazugegeben. Hier geht es um vierundzwanzig Millionen Dollar, also legen Sie gefälligst die Vorstellung Ihres Lebens hin!, hätte er am liebsten gebrüllt. Aber er beherrschte sich.

»Uns reicht's, Jake«, sagte Portia, als Harry Rex mit einem Bier zurückkam. »Wir fahren jetzt nach Hause, setzen uns auf die Veranda und reden noch ein wenig; morgen früh sind wir dann wieder hier.«

»In Ordnung, ich glaube, wir sind alle müde.«

Als sie weg waren, gingen Jake und Harry Rex nach oben und setzten sich auf den Balkon. Die Nacht war warm und klar, eine perfekte Frühlingsnacht, die sie leider nicht recht zu schätzen wussten. Jake nippte an einem Bier und entspannte sich zum ersten Mal nach vielen Stunden.

»Hast du von Lucien gehört?«, fragte Harry Rex.

»Nein, aber ich habe vergessen, den Anrufbeantworter abzuhören.«

»Sei froh. Wir können uns glücklich schätzen, dass er in Alaska sitzt und uns hier nicht die Ohren volljammert, was wir heute alles falsch gemacht haben.«

»Dafür habe ich ja dich, was?«

»Stimmt, aber bisher habe ich nichts zu meckern. Du hattest einen guten Tag, Jake. Du hast ein gutes Eröffnungsplädoyer gehalten, das die Geschworenen erreicht hat und das sie zu schätzen wussten, dann hast du zwölf Zeugen aufgerufen, die alle als glaubwürdig rüberkamen. Die Beweise sprechen für dich, zumindest bis jetzt. Besser hätte es nicht laufen können.«

»Und die Geschworenen?«

»Die mögen dich, aber es lässt sich noch nicht sagen, ob sie Lettie mögen oder nicht. Das wird sich morgen herausstellen.«

»Der Tag morgen ist entscheidend, Kumpel. Lettie kann den Prozess für uns gewinnen oder verlieren.«

43

Die Anwälte trafen sich am Mittwochmorgen um 8.45 Uhr in Richter Atlees Zimmer und waren sich darüber einig, dass es keine offenen Anträge oder Fragen gab, die zu klären waren, bevor das Verfahren seinen Gang nahm. Den dritten Tag in Folge wirkte der Richter höchst agil, geradezu hyperaktiv, als wäre die Aufregung um diesen großen Prozess der reinste Jungbrunnen. Die Anwälte waren die ganze Nacht wach gewesen, hatten gearbeitet oder sich das Gehirn zermartert und wirkten so zerschlagen, wie sie sich fühlten. Aber der alte Richter brannte darauf loszulegen.

Im Sitzungssaal begrüßte er alle, bedankte sich bei den Zuschauern für ihr engagiertes Interesse am amerikanischen Rechtssystem und wies den Gerichtsdiener an, die Geschworenen hereinzuführen. Als alle Platz genommen hatten, begrüßte er sie herzlich und fragte, ob es irgendwelche Probleme gegeben habe. Unzulässige Kontaktaufnahmen? Irgendwas Verdächtiges? Fühlte sich jeder gut? Sehr schön! Mr. Brigance, fahren Sie fort.

Jake erhob sich. »Euer Ehren, die Antragsteller rufen Mrs. Lettie Lang auf.«

Portia hatte ihr geraten, nichts auf Figur Geschnittenes oder Enges zu tragen, das auch nur annähernd sexy wirken mochte. Früh am Morgen, lange vor dem Frühstück, hatten sie sich wegen des Kleides gestritten. Portia hatte sich durchgesetzt. Es war ein marineblaues Baumwollkleid mit losem Gürtel, das zwar adrett wirkte, aber von einer Haushälterin genauso gut bei der Arbeit getragen werden konnte; in der Kirche hätte sich Lettie damit nicht blicken lassen. Die Schuhe waren Sandalen mit flachem Absatz. Kein Schmuck. Keine Uhr. Nichts, das darauf hindeutete, dass sie besonders flüssig war oder einen Geldsegen erwartete. Im vergangenen Monat hatte sie aufgehört, ihre grauen Haare zu färben. Jetzt hatten sie ihre natürliche Farbe, und sie wirkte keinen Tag jünger als ihre siebenundvierzig Jahre.

Sie stotterte praktisch, als sie schwor, die Wahrheit zu sagen. Hinter Jakes Stuhl saß Portia und lächelte sie an, ein Zeichen, dass sie ebenfalls lächeln sollte.

In dem überfüllten Saal wurde es still, als Jake ans Rednerpult trat. Er fragte sie nach Namen, Anschrift, Arbeitgeber – ein Kinderspiel, das sie mühelos absolvierte. Die Namen ihrer Kinder und Enkel. Ja, Marvis, ihr Ältester saß im Gefängnis. Ihr Ehemann war Simeon Lang, gegenwärtig in Haft, wo er darauf wartete, dass ihm der Prozess gemacht wurde. Sie hatte vor einem Monat die Scheidung eingereicht und rechnete damit, dass sie in einigen Wochen rechtskräftig wurde. Ein paar Hintergrundfragen – Schulbildung, Kirchengemeinde, frühere Beschäftigungsverhältnisse. Das lief alles nach Drehbuch und klang gelegentlich einstudiert, ja geradezu auswendig gelernt – was es auch war. Lettie warf einen Blick auf die Geschworenen und stellte zu ihrem Entsetzen fest, dass diese sie ihrerseits nicht aus den Augen ließen. Ihr war eingebläut worden, Portia anzusehen, wenn sie nervös wurde. Manchmal konnte sie den Blick nicht von ihrer Tochter wenden.

Schließlich kam Jake auf Mr. Seth Hubbard zu sprechen. Oder einfach nur Mr. Hubbard, wie sie ihn vor Gericht zu nennen hatte. Auf keinen Fall Seth. Erst recht nicht Mr. Seth. Mr. Hubbard hatte sie vor drei Jahren als Haushälterin in Teilzeit eingestellt. Wie sie von der Stelle erfahren hatte? Gar nicht.

Er hatte sie angerufen und sich auf eine Freundin bezogen, die angeblich gewusst hatte, dass sie Arbeit suchte. Zufällig brauchte er jemanden, der ihm den Haushalt führte. Sie schilderte ihr Leben bei Mr. Hubbard, seine Regeln, Gewohnheiten, Routinen und, später, seine Lieblingsgerichte. Aus drei Tagen pro Woche wurden vier. Er gab ihr eine Lohnerhöhung, dann noch eine. Er war oft unterwegs, und häufig war im Haus nicht viel zu tun. In den drei Jahren hatte er nicht ein einziges Mal eine Party gegeben oder jemanden zum Essen eingeladen. Sie kannte Herschel und Ramona, sah sie aber nicht oft. Ramona kam einmal im Jahr zu Besuch und blieb ein paar Stunden, Herschel nicht viel öfter. Mr. Hubbards vier Enkeln war sie nie begegnet.

»An den Wochenenden hatte ich frei, deshalb weiß ich nicht, wer da kam«, sagte sie. »Da hätte jeder bei Mr. Hubbard sein können.« Sie versuchte, fair zu sein, doch nur im Rahmen.

»Aber Sie haben montags gearbeitet?«, fragte Jake drehbuchgemäß.

»Das stimmt.«

»Und haben Sie je Hinweise darauf gesehen, dass über das Wochenende Besuch im Haus gewesen wäre?«

»Nein, nie.«

Herschel und Ramona zu schonen gehörte nicht zu ihrem Plan. Die beiden hatten bestimmt nicht vor, Lettie zu schonen, im Gegenteil. Ihren protokollierten Zeugenaussagen nach zu urteilen würden sie es mit der Wahrheit nicht allzu genau nehmen.

Nach einer Stunde im Zeugenstand fühlte sich Lettie etwas besser. Ihre Antworten wurden klarer, spontaner, und sie lächelte die Geschworenen manchmal sogar an. Schließlich kam Jake auf Mr. Hubbards Lungenkrebs zu sprechen. Sie beschrieb, wie sich ihr Arbeitgeber mit einer inkompetenten Pflegerin nach der anderen herumschlug und schließlich Lettie fragte, ob sie fünf Tage pro Woche arbeiten könne. Sie schilderte die Tiefpunkte, wenn ihn die Chemotherapie umwarf und fast umbrachte, wenn er nicht einmal zur Toilette gehen oder allein essen konnte.

Keine Gefühle zeigen, hatte Portia ihr eingetrichtert. Du darfst keinerlei Gefühle für Mr. Hubbard zeigen. Die Geschworenen dürfen nicht den Eindruck bekommen, dass zwischen euch eine emotionale Beziehung bestand. Natürlich gab es die, wie zwischen jedem Sterbenden und der Person, die ihn betreut, aber das darfst du im Zeugenstand nicht zugeben.

Jake hakte die wichtigsten Punkte ab, hielt sich aber nicht allzu lang mit Mr. Hubbards Krebserkrankung auf. Das würde Wade Lanier übernehmen. Jake fragte Lettie, ob sie je ein Testament gemacht hatte. Nein, das hatte sie nicht.

»Haben Sie je ein Testament gesehen?«

»Nein.«

»Hat Mr. Hubbard je mit Ihnen über sein Testament gesprochen?«

Sie lachte in sich hinein und ließ es sehr natürlich wirken. »Mr. Hubbard war sehr diskret. Er hat nie geschäftliche Angelegenheiten oder etwas in der Art mit mir besprochen. Er hat nie über seine Familie oder seine Kinder oder so geredet. Das war einfach nicht seine Art.«

Tatsächlich hatte Seth Lettie zweimal versprochen, ihr etwas zu hinterlassen, aber sein Testament hatte er nie erwähnt. Sie hatte mit Portia darüber geredet, und die war davon überzeugt, dass Wade Lanier und die Anwälte der Gegenseite das aus dem Zusammenhang reißen würden, wenn sie es zugab. Sie würden ihr das Wort im Mund umdrehen, maßlos übertreiben und es als tödliche Waffe gegen sie verwenden.

Also haben Sie mit ihm über sein Testament gesprochen!, würde Lanier vor dem Geschworenengericht brüllen.

Manche Dinge blieben besser ungesagt. Niemand würde je davon erfahren. Seth war tot, und Lettie schwieg.

»Hat er je mit Ihnen über seine Krankheit und die Tatsache, dass er unheilbar krank war, gesprochen?«, fragte Jake.

Sie holte tief Luft und überlegte. »Natürlich. Manchmal hatte er so starke Schmerzen, dass er am liebsten sterben wollte. Das ist wahrscheinlich nur natürlich. In seinen letzten Tagen wusste Mr. Hubbard, dass das Ende nahe war. Er bat mich, mit ihm zu beten.«

»Sie haben mit ihm gebetet?«

»Ja. Mr. Hubbard besaß ein tiefes Gottvertrauen. Er wollte die Dinge in Ordnung bringen, bevor er starb.«

Jake legte eine kurze dramatische Pause ein, damit die Geschworenen die Vorstellung, wie Lettie und ihr Arbeitgeber miteinander beteten, statt das zu treiben, was die meisten Leute dachten, gründlich verdauen konnten. Dann kam er auf den Morgen des 1. Oktobers zu sprechen, und Lettie erzählte ihre Geschichte. Sie hatten das Haus gegen neun Uhr verlassen, Lettie hatte am Steuer von Mr. Hubbards neuem Cadillac gesessen. Sie hatte ihn nie zuvor gefahren, er hatte sie nie darum gebeten. Es war das erste und einzige Mal, dass sie im selben Auto saßen. Während sie das Haus verlassen hatten, hatte sie eine alberne Bemerkung darüber gemacht, dass sie noch nie einen Cadillac gefahren habe, deswegen hatte er darauf bestanden. Sie war nervös und fuhr langsam. Er trank Kaffee aus einem Pappbecher. Er wirkte entspannt und schien keine Schmerzen zu haben, außerdem hatte er offenbar seinen Spaß daran, dass Lettie so nervös war, obwohl sie auf dem Highway praktisch allein unterwegs waren.

Jake erkundigte sich, worüber sie während der zehnminütigen Fahrt gesprochen hatten. Sie überlegte einen Augenblick und sah dann die Geschworenen an, die geradezu an ihren Lippen hingen.

»Über Autos. Er hat gesagt, viele Weiße wollen keinen Cadillac mehr, weil heutzutage so viele Schwarze einen haben. Er wollte wissen, warum ein Cadillac Schwarzen so wichtig ist, und ich habe gesagt, da fragt er die Falsche, weil ich nie einen wollte und auch nie einen haben werde. Mein Pontiac ist zwölf Jahre alt, habe ich gesagt. Aber dann habe ich gesagt, weil das die schönsten Autos sind und man den Leuten damit zeigen kann, dass man es geschafft hat. Man hat einen Job, hat ein bisschen Geld in der Tasche, ein bisschen Erfolg im Leben. Irgendwas hat man richtig gemacht. Das ist alles. Er hat gesagt, er fand Cadillacs auch immer gut. Den ersten hätte er bei seiner ersten Scheidung verloren, den zweiten bei der zweiten Scheidung, aber seit er das Heiraten aufgegeben hätte, hätten er und seine Cadillacs Ruhe. Irgendwie hat er sich über sich selbst lustig gemacht.«

»Er war also guter Stimmung und machte Witze?«, fragte Jake.

»In sehr guter Stimmung war er an dem Morgen, ja, das war er. Er hat über mich und meinen Fahrstil gelacht.«

»Und er war klar im Kopf?«

»Glasklar. Er hat gesagt, ich fahre seinen siebten Cadillac und er kann sich an alle erinnern. Er hat gesagt, alle zwei Jahre gibt er sein Auto in Zahlung.«

»Wissen Sie, ob er an dem Morgen Schmerzmittel genommen hatte?«

»Nein, das weiß ich nicht. Mit seinen Tabletten war er komisch. Er wollte sie nicht nehmen und hatte sie in seinem Aktenkoffer, wo ich nicht drankonnte. Ich habe sie nur gesehen, wenn es ihm so hundeelend ging, dass er nicht aufstehen konnte und ich sie ihm holen musste. Aber nein, er hat an dem Morgen nicht so ausgesehen, als hätte er Schmerzmittel genommen.«

Unter Jakes Führung setzte sie ihre Schilderung fort. Sie trafen bei der Berring Lumber Company ein – es war ihr erster und einziger Besuch dort –, und während er sich hinter verschlossener Tür in seinem Büro aufhielt, putzte sie. Sie saugte, wischte Staub, putzte einen Großteil der Fenster, sortierte die Illustrierten und spülte sogar das Geschirr in der kleinen Küche. Nein, die Papierkörbe hatte sie nicht geleert. Von dem Augenblick an, als sie die Büros betraten, hatte sie Mr. Hubbard nicht mehr gesehen und auch nicht mit ihm gesprochen. Sie hatte keine Ahnung, was er in seinem Büro tat, ihr kam gar nicht der Gedanke, ihn zu fragen. Er ging mit einem Aktenkoffer hinein und kam mit demselben Aktenkoffer wieder heraus. Sie fuhr ihn zu seinem Haus zurück und war gegen Mittag daheim. Am späten Sonntagabend rief Calvin Boggs an und teilte ihr mit, Mr. Hubbard habe sich erhängt.

Um elf Uhr, nach fast zwei Stunden im Zeugenstand, überließ Jake seine Zeugin der Gegenseite zum Kreuzverhör. Während der kurzen Pause lobte er Lettie für ihre hervorragende Leistung. Portia war begeistert und sehr stolz, ihre Mutter hatte die Fassung behalten und überzeugend gewirkt. Harry Rex, der aus der hinteren Reihe alles verfolgt hatte, sagte, ihre Aussage hätte nicht besser ausfallen können.

Als es zwölf Uhr wurde, standen sie vor einem Scherbenhaufen.

Einem Flüchtigen Unterschlupf zu gewähren war mit Sicherheit in jedem Bundesstaat, einschließlich Alaska, eine Straftat, was bedeutete, dass er eine Gefängnisstrafe riskierte, aber das beunruhigte Lucien im Augenblick nicht weiter. Als er bei Sonnenaufgang erwachte, war er steif, weil er in einem Sessel gedöst hatte und immer wieder aufgewacht war. Ancil hatte das Bett für sich allein gehabt. Er hatte sich erboten, auf dem Boden oder in einem Sessel zu schlafen, aber Lucien machte sich wegen der Kopfverletzungen Sorgen und hatte darauf bestanden, dass er das Bett nahm. Ein Schmerzmittel hatte ihn ins Land der Träume befördert, während Lucien noch lange mit seinem letzten Jack Daniel's mit Cola im Dunkeln gesessen und auf das Schnarchen seines Gastes gelauscht hatte.

Leise zog er sich an und verließ das Zimmer. Die Lobby des Hotels war menschenleer. Keine Cops, die auf der Suche nach Ancil herumschnüffelten. Ein paar Häuser weiter kaufte er Kaffee und Muffins, die er auf das Zimmer mitnahm, wo Ancil inzwischen aufgewacht war und die Lokalnachrichten sah.

»Kein Wort«, meldete er.

»Überrascht mich nicht«, sagte Lucien. »Ich glaube nicht, dass die mit großem Einsatz suchen.«

Sie frühstückten, duschten nacheinander, zogen sich an und verließen um acht Uhr das Zimmer. Ancil trug Luciens schwarzen Anzug, sein weißes Hemd und seine Paisley-Krawatte, die Kappe vom Vortag hatte er tief ins Gesicht gezogen. In aller Eile begaben sie sich zur Kanzlei von Jared Wolkowicz, einem Anwalt, den ihnen Bo Buck von der Bar des Glacier Inn empfohlen hatte. Lucien hatte Mr. Wolkowicz noch spät am Vorabend aufgesucht, ihn engagiert und die Protokollierung einer Zeugenaussage arrangiert. Eine Gerichtsstenografin und ein Videofilmer warteten im Besprechungszimmer. An einem Ende des Tisches erhob sich Mr. Wolkowicz, hob die rechte Hand, sprach der Gerichtsstenografin nach und schwor die Wahrheit zu sagen, dann setzte er sich so, dass er in die Kamera blickte.

»Guten Morgen«, sagte er. »Mein Name ist Jared Wolkowicz, ich bin im Staat Alaska ordnungsgemäß zugelassener Anwalt. Heute ist Mittwoch, der 5. April 1989, und ich befinde mich in meiner Kanzlei in der Franklin Street im Zentrum von Juneau, Alaska. Bei mir sind Lucien Wilbanks aus Clanton, Mississippi, sowie ein Mann namens Ancil Hubbard, der gegenwärtig in

Juneau wohnhaft ist. Zweck dieser Protokollierung ist die Aufzeichnung der Zeugenaussage von Mr. Hubbard. Ich weiß nichts über die Sache, die uns herführt. Meine Aufgabe ist nur zu bestätigen, dass es sich um eine korrekte Aufzeichnung der heutigen Geschehnisse handelt. Sollte ein mit der Sache befasster Anwalt oder Richter mit mir sprechen wollen, stehe ich gern zur Verfügung.«

Wolkowicz räumte den Stuhl, und Lucien trat vor. Er wurde von der Gerichtsstenografin beeidigt und setzte sich dann ebenfalls so, dass er in die Kamera blickte.

»Mein Name ist Lucien Wilbanks, und ich bin Richter Atlee und den Anwälten im Verfahren um das Testament von Seth Hubbard persönlich bekannt. In Zusammenarbeit mit Jake Brigance und anderen ist es mir gelungen, Ancil Hubbard aufzuspüren. Ich habe mehrere Stunden mit Ancil verbracht und bin fest davon überzeugt, dass er tatsächlich der Bruder des verstorbenen Seth Hubbard ist. Er wurde 1922 in Ford County geboren. Sein Vater war Cleon Hubbard. Seine Mutter war Sarah Belle Hubbard. 1928 engagierte sein Vater Cleon meinen Großvater Robert E. Lee Wilbanks, um ihn in einem Rechtsstreit um ein Stück Land zu vertreten. Dieser Rechtsstreit ist heute relevant. Hier ist Ancil Hubbard.«

Lucien räumte den Stuhl, und Ancil nahm Platz. Er hob die rechte Hand und schwor, die Wahrheit zu sagen.

Wade Lanier begann sein vernichtendes Kreuzverhör mit Fragen nach Simeon. Warum war er im Gefängnis? War bereits Anklage erhoben? Wie oft hatte Lettie ihn besucht? War er mit der Scheidung einverstanden? Es war eine brutale, aber wirkungsvolle Methode, die Geschworenen daran zu erinnern, dass der Vater von Letties fünf Kindern ein Säufer war, der die Roston-Jungen auf dem Gewissen hatte. Nach fünf Minuten wischte Lettie sich die Tränen aus dem Gesicht, und Lanier stand als Mistkerl da. Das war ihm egal. Nachdem er dafür gesorgt hatte, dass ihre aufgewühlten Emotionen ihr Urteilsvermögen vorübergehend beeinträchtigen mussten, wechselte er die Gangart und stellte seine Falle.

»So, Mrs. Lang, wo haben Sie denn gearbeitet, bevor Sie zu Mr. Hubbard kamen?«

Lettie fuhr sich mit dem Handrücken über die Wange und versuchte, ihre Gedanken zu sammeln. »Äh, bei Mr. und Mrs. Tingley, hier in Clanton.«

»In welcher Funktion?«

»Als Haushälterin.«

»Wie lange haben Sie für die beiden gearbeitet?«

»Das weiß ich nicht genau, etwa drei Jahre.«

»Und warum sind Sie dort weg?«

»Sie sind gestorben. Alle beide.«

»Haben sie Sie in ihrem Testament bedacht?«

»Wenn, dann hat mir keiner was davon gesagt.« Ein paar der Geschworenen lächelten.

Wade Lanier fand das offensichtlich nicht komisch. »Und vor den Tingleys, wo haben Sie da gearbeitet?«

»Also, davor war ich Köchin in der Schule in Karaway.«

»Wie lange?«

»Vielleicht zwei Jahre.«

»Und warum sind Sie dort weg?«

»Ich habe die Stelle bei den Tingleys gefunden und wollte lieber Haushälterin sein als Köchin.«

»Okay. Wo haben Sie vor der Stelle an der Schule gearbeitet?«

Sie schwieg, während sie versuchte, sich zu erinnern. »Vor der Schule war ich als Haushälterin bei Mrs. Gillenwater hier in Clanton.«

»Und wie lange?«

»Etwa ein Jahr, dann ist sie weggezogen.«

»Wo haben Sie vor Mrs. Gillenwater gearbeitet?«

»Ähm, bei den Glovers in Karaway.«

»Und wie lange?«

»Das weiß ich auch nicht mehr genau, aber es waren drei oder vier Jahre.«

»Okay, mir geht es nicht um Kleinigkeiten, Mrs. Lang. Versuchen Sie nur, sich so genau wie möglich zu erinnern.«

»Ja.«

»Wo waren Sie vor den Glovers?«

»Bei Miss Karsten hier in der Stadt. Für sie habe ich sechs Jahre lang gearbeitet. Ich wäre am liebsten immer bei ihr geblieben, aber sie ist plötzlich gestorben.«

»Danke.« Lanier kritzelte auf seinem Block, als wüsste er das nicht längst. »Dann lassen Sie mich das zusammenfassen, Mrs. Lang: Sie haben drei Jahre bei Mr. Hubbard gearbeitet, drei Jahre bei den Tingleys, zwei an der Schule, eins bei Mrs. Gillenwater, drei oder vier bei den Glovers und sechs Jahre bei Miss Karsten. Wenn ich mich nicht verrechnet habe, sind das etwa zwanzig Jahre. Kommt das hin?«

»Ja, aber auf das Jahr genau weiß ich es nicht mehr«, sagte Lettie, die ihrer Sache recht sicher zu sein schien.

»Und Sie haben in den vergangenen zwanzig Jahren oder so keinen anderen Arbeitgeber gehabt?«

Sie schüttelte den Kopf. Nein.

Lanier führte etwas im Schilde, doch Jake konnte ihn nicht aufhalten. Der veränderte Tonfall, die leichte Andeutung von Misstrauen, die hochgezogenen Brauen, die knappen Sätze. Er versuchte, all das zu überspielen, aber für Jakes geübte Augen und Ohren war klar, dass Unheil drohte.

»Das sind sechs Arbeitgeber in zwanzig Jahren, Mrs. Lang. Wie oft wurden Sie entlassen?«

»Nie. Mir wurde gekündigt, nachdem Mr. Hubbard gestorben war und Miss Karsten krank geworden war und Mr. und Mrs. Tingley verstorben waren, aber das war nur, weil der Job weggefallen war.«

»Sie wurden nie entlassen, weil Sie schlechte Arbeit geleistet hatten oder sich etwas zuschulden kommen ließen?«

»Nein. Nie.«

Lanier trat abrupt vom Rednerpult zurück und blickte zu Richter Atlee auf. »Das ist alles, Euer Ehren. Ich behalte mir das Recht vor, die Zeugin später im Verfahren noch einmal aufzurufen.« Selbstzufrieden ging er zu seinem Tisch, und im letzten Augenblick sah Jake, wie er Lester Chilcott zublinzelte.

Lettie hatte soeben gelogen, und Lanier würde sie bloßstellen. Jake hatte jedoch keine Ahnung, was kommen würde, und konnte daher auch nicht gegensteuern. Sein Instinkt sagte ihm, dass er sie am besten aus dem Zeugenstand holte.

Er stand auf. »Euer Ehren, die Beweisführung der Antragsteller ist abgeschlossen.«

»Haben Sie noch Zeugen, Mr. Lanier?«

»Allerdings.«

»Dann rufen Sie den ersten auf.«

»Die anfechtenden Parteien rufen Mr. Fritz Pickering auf.«

»Wen?«, platzte Jake heraus.

»Fritz Pickering«, wiederholte Lanier laut und sarkastisch, als wäre Jake taub.

»Von diesem Mann habe ich nie gehört. Er steht nicht auf Ihrer Zeugenliste.«

»Er ist draußen in der Rotunde«, sagte Lanier zu einem Gerichtsdiener, »und wartet.«

Jake sah Richter Atlee an und schüttelte den Kopf. »Wenn er nicht auf der Zeugenliste steht, kann er nicht aussagen.«

»Ich rufe ihn trotzdem auf«, sagte Lanier.

Fritz Pickering betrat den Sitzungssaal und folgte dem Gerichtsdiener zum Zeugenstand.

»Einspruch, Euer Ehren«, sagte Jake.

Richter Atlee nahm seine Lesebrille ab und warf Wade Lanier einen wütenden Blick zu. »Also«, sagte er, »die Verhandlung wird für fünfzehn Minuten unterbrochen. Ich möchte die Anwälte bei mir im Richterzimmer sehen. Nur die Anwälte. Keine Assistenten oder Mitarbeiter.«

Die Geschworenen wurden eilig aus dem Sitzungssaal gebracht, während die Anwälte dem Richter in den Gang hinter dem Saal und zu seinem schmalen Zimmer folgten. Er nahm seine Robe nicht ab, setzte sich jedoch und sah ebenso verwirrt drein wie Jake.

»Reden Sie«, sagte er zu Lanier.

»Euer Ehren, hier geht es nicht um einen Zeugenbeweis, daher musste der Zeuge der Gegenseite auch nicht genannt werden. Wir bieten ihn auf, um die Glaubwürdigkeit einer anderen Zeugin zu erschüttern, nicht um seine Aussage als Beweis zu verwenden. Ich musste ihn weder auf die Liste setzen noch seinen Namen bekannt geben, weil nicht klar war, ob er jemals aufgerufen werden würde. Angesichts der Aussage von Lettie Lang und ihrer Unfähigkeit, bei der Wahrheit zu bleiben, ist dieser Zeuge plötzlich von zentraler Bedeutung für unsere Sache.«

Richter Atlee atmete deutlich vernehmbar aus, während die anwesenden Anwälte im Geiste die Bestimmungen für die Beweisaufnahme und die Zivilprozessordnung Revue passieren ließen. Im Augenblick bestanden wenig Zweifel daran, dass Lanier genau wusste, welche Regeln für die Anzweiflung der Glaubwürdigkeit eines Zeugen galten. Es war ein Hinterhalt, den er und Lester Chilcott perfekt vorbereitet hatten. Jake hätte sie gern mit einem stichhaltigen, treffenden Argument außer

Gefecht gesetzt, aber in diesem Moment fiel ihm beim besten Willen nichts Brillantes ein.

»Was wird der Zeuge aussagen?«, fragte Richter Atlee.

»Lettie Lang hat einmal für seine Mutter gearbeitet, Mrs. Irene Pickering. Fritz und seine Schwester haben Lettie Lang entlassen, als sie ein handschriftliches Testament fanden, in dem Mrs. Pickering Mrs. Lang fünfzigtausend Dollar in bar vermachte. Sie hat soeben mindestens dreimal gelogen. Erstens hat sie behauptet, in den vergangenen zwanzig Jahren nur für die von ihr genannten Personen gearbeitet zu haben. Mrs. Pickering stellte sie 1978 ein, entlassen wurde sie 1980. Zweitens ist ihr als Haushälterin sehr wohl gekündigt worden. Drittens hat sie angeblich nie ein Testament zu Gesicht bekommen. Fritz Pickering und seine Schwester haben ihr das handschriftliche Testament am Tag ihrer Entlassung gezeigt. Möglicherweise gab es noch ein oder zwei andere Unwahrheiten, ich habe im Augenblick nicht alle präsent.«

Jake ließ die Schultern hängen, sein Magen rebellierte, vor seinen Augen verschwamm alles, und die Farbe wich aus seinem Gesicht. Er musste unbedingt etwas Intelligentes von sich geben, aber sein Kopf war völlig leer. Dann hatte er einen Geistesblitz.

»Seit wann wissen Sie von Fritz Pickering?«, fragte er.

»Ich sehe ihn heute zum ersten Mal«, erwiderte Lanier selbstgefällig.

»Das war nicht meine Frage. Wann haben Sie von den Pickerings erfahren?«

»Während der Offenlegung. Wir arbeiten einfach besser als Sie, Brigance. Wir haben mehr Zeugen ausfindig gemacht. Wir haben überall auf den Busch geklopft und uns richtig ins Zeug gelegt. Keine Ahnung, was Sie getrieben haben.«

»Laut Zivilprozessordnung müssen Sie die Namen Ihrer

Zeugen bekannt geben. Vor zwei Wochen haben Sie mir eine Liste mit fünfundvierzig neuen Namen auf den Tisch geknallt. Sie halten sich nicht an die Regeln, Lanier. Euer Ehren, das ist ein klarer Verstoß gegen die Bestimmungen.«

Richter Atlee hob die Hand. »Das reicht. Geben Sie mir einen Augenblick zum Nachdenken.«

Er stand auf, ging zu seinem Schreibtisch, nahm eine von einem Dutzend Pfeifen vom Ständer, stopfte sie mit Sir Walter Raleigh, zündete sie an, blies eine dicke Rauchwolke in Richtung Decke und vertiefte sich in seine Gedanken. Auf der einen Seite des Tisches warteten Wade Lanier, Lester Chilcott, Zack Zeitler und Joe Bradley Hunt zufrieden und schweigend auf eine Entscheidung, die unwiderruflich bestimmen sollte, welche Richtung das Verfahren nahm. Auf der anderen Seite saß Jake ganz allein und kritzelte Notizen, die nicht einmal er selbst lesen konnte. Er fühlte sich elend und konnte das Zittern seiner Hände nicht unterdrücken.

Wade Lanier hatte einen schmutzigen Trick meisterhaft eingesetzt, und Jake kochte vor Wut. Gleichzeitig hätte er Lettie erwürgen können. Warum hatte sie die Pickering-Geschichte nie erwähnt? Seit Oktober hatten sie unzählige Stunden miteinander verbracht.

Richter Atlee blies noch mehr Qualm in die Luft. »Das ist zu wichtig, um es auszuschließen. Ich werde Mr. Pickerings Aussage zulassen, aber nur eingeschränkt.«

»Überraschende Präsentation eines Zeugen. Das ist ein Revisionsgrund. In zwei Jahren sitzen wir wieder hier«, sagte Jake verärgert.

»Halten Sie mir keine Predigten«, blaffte Richter Atlee ihn an. »Der Oberste Gerichtshof hat noch nie ein Urteil von mir aufgehoben. Noch nie.«

Jake holte tief Luft. »Entschuldigung.«

Ancil erzählte achtundfünfzig Minuten lang seine Geschichte. Als er fertig war, wischte er sich über die feuchten Augen, sagte, er sei erschöpft, und verließ den Raum. Lucien bedankte sich bei Jared Wolkowicz für die Unterstützung. Er hatte dem Anwalt nicht gesagt, dass Ancil auf der Flucht war.

Auf dem Rückweg zum Hotel sahen sie an einer Straßenecke mehrere Polizeibeamte herumstehen und beschlossen, sich in ein Café zu flüchten. Sie versteckten sich in einer Sitznische und versuchten, Konversation zu machen. Lucien war immer noch aufgewühlt von den Geschichten, die Ancil erzählt hatte, aber keiner war in der Stimmung, das Thema zu vertiefen.

»Ich habe noch zwei Übernachtungen im Hotel bezahlt«, sagte Lucien, »das Zimmer gehört Ihnen. Ich breche sofort auf. Im Schrank hängt eine alte Baumwollhose mit dreihundert Dollar in der Vordertasche. Die können Sie behalten.«

»Danke, Lucien.«

»Was haben Sie vor?«

»Ich weiß nicht. Ins Gefängnis möchte ich wirklich nicht, also setze ich mich wahrscheinlich ab, wie üblich. Ich verschwinde einfach. Diese Witzfiguren erwischen mich schon nicht. Das ist für mich Routine.«

»Wo wollen Sie hin?«

»Vielleicht lande ich irgendwann in Mississippi, nachdem mein lieber alter Bruder mich so hoch geschätzt hat. Wann komme ich an den Nachlass heran?«

»Wer weiß? Darum wird gerade heftig gestritten. Vielleicht in einem Monat. Vielleicht in fünf Jahren. Sie haben meine Telefonnummer. Rufen Sie mich in ein paar Wochen an, dann weiß ich wahrscheinlich mehr.«

»Wird gemacht.«

Lucien bezahlte den Kaffee, und sie verließen das Café durch eine Seitentür. In einer Gasse verabschiedeten sie sich voneinander. Lucien wollte zum Flughafen, Ancil zum Hotel. Als er dort eintraf, wartete der Detective auf ihn.

In dem überfüllten Sitzungssaal herrschte schockierte Stille, als Fritz Pickering seine Geschichte in allen verheerenden Einzelheiten erzählte. Lettie nahm sie zutiefst resigniert mit gesenktem Kopf hin, starrte zuerst auf den Boden und schloss dann gequält die Augen. Von Zeit zu Zeit schüttelte sie den Kopf, als wäre alles ganz anders gewesen, aber niemand im Saal glaubte ihr.

Lügen, Lügen, Lügen.

Fritz Pickering legte eine Kopie des handschriftlichen Testaments seiner Mutter vor. Jake erhob Einspruch gegen die Zulassung als Beweismittel, weil sich nicht nachweisen ließ, dass es tatsächlich Irene Pickerings Handschrift war, aber Richter Atlee hörte ihn kaum. Die Abschrift wurde als Beweismittel zu den Akten genommen. Wade Lanier bat seinen Zeugen, den vierten Absatz vorzulesen, dem zufolge Lettie Lang fünfzigtausend Dollar hätte erhalten sollen. Er las laut und deutlich. Mehrere Geschworene schüttelten ungläubig den Kopf.

Wade Lanier ließ nicht nach. »Mr. Pickering, Sie und Ihre Schwester haben sich also mit Lettie Lang an den Küchentisch gesetzt und ihr das handschriftliche Testament Ihrer Mutter gezeigt, richtig?«

»Richtig.«

»Und als sie vorhin ausgesagt hat, dass sie noch nie ein Testament zu Gesicht bekommen hat, war das eine Lüge?«

»Würde ich sagen.«

»Einspruch«, sagte Jake.

»Abgelehnt«, zischte Atlee vom Richtertisch.

Es war – zumindest für Jake – offensichtlich, dass Richter

Atlee nun ihr Feind war. Er betrachtete Lettie als Lügnerin, und in seiner Welt gab es keine größere Sünde. Im Laufe der Jahre hatte er mehrere Prozessparteien ins Gefängnis geschickt, weil er sie in flagranti bei einer Lüge ertappt hatte, aber dabei hatte es sich immer um Scheidungssachen gehandelt. Eine Nacht im Gefängnis wirkte bei der Suche nach der Wahrheit Wunder.

Lettie war nicht in Gefahr, im Gefängnis zu landen, obwohl das die bei Weitem vorzuziehende Alternative gewesen wäre. Wenn er sich die unruhig gewordenen Geschworenen und ihre nervösen Blicke ansah, lief sie in diesem entsetzlichen Augenblick Gefahr, rund zwanzig Millionen Dollar, natürlich vor Steuern, zu verlieren.

Wenn ein Zeuge die Wahrheit sagt, und zwar eine unangenehme Wahrheit, bleibt einem Prozessanwalt nichts anderes übrig, als die Glaubwürdigkeit des Zeugen zu erschüttern. Jake setzte eine stoische Miene auf, als würde ihn Fritz Pickerings Aussage nicht im Geringsten überraschen, aber dahinter suchte er verzweifelt nach einer Schwachstelle. Was hatte Pickering von seiner Aussage? Warum verschwendete er seine Zeit damit?

»Mr. Brigance«, sagte Richter Atlee, als Lanier ihm den Zeugen überließ.

Jake erhob sich rasch und gab sich so selbstbewusst wie möglich. Die erste Regel, die jeder Prozessanwalt lernt, ist, keine Fragen zu stellen, deren Antwort man nicht kennt. Aber im Angesicht der sicheren Niederlage warf Jake alle Regeln über den Haufen. Er versuchte es mit einem Schuss aus der Hüfte.

»Mr. Pickering, wie viel erhalten Sie dafür, dass Sie heute hier aussagen?«

Die Kugel landete genau zwischen den Augen. Pickering zuckte zusammen, ließ das Kinn hängen und warf Wade Lanier einen verzweifelten Blick zu.

Lanier zuckte die Achseln und nickte. Nur zu, das ist keine große Sache.

»Siebentausendfünfhundert Dollar«, sagte Pickering.

»Und wer bezahlt Sie?«, fragte Jake.

»Der Scheck kam von Mr. Laniers Kanzlei.«

»Und wie lautet das Datum auf dem Scheck?«

»Das weiß ich nicht mehr genau, aber ich habe ihn etwa vor einem Monat bekommen.«

»Sie haben also vor einem Monat eine Absprache getroffen. Sie haben sich bereit erklärt, herzukommen und auszusagen, und Mr. Lanier hat Ihnen das Geld geschickt, richtig?«

»Das ist richtig.«

»Haben Sie nicht ursprünglich mehr als siebentausendfünfhundert verlangt?« Jake stocherte immer noch blind im Nebel, ohne irgendetwas über die Fakten zu wissen. Aber er hatte so ein Gefühl.

»Na ja, ich habe schon mehr verlangt.«

»Sie wollten mindestens zehntausend, stimmt's?«

»So ungefähr«, gab Pickering zu und sah erneut Lanier an.

Jake las seine Gedanken. »Und Sie haben Mr. Lanier mitgeteilt, Sie würden nur aussagen, wenn Sie Geld dafür bekämen?«

»Damals habe ich nicht mit Mr. Lanier gesprochen. Es war einer seiner Privatdetektive. Mr. Lanier bin ich heute Vormittag zum ersten Mal begegnet.«

»Unabhängig davon wollten Sie ohne Bezahlung nicht aussagen, richtig?«

»Das ist richtig.«

»Wann sind Sie von Shreveport hergefahren?«

»Gestern am späten Nachmittag.«

»Und wann werden Sie Clanton verlassen?«

»So bald wie möglich.«

»Es handelt sich also um einen kurzen Ausflug von vielleicht vierundzwanzig Stunden?«

»So ungefähr.«

»Siebentausendfünfhundert Dollar für vierundzwanzig Stunden. Sie sind ein teurer Zeuge.«

»Ist das eine Frage?«

Jake hatte eine Glückssträhne, aber er wusste, dass sie nicht halten würde. Er warf einen Blick auf seine unlesbaren Notizen und wechselte die Taktik. »Mr. Pickering, hat Lettie Lang Ihnen nicht gesagt, dass sie mit der Erstellung des Testaments nichts zu tun hatte?«

Jake hatte keine Ahnung, was Lettie getan hatte, er musste den Vorfall erst mit ihr besprechen. Das würde ein unangenehmes Gespräch werden, das voraussichtlich in der Mittagspause stattfinden würde.

»Das hat sie gesagt«, erwiderte Pickering.

»Und hat sie nicht versucht, Ihnen zu erklären, dass Ihre Mutter das Testament ihr gegenüber nie erwähnt hatte?«

»Das hat sie.«

»Woher haben Sie diese Kopie des Testaments?«

»Die hatte ich behalten.« Tatsächlich war sie ohne Absender mit der Post gekommen, aber das würde nie jemand erfahren.

»Keine weiteren Fragen«, sagte Jake und setzte sich.

»Die Verhandlung ist bis halb zwei unterbrochen«, verkündete Richter Atlee.

44

Jake und Harry Rex verließen fluchtartig die Stadt. Mit Jake am Steuer rasten sie weit aufs Land hinaus, legten immer mehr Kilometer zwischen sich und den Albtraum im Gerichtssaal. Sie wollten nicht riskieren, Lettie, Portia, den anderen Anwälten oder überhaupt jemandem, der das Gemetzel miterlebt hatte, über den Weg zu laufen.

Harry Rex musste immer gegen den Strom schwimmen. Wenn ein Prozesstag reibungslos lief, verbreitete er unweigerlich schwärzesten Pessimismus. Ein schlechter Tag, und schon blickte er unglaublich optimistisch in den nächsten. Während Jake vor Wut kochend dahinfuhr, wartete er darauf, dass sein Mitstreiter eine Bemerkung machte, die ihn zumindest vorübergehend aufmunterte.

»Du kommst besser von deinem hohen Ross runter und einigst dich mit dem Mistkerl«, bekam er stattdessen zu hören.

Es dauerte fast zwei Kilometer, bis Jake antwortete. »Wieso glaubst du, dass Wade Lanier mit mir über einen Vergleich reden will? Er hat den Prozess soeben gewonnen. Die Geschworenen würden ihr keine fünfzig Dollar für eine Tüte Lebensmittel geben. Du hast ihre Gesichter gesehen.«

»Weißt du, was wirklich schlimm daran ist, Jake?«

»Es ist alles schlimm. Schlimmer als schlimm.«

»Das Schlimme daran ist, dass man anfängt, alles an Lettie infrage zu stellen. Mir ist nie der Gedanke gekommen, dass sie

Seth Hubbard manipuliert haben könnte, damit er sein Testament ändert. Sie ist nicht so raffiniert, und er war nicht so dumm. Aber jetzt, wo bekannt ist, dass sie so etwas schon einmal getan hat, fragt man sich, ob nicht ein Muster dahintersteckt. Versteht das alte Mädchen vielleicht mehr von Testamenten und Erbrecht, als wir vermutet haben? Ich habe keine Ahnung, aber es gibt einem schwer zu denken.«

»Und warum versucht sie, es zu vertuschen? Ich wette, sie hat das nicht mal Portia erzählt, bestimmt weiß überhaupt niemand, dass sie bei den Pickerings aufgeflogen ist. Wahrscheinlich hätten wir so schlau sein sollen, sie vor sechs Monaten zu fragen – hören Sie, Lettie, haben Sie schon mal jemanden überredet, sein Testament zu ändern und Ihnen ein hübsches Sümmchen zu hinterlassen?«

»Warum ist dir das nicht früher eingefallen?«

»War wohl dumm von mir. Im Augenblick komme ich mir zumindest ziemlich blöd vor.«

Sie legten einen weiteren Kilometer zurück, dann noch einen. »Du hast recht«, sagte Jake. »Man stellt jetzt alles infrage. Und wenn das bei uns schon so ist, wie wird es dann erst den Geschworenen gehen?«

»Die Geschworenen kannst du vergessen, Jake, die hast du ein für alle Mal verloren. Du hast deine besten Zeugen aufgeboten, dir deinen Star bis zuletzt aufgehoben, sie hat eine gute Leistung gebracht, und dann zerstört ein Überraschungszeuge innerhalb von Minuten deine gesamte Strategie. Diese Jury kannst du abschreiben.«

Sie legten einen weiteren Kilometer zurück. »Ein Überraschungszeuge. Das ist doch mit Sicherheit ein Revisionsgrund.«

»Darauf würde ich mich nicht verlassen. So weit darfst du es nicht kommen lassen, Jake. Du musst einen Vergleich schließen, bevor die Sache den Geschworenen übergeben wird.«

»Dann muss ich mein Mandat als Anwalt niederlegen.«

»Und wenn schon. Du hast ein bisschen Geld verdient, jetzt musst du den Weg frei machen. Denk einen Augenblick an Lettie.«

»Lieber nicht.«

»Das verstehe ich, aber was, wenn sie ohne einen Penny ausgeht?«

»Vielleicht hat sie das verdient.«

Mit durchdrehenden Reifen hielten sie auf dem Kiesparkplatz vor dem Lebensmittelgeschäft der Bates. Der rote Saab war das einzige ausländische Fahrzeug, alle anderen waren Pick-ups, die mindestens zehn Jahre auf dem Buckel hatten. Sie warteten in der Schlange, während Mrs. Bates geduldig Gemüse auf die Teller füllte und Mr. Bates von jedem Kunden 3,50 Dollar kassierte, gesüßter Eistee und Maisbrot inbegriffen. Die Gäste drängten sich praktisch Schulter an Schulter, und alle Stühle waren besetzt.

»Da drüben.« Mr. Bates deutete mit dem Kopf, und Jake und Harry Rex setzten sich an eine kleine Theke, nicht weit von dem großen Gasofen, der mit Töpfen bedeckt war. Sie konnten reden, mussten aber vorsichtig sein.

Nicht dass es eine Rolle gespielt hätte. Kein Mensch, der hier zu Mittag aß, wusste, dass in der Stadt ein Verfahren lief, und ganz bestimmt wusste keiner, wie sich die Dinge gegen Jake gewandt hatten. Auf einem Hocker sitzend und über seinen Teller gebeugt, blickte er verloren durch die Menge hindurch.

»He, du musst was essen«, sagte Harry Rex.

»Keinen Appetit.«

»Kann ich deinen Teller haben?«

»Vielleicht. Ich beneide diese Leute. Die müssen nicht wieder in diesen Gerichtssaal.«

»Ich auch nicht. Du bist auf dich allein gestellt, Kumpel. Du hast die Sache so vermasselt, dass es hoffnungslos ist. Ich bin raus.«

Jake brach ein Stück Maisbrot ab und steckte es sich in den Mund. »Hast du nicht mit Lester Chilcott studiert?«

»Habe ich. Der größte Mistkerl an der juristischen Fakultät. Am Anfang war er ganz nett, aber dann hat er einen Job bei einer großen Kanzlei in Jackson an Land gezogen und war auf einmal ein Riesenarsch. So was kommt vor. Er ist nicht der Erste. Warum?«

»Schnapp ihn dir heute Nachmittag und sprich unter vier Augen mit ihm. Finde heraus, ob die sich auf einen Vergleich einlassen.«

»Okay. Was für einen Vergleich?«

»Weiß ich nicht, aber wenn sie gesprächsbereit sind, finden wir schon eine Lösung. Wenn ich mein Mandat niederlege, übernimmt wahrscheinlich Richter Atlee die Leitung der Verhandlungen und sorgt dafür, dass jeder etwas bekommt.«

»Das klingt schon besser. Einen Versuch ist es wert.«

Jake würgte ein Stück gebratene Okra hinunter.

Harry Rex war halb fertig und beäugte Jakes Teller. »Du hast doch mal Football gespielt, oder?«, fragte er.

»Ich hab's zumindest versucht.«

»Weißt du, ich erinnere mich, dass du Quarterback für das miese kleine Team von Karaway warst, gewonnen habt ihr meines Wissens nie was. Was war die größte Schlappe, die ihr je einstecken musstet?«

»Ripley hat uns fünfzig zu null geschlagen, als ich in der elften Klasse war.«

»Wie schlimm sah es zur Halbzeit aus?«

»Sechsunddreißig zu null.«

»Und hast du aufgegeben?«

»Nein. Ich war doch der Quarterback.«

»Okay, du wusstest also schon in der Halbzeit, dass ihr nicht gewinnen konntet, aber du hast die Mannschaft trotzdem für die zweite Halbzeit zurück aufs Feld geführt und weitergespielt. Du hast damals nicht aufgegeben, und du kannst jetzt nicht aufgeben. Nach einem Sieg sieht es zum jetzigen Zeitpunkt ganz bestimmt nicht aus, aber du musst trotzdem zurück aufs Spielfeld. Im Augenblick scheint ihr am Ende zu sein, und die Geschworenen beobachten dich mit Argusaugen. Sei ein braver Junge, iss dein Gemüse, und dann fahren wir zurück.«

Die Geschworenen gingen getrennt zum Mittagessen und trafen sich um 13.15 Uhr wieder im Geschworenenzimmer. In kleinen Grüppchen unterhielten sie sich im Flüsterton über das Verfahren. Sie waren überrascht und verwirrt. Überrascht, dass es eine derart abrupte Wendung gegen Lettie Lang genommen hatte. Vor Fritz Pickerings Auftritt hatte das zusammengetragene Beweismaterial zunehmend darauf hingedeutet, dass Seth Hubbard ein Mann gewesen war, der getan hatte, was er wollte, und genau gewusst hatte, was er tat. Das hatte sich schlagartig geändert, und Lettie wurde nun mit großem Misstrauen betrachtet. Selbst die beiden schwarzen Geschworenen Michele Still und Barb Gaston schienen das sinkende Schiff zu verlassen, verwirrt, weil sie nicht wussten, wie es weiterging. Wen würde Jake aufrufen, um den Schaden zu beheben? War das überhaupt möglich? Und wenn sie, die Geschworenen, das handschriftliche Testament ablehnten, was geschah dann mit all dem Geld? Es gab viele offene Fragen.

Es wurde so viel über die Sache geschnattert, dass sich der Sprecher Nevin Dark bemüßigt fühlte, sie daran zu erinnern, dass Richter Atlee solche Unterhaltungen missbilligte.

»Reden wir von was anderem«, sagte er höflich und bemüht,

niemandem auf die Zehen treten. Schließlich war er nicht ihr Chef.

Um halb zwei betrat der Gerichtsdiener den Raum, zählte durch und sagte: »Gehen wir.« Sie folgten ihm in den Sitzungssaal. Nachdem sie Platz genommen hatte, blickten alle zwölf Lettie Lang an, die sich Notizen machte, ohne aufzusehen. Auch ihr Anwalt bedachte die Geschworenen diesmal nicht mit dem üblichen flüchtigen, aber charmanten Lächeln. Stattdessen hing er in seinem Stuhl, kaute auf einem Bleistift und gab sich alle Mühe, entspannt zu wirken.

»Mr. Lanier, Sie dürfen Ihren nächsten Zeugen aufrufen«, sagte Richter Atlee.

»Ja, Euer Ehren. Die anfechtenden Parteien rufen Mr. Herschel Hubbard auf.« Der trat in den Zeugenstand, lächelte die Geschworenen verlegen an, schwor, die Wahrheit zu sagen, und begann dann, eine Reihe banaler Fragen zu beantworten. Wade Lanier hatte ihn gut gedrillt. Hin und her ging es, bis alle Aspekte von Herschels ereignisarmem Leben abgedeckt waren. Wie immer wurde das Ganze etwas geschönt, und Herschel erinnerte sich liebevoll an seine Kindheit, seine Eltern, seine Schwester und die wunderbaren Zeiten, die sie miteinander verbracht hatten. Ja, die Scheidung war schmerzlich gewesen, aber die Familie kämpfte sich durch und machte weiter. Er stand seinem Vater zu dessen Lebzeiten sehr nahe. Sie redeten ständig miteinander, besuchten sich so oft wie möglich, aber sie waren natürlich beide sehr beschäftigt. Beide waren große Fans der Atlanta Braves. Sie ließen sich kein Spiel der Mannschaft entgehen und sprachen die ganze Zeit darüber.

Lettie starrte ihn verblüfft an. Sie hatte Seth Hubbard nie ein Wort über die Atlanta Braves sagen hören und nie erlebt, dass er sich ein Baseballspiel im Fernsehen ansah.

Vater und Sohn hatten versucht, es mindestens einmal im

Jahr nach Atlanta zu schaffen, um sich ein paar Spiele anzusehen. Wie bitte? Das war Jake ebenso neu wie allen anderen, die Herschels protokollierte Aussagen gelesen hatten. Eine solche Fahrt hatte er nie erwähnt. Aber Jake konnte nicht viel tun. Zu beweisen, dass die Ausflüge nach Atlanta nie stattgefunden hatten, hätte zwei Tage harter Recherchearbeit erfordert. Wenn Herschel Märchen über sich selbst und seinen Vater erfinden wollte, konnte Jake ihn im Augenblick kaum daran hindern. Außerdem musste er vorsichtig sein. Wenn er überhaupt noch irgendeine Glaubwürdigkeit bei den Geschworenen besaß, konnte er schweren Schaden anrichten, wenn er Herschel attackierte. Der Mann hatte seinen Vater verloren und war auf grausame und demütigende Art und Weise enterbt worden. Es war leicht möglich und nur natürlich, dass die Geschworenen mit ihm fühlten.

Und wie argumentiert man gegenüber einem Sohn, der seinem Vater nicht nahegestanden hat, aber schwört, das sei der Fall gewesen? Gar nicht. Jake wusste, dass er eine solche Debatte nicht gewinnen konnte. Er machte sich Notizen, hörte sich die erfundenen Geschichten an und versuchte, ein Pokerface aufzusetzen, als wäre alles in schönster Ordnung. Er konnte sich nicht überwinden, die Geschworenen anzusehen. Zwischen ihm und ihnen stand eine Mauer, für ihn eine völlig neue Erfahrung.

Als sie schließlich auf Seths Krebserkrankung zu sprechen kamen, wurde Herschel trübsinnig und musste sogar die Tränen unterdrücken. Es sei einfach furchtbar gewesen, sagte er, zu sehen, wie dieser aktive, lebensfrohe Mann durch seine Krankheit praktisch zusammenschrumpfte und vertrocknete. Er hatte so oft versucht, das Rauchen aufzugeben, Vater und Sohn hatten viele lange, intensive Gespräche über das Rauchen geführt. Herschel selbst hatte aufgehört, als er dreißig war, und seinen

Vater angefleht, seinem Beispiel zu folgen. In seinen letzten Monaten hatte Herschel ihn so oft wie möglich besucht. Und ja, sie hatten über seinen Nachlass gesprochen. Seth hatte sich klar zu seinen Absichten geäußert. Er hatte sich Herschel und Ramona gegenüber vielleicht nicht allzu großzügig gezeigt, als diese jünger waren, aber nach seinem Tod sollten sie alles bekommen. Er hatte ihnen versichert, er habe ein richtiges Testament verfasst, das seine Kinder aller finanziellen Sorgen entledigen und die Zukunft ihrer Kinder, Seths geliebter Enkel, absichern werde.

Seth war gegen Ende nicht mehr er selbst gewesen. Sie hatten häufig telefoniert, und Herschel war zuerst aufgefallen, dass das Gedächtnis seines Vaters nachließ. Er hatte sich nicht erinnern können, wie das Baseballspiel vom Vorabend ausgegangen war. Er hatte sich ständig wiederholt. Er hatte endlos über die World Series schwadroniert, obwohl die Braves im vergangenen Jahr gar nicht dabei gewesen waren. Für Seth aber doch. Der alte Mann hatte zusehends den Kontakt zur Realität verloren. Es war herzzerreißend gewesen.

Nicht überraschend, misstraute Herschel Lettie Lang. Sie hatte gute Arbeit geleistet, wenn es darum ging, das Haus sauber zu halten, zu kochen und seinen Vater zu pflegen, aber je länger sie dort arbeitete und je kränker Seth wurde, desto mehr hatte sie sich als Beschützerin aufgespielt. Sie hatte sich verhalten, als wollte sie Herschel und Ramona nicht im Haus haben. Mehrmals hatte Herschel seinen Vater angerufen, aber sie hatte behauptet, er fühle sich nicht wohl und könne nicht ans Telefon kommen. Sie hatte versucht, ihn von seiner Familie fernzuhalten.

Lettie funkelte den Zeugen wütend an und schüttelte den Kopf.

Es war eine gelungene Vorstellung, und als sie endete, war Jake so verblüfft, dass es ihm schwerfiel, zu denken und zu agieren.

Durch geschickte und zweifellos gründlichste Vorbereitung hatte Wade Lanier eine fiktive Geschichte zusammengebastelt, auf die jedes Vater-Sohn-Gespann neidisch gewesen wäre.

Jake ging zum Rednerpult. »Mr. Hubbard«, fragte er, »in welchem Hotel stiegen Sie und Ihr Vater normalerweise ab, wenn Sie sich ein Spiel der Braves ansahen?«

Herschel kniff die Augen zusammen und öffnete den Mund, aber es kam kein Ton heraus. Hotels führen Register, die nachgeprüft werden konnten. Schließlich erholte er sich. »Äh, also, in verschiedenen Hotels.«

»Waren Sie letztes Jahr in Atlanta?«

»Nein, mein Vater war zu krank.«

»Im Jahr davor?«

»Ich glaube schon, ja.«

»Gut, also 1987. Welches Hotel?«

»Das weiß ich nicht mehr.«

»Gut. Gegen wen haben die Braves gespielt?«

Über Spiele und Spielpläne werden Aufzeichnungen geführt, die überprüft werden können. »Ja, also, wissen Sie, da bin ich mir nicht sicher. Vielleicht gegen die Chicago Cubs.«

»Das lässt sich herausfinden. Welcher Tag war das?«

»Äh, mit Daten habe ich es nicht so.«

»Also gut, dann 1986. Waren Sie da in Atlanta und haben sich ein oder zwei Spiele angesehen?«

»Ich glaube schon, ja.«

»Welches Hotel?«

»Vielleicht das Hilton. Bin mir nicht sicher.«

»Gegen wen haben die Braves gespielt?«

»Äh, lassen Sie mich nachdenken. Ich bin mir nicht sicher, aber ich weiß, dass wir in einem Jahr ein Spiel gegen die Philadelphia Phillies gesehen haben.«

»Wer war 1986 dritter Baseman bei den Phillies?«

Herschel schluckte mühsam, und sein Blick war starr wie bei einem Reh im Scheinwerferlicht. Seine Ellbogen zuckten, und er warf den Geschworenen immer wieder Seitenblicke zu. Seine Lügen hatten ihn eingeholt. Laniers fiktives Meisterwerk hatte Löcher.

»Weiß nicht«, sagte er schließlich.

»Sie erinnern sich nicht an Mike Schmidt, den größten dritten Baseman in der Geschichte des Baseballs? Er spielt immer noch da und ist auf dem Weg zur Hall of Fame.«

»Leider nein.«

»Wer war Center Fielder bei den Braves?«

Eine weitere quälende Pause. Es war offensichtlich, dass Herschel keinen blassen Schimmer hatte.

»Haben Sie je von Dale Murphy gehört?«

»Genau, der war's. Dale Murphy.«

Für den Augenblick deutete alles darauf hin, dass Herschel log oder zumindest kräftig beschönigte. Jake hätte auch den Rest seiner Aussage unter die Lupe nehmen können, aber es gab keine Garantie, dass er wieder einen Treffer landete.

Als Nächste war Ramona an der Reihe. Sie weinte schon kurz nach der Vereidigung. Sie konnte es immer noch nicht fassen, dass ihr geliebter »Daddy« so verwirrt und verzweifelt gewesen sei, dass er sich das Leben genommen habe. Mit der Zeit gelang es Lanier, sie zu beruhigen, und sie arbeiteten sich nach Drehbuch durch ihre Zeugenaussage. Sie war immer Daddys Liebling gewesen und hatte von dem alten Burschen gar nicht genug bekommen können. Er hatte sie und ihre Kinder heiß und innig geliebt und war oft bei ihnen in Jackson zu Besuch gewesen.

Wieder einmal musste Jake Wade Lanier widerwillig bewundern. Er hatte Ramona für die Protokollierung ihrer Zeugenaussage im Dezember hervorragend vorbereitet und ihr beigebracht, wie sie am besten blockte. Er wusste, dass Jake ihre Aussage in der Verhandlung unmöglich widerlegen konnte, daher hatte er dafür gesorgt, dass sie bei der Protokollierung nur ein paar Brocken hinwarf, gerade so viel, dass die Fragen halbwegs beantwortet waren, um dann vor den Geschworenen ihre Märchengeschichten aufzutischen.

Ihre Aussage war eine dramatische Mischung von Emotionen, schlechter Schauspielerei, Lügen und Übertreibungen. Jake fing an, den Geschworenen Seitenblicke zuzuwerfen, um zu sehen, ob irgendwer von ihnen Misstrauen schöpfte. Als sie erneut losheulte, begegnete Tracy McMillen, Geschworene Nummer zwei, Jakes Blick und runzelte die Stirn, als könnte sie es nicht fassen.

Zumindest verstand Jake es so. Er mochte sich täuschen. Sein Instinkt hatte ihn getrogen, und sein Vertrauen in seine Intuition war erschüttert. Tracy war seine Lieblingsgeschworene. Seit zwei Tagen begegneten sich ihre Blicke, und der Austausch war schon fast zum Flirt geworden. Es war nicht das erste Mal, dass Jake sein attraktives Äußeres einsetzte, um eine Geschworene für sich zu gewinnen, und es würde auch nicht das letzte Mal sein. Ein weiterer Seitenblick, und er erwischte Frank Doley bei einem dieser Blicke, die »Dich mach ich fertig« zu besagen schienen und auf die er offenbar das Patent hatte.

Wade Lanier schwächelte. Er befragte Ramona viel zu lange, und die Aufmerksamkeit im Saal ließ nach. Ihre Stimme war nervig, und ihr aufgesetztes Geflenne langweilte. Die Beobachter litten genauso wie sie, und als Lanier schließlich »Ihre Zeugin« sagte, schlug Richter Atlee rasch mit dem Hammer auf den Richtertisch und verkündete eine fünfzehnminütige Unterbrechung.

Die Geschworenen verließen den Raum, und der Sitzungssaal leerte sich. Jake blieb an seinem Tisch sitzen, genau wie Lettie. Sie konnten einander nicht länger ignorieren. Portia rückte ihren Stuhl näher heran, sodass alle drei die Köpfe zusammenstecken und sich leise unterhalten konnten.

»Es tut mir so leid, Jake«, begann Lettie. »Was habe ich bloß getan?« Ihre Augen wurden sofort feucht.

»Warum haben Sie mir nichts davon gesagt, Lettie? Wenn ich von den Pickerings gewusst hätte, hätte ich mich vorbereiten können.«

»Es war alles ganz anders, Jake. Ich schwöre, dass ich mit Miss Irene nie über das Testament gesprochen habe. Nicht bevor sie es geschrieben hat und auch nicht später. Ich wusste gar nichts davon, bis ich an diesem Morgen in die Arbeit kam und plötzlich der Teufel los war. Das schwöre ich Ihnen. Sie müssen mir erlauben, das den Geschworenen zu erklären. Ich kann dafür sorgen, dass sie mir glauben.«

»So einfach ist das nicht. Wir reden später darüber.«

»Die mögen Ramona nicht«, sagte Portia.

»Verständlich. Ich muss zur Toilette. Hat Lucien sich gemeldet?«

»Nein, ich habe in der Mittagspause den Anrufbeantworter abgehört. Ein paar Anwälte, ein paar Journalisten und eine Morddrohung.«

»Eine was?«

»Irgend so ein Kerl hat gesagt, dass sie Ihr Haus niederbrennen werden, wenn Sie ›diesen Negern‹ das ganze Geld zuschustern.«

»Sehr freundlich. Gefällt mir geradezu. Das weckt schöne Erinnerungen an den Hailey-Prozess.«

»Ich habe die Nachricht gespeichert. Soll ich Ozzie informieren?«

»Unbedingt.«

Harry Rex fing Jake vor der Toilette ab. »Ich habe mit Chilcott geredet. Kein Deal. Kein Interesse an Vergleichsverhandlungen. Tatsächlich hat er mir praktisch ins Gesicht gelacht und gemeint, sie hätten noch ein oder zwei Überraschungen in petto.«

»Was?«, fragte Jake panisch.

»Das hat er mir natürlich nicht gesagt. Sonst wäre es ja keine Überraschung mehr.«

»Noch so einen Überfall überstehe ich nicht, Harry Rex.«

»Keine Panik. Du schlägst dich gut. Ich glaube nicht, dass Herschel und Ramona die Geschworenen besonders beeindruckt haben.«

»Soll ich sie mir vorknöpfen?«

»Nein. Geh es ruhig an. Wenn du sie festnagelst, fängt sie nur wieder an zu heulen. Die Geschworenen haben sie gründlich satt.«

Fünf Minuten später trat Jake ans Rednerpult. »So, Mrs. Dafoe, Ihr Vater ist am 2. Oktober letzten Jahres verstorben, ist das richtig?«

»Ja.«

»Wann haben Sie ihn vor seinem Tod zuletzt gesehen?«

»Darüber habe ich nicht Buch geführt, Mr. Brigance. Er war mein Vater.«

»Ist es nicht richtig, dass Sie ihn zuletzt im Juli gesehen haben, mehr als zwei Monate vor seinem Tod?«

»Nein, das stimmt überhaupt nicht. Ich habe ihn ständig besucht.«

»Das letzte Mal, Mrs. Dafoe. Wann war das letzte Mal?«

»Wie gesagt, ich habe mir die Termine nicht notiert. Wahrscheinlich ein paar Wochen vor seinem Tod.«

»Sind Sie sicher?«

»Also, nein, sicher bin ich mir nicht. Schreiben Sie sich immer auf, wenn Sie Ihre Eltern besuchen?«

»Ich bin kein Zeuge, Mrs. Dafoe. Ich bin der Anwalt, der die Fragen stellt. Sind Sie sicher, dass Sie Ihren Vater wenige Wochen vor seinem Tod gesehen haben?«

»Also, äh, sicher bin ich mir nicht.«

»Danke. Jetzt zu den Kindern, Will und Leigh Ann. Wann hat ihr Großvater sie vor seinem Tod zuletzt gesehen?«

»Ach, du liebe Zeit, Mr. Brigance. Ich habe keine Ahnung.«

»Aber Sie haben ausgesagt, dass sie ihn ständig besucht hätten, richtig?«

»Aber natürlich, ja. Sie haben ihren Opa geliebt.«

»Hat er sie geliebt?«

»Heiß und innig.«

Jake lächelte und ging zu dem kleinen Tisch, auf dem die Beweismittel abgelegt wurden. Er griff nach zwei Blättern und sah Ramona an. »Dies ist das Testament, das Ihr Vater am Tag vor seinem Tod verfasst hat. Es wurde als Beweismittel zu den Akten genommen, und die Geschworenen haben es bereits gesehen. In Absatz sechs schreibt Ihr Vater – ich zitiere wörtlich: ›Ich habe zwei Kinder – Herschel Hubbard und Ramona Hubbard Dafoe –, die wiederum Kinder haben. Wie viele, weiß ich nicht, da ich sie schon länger nicht mehr gesehen habe.‹ Ende des Zitats.«

Jake legte das Testament wieder auf den Tisch. »Wie alt ist Will?«

»Vierzehn?«

»Und Leigh Ann?«

»Zwölf.«

»Ihr letztes Kind wurde also vor zwölf Jahren geboren?«

»Ja, das stimmt.«

»Und Ihr eigener Vater wusste nicht, ob Sie noch weitere Kinder bekommen hatten?«

»Auf das Testament können Sie nichts geben, Mr. Brigance. Mein Vater war nicht mehr er selbst, als er das schrieb.«

»Darüber werden die Geschworenen entscheiden.« Jake setzte sich und bekam einen Zettel von Quince Lundy: *Brillant. Die ist erledigt.*

An diesem Punkt der Verhandlung, seiner Karriere, ja seines Lebens überhaupt konnte Jake jede Aufmunterung gebrauchen. Er beugte sich vor und flüsterte: »Danke.«

Wade Lanier erhob sich. »Euer Ehren, die das Testament anfechtenden Parteien rufen Mr. Ian Dafoe auf, den Ehemann von Ramona Hubbard.«

Ian schlich zum Zeugenstand, wo er mit Sicherheit ebenfalls auswendig gelernte, frei erfundene Erinnerungen zum Besten geben sollte. Als er mitten in seiner Aussage war, schob Quince Lundy Jake einen weiteren Zettel zu. *Die geben sich viel zu viel Mühe, die Geschworenen zu überzeugen. Glaube nicht, dass das klappt.*

Jake nickte, während er nach einem Ansatzpunkt Ausschau hielt, einem unbedachten Wort, das er packen und gegen den Zeugen verwenden konnte. Nach der überzogenen Dramatik seiner Frau wirkte Ian harmlos und langweilig. Die Antworten waren häufig dieselben, aber ohne die Emotionen.

Aus verschiedenen Quellen und über dunkle Kanäle hatten Jake, Harry Rex und Lucien in Erfahrung gebracht, dass Ian Dreck am Stecken hatte. Seine Ehe kriselte seit geraumer Zeit. Er hielt sich häufig von zu Hause fern, angeblich aus geschäftlichen Gründen, und war ein notorischer Schürzenjäger. Seine Frau trank zu viel. Einige seiner Geschäfte waren höchst wackelig.

»Sie bezeichnen sich selbst als Bauunternehmer, richtig?«, lautete Jakes erste Frage im Kreuzverhör.

»Das ist richtig.«

»Sind Sie Inhaber oder Anteilseigner einer Firma namens KLD Biloxi Group?«

»Ja.«

»Und versucht dieses Unternehmen, die Gulf Coast Mall in Biloxi, Mississippi, zu renovieren?«

»Ja.«

»Würden Sie sagen, dass dieses Unternehmen finanziell gesund ist?«

»Das kommt darauf an, wie Sie ›finanziell gesund‹ definieren.«

»Gut, definieren wir es folgendermaßen: Wurde Ihre Firma, die KLD Biloxi Group, vor zwei Monaten von der First Gulf Bank verklagt, weil sie einen Kredit von zwei Millionen Dollar nicht zurückgezahlt hat?« Jake wedelte mit mehreren von einer Büroklammer zusammengehaltenen Papieren. Er hatte den Beweis dafür.

»Ja, aber das ist längst nicht die ganze Geschichte.«

»Mehr will ich gar nicht wissen. Wurde Ihr Unternehmen zudem vergangenen Monat von einer Bank aus New Orleans namens Picayune Trust auf 2,6 Millionen Dollar verklagt?«

Ian holte tief Luft. »Ja, aber die Verfahren laufen noch, und wir haben Widerklage eingereicht.«

»Danke. Das ist alles.«

Ian verließ den Zeugenstand um 16.45 Uhr, und für einen Augenblick erwog Richter Atlee, die Verhandlung bis Donnerstagmorgen zu unterbrechen.

Wade Lanier half ihm bei der Entscheidungsfindung. »Euer Ehren, wir haben noch eine Zeugin, deren Aussage nicht lange dauern wird.«

Hätte Jake auch nur im Entferntesten geahnt, was nun folgen sollte, hätte er Ian länger hingehalten, auf Zeit gespielt, und wäre so einer weiteren Überraschung zumindest bis zum nächsten Tag aus dem Weg gegangen. Wie sich herausstellte, sollten die Geschworenen den Saal an diesem Abend mit einer noch schlechteren Meinung von Seth Hubbard und seinen Neigungen verlassen.

»Wir rufen Julina Kidd auf«, sagte Lanier.

Jake erkannte den Namen sofort als einen von den fünfundvierzig, die Lanier ihm zwei Wochen zuvor auf den Schreibtisch geknallt hatte. Jake hatte zweimal versucht, sie anzurufen, aber vergeblich. Sie wurde von einem Gerichtsdiener aus einem Zeugenzimmer geholt und zum Zeugenstand geführt. Wade Laniers eindeutigen und eindringlichen Anweisungen gemäß trug sie ein billiges blaues Kleid, das dem von Lettie ähnelte. Nichts Enges, nichts Verführerisches, nichts, was eine Figur gezeigt hätte, bei der man normalerweise zweimal hinsah. Kein Schmuck, nichts Auffälliges. Sie tat alles, um unattraktiv zu wirken, was in ihrem Fall jedoch ein Ding der Unmöglichkeit war.

Die Botschaft war subtil: Wenn Seth Hubbard dieser anziehenden Schwarzen nachgestellt hatte, dann hatte er es bestimmt auch bei Lettie versucht.

Sie trat in den Zeugenstand und lächelte die Geschworenen nervös an. Lanier stellte ein paar einleitende Fragen und kam dann direkt zum Thema. Er reichte ihr einige Dokumente.

»Können Sie mir bitte sagen, was das ist?«

Sie warf einen raschen Blick darauf. »Ja, das ist eine Klage wegen sexueller Belästigung, die ich vor fünf Jahren gegen Seth Hubbard eingereicht habe.«

Jake war aufgesprungen und brüllte geradezu: »Einspruch, Euer Ehren. Sofern der Vertreter der Gegenseite nicht erklären kann, warum das relevant ist, darf es hier nicht zugelassen werden.«

Lanier hatte sich ebenfalls erhoben und war kampfbereit. »Das ist sehr wohl relevant, Euer Ehren«, verkündete er mit lauter Stimme.

Richter Atlee hob beide Hände. »Ruhe.« Er sah auf die Uhr, blickte die Geschworenen an und überlegte einen Augenblick. »Bitte bleiben Sie alle hier«, sagte er dann, »wir machen fünf

Minuten Pause. Die Anwälte kommen zu mir ins Richter-zimmer.«

In aller Eile marschierten sie zu seinem Richterzimmer. Jake war so wütend, dass er am liebsten irgendwem eine verpasst hätte, und Lanier schien der Auseinandersetzung nicht aus dem Weg gehen zu wollen.

»Was wird sie aussagen?«, fragte Richter Atlee, als Lester Chilcott die Tür geschlossen hatte.

»Sie hat im südlichen Georgia für eine von Seth Hubbards Firmen gearbeitet«, erwiderte Lanier. »Dort sind sie sich begegnet, er hat ihr eindeutige Avancen gemacht, sie bedrängt, Sex mit ihm zu haben, und sie gefeuert, als sie nicht mehr wollte. Der Rechtsstreit wurde durch einen außergerichtlichen Vergleich beigelegt.«

»Und das war vor fünf Jahren?«, fragte Jake.

»Ja.«

»Und inwiefern ist das für das jetzige Verfahren relevant?«, fragte Richter Atlee.

»Oh, es ist in hohem Maße relevant, Euer Ehren«, antwortete Lanier lässig und durch die monatelange Vorbereitung eindeutig im Vorteil.

Jake war völlig überrumpelt und so wütend, dass er kaum einen klaren Gedanken fassen konnte.

»Es geht um die Frage der unzulässigen Beeinflussung«, fuhr Lanier fort. »Mrs. Kidd war bei Mr. Hubbard angestellt, genau wie Mrs. Lang. Seth Hubbard neigte dazu, Frauen, die bei ihm beschäftigt waren, egal welcher Hautfarbe, zu verführen. Diese Schwäche führte zu Entscheidungen, die finanziell gesehen irrational waren.«

»Mr. Brigance?«

»Schwachsinn. Erstens dürfte ihre Aussage gar nicht zugelassen werden, weil sie erst vor zwei Wochen als Zeugin benannt wurde, ein klarer Verstoß gegen die Prozessordnung. Zweitens hat das, was Mr. Hubbard vor fünf Jahren getan hat, nichts mit seiner Testierfähigkeit im vergangenen Oktober zu tun. Und offensichtlich gibt es nicht den geringsten Beweis, dass er intime Beziehungen zu Lettie Lang unterhielt. Mir ist egal, mit wie vielen Frauen, gleich ob schwarz oder weiß, er es vor fünf Jahren getrieben hat.«

»Wir halten es für beweisrechtlich relevant«, sagte Lanier.

»Schwachsinn, dann ist alles beweisrechtlich relevant«, erwiderte Jake.

»Mäßigen Sie Ihre Sprache, Mr. Brigance«, mahnte Richter Atlee.

»Tut mir leid.«

Richter Atlee hob eine Hand, und es trat Ruhe ein. Er zündete eine Pfeife an, paffte mächtig, tigerte zum Fenster und zurück. »Ich finde Ihre Argumentation überzeugend, Mr. Lanier«, sagte er. »Beide Frauen waren bei ihm angestellt. Ich lasse die Aussage zu.«

»Wer braucht da noch eine Prozessordnung?«, schäumte Jake.

»Kommen Sie heute nach der Verhandlung zu mir, Mr. Brigance«, sagte Richter Atlee streng und blies eine weitere Rauchwolke in die Luft. Dann legte er seine Pfeife beiseite. »Machen wir weiter.«

Die Anwälte versammelten sich erneut im Gerichtssaal. Portia beugte sich vor. »Was war los?«, flüsterte sie.

»Der Richter tickt nicht mehr richtig, das ist alles.«

Julina erzählte dem atemlos lauschenden Publikum ihre Geschichte. Die plötzliche Beförderung, der neue Pass, die Reise nach Mexiko City mit dem Chef, das Luxushotel und die Zimmer mit Verbindungstür, der Sex und die Schuldgefühle. Nach ihrer Rückkehr hatte er sie sofort gefeuert und aus dem

Gebäude führen lassen. Sie hatte ihn verklagt, und Mr. Hubbard hatte sich schnell auf einen außergerichtlichen Vergleich eingelassen.

Die Aussage war für den Erbschaftsstreit nicht relevant. Sie war skandalös und würde sich einprägen, aber während Jake zuhörte, gelangte er immer mehr zu der Überzeugung, dass Richter Atlee ein schwerer Fehler unterlaufen war. Der Prozess war verloren, doch die Revisionsgründe wurden von Stunde zu Stunde schlagkräftiger. Jake würde seinen Spaß daran haben, die Taschenspielertricks von Wade Lanier vor dem Obersten Gerichtshof von Mississippi zu entlarven. Es würde ihm große Befriedigung zu verschaffen, endlich ein Urteil von Reuben V. Atlee aufheben zu lassen.

Er musste sich eingestehen, dass er sich im Geiste geschlagen gab, wenn er bereits an die Revision dachte. Er befragte Julina Kidd ein paar Minuten lang, nur bis sie zugegeben hatte, dass sie für ihre Aussage bezahlt wurde. Sie wollte nicht sagen, wie viel sie bekam – offenbar hatte Lanier rechtzeitig mit ihr darüber gesprochen.

»Damals war es also Sex für Geld, und jetzt ist es eine Zeugenaussage für Geld, Mrs. Kidd?«, fragte er. Es war eine unfaire Frage, die er am liebsten zurückgenommen hätte, sobald sie ausgesprochen war.

Sie zuckte nur die Achseln, erwiderte aber nichts, vielleicht die souveränste Antwort des Tages.

Um halb sechs vertagte Richter Atlee die Verhandlung auf Donnerstagmorgen. Jake blieb lange, nachdem alle anderen gegangen waren, im Saal. Er redete leise mit Portia und Lettie, denen er vergeblich einzureden versuchte, dass die Dinge nicht so schlimm standen, wie es aussah. Es war ein hoffnungsloses Unterfangen.

Er ging, als Mr. Pate das Licht ausschaltete.

Doch er begab sich nicht in Richter Atlees Büro, wie dieser verlangt hatte. Stattdessen fuhr er nach Hause. Er brauchte Ruhe und wollte bei den beiden Menschen sein, die er am meisten liebte, den beiden, für die er immer der beste Anwalt der Welt sein würde.

45

Der Flug nach Seattle war überbucht. Lucien ergatterte den letzten Platz auf einer Maschine nach San Francisco, wo er zwanzig Minuten hatte, um einen Direktflug nach Chicago zu erwischen. Wenn alles glatt lief, würde er kurz nach Mitternacht in Memphis landen. Nichts lief glatt. Er verpasste in San Francisco seinen Anschlussflug und beschimpfte einen Mitarbeiter am Abfertigungsschalter so übel, dass ihm ein Sicherheitsbediensteter fast Handschellen angelegt hätte. Um ihn loszuwerden, setzten sie ihn auf einen Shuttleflug nach Los Angeles, wo die Verbindungen nach Dallas angeblich günstiger waren. Auf dem Weg nach L.A. trank er drei doppelte Bourbon on Ice, und die Flugbegleiter wechselten bedeutungsvolle Blicke. Nach der Landung marschierte er direkt in eine Bar und trank weiter. Er rief viermal in Jakes Kanzlei an, erwischte aber nur den Anrufbeantworter. Er versuchte es dreimal bei Harry Rex, bekam aber nur zu hören, der Anwalt sei bei Gericht. Als um 7.30 Uhr der Direktflug nach Dallas gestrichen wurde, verfluchte er den nächsten Check-in-Mitarbeiter und drohte damit, American Airlines zu verklagen. Um ihn loszuwerden, setzte man ihn auf einen vierstündigen Flug nach Atlanta, erste Klasse, Getränke inklusive.

Tully Still fuhr einen Gabelstapler für ein Transportunternehmen im Gewerbegebiet nördlich der Stadt. Er hatte Nachtschicht und war leicht zu finden. Um halb neun am Mittwochabend nickte Ozzie Walls ihm zu, und sie gingen nach draußen in die Dunkelheit. Still zündete sich eine Zigarette an. Die beiden waren nicht verwandt, doch ihre Mütter waren seit der Grundschule befreundet. Tullys Frau Michele war Geschworene Nummer drei. Erste Reihe, direkt in der Mitte, Jakes Star.

»Wie schlecht sieht es aus?«, fragte Ozzie.

»Ziemlich schlecht. Was ist denn passiert? Alles war in schönster Ordnung, und dann bricht die ganze Sache in sich zusammen.«

»Ein paar Zeugen sind plötzlich aus dem Nichts aufgetaucht. Was wird da drinnen geredet?«

»Ozzie, sogar Michele macht sich Gedanken über Lettie Lang. Es sieht einfach nicht gut aus, wenn die Frau gewohnheitsmäßig alte Weiße dazu bringt, ihr Testament zu ändern. Keine Sorge, Michele und diese Gaston halten ihr trotzdem die Stange, aber damit hat sie gerade einmal zwei Stimmen. Und die weißen Geschworenen sind keine schlechten Leute, höchstens ein oder zwei, aber die meisten waren bis heute Vormittag auf Letties Seite. Bei denen heißt es bestimmt nicht Schwarz gegen Weiß.«

»Es wird also viel geredet?«

»Das habe ich nicht gesagt. Ich glaube, es wird viel getuschelt. Ist das nicht normal? Man kann nicht erwarten, dass die Leute bis zum Schluss kein Wort von sich geben.«

»Vermutlich nicht.«

»Was wird Jake Brigance unternehmen?«

»Keine Ahnung, ob er überhaupt was unternehmen kann. Er sagt, er hat seine besten Zeugen schon aufgerufen.«

»Sieht so aus, als hätten sie ihn kalt erwischt. Als hätten die Anwälte aus Jackson die Oberhand.«

»Mal sehen. Vielleicht ist es noch nicht vorbei.«

»Sieht schlecht aus.«

»Behalt das für dich.«

»Keine Sorge.«

In der Kanzlei Sullivan wurde nicht gerade mit Champagner gefeiert, aber dafür floss guter Wein. Walter Sullivan, der in den Ruhestand gegangene Partner, der die Kanzlei vor fünfundvierzig Jahren gegründet hatte, war ein Kenner und hatte kürzlich einen edlen italienischen Barolo entdeckt. Nach einem leichten Arbeitsessen im Besprechungszimmer entkorkte er ein paar Flaschen, holte kostbare Kristallkelche, und dann ging es los mit der Weinprobe.

Die Stimmung war geradezu triumphal. Myron Pankey hatte schon Tausende von Jurys beobachtet und noch keine gesehen, die so schnell so gründlich ihre Meinung geändert hatte.

»Die haben Sie in der Tasche, Lanier«, sagte er.

Lanier wurde als Magier im Gerichtssaal gefeiert, der es entgegen der Prozessordnung geschafft hatte, Kaninchen aus dem Hut zu zaubern.

»Das haben wir dem Richter zu verdanken«, sagte er bescheiden und mehr als einmal. »Er will eben einen fairen Prozess.«

»Bei Prozessen geht es nicht um Fairness, Lanier«, schalt Mr. Sullivan. »Da geht es ums Gewinnen.«

Lanier und Chilcott konnten das Geld fast schon riechen. Achtzig Prozent des Brutto-Nachlasses für ihre Mandanten, abzüglich Steuern und so, und ihre kleine zehnköpfige Prozesskanzlei würde ein Netto-Honorar von mehr als zwei Millionen Dollar einstreichen. Sobald das handschriftliche Testament für ungültig erklärt war, würden sie sich mit dem Vorgängertestament befassen. Der größte Teil des Vermögens war Bargeld. Vielleicht ließ sich ein langwieriges Nachlassverfahren vermeiden.

Herschel war in Memphis, von wo aus er mit seinen beiden

Kindern zur Verhandlung pendelte. Die Familie Dafoe war im Gästehaus eines Freundes in der Nähe des Country Club untergekommen. Alle waren bester Stimmung, konnten es gar nicht erwarten, das Geld in die Finger zu bekommen und ihr normales Leben wieder aufzunehmen. Wenn Lanier seinen Wein ausgetrunken hatte, würde er sie anrufen und ihre Beifallsbekundungen entgegennehmen.

Eine Stunde nach seiner Unterhaltung mit Tully Still lehnte Ozzie vor Jakes Haus an der Motorhaube seines Streifenwagens und rauchte mit seinem Lieblingsanwalt eine Zigarre.

»Tully sagt, es steht zehn zu zwei«, erklärte Ozzie.

Jake paffte vor sich hin. »Keine große Überraschung.«

»Sieht so aus, als wäre es Zeit, die Zelte abzubrechen, Jake. Die Party ist vorbei. Schlag was für Lettie heraus und mach, dass du wegkommst. Viel wird sie nicht brauchen. Regele das mit einem Vergleich, bevor die Sache den Geschworenen übergeben wird.«

»Wir versuchen es ja, Ozzie. Harry Rex hat heute Nachmittag zweimal mit Laniers Leuten geredet. Die haben ihn nur ausgelacht. Man kann keinen Vergleich schließen, wenn einen die andere Seite auslacht. Im Moment wäre ich mit einer Million zufrieden.«

»Eine Million! Wie viele Schwarze hier in der Gegend haben eine Million, Jake? Du denkst zu sehr wie ein Weißer. Hol eine halbe Million für sie heraus, eine Viertelmillion, überhaupt irgendwas.«

»Wir versuchen es morgen wieder. Ich sehe mir an, wie der Vormittag läuft, dann sprechen wir in der Mittagspause Wade Lanier an. Er weiß, wie es steht, und er beherrscht das Spiel offensichtlich. Der war auch schon in meiner Lage. Ich glaube, ich kann mit ihm reden.«

»Beeil dich, Jake, und sieh zu, dass du aus diesem verflixten Prozess herauskommst. Mit diesen Geschworenen willst du nichts zu tun haben. Das ist nicht wie bei Hailey.«

»Nein, ist es nicht.«

Jake bedankte sich und ging hinein. Carla lag bereits im Bett, las und sorgte sich um ihren Ehemann. »Was war denn da los?«, fragte sie, während er sich auszog.

»Nur Ozzie. Er macht sich Sorgen wegen des Verfahrens.«

»Warum treibt sich Ozzie um diese Zeit draußen herum?«

»Du kennst Ozzie doch. Er schläft nie.« Jake ließ sich quer über das Ende des Bettes fallen und rieb ihr unter der Decke die Beine.

»Du auch nicht. Kann ich dich was fragen? Du steckst gerade wieder mitten in einem großen Prozess. Du hast letzte Woche keine vier Stunden pro Nacht geschlafen, und wenn du schläfst, bist du unruhig und hast Albträume. Du isst nicht richtig. Du wirst immer dünner. Du machst dir Sorgen, bist die Hälfte der Zeit nicht ansprechbar. Du bist gestresst, nervös, gereizt, manchmal ist dir schlecht. Am Morgen wachst du mit einem Klumpen im Magen auf.«

»Was ist die Frage?«

»Warum um alles in der Welt bist du Prozessanwalt?«

»Jetzt ist vielleicht nicht der richtige Augenblick, mich das zu fragen.«

»Nein, es ist der ideale Augenblick. Wie viele Geschworenenprozesse hast du in den letzten zehn Jahren geführt?«

»Einunddreißig.«

»Und jeder davon hat dich Schlaf gekostet, jedes Mal hast du an Gewicht verloren, stimmt's?«

»Glaube ich nicht. Die meisten sind nicht so wichtig wie dieser, Carla. Der hier ist eine Ausnahme.«

»Was ich damit sagen will, ist, dass die Arbeit als Prozessanwalt enorm stressig ist. Warum tust du dir das an?«

»Weil es mir Spaß macht. Deswegen bin ich Anwalt. Wenn man im Gericht steht, vor den Geschworenen, ist das wie in einer Arena oder auf dem Sportplatz. Die Konkurrenz ist unerbittlich. Der Einsatz ist hoch. Jeder bietet sein ganzes Können auf. Es wird einen Gewinner und einen Verlierer geben. Jedes Mal, wenn die Geschworenen hereingeführt werden und ihre Plätze einnehmen, schießt einem das Adrenalin durch die Adern.«

»Ganz schön viel Ego.«

»Jede Menge. Einen erfolgreichen Prozessanwalt ohne Ego gibt es nicht. Das ist Voraussetzung. Wer den Job machen will, braucht ein großes Ego.«

»Dann bist du ja genau der Richtige.«

»Okay, ich gebe zu, ich habe das richtige Ego, aber diese Woche könnte es einen herben Rückschlag erleiden. Vielleicht braucht es Trost.«

»Jetzt oder später?«

»Jetzt. Es ist schon acht Tage her.«

»Schließ die Tür ab.«

Lucien hatte irgendwo in zwölf Kilometer Höhe über Mississippi einen Filmriss. Als das Flugzeug in Atlanta landete, halfen ihm die Flugbegleiter aus der Maschine. Zwei Sicherheitsbedienstete setzten ihn in einen Rollstuhl und karrten ihn zum Gate für den Flug nach Memphis. Sie kamen an mehreren Lounges vorbei, die er sich genau merkte. Als ihn die Flughafenmitarbeiter abstellten, bedankte er sich, stand auf und taumelte zur nächsten Bar, wo er ein Bier bestellte. Er trank extra wenig, war verantwortungsbewusst. Von Atlanta bis Memphis, wo er um 7.10 Uhr landete, schlief er. Da er aus dem Flugzeug geschleift werden musste, wurde der Sicherheitsdienst verständigt, und der rief die Polizei.

Portia nahm den Anruf im Büro entgegen. Jake war oben und ging verzweifelt Zeugenaussagen durch, als sie sich über die Telefonanlage meldete.

»Jake, das ist ein R-Gespräch von Lucien.«

»Wo steckt er?«

»Keine Ahnung, aber er klingt furchtbar.«

»Nehmen Sie den Anruf an, und stellen Sie durch.«

Sekunden später griff Jake zum Hörer. »Lucien, wo sind Sie?«

Mit größter Mühle gelang es Lucien mitzuteilen, dass er in Memphis im städtischen Gefängnis sitze und Jake ihn abholen solle. Er sprach mit schwerer Zunge, wirr und war offensichtlich sternhagelvoll. Leider hatte Jake das alles schon viel zu oft gehört. Er war plötzlich wütend und empfand nicht das geringste Mitgefühl.

»Die lassen mich nicht reden«, lallte Lucien, kaum verständlich. Dann schien er irgendwen im Hintergrund anzufauchen, und Jake konnte sich die Szene nur allzu gut vorstellen.

»Lucien, wir müssen in fünf Minuten ins Gericht. Tut mir leid«, sagte er. Aber es tat ihm überhaupt nicht leid. Sollte er doch im Gefängnis verrotten.

»Ich muss kommen, Jake, es ist wichtig«, sagte Lucien so undeutlich, dass er sich dreimal wiederholen musste.

»Was ist wichtig?«

»Ich hab ne eidesstattliche Aussage. Von Ancil. Ancil Hubbard. Protokollierte Zeugenaussage. Ist wichtig, Jake.«

Jake und Portia rannten über die Straße und betraten das Gerichtsgebäude durch die Hintertür. Ozzie stand im Erdgeschoss im Gang und unterhielt sich mit einem Hausmeister.

»Hast du kurz Zeit?«, fragte Jake mit einem Blick, der den Ernst der Lage verriet. Zehn Minuten später waren Ozzie und Marshall Prather nach Memphis unterwegs.

»Ich habe Sie gestern vermisst«, sagte Atlee, als Jake das Richterzimmer betrat. Die Anwälte versammelten sich gerade zum morgendlichen Briefing für die Verhandlung.

»Tut mir leid, Richter Atlee, aber ich musste noch die Verhandlung nachbereiten«, erwiderte Jake.

»Kann ich mir vorstellen. Gibt es heute Morgen etwas, was wir vor der Verhandlung klären müssten, Gentlemen?«

Die Anwälte der das Testament anfechtenden Parteien lächelten grimmig und schüttelten die Köpfe. Nein.

»Doch, ja, Euer Ehren, es gibt eine Sache«, erklärte Jake. »Wir haben Ancil Hubbard in Juneau, Alaska, ausfindig gemacht. Er ist am Leben und bei guter Gesundheit, aber nicht in der Lage, kurzfristig zur Verhandlung zu erscheinen. Er ist in diesem Verfahren Betroffener und sollte deswegen berücksichtigt werden. Daher beantrage ich, das Verfahren für fehlerhaft zu erklären und neu aufzurollen, wenn Ancil Hubbard dabei sein kann.«

»Antrag abgelehnt«, verkündete Richter Atlee, ohne zu zögern. »Er könnte nichts zur Klärung der Gültigkeit dieses Testaments beitragen. Wie haben Sie ihn gefunden?«

»Das ist eine lange Geschichte, Euer Ehren.«

»Heben Sie sich die für später auf. Sonst noch etwas?«

»Nicht von meiner Seite.«

»Sind Ihre nächsten Zeugen bereit, Mr. Lanier?«

»Ja.«

»Dann machen wir weiter.«

Nachdem er die Geschworenen sicher in der Tasche hatte, wollte Wade Lanier sie auf keinen Fall langweilen. Er hatte beschlossen, sich auf das Wesentliche zu beschränken und die Sache so schnell wie möglich der Jury zu übergeben. Den gesamten Donnerstag über würde seine Seite ihre verbliebenen Zeugen aufrufen. Falls Jake noch irgendwas in petto hatte, konnte er dann seinerseits Zeugen aufrufen, um den Gegenbeweis anzutreten. Beide Anwälte würden ihre Schlussplädoyers am Freitagvormittag halten, und direkt nach dem Mittagessen würde die Sache an die Geschworenen gehen. Da das Wochenende nahte und ihre Entscheidungen quasi feststanden, würden sie ihre Beratungen abschließen und sich auf ein Urteil einigen, lange bevor das Gericht um fünf Uhr schloss. Lanier und Chilcott würden rechtzeitig für ein spätes Abendessen mit ihren Ehefrauen wieder in Jackson sein.

Anwälte mit ihrer Erfahrung hätten es eigentlich besser wissen müssen, als den Rest des Verfahrens im Voraus zu planen.

Ihr erster Zeuge am Donnerstagmorgen war ein pensionierter Onkologe aus Jackson, ein gewisser Dr. Swaney. Jahrzehntelang hatte er als Arzt praktiziert und zugleich an der Universität gelehrt. Sein Lebenslauf war makellos, genau wie seine Manieren, und er sprach mit einem starken ländlichen Akzent, der ihn bescheiden wirken ließ. Er war durch und durch glaubwürdig. Mit möglichst wenigen Fachausdrücken beschrieb Dr. Swaney den Geschworenen die Art von Krebs, an der Seth Hubbard unheilbar erkrankt war, wobei er besonders die Metastasen an Wirbelsäule und Rippen erwähnte. Er schilderte die heftigen Schmerzen, die solche Tumore auslösten. Er hatte Hunderte von Patienten mit ähnlichen Erkrankungen behandelt, und sie verursachten die schlimmsten Schmerzen, die man sich vorstellen konnte. Demerol war mit Sicherheit eines der wirksamsten Medikamente überhaupt. Eine orale Dosis von einhundert Milligramm alle drei bis vier Stunden war nicht ungewöhnlich und konnte die Schmerzen zumindest lindern. Normalerweise führte dies beim Patienten zu Benommenheit, Schläfrigkeit, Schwindel, häufig auch Übelkeit und beeinträchtigte zahlreiche Routinefunktionen. Autofahren war auf keinen Fall möglich.

Und selbstverständlich sollten wichtige Entscheidungen nie unter Einfluss einer so hohen Dosis Demerol getroffen werden.

In seiner Anfangszeit als Anwalt hatte Jake gelernt, dass es sinnlos war, mit einem echten Experten zu diskutieren. Ein Scharlatan bot oft Gelegenheit zu einem wahren Gemetzel vor den Augen der Geschworenen, aber bei Zeugen wie Dr. Swaney war das anders. Im Kreuzverhör stellte Jake klar, dass Dr. Talbert, der behandelnde Arzt von Seth Hubbard, nicht sicher gewesen sei, wie viel Demerol dieser in den Tagen vor seinem Tod genommen habe. Der Zeuge gab zu, dass dies reine Spekulation sei, erinnerte Jake jedoch höflich daran, dass Patienten selten ein teures Medikament nachkauften, wenn sie es nicht nähmen.

Der nächste Sachverständige war ebenfalls Arzt, ein Dr. Niehoff von der medizinischen Fakultät der University of California, Los Angeles. Kleinstadtgeschworene lassen sich leicht von Experten beeindrucken, die eine weite Anreise in Kauf nehmen, um Zeit mit ihnen zu verbringen, und das wusste niemand besser als Wade Lanier. Einem Sachverständigen aus Tupelo hörten sie zu, einer aus Memphis war noch glaubwürdiger. Wenn derselbe Mann aber aus Kalifornien kam, hing die Jury geradezu an seinen Lippen und nahm jedes Wort begierig auf.

Für zehntausend Dollar von Wade Laniers Geld plus Spesen erklärte Dr. Niehoff den Geschworenen, er habe die letzten fünfundzwanzig Jahre mit der Erforschung und Behandlung von Schmerzen bei Krebspatienten verbracht. Er hatte erlebt, dass Patienten über einen längeren Zeitraum hinweg weinten und schrien, leichenblass wurden, sich unkontrollierbar erbrachen, um Medikamente flehten, das Bewusstsein verloren und sogar um den Tod bettelten. Selbstmordgedanken waren häufig, Selbstmord keine Seltenheit. Demerol war eine der beliebteren und wirkungsvolleren Behandlungsmethoden. An dieser Stelle wich Dr. Niehoff vom Drehbuch ab und konnte sich einige Fachausdrücke nicht verkneifen, wie so oft, wenn Experten der Versuchung nicht widerstanden, ihre Zuhörer zu beeindrucken. Er bezeichnete das Medikament als Pethidinhydrochlorid, sagte, es handle sich um ein narkotisches Schmerzmittel, einen schmerzlindernden Wirkstoff aus der Gruppe der Opioide.

Lanier stoppte ihn und brachte sein Vokabular wieder unter Kontrolle. Dr. Niehoff erklärte den Geschworenen, Demerol sei ein starkes Schmerzmittel und besitze ein hohes Suchtpotenzial. Er hatte während seines gesamten Berufslebens mit diesem Medikament gearbeitet und zahlreiche Artikel darüber veröffentlicht. Üblicherweise verabreichten Ärzte es im Krankenhaus oder in der Praxis, in einem Fall wie dem von Seth Hubbard war es jedoch nicht ungewöhnlich, dass dem Patienten gestattet wurde, es oral zu Hause einzunehmen. Es konnte bei diesem Mittel leicht zu Missbrauch kommen, vor allem wenn jemand unter so starken Schmerzen litt wie Seth Hubbard.

Jake erhob sich. »Einspruch, Euer Ehren. Es gibt nicht den geringsten Hinweis darauf, dass Seth Hubbard das Medikament missbräuchlich verwendet hat.«

»Stattgegeben. Halten Sie sich an die Fakten, Dr. Niehoff.«

Dr. Niehoff war ein hervorragender Zeuge. Seine Beschreibung der Tumoren, der Schmerzen und des Medikaments waren detailliert, und nachdem er fünfundvierzig Minuten lang ausgesagt hatte, fiel es leicht zu glauben, dass Seth Hubbard sehr gelitten hatte und seine Schmerzen nur durch hohe Dosen Demerol hatte lindern können, ein Medikament, das ihn zumindest teilweise außer Gefecht setzte. Als Sachverständiger war Dr. Niehoff überzeugt, dass die tägliche Einnahme und kumulative Wirkung des Medikaments Seth Hubbard so beeinträchtigt hatten, dass er in seinen letzten Tagen nicht klar hatte denken können.

Im Kreuzverhör verlor Jake noch mehr Boden. Als er versuchte klarzustellen, dass Dr. Niehoff keine Ahnung haben konnte, wie viel von dem Medikament Seth eingenommen hatte, »garantierte« der Sachverständige Jake, dass jeder, der so leide wie Seth Hubbard, nach Demerol lechze.

»Wenn er eine Verordnung hatte, dann hat er die Pillen auch genommen, Mr. Brigance.«

Nach ein paar weiteren fruchtlosen Fragen setzte Jake sich wieder. Die beiden Ärzte hatten genau das erreicht, was Wade Lanier beabsichtigt hatte. Im Augenblick waren die Geschworenen und praktisch alle anderen im Gerichtssaal davon überzeugt, dass Seth Hubbard desorientiert, benommen und schläfrig gewesen war, unter Realitätsverlust gelitten hatte und nicht mehr hatte fahren können, weshalb er Lettie gebeten hatte, das zu übernehmen.

Kurzum, er war nicht testierfähig gewesen.

Nach einer zehnminütigen Unterbrechung fuhr Lanier fort und rief Lewis McGwyre als Zeugen auf. Da die Kanzlei Rush auf so hinterhältige Weise aus dem Verfahren gedrängt worden war und damit jede Aussicht auf das Honorar verloren hatte, hatte sich McGwyre zunächst geweigert auszusagen. Also tat Wade Lanier das Unvorstellbare: Er ließ einen anderen Anwalt unter Strafandrohung vorladen. In kürzester Zeit hatte Lanier nachgewiesen, dass McGwyre im September 1987 ein umfangreiches Testament für Seth Hubbard verfasst hatte. Dieses wurde als Beweismittel zu den Akten genommen, und McGwyre wurde entlassen. Obwohl er gern geblieben wäre und das Verfahren weiter verfolgt hätte, ließ sein Stolz es nicht zu. Gemeinsam mit Stillman Rush eilte er aus dem Sitzungssaal.

Duff McClennan trat in den Zeugenstand, wurde vereidigt und erklärte den Geschworenen, er sei Steueranwalt und leite in Atlanta eine Kanzlei mit dreihundert Mitarbeitern. Seit dreißig

Jahren war er auf Nachlassplanung spezialisiert. Er setzte Testamente auf, umfangreiche Werke für Wohlhabende, die so viel Erbschaftssteuer wie möglich sparen wollten. Er hatte die von Quince Lundy eingereichte Vermögensaufstellung geprüft und das von Seth Hubbard unterzeichnete handschriftliche Testament. Dann warf Lanier eine Reihe von Berechnungen auf eine Leinwand, und McClennan stürzte sich in langwierige Ausführungen darüber, wie bundes- und einzelstaatliche Steuern einen Nachlass aufzehrten, wenn keine Schutzmaßnahmen getroffen wurden. Er entschuldigte sich für die Finessen, die Widersprüche und die unfassbaren Banalitäten »unserer lieben Steuerordnung« und ihre Komplexität.

»Ich habe mir das nicht ausgedacht. Das war der Kongress«, sagte er zweimal.

Lanier wusste sehr wohl, dass die Geschworenen von seiner Aussage gelangweilt, wenn nicht gar abgestoßen sein würden, daher gab er sich alle Mühe, die Sache zu beschleunigen, nur die Highlights zu behandeln und die restliche Steuerordnung im Dunkeln zu belassen.

Jake hatte nicht vor, Einspruch zu erheben und die Qual zu verlängern. Die Geschworenen waren ohnehin schon unruhig.

Endlich kam McClennan darauf zu sprechen, was unter dem Strich übrig blieb. »Meines Erachtens wird sich die gesamte Steuerbelastung durch bundes- und einzelstaatliche Abgaben auf einundfünfzig Prozent belaufen.«

»12,24 Millionen Dollar an Steuern«, schrieb Lanier in fetten Lettern und projizierte es auf die Leinwand.

Aber der Spaß ging erst richtig los. McClennan hatte das von Lewis McGwyre verfasste Testament geprüft. Dabei handelte es sich hauptsächlich um eine komplizierte Verschachtelung von Treuhandvermögen, wobei Herschel und Ramona sofort je eine Million Dollar erhalten sollten, während der Rest festgelegt war und über viele Jahre nach und nach an die Familie ausgezahlt werden sollte. Notgedrungen gingen er und Lanier ins Detail. Jake beobachtete, wie ein Geschworener nach dem anderen wegdämmerte. Selbst McClennans abgespeckte Version der beabsichtigten Wirkung des Testaments war schwere Kost und gelegentlich geradezu lächerlich unverständlich. Doch Lanier war nicht zu bremsen. Er nahm Fahrt auf und warf immer wieder Zahlen auf die Leinwand. Endergebnis war, dass bei dem Testament von 1987 nach sachverständiger Auskunft von McClennan insgesamt nur »bis auf wenige Dollar genau 9,1 Millionen Dollar bundes- und einzelstaatliche Steuern zu zahlen waren«.

Die Differenz von 3,14 Millionen Dollar wurde in fetten Lettern auf die Leinwand geworfen.

Die Botschaft war unmissverständlich: Seths hastig hingeschmiertes, eigenhändiges Testament kostete den Nachlass viel Geld, ein weiterer Beweis dafür, dass er nicht bei klarem Verstand gewesen war.

Jake hatte während des Jurastudiums gelernt, die Steuerordnung zu vermeiden, und in den vergangenen zehn Jahren jeden potenziellen Mandanten, der sich steuerlich beraten lassen wollte, erfolgreich abgewimmelt. Er konnte dazu nichts sagen, weil er über dieses Rechtsgebiet zu wenig wusste. Als Lanier ihm den Zeugen überließ, verzichtete Jake auf ein Kreuzverhör. Er wusste, dass sich die Geschworenen langweilten und zum Mittagessen wollten.

»Pause bis halb zwei«, sagte Richter Atlee. »Mr. Brigance.«

Jake hatte vorgehabt, sich Lanier zu schnappen und zu fragen, ob er fünf Minuten Zeit habe. Nun wurden seine Pläne über den Haufen geworfen. Er traf sich mit Richter Atlee in dessen Büro ein paar Türen weiter auf demselben Gang.

Nachdem der Richter die Robe abgelegt und seine Pfeife

angezündet hatte, setzte er sich und fixierte Jake. »Sie sind nicht zufrieden mit meinen Entscheidungen«, sagte er in aller Ruhe.

Jake schnaubte. »Nein, das bin ich nicht. Sie haben Wade Lanier gestattet, diesen Prozess mit schmutzigen Tricks, mit Überraschungszeugen, auf die ich mich nicht vorbereiten konnte, an sich zu reißen.«

»Aber Ihre Mandantin hat gelogen.«

»Sie ist nicht meine Mandantin. Ich vertrete den Nachlass. Ja, Mrs. Lang war nicht aufrichtig. Sie wurde kalt erwischt, aus dem Hinterhalt. In ihrer protokollierten Zeugenaussage heißt es eindeutig, dass sie sich nicht an all die weißen Familien erinnern kann, für die sie gearbeitet hat. Nachdem die Pickering-Episode so unangenehm war, hat sie sicherlich alles getan, um sie zu vergessen. Und der wichtigste Aspekt an dieser kleinen Geschichte ist, dass Lettie Lang nichts von dem handschriftlichen Testament wusste. Ich hätte sie vorbereiten können. Ich hätte die Wirkung mildern können. Aber Sie haben diesen Angriff aus dem Hinterhalt zugelassen, und binnen Sekunden ist der ganze Prozess gekippt.«

Jake starrte den alten Mann wütend an, obwohl ihm klar war, dass sich Reuben V. Atlee bestimmt nicht die Leviten lesen lassen würde. Doch diesmal war der Richter im Unrecht, und Jake war wütend über die Ungerechtigkeit. Er hatte jetzt nichts mehr zu verlieren, da konnte er gleich reinen Tisch machen.

Der Richter paffte und schien den Qualm einzuatmen, bevor er ihn wieder ausblies. »Ich bin nicht Ihrer Meinung. Auf jeden Fall erwarte ich, dass Sie die Würde des Gerichts respektieren. Ich lasse nicht zu, dass Anwälte in meinem Richterzimmer fluchen.«

»Tut mir leid. Ich fluche manchmal in der Hitze des Gefechts, da bin ich wohl kaum der Einzige.«

»Ich bin mir nicht sicher, dass die Jury umgekippt ist, wie Sie es nennen.«

Jake zögerte. Fast hätte er den Richter daran erinnert, dass dieser so gut wie nichts über Jurys wusste. Er hatte selten mit Geschworenen zu tun, was ein Teil des Problems war. Im Chancery Court herrschte er uneingeschränkt, als Richter und als Jury, und genoss den Luxus, das gesamte Beweismaterial zulassen zu können. Er konnte es filtern, das Gute vom Schlechten trennen und ein Urteil sprechen, das ihm fair erschien.

Jake wollte nicht darüber streiten. »Ich habe eine Menge zu tun«, sagte er stattdessen.

Richter Atlee deutete zur Tür, und Jake ging.

Harry Rex fing ihn ab, als er aus dem Gericht kam. »Ozzie hat in der Kanzlei angerufen, er sagt, sie sind immer noch in Memphis am Gefängnis und versuchen, ihn herauszuholen. Im Augenblick will keiner eine Kaution festsetzen.«

Jake runzelte die Stirn. »Wofür denn eine Kaution?«

»Ihm wird Trunkenheit in der Öffentlichkeit und Widerstand gegen die Staatsgewalt vorgeworfen. Typisch Memphis. Jedes Mal, wenn die einen festnehmen, setzen sie mit Widerstand gegen die Staatsgewalt noch eins drauf.«

»Ich dachte, Ozzie hat da Beziehungen.«

»Die versucht er wohl gerade aufzutreiben. Ich habe dir ja gesagt, es war ein Fehler, diesen Säufer nach Alaska zu schicken.«

»Was bringt das jetzt noch?«

»Nichts. Was isst du zu Mittag?«

»Ich habe keinen Hunger.«

»Dann trinken wir ein Bier.«

»Nein, Harry Rex. Manche Geschworene haben was gegen Anwälte mit Fahne.«

»Du machst dir doch nicht immer noch Gedanken wegen der Jury?«

»Jetzt mach aber mal einen Punkt!«

»Ich muss heute Nachmittag in Smithfield im Gericht sein. Viel Glück. Ich melde mich später.«

»Danke.« Während Jake über die Straße zu seiner Kanzlei ging, wurde ihm bewusst, dass sich Harry Rex seit Montagmorgen kein Wort im Gerichtssaal hatte entgehen lassen.

Dewayne Squire war Prokurist der Berring Lumber Company. Am Donnerstag vor dem Selbstmord waren er und Seth Hubbard wegen einer großen Lieferung Kiefernkernholz an eine Fußbodenfirma in Texas aneinandergeraten. Squire hatte das Geschäft ausgehandelt und dann zu seiner Überraschung erfahren, dass sein Chef sich später selbst mit der Firma in Verbindung gesetzt und einen niedrigeren Preis vereinbart hatte. Den gesamten Donnerstagvormittag über war es hin und her gegangen. Beide Männer waren verärgert gewesen, aber irgendwann war Squire klar geworden, dass Seth nicht er selbst war. Arlene Trotter war nicht im Büro gewesen und hatte daher von dem Konflikt nichts mitbekommen. Einmal war Squire in Seths Büro gegangen, da hatte er den Kopf in die Hände gestützt und über Schwindel und Übelkeit geklagt. Als sie später miteinander gesprochen hatten, konnte sich Seth nicht mehr an die Einzelheiten des Vertrags erinnern. Er hatte Squire beschuldigt, einen zu niedrigen Preis vereinbart zu haben, was erneut zu einer Auseinandersetzung geführt hatte. Als Seth um drei Uhr ging, war das Geschäft beschlossene Sache gewesen, und Berring sollte letztendlich zehntausend Dollar damit verlieren. Soweit Squire wusste, hatte Seth Hubbard bei keinem anderen Kundenauftrag so viel Geld in den Sand gesetzt.

Er beschrieb seinen Chef als desorientiert und sprunghaft. Am folgenden Morgen hatte er das Forstland in South Carolina mit beträchtlichem Verlust verkauft.

Jake war durchaus bewusst, dass Wade Lanier jetzt gewaltig Druck machte, um die Sache noch vor dem Wochenende an die Geschworenen übergeben zu können. Jake musste Zeit gewinnen, daher legte er beim Kreuzverhör die Finanzdaten von Berring vor und ging sie mit Squire durch. 1988 war das erfolgreichste Geschäftsjahr der letzten fünf Jahre gewesen, obwohl die Gewinne im letzten Quartal, nach Seths Tod, eingebrochen waren. Während die Geschworenen zunehmend das Interesse verloren, sprachen Jake und Squire über die Performance des Unternehmens, Aufträge, Strategien, Kosten, Probleme mit Arbeitskräften, Anlagenabschreibung.

Zweimal mahnte Richter Atlee: »Kommen Sie zum Punkt, Mr. Brigance«, aber er machte keinen weiteren Druck. Mr. Brigance war ohnehin nicht gut auf ihn zu sprechen.

Nach Dewayne Squire rief Lanier einen Mr. Dewberry in den Zeugenstand, einen Grundstücksmakler, der sich auf Farmen und Jagdclubs spezialisiert hatte. Er berichtete von den Gesprächen, die er in den Tagen vor Seth Hubbards Tod mit ihm geführt hatte. Seth hatte daran gedacht, für einen Jagdclub zweihundert Hektar in Tyler County zu erwerben. Gemeinsam mit Dewberry hatte er sich in den vergangenen fünf Jahren immer wieder Grundstücke angesehen, sich aber nie entscheiden können. Schließlich hatte er für ein Jahr eine Option auf zweihundert Hektar erworben, war dann aber krank geworden und hatte das Interesse verloren. Kurz bevor die Option erlosch, hatte er Dewberry mehrfach angerufen. Dewberry hatte keine Ahnung gehabt, dass Hubbard im Sterben lag, und auch nicht gewusst, dass er unter Schmerzmittel stand. Mal hatte er die Option ausüben wollen, dann wieder nicht. Mehrfach hatte er den Quadratmeterpreis vergessen, und einmal hatte er nicht mehr gewusst, mit wem er telefonierte. Sein Verhalten war immer sprunghafter geworden.

Im Kreuzverhör gelang es Jake, noch mehr Zeit zu schinden. Am späten Donnerstagnachmittag war das Verfahren praktisch zum Stillstand gekommen, und Richter Atlee vertagte frühzeitig auf den nächsten Tag.

46

Nachdem er bei der Bürokratie in Memphis auf Granit gebissen hatte, wollte Ozzie schon aufgeben, als er sich an etwas erinnerte, was ihm schon früher hätte einfallen sollen. Er rief Booker Sistrunk an, dessen Kanzlei vier Straßen vom städtischen Gefängnis entfernt war. Nach dem holprigen Start waren beide in Kontakt geblieben und hatten sich zweimal getroffen, als Ozzie in Memphis war. Booker war nicht wieder in Clanton gewesen und verspürte auch kein gesteigertes Bedürfnis, den Ort noch einmal zu sehen. Beide hatten erkannt, dass es zwischen zwei Schwarzen, die keine hundert Kilometer voneinander entfernt lebten und in einer von Weißen beherrschten Welt eine gewisse Macht besaßen, Gemeinsamkeiten geben musste. Sie waren geradezu prädestiniert, Freunde zu werden. Von besonderem Interesse war für Booker, dass die Langs ihm immer noch fünfundfünfzigtausend Dollar schuldeten; das Geld wollte er natürlich nur ungern verlieren.

Die Polizei von Memphis hasste und fürchtete Booker Sistrunk gleichermaßen. Fünfzehn Minuten, nachdem er mit seinem schwarzen Rolls vorgefahren war, wanderten die Papiere plötzlich von einem Schreibtisch zum anderen, und Lucien Wilbank genoss höchste Priorität. Dreißig Minuten nach Bookers Auftauchen war Lucien draußen.

»Wir müssen zum Flughafen«, sagte er.

Ozzie bedankte sich bei Booker und versprach, sich später zu melden.

Wie sich herausstellte, hatte Lucien seine Aktentasche im Flugzeug vergessen. Er glaubte, unter dem Sitz, vielleicht aber auch im Gepäckfach. Auf jeden Fall seien die Flugbegleiter Idioten, weil sie sie nicht gesehen hätten. Sie hatten sich nur darum gekümmert, ihn aus dem Flugzeug zu schleifen. Ozzie und Parther rasten wutschnaubend zum Flughafen. Lucien sah aus und roch wie ein Obdachloser, den sie auf der Straße aufgegriffen hatten.

Beim Fundbüro von American Airlines war keine Aktentasche abgegeben worden, die in der Maschine aus Atlanta gefunden worden war. Widerwillig machte sich der einsame Angestellte auf die Suche. Lucien entdeckte eine Flughafenlounge und bestellte ein Bier. Ozzie und Prather holten sich an einem Büfett in einer belebten Halle unweit der Lounge ein ungenießbares Mittagessen. Dabei versuchten sie, ihren Passagier im Auge zu behalten. Sie riefen bei Jake in der Kanzlei an, aber es meldete sich niemand. Es war schon fast fünfzehn Uhr, und er saß offensichtlich im Gericht fest.

Die Aktentasche wurde in Minneapolis aufgespürt. Da Ozzie und Prather die Staatsgewalt vertraten, behandelte American Airlines die Tasche wie wertvolles Beweismaterial, obwohl es sich um ein abgewetztes altes Lederding handelte, das lediglich ein paar Notizblöcke, einige Illustrierte, billige Seife und Streichhölzer aus dem Glacier Inn in Juneau sowie eine Videokassette mit einer Aufzeichnung enthielt. Nach einiger Ungewissheit und viel Hin und Her wurde ein Plan entworfen, um sie so bald wie möglich nach Memphis zurückzuschaffen. Wenn alles gut lief, würde sie um Mitternacht eintreffen.

Ozzie bedankte sich bei dem Angestellten und ging auf die Suche nach Lucien. Als sie den Flughafen verließen, erwachte Lucien zum Leben.

»Mir fällt gerade ein, ich habe mein Auto hier«, sagte er. »Treffen wir uns am besten in Clanton.«

»Nein, Lucien, Sie sind besoffen«, sagte Ozzie. »Sie können nicht fahren.«

Lucien wurde wütend. »Ozzie, wir sind in Memphis, und Sie sind außerhalb Ihres Zuständigkeitsbereichs. Sie können mich mal! Ich mache, was ich will.«

Ozzie hob resigniert die Hände und ging mit Prather davon. Sie versuchten, Lucien zu folgen, konnten aber im Feierabendverkehr mit seinem kecken kleinen Porsche nicht mithalten, der sich mit gewagten Manövern durch die Automassen schlängelte. Sie fuhren nach Clanton, zu Jakes Kanzlei, und trafen dort kurz vor sieben ein. Jake wartete auf ihren Bericht.

Die einzig halbwegs gute Nachricht an diesem ansonsten katastrophalen und frustrierenden Tag war, dass Lucien wegen Trunkenheit in der Öffentlichkeit und Widerstand gegen die Staatsgewalt festgenommen worden war. Damit konnte er das Gerede von einer erneuten Zulassung als Anwalt vergessen. Aber im Augenblick war das ein schwacher Trost, den Jake noch nicht einmal erwähnte. Abgesehen davon hätte es nicht schlechter aussehen können.

Zwei Stunden später fuhr Jake zu Luciens Haus. Als er in die Einfahrt rollte, stellte er fest, dass der Porsche nicht da war. Er sprach kurz auf der Veranda vor dem Haus mit Sallie, die versprach, sich zu melden, sobald Lucien heimkam.

Wie durch ein Wunder traf Luciens Aktentasche tatsächlich um Mitternacht in Memphis ein. Deputy Willie Hastings holte sie ab und brachte sie nach Clanton.

Um 7.30 Uhr am Freitagmorgen kamen Jake, Harry Rex und Ozzie im Konferenzraum zusammen und schlossen die Tür ab. Jake schob die Kassette in den Videorekorder und dimmte das Licht. Die Worte JUNEAU, ALASKA ... 5. APRIL 1989 erschienen auf dem Bildschirm und verschwanden nach wenigen

Sekunden wieder. Jared Wolkowicz stellte sich vor und erklärte, was sie vorhätten. Lucien stellte sich vor und erklärte, es handle sich um die Protokollierung einer Zeugenaussage, und er werde die Fragen stellen. Er schien klar im Kopf und wirkte nüchtern. Dann stellte er Ancil F. Hubbard vor, der von der Gerichtsstenografin vereidigt wurde.

Der kleine gebrechliche Mann mit dem Kopf, der glänzte wie eine weiße Zwiebel, trug Luciens schwarzen Anzug und sein weißes Hemd, die ihm beide mehrere Nummern zu groß waren. An seinem Hinterkopf war ein Verband befestigt, und hinter seinem rechten Ohr lugte ein Stückchen Klebeband hervor. Er schluckte mühsam und blickte verschreckt in die Kamera.

»Mein Name ist Ancil F. Hubbard. Ich lebe in Juneau, Alaska, wurde aber am 1. August 1922 in Ford County, Mississippi, geboren. Mein Vater war Cleon Hubbard, meine Mutter Sarah Belle, mein Bruder Seth. Seth war fünf Jahre älter als ich. Ich wurde auf der Farm unserer Familie in der Nähe von Palmyra geboren. Mit sechzehn ging ich von zu Hause weg und kehrte nicht zurück. Nie. Ich hatte nie das Bedürfnis. Hier ist meine Geschichte.«

Als der Bildschrim achtundfünfzig Minuten später flimmerte, blieben die drei Männer noch eine Weile sitzen und starrten auf die Mattscheibe. Am liebsten hätten sie nichts mehr von dieser Sache gesehen oder gehört, aber es würde ihnen nicht erspart bleiben. Schließlich stand Jake langsam auf und betätigte die *Eject*-Taste.

»Wir reden besser mit dem Richter.«

»Kannst du erreichen, dass das als Beweismaterial zugelassen wird?«, fragte Ozzie.

»Völlig ausgeschlossen«, erklärte Harry Rex. »Ich wüsste zehn verschiedene Gründe für eine Ablehnung und keinen einzigen, warum es zugelassen werden sollte.«

»Wir müssen es versuchen«, sagte Jake. Sein Herz raste, und seine Gedanken überschlugen sich, während er über die Straße rannte. Die anderen Anwälte drängten sich im Sitzungssaal, freuten sich, dass Freitag war und sie mit einem großen Erfolg in der Tasche nach Hause fahren würden. Jake sprach kurz mit Richter Atlee und sagte, die Anwälte müssten sich dringend bei ihm im Büro versammeln, wo ein Fernsehgerät und ein Videorekorder zur Verfügung stünden. Als alle dort am Tisch saßen und der Richter seine Pfeife gestopft und angezündet hatte, erklärte Jake, was los war.

»Die Zeugenaussage wurde vor zwei Tagen aufgezeichnet. Lucien Wilbanks war zugegen und hat einige Fragen gestellt.«

»Ich wusste gar nicht, dass der wieder als Anwalt zugelassen ist«, sagte Wade Lanier.

»Warten Sie's ab«, erwiderte Jake ungerührt. »Sehen wir uns die Kassette an, dann können wir uns immer noch streiten.«

»Wie lang ist die Aufnahme?«, fragte der Richter.

»Ungefähr eine Stunde.«

»Das ist Zeitverschwendung, Euer Ehren«, protestierte Lanier. »Sie können die Aussage nicht zulassen, weil ich nicht dabei war und keine Gelegenheit hatte, den Zeugen zu befragen. Das ist absurd.«

»Wir haben Zeit«, hielt Jake dagegen. »Wieso diese Eile?«

Richter Atlee paffte vor sich hin. Er blickte Jake an. »Band ab«, ordnete er mit einem Funkeln in den Augen an.

Jake nahm das Video ähnlich mit wie beim ersten Mal. Dinge, bei denen er am frühen Morgen nicht sicher gewesen war, ob er richtig gehört hatte, wurden bestätigt. Wiederholt warf er einen Seitenblick auf Wade Lanier, dessen Empörung dahinschwand, als ihn die Geschichte in ihren Bann zog. Am Ende wirkte er verunsichert. Alle Anwälte der anfechtenden Parteien hatten eine Verwandlung durchgemacht. Ihre Selbstgefälligkeit war verschwunden.

Als Jake die Kassette herausholte, starrte Richter Atlee weiterhin auf den Bildschirm. Er zündete seine Pfeife erneut an und blies eine Rauchwolke in die Luft. »Mr. Lanier?«

»Das Video kann unmöglich als Beweismaterial zugelassen werden. Ich war nicht dabei. Ich hatte keine Gelegenheit, den Zeugen zu befragen oder ins Kreuzverhör zu nehmen. Das entspricht nicht den Grundsätzen eines fairen Prozesses.«

Das war zu viel für Jake. »Dann passt es ja zum Geiste dieses Verfahrens. Ein Überraschungszeuge hier, ein Hinterhalt da. Ich dachte, Sie verstehen sich auf diese Tricks, Lanier.«

»Ich werde das ignorieren. Dies ist keine ordnungsgemäß protokollierte Zeugenaussage, Richter Atlee.«

»Was hätten Sie ihn denn fragen können?«, wollte Jake wissen. »Er beschreibt Ereignisse, die sich vor Ihrer Geburt zugetragen haben, und er ist der einzige überlebende Zeuge. Sie könnten ihn gar nicht ins Kreuzverhör nehmen. Sie wissen nichts über die Ereignisse von damals.«

»Die Aussage wurde von der Gerichtsstenografin nicht ordnungsgemäß protokolliert«, wandte Lanier ein. »Dieser Anwalt aus Alaska darf in Mississippi nicht praktizieren. Die Liste ist endlos.«

»Gut. Dann ziehe ich es als protokollierte Zeugenaussage zurück und biete es als eidesstattliche Erklärung an. Eine Aussage, die ein Zeuge vor einem Notar beschworen hat. Die Gerichtsstenografin war auch Notarin.«

»Es hat nichts mit Seth Hubbards Testierfähigkeit am 1. Oktober vergangenen Jahres zu tun.«

»Oh, ich glaube, es erklärt alles«, konterte Jake. »Es beweist ohne jeden Zweifel, dass Seth Hubbard genau wusste, was er tat.

Kommen Sie schon, Richter Atlee, alles andere durfte den Geschworenen auch serviert werden.«

»Das genügt«, mahnte Richter Atlee streng. Er schloss die Augen und schien einen Augenblick lang nachzudenken. Er holte tief Luft und ließ seine Pfeife ausgehen. Dann öffnete er die Augen.

»Meine Herren, ich glaube, die Geschworenen sollten Ancil Hubbard kennenlernen.«

Zehn Minuten später wurde der Saal zur Ordnung gerufen. Die Geschworenen wurden erneut hereingeführt, die große Leinwand wieder aufgestellt. Richter Atlee entschuldigte sich bei den Geschworenen für die Verzögerung und erklärte dann, was geschehen war. Er blickte zum Tisch der anfechtenden Parteien.

»Mr. Lanier, haben Sie noch weitere Zeugen?«

Lanier erhob sich gequält, als hätte er Arthritis. »Nein. Unsere Beweisführung ist abgeschlossen.«

»Mr. Brigance?«

»Euer Ehren, ich würde gern noch einmal Lettie Lang aufrufen, um ihr einige wenige Fragen zu stellen. Das dauert nur ein paar Minuten.«

»Gut. Mrs. Lang, bitte denken Sie daran, dass Sie bereits vereidigt wurden und durch diesen Eid immer noch gebunden sind.«

Portia beugte sich vor. »Jake, was treiben Sie da?«, flüsterte sie.

»Nicht jetzt«, flüsterte er zurück. »Sie werden es gleich sehen.«

Lettie, die ihre letzte Zeugenaussage noch in schlechtester Erinnerung hatte, setzte sich und versuchte, ruhig zu wirken. Sie vermied es, die Geschworenen anzusehen. Es war keine Zeit gewesen, sie vorzubereiten, sie hatte keine Vorstellung, was kam.

»Lettie, wer war Ihre Mutter? Ihre leibliche Mutter?«, begann Jake.

Lettie lächelte, nickte – jetzt verstand sie. »Ihr Name war Lois Rinds.«

»Und wer waren ihre Eltern?«

»Sylvester und Esther Rinds.«

»Was wissen Sie über Sylvester Rinds?«

»Er ist 1930 verstorben, daher bin ich ihm nie begegnet. Er lebte auf einem Stück Land, das jetzt den Hubbards gehört. Nach seinem Tod überschrieb Esther das Land Seth Hubbards Vater. Sylvesters Vater war ein Mann namens Solomon Rinds, der das Land schon vor ihm besessen hatte.«

»Keine weiteren Fragen, Euer Ehren.«

»Mr. Lanier?«

Lanier ging ohne Notizen zum Sprecherpult. »Mrs. Lang, haben Sie je eine Geburtsurkunde besessen?«

»Nein.«

»Und Ihre Mutter ist verstorben, als Sie drei waren, richtig?«

»Das ist richtig.«

»Und als wir Ihre Zeugenaussage im Dezember, in der Woche vor Weihnachten, protokolliert haben, waren Sie sich Ihrer Abstammung nicht so sicher. Warum hat sich das geändert?«

»Ich habe Verwandte kennengelernt. Viele offene Fragen wurden geklärt.«

»Sie sind sich jetzt also sicher?«

»Ich weiß, wer ich bin, Mr. Lanier. Ganz sicher.«

Er setzte sich, und Richter Atlee wandte sich an den Saal. »Wir werden jetzt die Videoaufzeichnung der Aussage von Ancil Hubbard sehen. Bitte dimmen Sie das Licht. Schließen Sie die Türen bitte ab, damit niemand den Saal verlässt oder hereinkommt. Die Sache wird etwa eine Stunde dauern, und ich will keine Störung.«

Die Geschworenen, die sich am Vortag die ganze Zeit so unerträglich gelangweilt hatten, waren hellwach und brannten darauf zu erfahren, welch unerwartete Wendung das Verfahren genommen hatte. Viele Zuschauer suchten sich einen Platz ganz rechts im Saal, damit sie die Leinwand besser sehen konnten. Das Licht wurde gedämpft, jede Bewegung erstarrte, alles schien tief Luft zu holen. Und dann lief das Band. Nachdem sich Jared Wolkowicz und Lucien Wilbanks vorgestellt hatten, erschien Ancil.

»Hier ist meine Geschichte«, begann er. *»Ich weiß nicht so recht, wo ich anfangen soll. Ich lebe jetzt hier in Juneau, aber da bin ich eigentlich nicht zu Hause. Ich bin nirgends zu Hause. Die Welt ist mein Zuhause, und ich habe viel davon gesehen. Ich bin im Laufe der Jahre in furchtbare Schwierigkeiten geraten, aber ich habe auch viel Spaß gehabt. Sehr viel Spaß. Mit siebzehn bin ich zur Marine gegangen, habe mich älter gemacht, alles getan, nur um von zu Hause wegzukommen, und fünfzehn Jahre lang war ich überall auf der Welt stationiert. Ich habe im Pazifik auf der USS Iowa gekämpft. Nach meinem Ausscheiden aus der Marine habe ich in Japan, Sri Lanka, Trinidad gelebt, an so vielen Orten, dass ich mich im Augenblick gar nicht mehr an alle erinnern kann. Ich bin für Reedereien zur See gefahren. Wenn ich eine Pause brauchte, habe ich mich irgendwo niedergelassen, immer an einem anderen Ort.«*

»Erzählen Sie uns von Seth«, sagte Lucien von außerhalb des Bildes.

»Seth war fünf Jahre älter als ich, andere Geschwister gab es nicht. Er war mein großer Bruder und hat sich um mich gekümmert, so gut es ging. Wir hatten ein hartes Leben, wegen unseres Vaters, Cleon Hubbard, eines Mannes, den wir vom Tag unserer Geburt an hassten. Er schlug uns, schlug unsere Mutter, schien immer mit irgendwem im Streit zu liegen. Wir lebten weit draußen auf dem Land in der Nähe von Palmyra auf der alten Farm unserer Familie in einem alten Haus, das mein Großvater gebaut hatte. Sein Name war Jonas

Hubbard, und sein Vater hieß Robert Hall Hubbard. Die meisten anderen Verwandten waren nach Arkansas gezogen, daher hatten wir kaum Cousins oder Verwandte in der Nähe. Seth und ich schufteten auf der Farm wie die Tiere, molken die Kühe, jäteten auf den Baumwollfeldern Unkraut, arbeiteten im Garten, pflückten Baumwolle. Von uns wurde erwartet, dass wir so viel leisteten wie die Erwachsenen. Es war ein hartes Leben, die Depression und all das, aber wie man so sagt, merkten wir in den Südstaaten nicht viel von der Depression, weil wir schon seit dem Krieg in einer steckten.«

»Wie viel Land?«, fragte Lucien.

»Wir besaßen dreißig Hektar, die seit langer Zeit in der Familie waren. Das meiste davon war Wald, aber es gab auch Anbauflächen, die mein Großvater gerodet hatte. Baumwolle und Bohnen.«

»Und der Familie Rinds gehörte das angrenzende Grundstück?«

»Das ist richtig. Sylvester Rinds. Es gab auch noch andere Rinds. Tatsächlich spielten Seth und ich manchmal mit den Rinds-Kindern, aber nur wenn Cleon es nicht merkte. Cleon hasste Sylvester Rinds, alle Rinds. Es war eine Fehde, die schon lange brodelte. Wissen Sie, Sylvester besaß ebenfalls dreißig Hektar, die im Westen direkt an unser Land angrenzten, und die Hubbards waren immer der Meinung, das wäre eigentlich ihr Grund und Boden. Cleon sagte, ein gewisser Jeremiah Rinds habe das Land im Jahr 1870 nach dem Ende des Bürgerkriegs erworben. Jeremiah war ein freigelassener Sklave, der es irgendwie geschafft hatte, das Grundstück zu kaufen. Ich war damals noch ein Kind und verstand nie wirklich, was passiert war, aber die Hubbards waren immer davon überzeugt, dass es eigentlich ihnen gehörte. Ich glaube, sie gingen deswegen sogar vor Gericht, aber es blieb in den Händen der Familie Rinds. Es trieb Cleon zur Weißglut, dass er nur dreißig Hektar besaß und diese Schwarzen genauso viel. Ich erinnere mich, dass es immer wieder hieß, die Rinds seien die einzigen Schwarzen im County, die eigenes Land hätten, und das hätten sie irgendwie den Hubbards abgenommen. Seth und *ich wussten, dass wir die Rinds-Kinder eigentlich hassen sollten, aber meistens war niemand sonst zum Spielen da. Wir gingen heimlich mit ihnen angeln und schwimmen. Toby Rinds war in meinem Alter und mein Freund. Einmal erwischte Cleon mich und Seth beim Schwimmen mit den Rinds und verprügelte uns, bis wir nicht mehr laufen konnten. Cleon war ein gewalttätiger Mensch. Rachsüchtig, bösartig, hasserfüllt und unbeherrscht. Wir hatten panische Angst vor ihm.«*

Da er das Video nun schon zum dritten Mal an diesem Morgen sah, konzentrierte Jake sich nicht mehr so intensiv darauf. Stattdessen beobachtete er die Geschworenen. Sie wirkten wie erstarrt, fasziniert, verschlangen ungläubig jedes Wort. Selbst Frank Doley, der Geschworene, der Jake die meisten Sorgen bereitete, hatte sich vorgebeugt und tippte sich vor lauter Konzentration mit dem Zeigefinger an die Lippen.

»*Was ist aus Sylvester geworden?*«, fragte Lucien.

»*Ach ja, das wollten Sie ja hören. Die Fehde eskalierte, als in der Nähe der Grundstücksgrenze ein paar Bäume gefällt wurden. Cleon war davon überzeugt, dass es seine waren. Sylvester Rinds war sicher, dass sie ihm gehörten. Da die Grenze so lange umstritten gewesen war, meinte jeder genau zu wissen, wo sie verlief. Cleon platzte fast vor Wut. Ich erinnere mich, wie er schimpfte, er habe sich das viel zu lang gefallen lassen, es sei an der Zeit, was zu unternehmen. Eines Nachts tauchten ein paar Männer bei uns auf und tranken hinter der Scheune Whiskey. Seth und ich schlichen nach draußen, um sie zu belauschen. Sie planten irgendwas gegen die Rinds. Wir konnten nicht genau verstehen, was es war, aber es war offensichtlich, dass ein Komplott geschmiedet wurde. Dann fuhren wir an einem Samstagnachmittag in die Stadt. Es war heiß, ich glaube, es war August, im Jahr 1930, und am Samstagnachmittag trafen sich alle, Schwarze* wie Weiße, in der Stadt. Jeder musste einkaufen und sich für die Woche mit Vorräten eindecken. Palmyra war damals nur ein Dorf, aber an den Samstagen füllte es sich, in den Geschäften und auf den Gehsteigen drängten sich die Menschen. Seth und ich bekamen nichts davon mit, aber später am Abend hörten wir Kinder über einen Schwarzen reden, der einer Weißen gegenüber frech geworden sein sollte, was allgemeine Empörung auslöste. Dann hörten wir, der Schwarze sei Sylvester Rinds. Wir fuhren mit dem Pick-up nach Hause, wir auf der Ladefläche, meine Eltern vorne, und wussten, dass etwas passieren würde. Wir spürten es einfach. Als wir nach Hause kamen, schickte Cleon uns auf unser Zimmer und sagte, wir dürften erst wieder herauskommen, wenn er es uns sagte. Dann hörten wir ihn heftig mit meiner Mutter streiten. Ich glaube, er schlug sie. Wir hörten ihn mit dem Pick-up wegfahren. Wir hatten uns schlafend gestellt, aber wir waren im Nu draußen. Wir sahen die Rücklichter des Wagens nach Westen verschwinden, in Richtung Sycamore Row.«

»Wo ist Sycamore Row?«

»Den Ort gibt es nicht mehr, aber im Jahr 1930 war es eine kleine Siedlung auf dem Land der Rinds, in der Nähe eines Baches. Nur ein paar verstreute alte Häuschen, Überbleibsel aus der Sklavenzeit. Dort wohnte Sylvester Rinds. Auf jeden Fall zäumten Seth und ich Daisy, unser Pony, und ritten ohne Sattel los. Seth hielt die Zügel, und ich klammerte mich mit aller Kraft fest, aber wir ritten immer ohne Sattel und wussten, was wir taten. Als wir näher an Sycamore Row waren, sahen wir die Scheinwerfer von mehreren Pick-ups. Wir stiegen ab und führten Daisy durch den Wald, dann banden wir sie an einen Baum und ließen sie stehen. Wir gingen weiter, immer näher heran, bis wir Stimmen hörten. Wir standen an einem Hang, und unter uns konnten wir drei oder vier Weiße sehen, die mit Stöcken auf einen Schwarzen eindroschen. Er hatte kein Hemd mehr an, und seine Hose war zerrissen. Es war Sylvester Rinds. Seine Frau

Esther stand weinend und schreiend etwa fünfzig Meter entfernt vor ihrem Haus. Sie versuchte, zu ihm zu kommen, aber einer der Weißen schlug sie nieder. Seth und ich schlichen uns näher heran, bis wir den Waldrand erreicht hatten. Da blieben wir stehen und horchten und beobachteten. Ein weiterer Pick-up mit mehreren Männern fuhr vor. Sie hatten ein Seil, und als Sylvester das Seil sah, drehte er durch. Drei oder vier Weiße waren nötig, um ihn festzuhalten, damit sie ihn an Händen und Füßen fesseln konnten. Sie schleppten ihn davon und warfen ihn auf die Ladefläche eines Pick-up.«

»Wo war Ihr Vater?«, fragte Lucien.

Ancil legte eine Pause ein, holte tief Luft und rieb sich die Augen. Dann fuhr er fort: »*Er war dabei, stand mit einer Schrotflinte in der Hand ein wenig abseits. Er gehörte eindeutig zu dieser Bande, aber er wollte sich die Hände nicht schmutzig machen. Es waren vier Pick-ups, die langsam von der Siedlung wegrollten, nicht weit, nur bis zu einer Platanenreihe. Seth und ich kannten den Platz gut, weil wir an dem Bach immer geangelt hatten. Fünf oder sechs hohe Platanen standen in einer schnurgeraden Reihe, daher der Name Sycamore Row. Es kursierte eine alte Geschichte über einen Indianerstamm, der die Bäume als Teil eines heidnischen Rituals gepflanzt habe, aber wer weiß das schon. Die Pick-ups hielten am ersten Baum und bildeten einen Halbkreis, um den Platz mit ihren Scheinwerfern zu beleuchten. Seth und ich waren im Wald hinterhergeschlichen. Ich wollte das nicht sehen und sagte irgendwann: ›Seth, lass uns gehen.‹ Aber ich rührte mich nicht von der Stelle und er auch nicht. Es war zu furchtbar, um wegzulaufen. Sie warfen das Seil über einen dicken Ast und zogen Sylvester die Schlinge über den Kopf. Er wand sich, schrie, bettelte: ›Ich habe nichts gesagt, Mister Burt, ich habe nichts gesagt. Bitte, Mister Burt, Sie wissen, dass ich nichts gesagt habe.‹ Ein paar von ihnen zerrten am anderen Ende des Seils und rissen ihm fast den Kopf ab.«*

»Wer war Mr. Burt?«, fragte Lucien.

Ancil holte wieder tief Luft und starrte eine quälend lange Zeit einfach nur in die Kamera.

»Wissen Sie«, sagte er schließlich, *»das ist fast neunundfünzig Jahre her, und ich bin sicher, alle diese Männer sind schon lange tot. Ich bin überzeugt, dass sie in der Hölle schmoren, und da gehören sie auch hin. Aber sie haben Familien, und es kann nichts Gutes dabei herauskommen, wenn ich Namen nenne. Seth hat drei von ihnen erkannt: Mister Burt, den Anführer des Lynchmobs. Unseren lieben Vater natürlich. Und noch einen, aber ich werde keinen Namen nennen.«*

»Mit den Namen sind Sie sich sicher?«

»O ja. Ich werde sie nie vergessen, solange ich lebe nicht.«

»Verständlich. Was ist dann passiert?«

Eine weitere lange Pause, während Ancil um Fassung rang.

Jake sah die Geschworenen an. Nummer drei, Michele Still, tupfte ihre Wangen mit einem Papiertaschentuch ab. Die andere schwarze Geschworene, Barb Gaston, Nummer acht, wischte sich über die Augen. Jim Whitehurst, Nummer sieben, der rechts von ihr saß, reichte ihr sein Taschentuch.

»Sylvester hing praktisch schon, aber seine Zehen berührten noch die Ladefläche des Pick-ups. Das Seil lag so straff um seinen Hals, dass er weder sprechen noch schreien konnte, aber er versuchte es. Er gab einen entsetzlichen Laut von sich, den ich nie vergessen werde, eine Art hohes Knurren. Die Männer ließ ihn ein oder zwei Minuten leiden, während sie um ihn herumstanden und ihr Werk bewunderten. Er tänzelte auf Zehenspitzen, versuchte, seine Hände zu befreien, versuchte zu schreien. Es war so mitleiderregend, so grauenhaft.«

Ancil fuhr sich mit der Rückseite des Hemdsärmels über die Augen. Jemand, der nicht im Bild zu sehen war, reichte ihm Papiertaschentücher. Er atmete schwer.

»Mein Gott, ich habe diese Geschichte nie jemandem erzählt. Seth und ich redeten noch Tage und Monate später darüber, dann einigten wir uns darauf, dass wir versuchen wollten, es zu vergessen. Ich habe nie jemandem davon erzählt. Es war so furchtbar. Aber wir waren ja bloß Kinder, wir hätten sie nicht aufhalten können.«

Nach einer Pause fragte Lucien weiter. »Und was ist dann passiert, Mr. Hubbard?«

»Was zu erwarten war. Mister Burt brüllte: ›Los!‹, und der Typ, der den Pick-up fuhr, ließ den Wagen einen Satz machen. Zuerst schwang Sylvester wild hin und her. Die beiden Männer am anderen Ende des Seils zogen, und er sauste noch einmal eineinhalb oder zwei Meter in die Höhe. Seine Füße befanden sich vielleicht drei Meter über dem Boden. Es dauerte nicht lange, bis er sich nicht mehr bewegte. Sie beobachteten ihn eine Weile, keiner wollte gehen. Dann banden sie das Seil fest und ließen ihn da hängen. Sie kehrten zur Siedlung zurück, die vielleicht zweihundert Meter von den Bäumen entfernt lag, manche gingen zu Fuß, andere fuhren in den Pick-ups.«

»Wie viele waren es insgesamt?«

»Ich war ja noch ein Kind, ich weiß es nicht genau. Wahrscheinlich zehn.«

»Fahren Sie fort.«

»Seth und ich schlichen in der Dunkelheit durch die Bäume und hörten, wie sie lachten und sich gegenseitig gratulierten. Dann schlug einer vor, das Haus niederzubrennen. Der Mob versammelte sich vor Sylvesters Haus. Esther stand auf den Stufen davor und hielt ein Kind im Arm.«

»Ein Kind? Einen Jungen oder ein Mädchen?«

»Ein Mädchen, kein Kleinkind. Ein kleines Mädchen.«

»Kannten Sie dieses Kind?«

»Nein, damals nicht. Seth und ich fanden erst später heraus, wer das war. Sylvester hatte nur ein Kind, dieses Mädchen, und ihr Name war Lois.«

Lettie rang so laut nach Luft, dass die meisten Geschworenen aufschreckten. Quince Lundy reichte ihr ein Papiertaschentuch. Jake warf über die Schulter einen Blick auf Portia. Sie schüttelte den Kopf, schockiert wie alle anderen.

»Haben sie das Haus niedergebrannt?«, fragte Lucien.

»Nein, es passierte etwas Merkwürdiges. Cleon trat mit der Flinte vor und stellte sich zwischen die Männer und Esther und Lois. Er sagte, niemand werde das Haus niederbrennen, also stiegen die Männer in ihre Pick-ups und fuhren davon. Seth und ich verzogen uns. Das Letzte, was ich sah, war Cleon, der auf der Treppe zu dem kleinen Haus mit Esther sprach. Wir sprangen auf unser Pony und galoppierten heim. Als wir durch das Fenster in unser Zimmer kletterten, erwartete uns unsere Mutter. Sie war wütend und wollte wissen, wo wir gewesen waren. Seth war der bessere Lügner und behauptete, wir hätten draußen Glühwürmchen gejagt. Sie schien uns zu glauben. Wir flehten sie an, Cleon nichts zu erzählen, und ich glaube, das hat sie auch nie getan. Wir lagen im Bett, als wir hörten, wie sein Pick-up heranrollte und hielt. Er kam ins Haus und ging zu Bett. Wir konnten nicht schlafen. Wir tuschelten die ganze Nacht. Ich musste immer wieder weinen, und Seth sagte, das sei schon in Ordnung, solange mich keiner dabei sehe. Er schwor mir, niemandem zu erzählen, dass ich weinte. Dann erwischte ich ihn dabei, wie er selbst weinte. Es war heiß, und damals gab es noch keine Klimaanlagen. Lange vor Tagesanbruch kletterten wir wieder aus dem Fenster und setzten uns auf die Veranda hinter dem Haus, wo es kühler war. Wir sprachen davon, noch einmal nach Sycamore Row zu laufen und nach Sylvester zu sehen, aber das meinten wir nicht ernst. Wir überlegten, was mit seiner Leiche geschehen würde. Und wir waren davon überzeugt, dass der Sheriff kommen und Cleon und die anderen Männer verhaften würde. Der Sheriff würde Zeugen brauchen, deshalb durften wir kein Wort darüber verlieren, was wir gesehen *hatten. Niemals. Wir schliefen in dieser Nacht nicht. Als wir unsere Mutter in der Küche hörten, schlichen wir uns wieder in unsere Betten, gerade noch rechtzeitig, bevor Cleon hereinkam und uns anbrüllte, wir sollten in den Stall und die Kühe melken. Das taten wir jeden Morgen in aller Frühe. Jeden Morgen. Es war ein hartes Leben. Ich hasste die Farm, und von diesem Tag an hasste ich meinen Vater, wie kein Kind jemals seinen Vater gehasst hat. Ich wollte, dass der Sheriff ihn holte und für immer fortbrachte.«*

Lucien, der für die Kamera nach wie vor nicht sichtbar war, schien selbst eine Pause zu brauchen. Es dauerte lange, bis er weitersprach. *»Was ist mit den Rinds-Familien passiert?«*

Ancil senkte den Kopf und schüttelte ihn dramatisch. *»Furchtbar, einfach nur furchtbar. Es wurde immer schlimmer. Ein oder zwei Tage danach ging Cleon zu Esther. Er gab ihr ein paar Dollar und ließ sie einen Vertrag über die dreißig Hektar unterschreiben. Er versprach ihr, sie könne dort bleiben, und das durfte sie auch – etwa achtundvierzig Stunden. Der Sheriff kam tatsächlich. Er, ein Deputy und Cleon fuhren zur Siedlung und teilten Esther und den anderen Rinds mit, sie müssten ihre Häuser räumen. Sofort. Packt euer Zeug und verschwindet. Es gab eine kleine Holzkapelle, wo sie seit Jahrzehnten ihre Gottesdienste abhielten, und um zu beweisen, dass alles ihm gehörte, steckte Cleon sie in Brand. Brannte sie vollständig nieder, um zu zeigen, was für ein wichtiger Mann er war. Der Sheriff und der Deputy halfen ihm. Sie drohten, auch die Hütten niederzubrennen.«*

»Und Sie haben das gesehen?«

»Natürlich. Seth und ich ließen uns nichts entgehen. Wir sollten eigentlich auf den Baumwollfeldern Unkraut jäten, aber als der Sheriff bei uns vorfuhr, wussten wir, dass etwas im Busch war. Wir hofften, er würde Cleon verhaften, aber so lief das damals in Mississippi nicht. Im Gegenteil. Der Sheriff war da, um Cleon zu helfen, sein Land von diesen Schwarzen zu säubern.«

»Was ist mit den Schwarzen passiert?«

»Na ja, sie gingen. Sie schnappten sich, was sie tragen konnten, und liefen in den Wald.«

»Wie viele?«

»Wie gesagt, ich war noch ein Kind. Ich habe sie nicht gezählt. Aber es gab mehrere Rinds-Familien, die auf dem Land lebten, nicht alle in der Siedlung, aber in der Nähe.« Ancil holte tief Luft. »Ich bin plötzlich so müde«, murmelte er.

»Wir sind fast fertig«, sagte Lucien. »Bitte erzählen Sie weiter.«

»Schon gut, schon gut. Sie rannten also weg, in den Wald, und sobald eine Familie ihre Hütte geräumt hatte, steckten Cleon und der Sheriff sie an. Sie brannten alles nieder. Ich kann mich noch genau erinnern, wie manche der Schwarzen am Waldrand standen, ihre Kinder und die Habseligkeiten, die sie in der Eile hatten mitnehmen können, im Arm hielten und weinend und wehklagend auf das Feuer und den dichten grauen Rauch blickten. Es war einfach nur furchtbar.«

»Was ist aus ihnen geworden?«

»Sie haben sich in alle Winde zerstreut. Eine Zeit lang kampierten ein paar von ihnen am Tutwiler Creek, tief im Wald in der Nähe des Big Brown River. Seth und ich suchten nach Toby und fanden ihn da mit seiner Familie. Sie hatten Hunger und waren völlig verängstigt. An einem Sonntagnachmittag beluden wir die Pferde mit so viel Essen wie möglich und machten uns davon, ohne dass sie uns erwischten. An diesem Tag sah ich Esther und ihre kleine Tochter, Lois. Das Kind war vielleicht fünf und splitternackt. Sie hatte nichts anzuziehen. Toby kam ein paarmal zu unserem Haus und versteckte sich hinter der Scheune. Seth und ich gaben ihm so viel Essen, wie wir konnten. Er schleppte es bis zu ihrem Lagerplatz, der mehrere Kilometer entfernt war. Eines Samstags tauchten Männer mit Gewehren und Schrotflinten auf. Wir kamen nicht nah genug heran, um etwas zu hören, aber meine Mutter erzählte uns später, dass sie zum Lagerplatz gingen und alle Rinds vertrieben. Einige Jahre später erzählte mir ein anderes schwarzes Kind, dass Toby und seine Schwester im Bach ertrunken und ein paar Leute erschossen worden waren. Ich glaube, da hatte ich genug. Kann ich bitte etwas Wasser haben?«

Eine Hand schob Ancil ein Glas Wasser hin, und er nippte langsam daran. »Als ich dreizehn war, trennten sich meine Eltern«, fuhr er fort. »Es war ein glücklicher Tag für mich. Ich ging mit meiner Mutter nach Corinth, Mississippi. Seth wollte die Schule nicht wechseln, deswegen blieb er bei Cleon, obwohl sie kaum miteinander sprachen. Ich vermisste meinen Bruder sehr, aber nach einer Weile lebten wir uns natürlicherweise auseinander. Dann heiratete meine Mutter einen Dreckskerl, der nicht viel besser als Cleon war. Ich lief weg, als ich sechzehn war, und ging mit siebzehn zur Marine. Manchmal habe ich das Gefühl, seitdem immer auf der Flucht gewesen zu sein. Nachdem ich weggelaufen war, hatte ich nie wieder Kontakt zu meiner Familie. Mein Kopf bringt mich um. Das ist alles. Das ist das Ende dieser schlimmen Geschichte.«

47

Schweigend verließen die Geschworenen im Gänsemarsch ihren Raum und folgten dem Gerichtsdiener über die Hintertreppe zu einem Seiteneingang des Gerichtsgebäudes, auf demselben Weg, den sie seit Dienstag jeden Tag zurückgelegt hatten. Draußen gingen sie wortlos auseinander. Nevin Dark beschloss, zum Mittagessen nach Hause zu fahren. Im Augenblick scheute er die Gesellschaft seiner Mitgeschworenen. Er brauchte Zeit, um die Geschichte zu verarbeiten, die er soeben gehört hatte. Er wollte durchatmen, nachdenken, sich erinnern. Allein in seinem Pick-up, bei geöffneten Fenstern, fühlte er sich geradezu schmutzig; vielleicht half eine Dusche.

Mister Burt. Mister Burt. Irgendwo auf der zwielichtigeren Seite des Stammbaums seiner Frau hatte es einen Großonkel oder entfernten Cousin namens Burt gegeben. Er hatte vor vielen Jahren in der Nähe von Palmyra gelebt, und es hatte immer Gerüchte über Burts Beziehungen zum Ku-Klux-Klan gegeben.

Es konnte nicht derselbe Mann sein.

In seinen dreiundfünfzig Jahren in Ford County hatte Nevin nur von einem einzigen anderen Lynchmord gehört, aber an die Geschichte erinnerte er sich kaum noch. Angeblich hatte sie sich um die Jahrhundertwende ereignet. Alle Zeugen waren tot, die Einzelheiten vergessen. Nevin hatte noch nie einen echten Augenzeugen einen solchen Mord schildern hören. Der arme Ancil. Er hatte so bemitleidenswert gewirkt, mit seinem kleinen runden Kopf und dem zu großen Anzug, wie er sich mit dem Ärmel die Tränen abwischte.

Ob er nun unter dem Einfluss von Demerol stand oder nicht, es gab keinen Zweifel daran, dass Seth Hubbard gewusst hatte, was er tat.

Michele Still und Barb Gaston hatten keine Pläne für das Mittagessen und waren zu aufgewühlt, um klar denken zu können. Sie sprangen in Micheles Auto und verließen Clanton fluchtartig, nahmen ohne ein Ziel vor Augen die erstbeste Straße aus der Stadt. Die Entfernung erwies sich als hilfreich, nach acht Kilometern auf einer verlassenen Landstraße fiel die Spannung von ihnen ab. Sie hielten an einem Gemischtwarenladen, kauften Softdrinks und Cracker und saßen dann bei offenen Fenstern im Schatten und ließen einen Soulsender aus Memphis laufen.

»Wir haben neun Stimmen?«, fragte Michele.

»Vielleicht sogar zwölf.«

»Nein, Doley kriegen wir nie.«

»Irgendwann bekommt der von mir einen Tritt in den Hintern«, sagte Barb. »Vielleicht heute, vielleicht nächstes Jahr, aber irgendwann erwische ich ihn.«

Michele brachte ein Lachen zustande, und ihre Stimmung hob sich deutlich.

Jim Whitehurst fuhr zum Mittagessen ebenfalls nach Hause. Seine Frau hatte Eintopf gekocht, und sie aßen auf der Terrasse. Sonst erzählte er ihr immer alles über das Verfahren, aber das soeben Gehörte wollte er nicht noch einmal durchleben. Doch sie blieb hartnäckig, und sie rührten ihr Essen kaum an.

Tracy McMillen und Fay Pollan fuhren gemeinsam zu einer kleinen Ladenzeile östlich der Stadt, wo ein neuer Sandwichladen florierte. Die Anstecker mit der Aufschrift »Geschworene« trugen ihnen einige Blicke ein, aber es kamen keine Fragen. Sie fanden eine Sitznische, in der sie sich unterhalten konnten, und waren sich schon nach wenigen Minuten einig. Seth Hubbard mochte in seinen letzten Tagen nicht mehr ganz auf der Höhe gewesen sein, aber es gab keinen Zweifel daran, dass er alles geplant hatte. Herschel und Ramona hatten bei ihnen ohnehin keinen guten Eindruck hinterlassen. Es gefiel ihnen nicht, dass eine schwarze Haushälterin das gesamte Geld bekommen sollte, aber, wie Jake Brigance gesagt hatte, es war nicht an ihnen, darüber zu entscheiden. Es war nicht ihr Geld.

Für die Hubbards hatte sich der Vormittag, der so vielversprechend begonnen hatte, in einen demütigenden Albtraum verwandelt. Alle Welt hatte die Wahrheit über ihren Großvater erfahren, einen Mann, den sie kaum gekannt hatten, und der Name ihrer Familie würde nun für immer besudelt sein. Mit dem Makel konnten sie leben, aber das Geld zu verlieren war eine Katastrophe. Plötzlich wären sie am liebsten im Erdboden versunken. Sie rasten zum Haus ihrer Gastgeber draußen beim Country Club und schenkten sich das Mittagessen, während sie darüber debattierten, ob sie zum Gericht zurückkehren sollten.

Lettie und Portia fuhren in der Pause zum Sappington-Haus, aber an Mittagessen war nicht zu denken. Stattdessen gingen sie in Letties Schlafzimmer, zogen die Schuhe aus, legten sich Seite an Seite auf das Bett, nahmen sich an den Händen und brachen in Tränen aus.

Ancils Geschichte hatte so viele offene Fragen beantwortet.

Ihre Gedanken überschlugen sich, und es gab kaum Worte dafür. Die Gefühle waren zu heftig. Lettie dachte an ihre Großmutter Esther und deren entsetzliches Schicksal. Und an ihre Mutter, ein kleines Mädchen ohne Kleider, ohne Essen, ohne ein Dach über dem Kopf.

»Woher wusste er es, Mom?«, fragte Portia.

»Wer? Was?«

»Seth Hubbard. Woher wusste er, wer du bist? Wie hat Seth Hubbard herausgefunden, dass du die Tochter von Lois Rinds bist?«

Lettie starrte auf den sich drehenden Deckenventilator und hatte nicht die geringste Ahnung, was sie antworten sollte. »Er war ein sehr kluger Mann. Ich bezweifle, dass wir das je erfahren werden«, sagte sie schließlich.

Willie Traynor kam mit einer Platte mit belegten Broten in Jakes Kanzlei vorbei und lud sich selbst zum Mittagessen ein. Jake und Harry Rex saßen oben auf dem Balkon und tranken, Kaffee für Jake, Bier für Harry Rex. Sie wussten die Sandwichs zu schätzen und bedienten sich. Willie nahm ein Bier.

»Als ich damals die Zeitung hatte, so um das Jahr 1975, hat irgendwer ein Buch über Lynchmorde veröffentlicht. Er hatte seine Hausaufgaben gemacht, hatte jede Menge gruselige Fotos gefunden, und es las sich gut. Nach seinen Angaben – der Mann kam aus dem Norden und brannte darauf, uns schlecht dastehen zu lassen – wurden von 1882 bis 1968 in den Vereinigten Staaten dreitausendfünfhundert Schwarze gelyncht. Es gab auch dreizehnhundert Lynchmorde an Weißen, aber da waren die meisten Opfer Pferdediebe drüben im Westen. Ab 1900 wurden fast nur Schwarze gelyncht, auch ein paar Frauen und Kinder waren dabei.«

»Muss das beim Mittagessen sein?«, fragte Harry Rex.

»Ich wusste gar nicht, dass du so einen empfindlichen Magen hast, Dicker«, konterte Willie. »Ratet mal, welcher Bundesstaat die meisten Lynchmorde zu verzeichnen hat.«

»Ich traue mich gar nicht zu fragen«, sagte Jake.

»Zu Recht. Wir sind Nummer eins, mit fast sechshundert,

und bis auf vierzig waren alle Opfer schwarz. Georgia liegt dicht dahinter auf dem zweiten Platz, Texas ebenfalls dicht dahinter auf dem dritten. Ich erinnere mich, wie ich das Buch las und mir dachte, sechshundert ist ganz schön viel. Wie viele davon mögen in Ford County passiert sein? Ich ging einhundert Jahre zurück und las jede Ausgabe der *Times*. Dabei habe ich nur drei gefunden, alle schwarz, und keine Erwähnung von Sylvester Rinds.«

»Wer hat diese Zahlen zusammengestellt?«, fragte Jake.

»Es hat Untersuchungen gegeben, aber ihre Glaubwürdigkeit ist zweifelhaft.«

»Wenn sechshundert bekannt waren«, sagte Harry Rex, »müssen es viel mehr gewesen sein.«

Willie trank einen Schluck Bier. »Ratet, wie viele Anklagen es wegen Lynchmordes gegeben hat.«

»Keine.«

»So ist es. Nicht eine einzige. Es war Gewohnheitsrecht, und die Schwarzen waren Freiwild.«

»Da kann einem schlecht werden«, sagte Jake.

»So geht es Ihren Geschworenen auch, lieber Freund«, sagte Willie, »und deswegen sind sie auf Ihrer Seite.«

Um halb zwei versammelten sich die Geschworenen erneut im Beratungszimmer. Es wurde kein Wort über das Verfahren gesprochen. Ein Gerichtsdiener führte sie in den Sitzungssaal. Die Leinwand war verschwunden. Es gab keine weiteren Zeugen.

Richter Atlee blickte von seinem Richtertisch herab. »Mr. Brigance, Ihr Schlussvortrag.«

Jake trat ohne Block ans Rednerpult, er hatte keine Notizen. »Dies wird das kürzeste Schlussplädoyer in der Geschichte dieses Gerichtssaals, weil nichts, was ich sagen könnte, so überzeugend wäre wie die Aussage von Ancil Hubbard. Je länger ich rede, desto größer wird der Abstand zwischen ihm und Ihren Beratungen, deshalb werde ich mich kurz fassen. Ich möchte, dass Sie sich an alles erinnern, was er gesagt hat. Nicht, dass irgendwer, der dies gehört hat, es jemals vergessen könnte. Prozesse nehmen oft eine unerwartete Wendung. Als die Verhandlung heute Morgen begann, konnte keiner von uns vorhersehen, dass ein Lynchmord erklären würde, warum Seth Hubbard sein Vermögen Lettie Lang hinterlassen hat. Sein Vater hat ihren Großvater im Jahr 1930 gelyncht. Und nachdem er ihn ermordet hatte, eignete er sich sein Land an und vertrieb seine Familie, und Ancil Hubbard hat diese Geschichte viel besser erzählt, als ich es je könnte. Sechs Monate lang haben viele von uns sich gefragt, warum Seth getan hat, was er getan hat. Jetzt wissen wir es. Jetzt ist es klar.

Ich persönlich empfinde neue Bewunderung für Seth Hubbard, einen Mann, dem ich nie begegnet bin. Trotz aller seiner Fehler – wir haben alle Fehler – war er ein überragender Mensch. Wen kennen Sie sonst noch, der in zehn Jahren ein solches Vermögen hätte anhäufen können? Aber darüber hinaus ist es ihm irgendwie gelungen, Esther, Lois und Lettie nicht aus den Augen zu verlieren. Rund fünfzig Jahre später rief er Lettie an und offerierte ihr eine Stelle – sie hatte sich nicht bei ihm gemeldet. Er hatte alles geplant. Er war genial. Ich bewundere Seth Hubbard für seinen Mut. Er wusste, dass er im Sterben lag, und weigerte sich trotzdem, das zu tun, was von ihm erwartet wurde. Er wählte den Konflikt. Er wusste, dass sein Ruf beschmutzt werden würde, dass seine Familie seinen Namen verfluchen würde, aber das war ihm egal. Er tat das, was er für richtig hielt.«

Jake trat einen Schritt vor und griff nach dem handschriftlichen Testament. »Und nicht zuletzt bewundere ich Seth Hubbard für seinen Gerechtigkeitssinn. Mit diesem handschriftlichen Testament versuchte er, ein Unrecht wiedergutzumachen, das den

Rinds vor Jahrzehnten von seinem Vater zugefügt worden war. Es ist an Ihnen, den Geschworenen, Seth dabei zu helfen, dieses Unrecht wiedergutzumachen. Vielen Dank.«

Langsam kehrte Jake zu seinem Platz zurück und warf dabei einen flüchtigen Blick auf die Zuschauer. In der hintersten Reihe saß grinsend und nickend Lucien Wilbanks.

Drei Minuten und zwanzig Sekunden, sagte Harry Rex zu sich selbst, nachdem er die Stoppfunktion seiner Uhr betätigt hatte.

»Mr. Lanier«, sagte Richter Atlee.

Laniers Humpeln war noch ausgeprägter als sonst, als er zum Rednerpult ging. Er und seine Mandanten mussten ohnmächtig zusehen, wie ihnen das Geld erneut durch die Finger rann. Sie hatten es schon in der Tasche gehabt. Heute Morgen um acht Uhr hatten sie es in Gedanken bereits ausgegeben.

Lanier hatte in diesem schwierigen Augenblick wenig zu sagen. Die Geschichte hatte plötzlich und unerwartet ihr Haupt erhoben und ihn vernichtet. Aber er war ein alter Haudegen, und es war nicht das erste Mal, dass er in einer schwierigen Situation steckte.

»Zu den wichtigsten Mitteln, die einem Anwalt im Sitzungssaal zur Verfügung stehen, gehört die Möglichkeit, die Zeugen der Gegenseite im Kreuzverhör zu befragen. Der Anwalt erhält fast immer Gelegenheit dazu, aber manchmal – wie zum Beispiel jetzt – bleibt sie einem versagt. Das ist höchst frustrierend. Ich fühle mich, als hätte man mir Handschellen angelegt. Ich hätte Ancil Hubbard gern hier, um ihm ein paar Fragen zu stellen. Zum Beispiel würde ich gern sagen: ›Mr. Hubbard, ist es nicht richtig, dass Sie sich augenblicklich in Gewahrsam der Polizei von Juneau befinden?‹ Und: ›Mr. Hubbard, ist es nicht richtig, dass Sie wegen Handels mit Kokain und Flucht aus dem Polizeigewahrsam in Haft sind?‹ Und: ›Mr. Hubbard, ist es nicht richtig, dass Sie von den Behörden in mindestens vier Bundesstaaten wegen Delikten wie Erlangung von Gütern unter Vorspiegelung falscher Tatsachen, schwerem Diebstahl und Verletzung der Unterhaltspflicht gesucht werden?‹ Und: ›Mr. Hubbard, würden Sie der Jury bitte erklären, warum Sie in den vergangenen zwanzig Jahren keine Steuererklärung abgegeben haben?‹ Und die eine wirklich wichtige Frage: ›Mr. Hubbard, ist es nicht richtig, dass Sie eine Million Dollar erben, wenn Seth Hubbards handschriftliches Testament für gültig erklärt wird?‹

Aber das kann ich nicht, meine Damen und Herren, weil er nicht hier ist. Ich kann Sie nur warnen. Ich kann Sie nur darauf hinweisen, dass vielleicht nicht alles, was Sie von Ancil Hubbard gesehen und gehört haben, so ist, wie es scheint.

Vergessen wir Ancil für einen Augenblick. Gehen Sie als Geschworene bitte einmal zum gestrigen Abend zurück. Erinnern Sie sich, was Sie gestern Abend gedacht haben. Sie hatten überzeugende Zeugenaussagen gehört. Zunächst von Ärzten mit tadellosem Ruf, Experten, die mit Krebspatienten gearbeitet haben und wissen, in welchem Maße starke Schmerzmittel die Fähigkeit, klar zu denken, beeinträchtigen.«

Lanier fasste die Aussagen von Swaney und Niehoff zusammen. Da es sein Schlussplädoyer war, hatte er durchaus Spielraum, um seine Argumente überzeugend zu gestalten, aber er verzerrte die Dinge so absurd, dass Jake sich gezwungen sah, aufzustehen.

»Einspruch, Euer Ehren«, sagte er. »Meines Erachtens hat Dr. Niehoff das nicht gesagt.«

»Stattgegeben«, verkündete Richter Atlee barsch. »Mr. Lanier, bleiben Sie bitte bei den Tatsachen.«

Pikiert schwadronierte Lanier weiter darüber, was diese exzellenten Ärzte von sich gegeben hatten. Dabei hatten sie erst am Vortag ausgesagt. Es gab keinen Grund, ihre Aussagen zu wiederholen. Wade Lanier war aus dem Tritt gekommen und hatte den Faden verloren. Zum ersten Mal seit Beginn der Verhandlung wirkte er hilflos.

»Seth Hubbard war nicht testierfähig«, wiederholte er mehrfach, als ihm nichts mehr einfiel.

Er kam auf das Testament von 1987 zu sprechen und hackte zu Jakes großer Freude und dem Entsetzen der Geschworenen noch einmal auf Einzelheiten herum. »3,1 Millionen Dollar einfach so zum Fenster hinausgeworfen«, sagte er und schnippte mit den Fingern. Er beschrieb einen Steuertrick, der als Generationen überspringender Treuhandfonds bekannt war, und als Geschworene Nummer zehn, Debbie Lackner, schon beinahe eingeschlafen war, sagte er noch einmal: »3,1 Millionen Dollar einfach so zum Fenster hinausgeworfen«, und schnippte noch lauter mit den Fingern.

Es war eine Todsünde, Geschworene zu langweilen, die nicht wegkonnten und notgedrungen zuhören mussten, aber Wade Lanier fand einfach kein Ende. Klugerweise verzichtete er jedoch auf jeden Angriff auf Lettie Lang. Seine Zuhörer hatten soeben die Wahrheit über ihre Familie erfahren, da wäre es unklug gewesen, sie herabzusetzen oder zu verurteilen.

Als Lanier eine quälende Pause einlegte, um seine Notizen zu konsultieren, schaltete sich Richter Atlee ein. »Kommen Sie zum Schluss, Mr. Lanier. Sie haben bereits überzogen.«

»Tut mir leid, Euer Ehren.« Aus dem Konzept gebracht, bedankte er sich salbungsvoll bei den Geschworenen für ihre »wunderbare Arbeit« und schloss mit der Bitte um verantwortungsbewusste Beratungen ohne Emotionen und Schuldgefühle.

»Gegenbeweise, Mr. Brigance?«, fragte Richter Atlee.

Jake standen zehn Minuten zur Verfügung, um auf alles zu erwidern, was Lanier gesagt hatte. Als Anwalt der antragstellenden Partei hatte er das letzte Wort, aber er verzichtete wohlweislich darauf. »Nein, Euer Ehren. Ich denke, die Geschworenen haben genug gehört.«

»Sehr schön. So, meine Damen und Herren, ich werde Ihnen nun ein paar Minuten lang erklären, wie die gesetzlichen Bestimmungen lauten und wie sie in dieser Sache anzuwenden sind, hören Sie mir also bitte aufmerksam zu. Wenn ich fertig bin, ziehen Sie sich ins Geschworenenzimmer zurück und beginnen mit Ihren Beratungen. Noch Fragen?«

Die Warterei war immer das Schlimmste. Trotzdem fiel eine große Last von allen ab, nachdem sich die Jury zurückgezogen hatte. Die Arbeit war getan, alle Zeugen hatten ausgesagt, die Sorge um Eröffnungs- und Schlussplädoyers war vorbei. Jetzt begann das Warten. Es ließ sich unmöglich vorhersagen, wie lange es dauern würde.

Jake lud Wade Lanier und Lester Chilcott auf einen Drink zu sich in die Kanzlei ein. Es war schließlich Freitagnachmittag, und die Woche war vorbei. Sie öffneten auf dem Balkon oben ein paar Bier und beobachteten das Gerichtsgebäude. Jake deutete auf ein großes Fenster in der Ferne.

»Das ist das Geschworenenzimmer«, sagte er. »Da sitzen sie jetzt gerade.«

Lucien tauchte auf, wie immer auf der Suche nach einem Drink. Jake würde sich später mit ihm aussprechen, aber im Augenblick verlangte die Stimmung nach Alkohol.

»Kommen Sie, Wilbanks«, sagte Lanier lachend, »Sie müssen uns erzählen, was in Juneau passiert ist.«

Lucien kippte ein halbes Bier hinunter und fing an zu reden.

Nachdem jeder Geschworene einen Schluck Kaffee, Limo oder Wasser getrunken hatte, rief Nevin Dark die kleine Versammlung zur Ordnung.

»Ich schlage vor, wir fangen mit diesem Arbeitsblatt für den Urteilsspruch an, das uns der Richter gegeben hat«, sagte er. »Irgendwelche Einwände?«

Es gab keine. Für die Beratungen der Geschworenen gab es keine Richtlinien. Richter Atlee hatte gesagt, sie könnten ihre Vorgehensweise selbst bestimmen.

»Gut«, begann Nevin, »hier ist die erste Frage: Ist das von Seth Hubbard unterzeichnete Dokument ein rechtsgültiges eigenhändiges Testament, in dem Sinne, dass es erstens vollständig von Seth Hubbard geschrieben, zweitens von Seth Hubbard unterzeichnet und drittens von Seth Hubbard datiert wurde? Gibt es Gesprächsbedarf?«

»Daran gibt es keinen Zweifel«, stellte Michele Still fest.

Die anderen stimmten ihr zu. Die anfechtenden Parteien hatten das nicht bestritten.

Nevin fuhr fort: »Die nächste und zentrale Frage ist, ob Seth Hubbard testierfähig und im Vollbesitz seiner geistigen Kräfte war. Die Frage ist, ob er sich über Wesen und Wirkung dieses eigenhändigen Testaments im Klaren war. Da das der Knackpunkt der Sache ist, schlage ich vor, dass nacheinander jeder sagt, was er denkt. Wer will zuerst?«

»Sie selbst, Mr. Dark«, sagte Fay Pollan. »Sie sind Geschworener Nummer eins.«

»Okay, ich sehe die Sache so. Ich halte es für falsch, die Familie zu enterben und das gesamte Geld einer anderen Person zu vermachen, vor allem jemandem, den man erst seit drei Jahren kennt. Aber wie Mr. Brigance ganz zu Beginn gesagt hat, haben wir nicht darüber zu entscheiden, wer das Geld bekommen soll. Es ist nicht unser Geld. Ich glaube auch, dass Seth Hubbard in den letzten Tagen nicht mehr ganz auf der Höhe und mit Medikamenten vollgepumpt war, aber nachdem ich Ancil Hubbard gesehen habe, habe ich keinen Zweifel daran, dass Seth wusste, was er tat. Er hatte das schon lange geplant. Ich stimme für das Testament. Mrs. McMillen?«

»Ich bin Ihrer Meinung«, sagte Tracy McMillen eilig. »So vieles an dieser Sache stört mich, aber es gibt so viel, mit dem ich mich nicht beschäftigen soll. Wir sehen uns plötzlich mit einer jahrzehntealten Geschichte konfrontiert, und ich glaube nicht, dass sich irgendjemand von uns da einmischen sollte. Seth Hubbard hatte gute Gründe für sein Handeln.«

»Mrs. Still?«

»Sie können sich vorstellen, wie ich mich fühle. Ich wünschte nur, wir wären nicht hier. Ich wünschte, Seth Hubbard hätte Lettie Lang etwas Geld hinterlassen, wenn er das wollte, und dann für seine Familie gesorgt, selbst wenn er sie nicht mochte. Ich kann es ihm nicht verübeln. Aber ich finde, egal wie unsympathisch sie sind, sie haben es nicht verdient, leer auszugehen.«

»Mrs. Pollan?«

Fay Pollan war so unbeliebt wie sonst niemand im Raum, vielleicht mit Ausnahme von Frank Doley. »Um seine Familie mache ich mir keine großen Sorgen«, sagte sie. »Die haben wahrscheinlich mehr Geld als die meisten von uns, und sie sind jung und gebildet. Die kommen schon zurecht. Seth Hubbard hat sein Geld ohne sie verdient, wieso glauben sie, dass ihnen alles zusteht? Er hat sie bewusst enterbt, aus Gründen, die wir nie erfahren werden. Und sein Sohn wusste nicht einmal, wer Center Fielder bei den Braves war. Mein Gott! Wir sind schon seit Jahren Fans von Dale Murphy. Ich glaube, der hat einfach gelogen. Auf jeden Fall bin ich mir sicher, dass Seth Hubbard kein netter Mensch war, aber, wie Mr. Brigance gesagt hat, es geht uns nichts an, wem er sein Geld zukommen lässt. Er war krank, aber verrückt war er nicht.«

Es war eine Zwei-Bier-Beratung. Nach dem zweiten rief eine Justizangestellte an und sagte, die Geschworenen hätten sich auf ein Urteil geeinigt. Das Gelächter verstummte schlagartig, als die Anwälte Kaugummi in den Mund stopften und ihre Krawatten zurechtrückten. Sie gingen gemeinsam in den Gerichtssaal und nahmen ihre Plätze ein. Jake drehte sich nach den Zuschauern um und entdeckte Carla und Hanna in der ersten Reihe hinter sich.

Sie lächelten, und Carla bildete mit den Lippen stumm die Worte »Viel Glück«.

»Geht es Ihnen gut?«, fragte Jake und beugte sich zu Lettie.

»Ich bin mit mir im Reinen«, erwiderte sie. »Und Sie?«

»Ich bin mit den Nerven am Ende«, sagte er lächelnd.

Richter Atlee nahm seinen Platz am Richtertisch ein, und die Geschworenen wurden hereingeführt. Kein Prozessanwalt schafft es, die Geschworenen nicht anzusehen, wenn sie mit dem Urteilsspruch zurückkehren, obwohl jeder schwört, sie nicht zu beachten. Jake blickte Michele Still an, die sich setzte und ihn dann mit einem flüchtigen Lächeln bedachte. Nevin Dark gab den Urteilsspruch der Justizangestellten, die ihn an Richter Atlee weiterreichte. Er studierte ihn endlos lange und beugte sich dann ein paar Zentimeter näher zu seinem Mikrofon.

»Der Urteilsspruch scheint mir in Ordnung zu sein«, sagte er, die Dramatik auskostend. »Die Jury musste fünf Fragen beantworten. Erstens: Hat Seth Hubbard am 1. Oktober 1988 ein rechtsgültiges eigenhändiges Testament verfasst? Die Antwort der Geschworenen lautet Ja, mit zwölf Stimmen dafür und ohne Gegenstimme. Zweitens: Verstand Seth Hubbard bei der Ausfertigung seines eigenhändigen Testaments Wesen und Wirkung seiner Handlungen? Die Antwort der Geschworenen lautet Ja, mit zwölf Stimmen dafür und ohne Gegenstimme. Drittens:

War sich Seth Hubbard darüber im Klaren, wer die Begünstigten waren, die er in seinem eigenhändigen Testament bedachte? Die Antwort der Geschworenen lautet Ja, mit zwölf Stimmen dafür und ohne Gegenstimme. Viertens: War sich Seth Hubbard über Art und Höhe seines Vermögens im Klaren, und wusste er, wie er darüber verfügen wollte? Die Antwort der Geschworenen lautet Ja, mit zwölf Stimmen dafür und ohne Gegenstimme. Und fünftens: Wurde Seth Hubbard von Lettie Lang oder einer anderen Person in unzulässiger Weise beeinflusst, als er am 1. Oktober 1988 sein eigenhändiges Testament verfasste? Die Antwort der Geschworenen lautet Nein, mit zwölf Stimmen dafür und ohne Gegenstimme.«

Ramona rang nach Luft und fing an zu weinen. Herschel, der sich in die zweite Reihe zurückgezogen hatte, stand sofort auf und stürmte aus dem Sitzungssaal. Ihre Kinder hatten die Verhandlung schon am Vortag verlassen.

Richter Atlee dankte den Geschworenen und entließ sie. Er vertagte die Verhandlung und verschwand. Die Sieger umarmten einander, die Unterlegenen zogen lange Gesichter. Wade Lanier war ein guter Verlierer und gratulierte Jake zu dessen erfolgreicher Arbeit. Er fand freundliche Worte für Lettie und wünschte ihr alles Gute.

Man sah Lettie nicht an, dass sie kurz davor stand, die reichste Schwarze im Bundesstaat zu werden. Sie wollte nur noch nach Hause. Sie ignorierte ein paar Journalisten und schob einige Gratulanten beiseite. Sie hatte es satt, betatscht und bevormundet zu werden.

Harry Rex organisierte spontan eine Party, Würstchen vom Grill in seinem Garten und Bier aus der Kühltasche. Portia würde kommen, sobald Lettie versorgt war. Willie Traynor war immer für jede Party zu haben. Lucien wollte früh kommen und vielleicht Sallie mitbringen, ein seltenes Ereignis. Noch bevor sie den Sitzungssaal verlassen hatten, fing er an, sich mit diesem Sieg zu brüsten.

Jake hätte ihn am liebsten erwürgt.

48

Die Predigt war der jährliche Aufruf zum verantwortungsvollen Umgang mit der Schöpfung, die übliche Ermahnung, großzügiger zu spenden, die Aufforderung, eine Anstrengung zu unternehmen, um dem Herrn den Zehnten zu geben, und das mit Freude. Jake hatte das hundertmal gehört und fand es wie immer schwierig, länger Blickkontakt zum Reverend zu halten, während er in Gedanken mit viel wichtigeren Dingen beschäftigt war. Er bewunderte den Reverend und gab sich jeden Sonntag redlich Mühe, so auszusehen, als lauschte er gebannt dessen Moralpredigten, aber oft ging es beim besten Willen nicht.

Richter Atlee saß drei Reihen vor ihm, direkt am Gang, auf demselben ehrwürdigen Platz, den er seit zehn Jahren für sich in Anspruch nahm. Jake starrte auf seinen Hinterkopf und dachte an den Prozess und das bevorstehende Revisionsverfahren. Da das Urteil noch so frisch war, steckte der Prozess nun erst einmal fest. Das Verfahren würde ewig dauern. Neunzig Tage hatte die Gerichtsstenografin, um Hunderte von Seiten mit Verhandlungsprotokollen zu transkribieren, mehr als neunzig, weil die Frist nur selten eingehalten wurde. Anträge und Manöver im Anschluss an das Verfahren würden monatelang dauern. Wenn das Schlussprotokoll dann tatsächlich endgültig war, blieben den Unterlegenen neunzig Tage, um Revision einzulegen, falls erforderlich auch mehr. Wenn die Revisionsklage beim Obersten Gericht und bei Jake einging, hatte er wiederum neunzig

Tage für eine Erwiderung. Wenn alle Fristen eingehalten und die Schriftsätze bei Gericht eingereicht waren, begann die tatsächliche Wartezeit. Typischerweise gab es Verspätungen, Verzögerungen und Vertagungen. Die Anwälte hatten gelernt, nicht zu fragen, wieso es so lange dauerte. Das Gericht tat sein Bestes.

Eine Revision in einer Zivilsache dauerte in Mississippi durchschnittlich zwei Jahre. Bei der Vorbereitung auf den Hubbard-Prozess war Jake auf einen ähnlichen Fall in Georgia gestoßen, der sich dreizehn Jahre lang hingezogen hatte. Er war vor drei verschiedenen Jurys ausgefochten worden, landete wie ein Jo-Jo immer wieder beim Obersten Gerichtshof und wurde schließlich durch einen Vergleich beigelegt, als die meisten Prozessbeteiligten bereits verstorben waren und die Anwälte das gesamte Geld eingestrichen hatten. Die Frage der Anwaltshonorare störte Jake nicht, aber er machte sich Sorgen um Lettie.

Portia hatte ihm erzählt, dass ihre Mutter nicht mehr zur Kirche ging. Es wurde zu oft über den Zehnten gepredigt.

Wenn man der vereinten Weisheit von Harry Rex und Lucien glauben wollte, war Jakes Urteil angreifbar. Die Zulassung von Ancils Video war ein Revisionsgrund. Die überraschende Präsentation des Zeugen Fritz Pickering war nicht ganz so eindeutig, würde vom Obersten Gerichtshof aber wahrscheinlich ebenfalls missbilligt werden. Die nachträgliche »Zeugenflut« von Wade Lanier würde vermutlich harsch getadelt werden, war allein aber nicht ausreichend für eine Aufhebung des Urteils. Nick Norton war ebenfalls dieser Meinung. Er hatte sich die Verhandlung am Freitag angesehen und war überrascht, dass das Video gezeigt wurde. Inhaltlich fand er es sehr bewegend, aber er bezweifelte, dass es zulässig war. Die vier Anwälte hatten gemeinsam mit Willie Traynor und anderen Experten am Freitag bis in die Nacht hinein mit Bier und Würstchen gefeiert und debattiert, während die Damen bei Harry Rex am Pool saßen, Wein tranken und sich mit Portia unterhielten.

Obwohl die Hubbard-Sache Jake finanziell gerettet hatte, wollte er damit abschließen. Er hatte keine Lust, den Nachlass noch jahrelang Monat für Monat um sein Honorar zu erleichtern. Irgendwann würde er sich als Schmarotzer fühlen. Er hatte soeben einen großen Prozess gewonnen und wollte das gern noch einmal erleben.

An jenem Morgen erwähnte niemand in der First Presbyterian Church das Verfahren, und Jake war dankbar dafür. Später, als alle unter zwei riesigen Eichen freundliche Worte wechselten, während sie sich zentimeterweise dem Parkplatz näherten, begrüßte Richter Atlee Carla und Hanna und äußerte seine Freude über den schönen Frühlingstag. Er ging neben Jake den Gehweg entlang.

»Können Sie heute Nachmittag gegen fünf vorbeikommen?«, fragte er, als die anderen außer Hörweite waren. »Es gibt da etwas, was ich mit Ihnen besprechen möchte.«

»Natürlich«, erwiderte Jake.

»Und könnten Sie Portia mitbringen? Ich möchte wissen, was sie davon hält.«

»Ich denke schon.«

Sie saßen am Esstisch unter einem ächzenden Ventilator, der nicht gegen die schwüle Hitze ankam. Draußen war es viel kühler – die Veranda wäre nett gewesen –, aber der Richter bevorzugte aus irgendeinem Grund das Esszimmer. Er hatte eine Kanne Kaffee und eine Platte mit billigem Gebäck aus dem Supermarkt bereitgestellt. Jake trank einen Schluck von dem schwachen, ekelhaften Gebräu und ließ den Rest stehen.

Portia nahm gar nichts zu sich. Sie war nervös und konnte ihre Neugier nicht unterdrücken. Dies war nicht ihr Teil der Stadt.

Ihre Mutter mochte ein paar schöne Häuser kennen, weil sie dort geputzt hatte, aber sie war nie in einem zu Gast gewesen.

Richter Atlee saß am Kopfende des Tisches mit Jake zu seiner Rechten und Portia zu seiner Linken. Nach ein paar verlegenen Einleitungsfloskeln verkündete er, als säße er am Richtertisch und blickte auf eine Horde erwartungsvoller Anwälte herab: »Ich will, dass dieser Streit durch einen Vergleich beigelegt wird. In den nächsten beiden Jahren wird niemand an das Geld herankommen, solange das Revisionsverfahren läuft. Hunderte von Stunden werden dafür aufgewendet werden. Die anfechtenden Parteien werden überzeugend für eine Aufhebung des Urteils argumentieren, und ich verstehe, warum. Ich habe das Video von Ancil Hubbard zugelassen, weil es in diesem Augenblick fair war. Die Geschworenen – und wir alle – mussten die Geschichte hören. Sie erklärt Seth Hubbards Motive. Es wird überzeugend vorgetragen werden, dass das prozessrechtlich ein Fehler war. Aus egoistischen Gründen möchte ich nicht, dass mein Urteil aufgehoben wird, aber meine Gefühle spielen keine Rolle.«

Das glaubst du doch selber nicht, dachte Jake mit einem Seitenblick auf Portia. Sie fixierte wie erstarrt den Tisch.

»Nehmen wir mal einen Augenblick lang an, dass die Sache neu verhandelt wird. Beim nächsten Mal wird Sie die Pickering-Affäre nicht mehr überraschend treffen. Sie werden auf Julina Kidd vorbereitet sein. Und vor allem werden Sie Ancil Hubbard als Betroffenen und lebenden Zeugen dabeihaben. Oder – falls er im Gefängnis sitzt – Sie können zumindest eine ordnungsgemäß protokollierte Zeugenaussage aufnehmen. Auf jeden Fall werden Sie beim nächsten Mal deutlich bessere Argumente haben, Mr. Brigance. Stimmen Sie mir da zu?«

»Ja, natürlich.«

»Sie werden den Prozess gewinnen, weil Sie den Prozess

gewinnen sollten. Das ist genau der Grund, warum ich Ancil Hubbards Video zugelassen habe. Es war richtig und fair, das zu tun. Können Sie mir folgen, Portia?«

»Ja.«

»So, wie regeln wir nun diese Sache und verhindern eine Revision, damit wir wieder in Frieden leben können?«

Jake wusste, dass der Richter die Antwort kannte und eigentlich keine Kommentare wünschte.

»Ich denke seit Freitagnachmittag an nichts anderes«, fuhr Atlee fort. »Seth Hubbards Testament war ein verzweifelter Versuch, ein entsetzliches Unrecht in letzter Minute wiedergutzumachen. Dadurch dass er Ihrer Mutter so viel hinterließ, wollte er eigentlich Ihren Urgroßvater und alle Rinds entschädigen. Stimmen Sie mir zu?«

Gib ihm recht, verdammt noch mal, Portia, gib ihm recht. Jake hatte das schon hundertmal erlebt. Die Frage »Stimmen Sie mir zu?« hieß, dass der Richter begeisterte Zustimmung erwartete.

»Ja, Sir«, sagte sie.

Richter Atlee trank einen Schluck Kaffee, und Jake fragte sich, ob er sich jeden Morgen dieses ekelhafte Gesöff einverleibte.

»Im Augenblick frage ich mich, was Ihre Mutter wirklich möchte, Portia«, sagte der Richter. »Es wäre wichtig, das zu wissen. Sicher hat sie mit Ihnen darüber gesprochen. Können Sie uns sagen, was sie denkt?«

»Natürlich. Meine Mutter will nicht viel, und sie ist nicht begeistert davon, das ganze Geld zu bekommen. Mir fällt kein besserer Ausdruck ein, aber es ist sozusagen weißes Geld. Es gehört uns nicht wirklich. Meine Mutter hätte gern das Land, die dreißig Hektar, und sie würde sich dort gern ein Haus bauen, ein schönes Haus, aber keine Villa. Sie hat mehrere schöne

Häuser gesehen, aber immer in dem Bewusstsein, dass sie selbst nie eines haben würde. Jetzt kann sie zum ersten Mal in ihrem Leben davon träumen, ein nettes Heim zu haben, in dem sie nur für sich selbst putzt. Sie will viel Platz für ihre Kinder und Enkel. Sie wird nie wieder heiraten, obwohl die Geier schon kreisen. Sie will hier weg und aufs Land ziehen, wo sie ihre Ruhe hat und keiner sie belästigt. Sie war heute Morgen nicht in der Kirche, schon seit einem Monat nicht mehr. Jeder hält die Hand auf. Meine Mutter will nur in Ruhe gelassen werden.«

»Sie will doch bestimmt mehr als ein Haus und dreißig Hektar«, sagte Jake.

»Na ja, wer hätte nicht gern Geld auf der hohen Kante? Sie hat es satt, putzen zu gehen.«

»Wie viel Geld?«, fragte Richter Atlee.

»So weit sind wir nicht gekommen. In den vergangenen sechs Monaten hat sie sich nie hingesetzt und gesagt: ›So, ich nehme fünf Millionen für mich, jedes Kind bekommt eine Million und so weiter.‹ So tickt meine Mutter einfach nicht. Sie denkt nicht in solchen Größenordnungen. Das übersteigt ihre Vorstellungskraft.« Sie legte eine Pause ein. »Wie würden Sie das Geld aufteilen, Richter Atlee?«, fragte sie dann.

»Schön, dass Sie fragen. Hier ist mein Plan. Der Großteil des Geldes sollte in einen Fonds zugunsten Ihrer Blutsverwandten fließen, nicht in Barauszahlungen, die nur Gier wecken würden, sondern in eine Stiftung, die ausschließlich für Bildungszwecke in Anspruch genommen werden kann. Wer weiß, wie viele Rinds es gibt, wobei ich davon überzeugt bin, dass sich das schnell herausstellen wird. Die Stiftung würde einer strengen Kontrolle durch einen Treuhänder unterliegen, der mir Bericht erstatten würde. Das Geld würde gut angelegt und über einen Zeitraum von, sagen wir, zwanzig Jahren ausbezahlt, und in dieser Zeit würde es so eingesetzt, dass es so vielen Studenten wie möglich zugutekommt. Es darf nur für einen einzigen Zweck verwendet werden, und Bildung ist am sinnvollsten. Wenn es keine Einschränkung gibt, trudeln Tausende von Anfragen für alles von der medizinischen Versorgung über Lebensmittel bis hin zu Wohnungen oder neuen Autos ein. Das Geld ist kein Geschenk, sondern muss verdient werden. Blutsverwandte, die fleißig lernen und den Sprung aufs College schaffen, qualifizieren sich für die Unterstützung.«

»Wie sollen die einzelnen Anteile aussehen?«, fragte Jake.

Portia lächelte.

»In groben Zügen schlage ich Folgendes vor: Lassen Sie uns mit einer Zahl von zwölf Millionen arbeiten. Wir wissen, dass sich das noch ändern kann, aber es wird ein Wert in dieser Größenordnung sein. Für die Vermächtnisse an Ancil und die Kirche würde ich je eine halbe Million vorsehen. Bleiben elf. Fünf Millionen davon kommen in den Treuhandfonds, den ich gerade beschrieben habe. Das reicht für eine Menge Studiengebühren, aber es werden sich auch bestimmt viele alte und neue Verwandte melden.«

»Es rollen immer noch ganze Wagenladungen an«, sagte Portia.

»Bleiben sechs Millionen« fuhr Richter Atlee fort. »Die teilen wir gleichmäßig unter Mrs. Lang sowie Herschel und Ramona Hubbard auf. Selbstverständlich erhält Mrs. Lang die dreißig Hektar, die einst ihrem Großvater gehört haben.«

Jake holte tief Luft, während die Zahlen auf ihn einprasselten. Er blickte auf die andere Seite des Tischs. »Der Schlüssel dazu ist Lettie, Portia.«

Portia lächelte immer noch. »Sie wird es annehmen. Sie bekommt ein schönes Haus und ein nettes Polster, muss sich aber nicht mit einem Vermögen herumschlagen, von dem jeder eine Scheibe abhaben will. Sie hat gestern Abend zu mir gesagt, das

Geld gehört allen Verwandten von Sylvester, nicht nur ihr. Sie will glücklich sein und ihre Ruhe haben.«

»Wie wollen Sie das den anderen verkaufen?«, fragte Jake.

»Ich gehe davon aus, dass Herschel und Ramona begeistert sein werden«, erwiderte Richter Atlee. »Keine Ahnung, wie Ancil und die Kirche reagieren. Aber vergessen Sie nicht, dass ich immer noch den Nachlass kontrolliere, und das werde ich tun, solange ich Lust habe. Kein Cent kann je ohne meine Zustimmung ausgegeben werden, und es gibt keine Frist für die Abwicklung eines Nachlasses. Ich bin mir sicher, dass mich nie jemand hinter meinem Rücken ›Esel‹ genannt hat, aber wenn ich stur sein will, kann ich die nächsten zehn Jahre lang auf dem Geld sitzen. Solange der Schutz des Nachlassvermögens garantiert ist, kann ich die Auszahlung zurückhalten, solange ich will.« Er sprach nun wie ein Richter am Chancery Court und hegte offensichtlich keinen Zweifel daran, dass Richter Reuben V. Atlee seinen Willen bekommen würde. »Tatsächlich könnte es nötig werden, den Nachlass unbefristet weiterzuführen, um den besprochenen Bildungsfonds zu verwalten.«

»Wer soll den Fonds verwalten?«, fragte Jake.

»Ich hatte an Sie gedacht.«

Jake zuckte zusammen und hätte gern die Flucht ergriffen bei dem Gedanken an die vielen Dutzend oder gar Hundert Studenten, die nach Geld schreien würden.

»Das ist eine wunderbare Idee«, sagte Portia. »Meine Familie würde sich besser fühlen, wenn Jake im Spiel bleiben und ein Auge auf das Geld haben würde.«

»Wie auch immer, das können wir später noch klären«, wehrte Jake ab.

»Sind wir uns einig?«, fragte der Richter.

»Ich bin keine Partei«, sagte Jake. »Mich brauchen Sie nicht anzusehen.«

»Ich bin mir sicher, dass meine Mutter einverstanden ist, aber ich muss mit ihr reden«, sagte Portia.

»Schön. Tun Sie das, und melden Sie sich morgen bei mir. Ich bereite ein Memo vor, das ich an alle Anwälte verschicken werde. Mr. Brigance, ich schlage vor, Sie suchen diese Woche Ancil Hubbard auf und klären das. Ich setze in etwa zehn Tagen eine Besprechung mit allen Parteien an. Wir schließen uns ein, bis wir uns geeinigt haben. Ich will, dass das in Ordnung kommt, klar?«

Sie hatten verstanden.

Einen Monat nach dem Urteil hatte sich Ancil Hubbard tief in den Beifahrersitz von Luciens altem Porsche sinken lassen und blickte durch das Fenster auf die sanften Hügel von Ford County. Von der Gegend wusste er nichts mehr. Er hatte die ersten sechzehn Jahre seines Lebens hier verbracht, aber die letzten fünfzig Jahre hart daran gearbeitet, sie zu vergessen. Nichts kam ihm vertraut vor.

Er war gegen Kaution auf freien Fuß gesetzt worden, was Jake und andere arrangiert hatten, und hatte sich von seinem alten Kumpel Lucien überreden lassen, nach Süden zu reisen. Nur noch ein letzter Besuch. Lassen Sie sich überraschen. Das schüttere graue Haar spross wieder und bedeckte teilweise die hässliche Narbe an seinem Hinterkopf. Wie Lucien trug er Jeans und Sandalen.

Sie bogen in eine Nebenstraße ein und näherten sich Seths Haus. Im Vorgarten stand ein Schild mit der Aufschrift »Zu verkaufen«.

»Hier hat Seth gewohnt«, sagte Lucien. »Wollen Sie anhalten?«

»Nein.«

Sie bogen erneut ab, diesmal auf eine Schotterpiste, und fuhren tiefer in den Wald hinein.

»Erkennen Sie irgendwas?«, fragte Lucien.

»Eigentlich nicht.«

Die Bäume standen jetzt weniger dicht, und sie kamen auf eine Lichtung. Vor ihnen parkten kreuz und quer Autos, Erwachsene und Kinder liefen durcheinander. Von einem Holzkohlegrill stieg Rauch auf.

Dahinter trafen sie auf Schutt und Ruinen, die von Kudzu überwuchert waren. Ancil hob eine Hand. »Stopp. Hier.« Sie stiegen aus. Einige der Leute waren in der Nähe und kamen herbei, um sie zu begrüßen, aber Ancil sah sie nicht. Sein Blick wanderte in die Ferne. Er fing an, auf die Platane zuzugehen, wo sein Bruder gefunden worden war. Die anderen gingen ihm schweigend nach, manche blieben zurück. Dicht gefolgt von Lucien, spazierte Ancil etwa hundert Meter zu dem Baum, blieb dann stehen und sah sich um. Er deutete auf einen kleinen Hügel, der mit Eichen und Ulmen bewachsen war. »Wir waren da oben, Seth und ich, im Wald versteckt. Damals kam es mir weiter weg vor. Sie haben ihn hierhergebracht, unter diesen Baum. Früher standen hier mehr Bäume. Eine Reihe von fünf oder sechs Platanen, schnurgerade am Bach entlang. Jetzt ist nur noch eine übrig.«

»Es gab 1968 einen Tornado«, sagte Lucien hinter ihm.

»Hier haben wir Seth gefunden«, sagte Ozzie, der neben Lucien stand.

»Ist das derselbe Baum?«, fragte Jake. Er stand neben Ozzie.

Ancil hörte ihre Stimmen und blickte in ihre Gesichter, aber er sah sie nicht. Er war wie benebelt, in einer anderen Zeit. »Ich bin mir nicht sicher, aber ich glaube schon. Alle Bäume waren gleich, eine perfekte Reihe. Wir haben da drüben geangelt.« Er deutete mit der Hand. »Seth und ich. Genau da drüben.« Er atmete schwer und verzog das Gesicht, dann schloss er die Augen und schüttelte den Kopf. »Es war so furchtbar«, sagte er, als er sie wieder öffnete.

»Ancil, Sylvesters Enkelin ist da drüben«, sagte Lucien. »Möchten Sie sie kennenlernen?«

Er holte tief Luft und erwachte aus seinem Traum. Abrupt drehte er sich um. »Das würde mich sehr freuen.«

Lettie ging auf ihn zu und hielt ihm die Hand hin, aber Ancil ignorierte das. Stattdessen nahm er sie sanft an den Schultern und drückte sie fest. »Es tut mir so leid«, sagte er. »Es tut mir so leid.«

Nach ein paar Sekunden löste sie sich von ihm. »Genug, Ancil. Die Vergangenheit ist vergangen. Vorbei ist vorbei. Ich möchte Ihnen meine Kinder und Enkel vorstellen.«

»Das würde mich sehr freuen.«

Er lernte Portia, Carla, Ozzie, Harry Rex und Letties übrige Familie kennen. Schließlich begegnete er zum ersten Mal seinem Neffen Herschel Hubbard. Alle sprachen durcheinander, während sie den Baum hinter sich ließen und sich auf den Weg zum Picknick machten.

Werkverzeichnis der im Heyne Verlag erschienenen Titel von John Grisham

© Leonardo Cendamo/Grazia Neri/Agentur Focus

Der Autor

John Grisham wurde am 8. Februar 1955 in Jonesboro/
Arkansas, geboren. Als junger Mann träumte er von einer
Karriere als Profi-Baseballspieler, doch als sich diese Pläne
zerschlugen, studierte er in Mississippi Rechnungswesen und
Jura. 1981 schloss er sein Studium erfolgreich ab und heiratete im selben Jahr Renee Jones.
Er ließ sich in Southaven/Mississippi als Anwalt für Strafrecht nieder und engagierte sich außerdem in der Politik.
1983 und 1987 wurde er in das Abgeordnetenhaus von Mississippi gewählt.
Der schreckliche Fall einer vergewaltigten Minderjährigen
brachte ihn zum Schreiben. In Früh- und Nachtschichten
entstand sein erster Thriller *Die Jury,* der 1988 in einem kleinen, unabhängigen Verlag erschien.
Sofort nach Fertigstellung von *Die Jury* begann John Grisham
mit seinem nächsten Buch, *Die Firma.* Noch vor Erscheinen
des Buches erwarb Paramount Pictures die Filmrechte, wodurch die großen Verlage aufmerksam wurden. Schließlich
kaufte Doubleday die Buchrechte, und *Die Firma* wurde der
Bestseller des Jahres 1991 und stand 47 Wochen in Folge auf
der *New York Times*-Bestsellerliste.
Seither hat John Grisham jedes Jahr ein neues Buch veröffentlicht. Alle seine Bücher kamen auf die internationalen

Bestsellerlisten; sie wurden in 38 Sprachen übersetzt. Weltweit sind über 275 Millionen Exemplare verkauft worden. Die meisten seiner Romane wurden auch verfilmt.

Heute lebt John Grisham mit seiner Frau Renee zurückgezogen in Charlottesville/Virginia und auf einer Farm in Oxford/Mississippi. Neben dem Schreiben fördert er die Baseball-Jugend und engagiert sich in karitativen Projekten. Er versucht dem Medienrummel zu entgehen und ein möglichst normales Familienleben zu führen.

»Grisham bürgt für Hochspannung und Qualität, er ist die oberste Instanz des Thrillers.« *Neue Zürcher Zeitung*

»Mit John Grishams Tempo kann keiner mithalten.« *The New York Times*

»John Grisham ist so viel besser als alle anderen.« *Süddeutsche Zeitung*

Die Romane

Die Jury

A Time to Kill

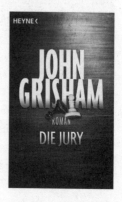

Ein zehnjähriges schwarzes Mädchen wird brutal misshandelt und vergewaltigt. Ihr Vater, Carl Lee Hailey, übt Selbstjustiz und tötet die geständigen Täter. Mord oder Hinrichtung? Gerechtigkeit oder Rache? Jetzt geht es um viel mehr: den Rassenkonflikt, die Machenschaften der Presse und nicht zuletzt die persönlichen Interessen von Staatsanwalt, Richter und Verteidiger.

Die Firma

The Firm

Etwas ist faul an der exklusiven Kanzlei, der Mitch McDeere sich verschrieben hat. Der hochbegabte junge Anwalt wird auf Schritt und Tritt beschattet, er ist umgeben von tödlichen Geheimnissen. Als er dann noch vom FBI unter Druck gesetzt wird, erweist sich der Traumjob endgültig als Albtraum.

Die Akte

The Pelican Brief

In einer Oktobernacht werden zwei Richter des obersten Bundesgerichts der USA ermordet. Die Jurastudentin Darby

Shaw legt eine Akte über den schlimmsten politischen Skandal seit Watergate an – ein tödliches Dokument für alle, die sie kennen. Eine erbarmungslose Jagd beginnt.

Der Klient
The Client

Der elfjährige Mark beobachtet den Selbstmordversuch eines Mannes. Er will eingreifen, aber es ist zu spät. Der Mann, ein New Yorker Mafia-Anwalt, stirbt, nachdem er ein Geheimnis preisgegeben hat: Er nennt den Ort, an dem der ermordete Senator begraben liegt, dessen mutmaßlicher Mörder vor Gericht steht. Mark gerät in die Zwickmühle: FBI und Staatsanwaltschaft setzen ihn unter Druck, damit er auspackt. Die Mafia ihrerseits versucht mit allen Mitteln das zu verhindern.

Die Kammer
The Chamber

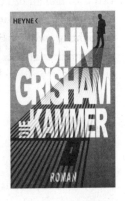

Im Hochsicherheitstrakt des Staatsgefängnisses von Mississippi wartet Sam Cayhall auf die Hinrichtung. Er ist wegen eines tödlichen Bombenanschlags verurteilt. Seine Lage ist hoffnungslos. Nur der Anwalt Adam Hall kann ihm noch eine Chance bieten. Es geht um Tage, Stunden, Minuten.

Der Regenmacher

The Rainmaker

Rudy Baylor, ein Jurastudent im letzten Semester, gewinnt seine ersten »Mandanten«, ein Ehepaar, dessen Sohn an Leukämie erkrankt ist. Die Krankenversicherung weigert sich, für die wahrscheinlich lebensrettende Therapie zu zahlen. Rudy erkennt bald, dass er es mit einem riesigen Versicherungsskandal zu tun hat. Er nimmt den Kampf gegen eines der mächtigsten, korruptesten und skrupellosesten Unternehmen Amerikas auf.

Das Urteil

The Runaway Jury

In Biloxi, einer verschlafenen Kleinstadt in Mississippi, findet ein Prozess statt, der weltweit Aufsehen erregt. Der Richter lässt die Geschworenen von der Außenwelt abschotten, weil er fürchtet, dass die Jury von außen kontrolliert wird. Für einen mächtigen Konzern geht es um Milliardengeschäfte.

Der Partner

The Partner

Bevor sie die Falle zuschnappen ließen, hatten sie Danilo Silva rund um die Uhr bewacht. Er führte ein ruhiges Leben in einem heruntergekommenen Viertel einer kleinen Stadt in Brasilien. Nichts deutete darauf hin, dass er neunzig Millionen Dollar beiseitegeschafft hatte.

Der Verrat

The Street Lawyer

Michael Brock ist der aufsteigende Stern bei einer einflussreichen Anwaltskanzlei in Washington. Er führt ein Leben auf der Überholspur, bis eine Geiselnahme alles verändert. Der Geiselnehmer, ein heruntergekommener Obdachloser, wird erschossen. Michael forscht nach den Hintergründen dieser Tat und spürt ein schmutziges Geheimnis auf.

Das Testament

The Testament

Ein milliardenschwerer, lebensmüder Geschäftsmann, eine gierig lauernde Erbengemeinschaft, die im brasilianischen Regenwald arbeitende Missionarin Rachel und ein ehemaliger Staranwalt, der es noch einmal wissen will – das sind die Akteure in diesem Drama. Es geht um Geld, Macht und Ehre, und es geht um Leben und Tod.

Die Bruderschaft

The Brethren

Drei verurteilte Richter brüten im Gefängnis über einem genialen Coup. Wenn alles klappt, haben sie für die Zeit nach dem Knast ausgesorgt. Sie sind gerissen und haben die richtigen Kontakte, aber ist ihre Strategie wirklich wasserdicht? Meisterhaft entwirft John Grisham ein raffiniertes Szenario, bei dem keiner seiner Helden ungeschoren davonkommt.

Die Farm

A Painted House

In der staubigen Hitze von Arkansas wird ein neugieriger Siebenjähriger plötzlich mit den harten Realitäten des Lebens konfrontiert. Während Luke noch von Baseball träumt und heimlich die Erwachsenen belauscht, gerät er unvermutet in ein Drama um Liebe und Tod, in dem er selbst eine entscheidende Rolle spielt.

Das Fest

Skipping Christmas

Als Luther und Nora zum ersten Mal seit zwanzig Jahren ein kinderloses Weihnachtsfest auf sich zukommen sehen, beschließen sie, mit den gesellschaftlichen Konventionen zu brechen und das Fest erstmals ausfallen zu lassen. Obwohl deshalb allerorts geächtet, halten sie eisern durch, bis am Morgen des 24. Dezembers ein Anruf aus der Ferne alle Pläne durchkreuzt. Ein Wettlauf gegen die Zeit beginnt.

Mit seiner urkomischen Weihnachtskomödie beweist John Grisham, dass er auch als Humorist unschlagbar ist.

Der Richter

The Summons

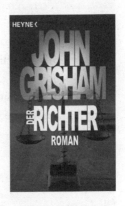

In diesem Bestseller kehrt John Grisham zurück nach Clanton, Mississippi, der fiktiven Kleinstadt in dem Bezirk, wo der Autor einst selbst als Anwalt tätig war. Dort, im tiefen Süden der USA, muss Ray Atlee das finstere Erbe seines patriarchalischen Vaters, des alten Richters Atlee, antreten. Und schon bald merkt Ray, dass er nicht der Einzige ist, der dessen schreckliches Geheimnis kennt.

Die Schuld

The King of Torts

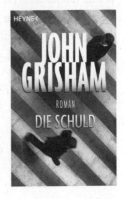

Clay Carter muss sich schon viel zu lange und mühsam seine Sporen im Büro des Pflichtverteidigers verdienen. Nur zögernd nimmt er einen Fall an, der für ihn schlicht ein weiterer Akt sinnloser Gewalt in Washington. ist: Ein junger Mann hat mitten auf der Straße scheinbar wahllos einen Mord begangen. Clay stößt aber auf eine Verschwörung, die seine schlimmsten Befürchtungen weit übertrifft.

Der Coach

Bleachers

Grishams wohl persönlichstes Buch – ein bewegender Roman um eine väterliche Freundschaft, um Rückkehr und Abschied und um das Spiel des Lebens, das ganz eigenen Regeln gehorcht. Fünfzehn Jahre nach dem tragischen Ende seiner kurzen, glorreichen Profi-Karriere kehrt Neely heim, um sich von seinem damaligen Coach zu verabschieden, der im Sterben liegt.

Die Liste

The Last Juror

Ein junger Zeitungsreporter trägt mit exklusivem Material zur Aufklärung eines grausamen Mordes bei, woraufhin die Begeisterung groß ist. Doch als der mächtige Verurteilte in aller Öffentlichkeit das Leben der Geschworenen bedroht und Rache schwört, verstummen die Jubelrufe. Neun Jahre später kommt der Mörder frei und macht sich daran, seine Drohung in die Tat umzusetzen.

Die Begnadigung

The Broker

Die letzte Amtshandlung des Präsidenten der Vereinigten Staaten ist die Begnadigung eines berüchtigten Wirtschaftskriminellen. Joel Backman war bis zu seiner Verurteilung einer der skrupellosesten Lobbyisten in Washington. Niemand weiß, dass die umstrittene Entscheidung des Präsidenten erst auf großen Druck des CIA zustande kam.
Eine brisante Geschichte aus dem Zentrum der Macht, die nicht vom Weißen Haus, sondern von einem unkontrollierbaren Staat im Staate ausgeht.

Der Gefangene

The Innocent Man

Debbie Carter arbeitet als Bardame im Coachlight Club in Ada, Oklahoma. Eines Morgens wird die junge Frau vergewaltigt und erwürgt in ihrer Wohnung aufgefunden. Sechs Jahre später werden Ron Williamson, ein Stammgast von Debbie, und sein Freund Dennis Fritz aufgrund einer Falschaussage der Tat bezichtigt. Williamson wird zum Tode, Fritz zu lebenslanger Haft verurteilt. Beide beteuern ihre Unschuld.

Touchdown
Playing for Pizza

Als einst umjubelter Football-Star steht Rick Dockery plötzlich vor dem Aus. Ein Angebot aus dem fernen Italien kommt ihm da sehr gelegen: Die Parma Panthers suchen einen neuen Spielmacher. Rick zögert nicht, und aus der Reise ins Ungewisse wird der Aufbruch in ein neues Leben.

Berufung
The Appeal

Sie verlor ihre ganze Familie. Um ihren Tod zu sühnen, zieht Jeannette Baker gegen einen der größten Chemiekonzerne der USA vor Gericht. Als ihrer Klage stattgegeben und das Unternehmen zu 41 Millionen Dollar Schadenersatz verurteilt wird, ist die Sensation perfekt. Doch dann geht Krane Chemical Inc. in Berufung, und eine Intrige unglaublichen Ausmaßes nimmt ihren Lauf.

Der Anwalt
The Associate

Kyle Mc Avoy steht eine glänzende Karriere als Jurist bevor. Bis ihn die Vergangenheit einholt. Eine junge Frau behauptet, Jahre zuvor auf einer Party in Kyles Appartement vergewaltigt worden zu sein. Kyle weiß, dass diese Anklage seine Zukunft zerstören kann. Und er trifft eine Entscheidung, für die er mit allem brechen muss, was bisher sein Leben bestimmt hat.

Das Gesetz

Ford County

Inez Graney scheut keine Mühe, ihren Sohn zu besuchen. Seit elf Jahren sitzt Raymond im Todestrakt. Seine Brüder, die ihre Mutter stets begleiten, halten Raymond für einen schrägen Vogel. Oft muss Inez zwischen ihren Söhnen vermitteln. So auch diesmal, an diesem besonderen Besuchstag, an dem Raymond Graney hingerichtet wird. John Grisham erzählt Stories, die den Leser ins Herz treffen, und schafft Figuren, die man nie mehr vergisst. Ein Meisterwerk!

Das Geständnis

The Confession

Ein Geständnis in letzter Sekunde steht am Anfang von John Grishams neuem großem Roman. Travis Boyette, ein rechtskräftig verurteilter Sexualstraftäter, der mehr als sein halbes Leben hinter Gittern verbracht hat, gesteht einen Mord, für den ein anderer verurteilt wurde: Donté Drumm. Der sitzt seit acht Jahren in der Todeszelle und soll in genau vier Tagen hingerichtet werden. Ein verzweifelter Wettlauf gegen die Zeit beginnt.

Verteidigung

The Litigators

Als Harvard-Absolvent David Zinc Partner bei einer der angesehensten Großkanzleien Chicagos wird, scheint seiner Karriere nichts mehr im Weg zu stehen. Doch der Job erweist sich als die Hölle. Fünf Jahre später zieht David die Reißleine und kündigt. Stattdessen heuert er bei Finley & Figg an, einer auf Verkehrsunfälle spezialisierten Vorstadtkanzlei, deren chaotische Partner zunächst nicht wissen, was sie mit ihm anfangen sollen. Bis die Kanzlei ihren ersten großen Fall an Land zieht. Der Prozess könnte Millionen einspielen – die Feuertaufe für David.

Home Run
Calico Joe

Joe Castle ist ein Ausnahmetalent. Bereits in seinen ersten Spielen für die Chicago Cubs schlägt er einen Home Run nach dem anderen. Die Fans sind begeistert, und es dauert nicht lange, bis das ganze Land den jungen Spieler frenetisch feiert. Joes Weg an die Spitze scheint vorgezeichnet zu sein, bis er eines Tages auf dem Spielfeld Warren Tracey gegenübersteht, einem mittelmäßigen Werfer der New Yorker Mets, der Joes Erfolg nicht vertragen kann.

Das Komplott
The Racketeer

Malcolm Bannister, in seinem früheren Leben Anwalt in Winchester, Virginia, sitzt wegen Geldwäsche zu Unrecht im Gefängnis. Die Hälfte der zehnjährigen Strafe hat er abgesessen, da wendet sich das Blatt. Ein Bundesrichter und seine Geliebte wurden ermordet aufgefunden. Es gibt weder Zeugen noch Spuren, und das FBI steht vor einem Rätsel – bis Bannister auf den Plan tritt. Als Anwalt mit

Knasterfahrung kennt er viele Geheimnisse, darunter auch die Identität des Mörders. Dieses Wissen will er gegen seine Freiheit eintauschen.

Die Erbin
Sycamore Row

Spektakulärer hätte Seth Hubbard seinen Tod nicht inszenieren können. Als ein Mitarbeiter ihn eines Morgens an einem Baum aufgehängt findet, ist die Bestürzung im beschaulichen Clanton groß. Hubbards Familie sieht das pragmatischer und ist in erster Linie an der Testamentseröffnung interessiert. Was sie nicht weiß: Kurz vor seinem Tod hat Hubbard sein Testament geändert. Alleinige Erbin ist seine schwarze Haushälterin Lettie Lang. Ein erbitterter Erbstreit beginnt.

Anklage
Gray Mountain

Als New Yorker Anwältin hat es Samantha Kofer binnen wenigen Jahren zu Erfolg gebracht. Mit der Finanzkrise ändert sich alles. Samantha wird gefeuert. Doch für ein Jahr Pro-Bono-Engagement bekommt sie ihren Job zurück. Samantha geht nach Brady, Virginia, ein 2000-Seelen-Ort, der sie vor große Herausforderungen stellt. Denn anders als ihre New Yorker Klienten, denen es um Macht und Geld ging, kämpfen die Einwohner Bradys um ihr Leben. Ein Kampf, den Samantha bald zu ihrem eigenen macht und der sie das Leben kosten könnte.

Der Gerechte

Rogue Lawyer

Sebastian Rudd ist Anwalt. Seine Kanzlei ist ein Lieferwagen, eingerichtet mit Bar, Kühlschrank und Waffenschrank. Rudd arbeitet allein, sein einziger Vertrauter ist sein Fahrer. Rudd verteidigt jene Menschen, die von anderen als Bodensatz der Gesellschaft bezeichnet werden. Warum? Weil er Ungerechtigkeit verabscheut und überzeugt ist, dass jeder Mensch einen fairen Prozess verdient.

Bestechung

The Whistler

Wir vertrauen darauf, dass Richter für faire Prozesse sorgen, Verbrecher bestrafen und eine geordnete Gerichtsbarkeit garantieren. Doch was, wenn ein Richter korrupt ist? Lacy Stoltz, Anwältin bei der Rechtsaufsichtsbehörde in Florida, wird mit einem Fall richterlichen Fehlverhaltens konfrontiert, der jede Vorstellungskraft übersteigt. Ein Richter soll über viele Jahre hinweg Bestechungsgelder in schier unglaublicher Höhe angenommen haben. Eines wird schnell klar: Der Fall ist hochgefährlich. Lacy Stoltz ahnt nicht, dass er auch tödlich enden könnte.

John Grisham

»Seine zehn Gebote heißen Spannung.«
Der Spiegel

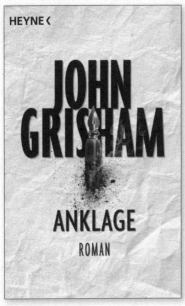

978-3-453-43842-2

Leseprobe unter **www.heyne.de**